統治不能社会

権威主義的ネオリベラル主義の系譜学

LA SOCIÉTÉ INGOUVERNABLE: UNE GÉNÉALOGIE DU LIBÉRALISME AUTORITAIRE

グレゴワール・シャマユー

GRÉGOIRE CHAMAYOU

信友建志 訳

明石書店

統治不能社会——権威主義的ネオリベラル主義の系譜学 ◉目次

凡例

・本書はGrégoire Chamayou, *La société ingouvernable: Une généalogie du libéralisme autoritaire*, La Fabrique éditions, 2018の全訳である。

・原文でイタリックになっている箇所は太字で強調する。ただし各章のエピグラフ、およびラテン語等の慣用句など、慣例によってイタリックになっている語句についてはその限りではない。また書名・雑誌名・紙名等の場合は『　』で、論文・記事タイトル等の場合は「　」で囲むことでイタリックに代えるものとする。

・原文の［　］は訳文でもそのまま［　］とする。【　】は訳者が読者の便宜を考慮して挿入したものである。

・原書の原注は各部ごとに通し番号を付して巻末に一括して記載されている。

・原注に記載された書誌情報のうち、日本語の翻訳があるものはその書誌情報を【　】で付記した。あわせて訳書の該当頁数も付してあるが、版の都合で該当箇所の翻訳が存在しないものはその限りではない。また、非仏語圏の文献については、基本的には原著者の仏訳をもとに訳している。

・原文では英語等の原語を« »で表示しているが、これはそのまま用いる。

・訳者が原語を提示する必要があると判断した語句については、訳語のあとにそのまま原語を提示している。

序章

統治可能 Gouvernable……形容詞（造語）。統治されうるもの。
（例）この人民は統治可能ではない。

アカデミー・フランセーズ辞典・補遺（一八三九）[1]

だれもがこういう時代を知っている。まちがえようのない兆しがある。おなじような兆しは、宗教改革やロシア革命の前夜にも見られたと、カリフォルニアの工学者にして「未来学者」のウィリス・W・ハルマンは断言している。大規模な地殻変動の指標はどれも危険域に入っている、とかれは言う。その指標とされたのは「精神疾患、凶悪犯罪、社会の分断現象。立件された行動統制の急増、（とくに性的な）快楽主義的行動の受容拡大［…］将来への不安の増大［…］政府や企業といった諸々の組織への信頼の失墜、昔ながらのやり方では対応できないという感情」[2]などで、端的に言えば「産業化世界の社会システムの正当性そのもの」が揺らいでいる。かれがそう予見したのは一九七五年のことであった。

事実、いたるところでおなじことが繰り返されている。どんな支配関係もその揺らぎを回避できない。不服従は、性とジェンダーのヒエラルキーのなかでも、また植民地と人種、社会階級と労働といった体制秩序内でも、家族や大学、主義主張の旗印のもとでも、工場内、職場内、路上においても起きた。ミシェル・フーコーを信じれば、われわれは「統治危機の勃発」を目にしていたのである。ここではその言葉は、「自他の指針となる諸々の手続きが全体として疑問視される」[3]ことを意味している。この事態は、一九七〇年代に入るころから生じ始めた。さらにこう付け加えることもできよう。それは「経済危機より先に生じていた統治性の危機」[4]であり、「企業レベルでも社会レベルでも起こっていた〈統治性の危機〉」[5]であり、諸々の権力技術の再編を予告する、「規律訓練型の統治性」[6]の危機なのだ。

もっとも保守派の知識人たちは、批判理論が取りあげるようになる以前からこのアイディアを口にしていた。それが進行している出来事を解釈し、状況を問題視するかれらの方法論だったからだ。一九七五年、本書でもこのあと詳細に検討する有名な三極委員会のレポートで、サミュエル・ハンチントンはこう明言している。民主主義は「統治性の問題」に悩まされている。民衆の感情的爆発がいたるところで権力機関を弱体化させ、尽きることのない要求で国家に過剰な負担を負わせている、と。

「統治性 gouvernabilité」という言葉は最近のものではない。この言葉はすでに一九世紀には、たとえば船の「被制御特性」であるとか、飛行船の「安定性と被制御性」、さらには馬や個人ないし集団の扱いやすさなどを述べるために用いられている。その意味で言えばこの語は、操るべき対象の内部傾向や操作されやすい性質、あるいは被統治者の従順さや柔軟さを指している。ということは、統治不能性はこれとは対照的に、根の深い反抗的傾向、不服従の精神、統治されることの拒絶と理解される。それはすくなくとも、「こんなのじゃない、そのためじゃない、やつらのためじゃない」[7]ことを意味するのだろうが、しかしその言葉もこの状況では概念の一側面、問題の次元のひとつを表現しているにすぎない。

実際のところ、統治性は**複合的能力**であり、客体の側には統治される**傾向**、他方で主体の側には統治する**適性**があることを前提としている。暴動は具体的な一例にすぎない。統治不能な状況は、統治装置の機能不全や破綻のせいかもしれず、被統治者が従順であったとしてもそれらは起こりうる。たとえば制度の機能麻痺のような現象は、市民の不服従運動以外の結果をもたらしうる。

図式的に言えば、統治性の危機は、下に被統治者、上に統治者という二極をもち、反抗か破綻かというふたつの様相をもつはずだ。つまり、反抗する被統治者か、無力な統治者かである。このふたつの局面は当然のことながら組み合わさることもある。レーニンが理論化したように、「下の者はもう、慣れ親しんだやり方で生活することを望んでおらず、上の者もそれを続けさせることができない」からこそ、「統治の危機」が革命的危機へと変貌することがあるにすぎないのだ。[8]

一九七〇年代の保守派の統治性の危機理論でも、このふたつの局面が関連づけられている。とはいえかれらはいまが革命前夜だ、と思っていたわけではない。破滅につながりかねないとされる、ある政治力学を危惧していたのだ。問題は人びとが反抗することだけでもなく、統治装置が立ち往生することだけでもない。この破綻や反抗が、たがいがたがいを誘発し、システムに危険な歪みが生じるまでの負荷をかけることとなるのである。

フーコーは三極委員会の「民主主義の統治性」についてのレポートを知っており、かれがむしろ「統治機構の危機」[9]と呼ぶことにした事態を説明するために、このレポートに言及している。それはたんなる「行動レベルの反抗」[10]の動きではなく、「統治機構の全体的布置」[11]の妨害であり、その理由は内因的なもので、資本主義の経済危機には帰着させられない。もっとも、その危機と連結しないわけでもないのだが。フーコーによれば、「リベラル主義的な統治技法」[12]は機能停止しつつある。しかし、それを権力の座にあったネオリベラル主義の話だと思ってはならない。それでは端的に時代関係をまちがえることになる。むしろ七〇年代以降「埋込型リベラル主義」と呼ばれることになったもの、つまり市場経済とケインズ流の介入主義とのあいだの不安定な妥協の一形態が機能停止しつつあった、ということだ。フーコーはおなじような危機を歴史のなかに探究し、その結果、統治技法のおおきな再編をきっかけに、この行き詰まりを通じて別のなにかが生まれることを予見したのである。

社会が統治不能であるにしても、**そもそも社会自体が**統治不能なものだ、ということではない。サン=シモン派の工学者、ミシェル・シュヴァリエの名言を繰り返そう。「ほんとうに統治しようとするから統治不能になる」[13]。この種の言説の古典的テーマがここにある。絶対的な統治不能性は存在しない。たんに相対的なものである。そしてすべての統治技法の存在理由であり、対象そのものであり、またそれらの技法をつくりだすことになる挑戦は、このギャップのなかにある。

わたしは本書で、一九七〇年代に「ビジネス界」の利益を擁護した論者たちが受けとめ理論化したように、この危機を考察した。ということは、「下からの歴史」とは反対に、おもにアメリカ合州国の支配階級の目線で「上からの」歴史を扱っていることになる。この当時のアメリカ合州国は、学問と政治の大規模な再動員の中心地であった。

歴史的に見れば、「自由市場」の破壊的な効果を目のあたりにした社会は、自己保全のためにその躍進に大規模な対抗運動で応答した、とカール・ポランニーは説明した。かれはこう警告していた。この「第二の運動」、それは「最新の分析では、市場の自己調整とも、そしてそれゆえ市場システムそのものとも両立しない」[14]。一九七〇年代のビジネス界の有機的知識人たちがたどり着いたのも、これとおなじような結論だった。事態は行き過ぎており、現在の傾向が続けば「自由企業システム」の破壊にいたるだろう。この年代に始まったのが**第三の運動**ということになるのだが、このおおきな反動からわれわれはいまだ抜け出していない。

ここでは、この対抗運動の形成を哲学的観点から考察したい。つまり、事実をもとに制度や社会、政治や経済の歴史をたどり直すよりは、むしろこの運動にエネルギーを吹き込んだ諸概念と問題設定の様式の系譜学をつくるのである。とはいえ、ここでの考察対象の基本単位となるのはある教養ではなく（新手のネオリベラル主義精神史ではなく）、あるひとつの状況である。手がかりになるような緊張関係や、そこから勃発した紛争を手始めに、それらがいかにテーマ化され、どんな解決策が構想されたかを検証することが目的となる。そして、労働思想やそのための努力、それらを導いた諸々の意図だけでなく、それらが直面した対立や矛盾、難問についてまとめてみたい。

したがって、ここで取り組まれる再検討の作業の主旨は、反対運動と対決した資本主義がどう正当化されたかについてのあたらしい言説をつくりだすだけでない。理論－プログラムや行動のためのアイディアを定式化すること、これによって事態を整頓し直すことも意図されている。その誕生を語ろうと提案しているこれらのあらたな統治技法は、現在も依然として現役である。われわれのいまをよりしっかり把握しようと試みるのなら、調査を進めることは重要なはずだ。

この第三の運動は、とてもではないがネオリベラル主義の教義の構成要素には還元できない――そんなものではない。現代の統治において中心を担うおおくの手続きないし布置は、ネオリベラル主義の創設者たちのテクストのなかに姿を見せることはない。出てくるとすればそれは、かれらのテーゼに真っ向から反対するものとして紹介され、禁じられたときくらいだ。われわれの時代はたしかにネオリベラル主義的だが、しかし雑種のネオリベラル主義、矛盾する様相を多々含む折衷の山であって、その奇妙な総合を解明してくれるのは、その形成に爪痕を残している諸々の葛藤の歴史だけである。


この統治性の危機にはおおくの側面が、つまり権力関係の数だけの側面があった。両者はそれぞれの領域に特有の「しっぺ返し」で反応する。ここではわたしは、**私的統治**という意味での企業に影響した危機に焦点を合わせたい。

それを対象に選んだのは、このあとも本書の展開にそって登場するであろう、つねにアクチュアルな論点に加えて、さらに特殊な関心事があったからだ。大企業は現代社会における支配的制度のひとつであるのに、哲学にはそれを思惟する用意が整わずにいる。伝統的な文献から、哲学はとくに一七世紀にさかのぼる国家権力そして主権の理論を継承した。そこでは神学的－政治的権威の考察はずいぶん以前から扱われているのに、「企業的－政治的」ともいうべき権威についてはまったく扱われていないのだ。

ようやくこの主題にアプローチして、それを遅ればせながらその教えのなかに統合しようというときにも、やり方は往々にして最悪で、ビジネススクールでつくられたビジネス倫理や企業の社会的責任についての貧相な言説を繰り返している。神学の婢《はしため》ではなく、マネジメントの婢《はしため》としての哲学である。そろそろ逆に、企業の批判哲学を展開すべき時ではなかろうか。本書はこの方向にむかう準備作業、経済思想や支配的なマネジメント思想の中心的なカテゴリーのいくつかについての歴史的−哲学的調査にすぎない。その手の思想はいま大人気だが、それらが作られていく過程をリードし、いまなおその方向性を指示し続けている対立関係や意図は忘れ去られたままだ。

本書はさまざまな軸から編まれている。こうした軸がさまざまに交わって、当時論じられた企業の統治性の危機が作りあげられる。ビジネス界を擁護する人びとからしてみれば、そのひとつひとつが取り組むべきあらたな難問、あらたな最前線なのである。

一　一企業が統治するのはまず労働者である。一九七〇年代初頭のマネジメントが直面したのは大規模な労働者の不服従運動だった。それにどう立ち向かうのか？　失われた規律をどう再建するのか？以前の段取りが陳腐化したのであれば、なにがあたらしい労働ガバナンスの手法となりうるのか？さまざまな戦略が構想され論議された（第一部）。

二　しかし、服従関係の時間軸をさらにさかのぼると、こんどは株主−経営陣の関係に第二の危機が見えてくる。昔の経営者とオーナーならば、利潤の最大化が共通の利害関係だったろうが、株式会社といまや他人のビジネスのたんなる管理運営者となったマネージャとのあいだには、もはや共通の利害関係はない。それを念頭に、かれらには「マネジメント革命」への熱意が欠けているのではと危惧する者もいる。いかにマネジメント側を規律訓練し、あらためて株主価値に同調させるのか（第二部）。

三 時をおなじくして、会社の社会的・政治的環境には、過去に類を見ない脅威がちがう側面から浮かび上がってきた。資本主義に対する文化的・政治的な拒否感が強まるなか、諸々のあたらしい運動が巨大グループの経営陣に直接勝負をしかけたのだ。「自由企業体制に対する攻勢」として登場してきたものにいかに反応するか。用いるべき戦略について道は分かれる（第三部）。

四 とりわけ多国籍企業にたいする大規模なボイコットを皮切りに、「攻勢」が勢いを増し世界に広がっていくと、会社は新顔のコンサルタントに着目するようになる。従業員だけでなく、会社の外の告発者まで含めて、いかにマネージするのか。さらにはその先にある、ひどく混乱してきた「社会環境」にたいしては？ あらたなアプローチとコンセプトが開発される（第四部）。

五 新興のエコロジー運動を中心とするイニシアティヴによって、あらたな社会・環境規制が制定される。社会運動の側面支援を受けたことで、垂直圧力、つまり公的介入にもあたらしいかたちが加わった。これらの規制案をいかに潰すか。理論面・実践面でなにをそれに対抗させるか（第五部）。

六 より根本的に言えば、異議申し立てが広まり、政府が介入するという二重の現象はなぜ当たり前のように頻繁にみられることになったのか？ 民主主義−福祉国家の衰退によって、両者の合致は安定するにはほど遠く、むしろみずからの墓穴を掘ることになることが確認される。ネオコン主義から見てもネオリベラル主義から見ても、国家自体が統治不能に陥りつつあったのだ。ここからつぎの問いが発せられる。いかに政治を引きずり下ろすか。いかに民主主義を制約するか（第六部）。

この探究を進めるにあたって、わたしはさまざまな分野にかんする雑多な情報源を拾い集めた。参照資料には「上品な」ものから「卑俗な」ものまで取り混ぜることにしたのだ。たとえば、ノーベル経済学賞が組合「スナイパー」のスペシャリストと並べてある、といった具合である。こうした資料は、「なにをなすべきか」という問いにたいし、それぞれなりのやり方で応える、戦いの文献であるという点で共通している。方法論や技法、戦術が披露されたこれらの文献は、あるものは非常に具体的である。たとえばマネージャ向けの実践ガイドやマニュアルに載っているようなものだ。またあるものはもうすこし綱領に近い。雑然とした戦略や全体的な実践について思いを巡らしたものだ。資料は全体的に、英語圏の出典を基本にして構成されている。マネジメント思考や会社の経済理論については、アメリカこそが急速に世界に広がるあたらしい概念の源だからである。

文献が頻繁に参照されているが、それは引用を切り貼りすることで寄せ集めのテクストを再構築するためである。このようなテクストに含まれる諸々の断片は、だれかひとりの著者の手によるというよりは、さまざまな立場に特徴的な発言だという意味合いが強い。わたしはこうした発言に語らせたいと思っている。

第 I 部

言うことを聞かない

労働者たち

第1章　労働者の不服従

一三枚のちいさなプラグを一三の穴に入れる。これを一時間に六〇回、毎日八時間繰り返す。一時間に六七個の部品を基盤にハンダづけする。そんなある日、こんどは目の前に一一〇個の部品の必要なあたらしい機械が置かれている。騒音、[…]油と溶剤と金属粉の煙のなかを働く。[…]口答えせず指示にはしたがう。罰を受けても抗議はできない。[1]

アンドレ・ゴルツ

トミーはヤナガンにジョイントを渡す。それをおれに渡そうとしたヤナガンは、がっつり煙を吸い込んでしまう。[…]煙はおれの肺にもいっぱいに広がって、血管がドクドクいう。火花があたりに飛び散り、焼けた鉄と炉のなかの爆発がおれたちを包む。なにもかもがカーニバルの夜の馬鹿騒ぎのような雰囲気だ。[2]

ベネット・クレメン

「すでにキャンパスで大騒動を起こした若い世代は、こんどはこの国の産業界の工場で不穏な気配を見せ始めている。若い労働者たちのおおくは労働条件の即座の改変を求め、工場内の規律を拒否している」[3]、一九七〇年六月の『ニューヨーク・タイムズ』はそう警告した。おなじ年のゼネラル・モーターズ（GM）の内部報告書によれば「労働規律は崩壊した」のである[4]。

規律訓練を「他者の身体を掌握すること」[5]とするなら、無規律【不服従】は逆に、影響から逃れようという抗いがたい衝動として現れる。もう持ち場には戻らない、脱走し、影響から解放され、じぶんの身体を取り戻せば、それがよりどころになる。この時代に工場で大規模に発生したのはまさにこういうことだ。若い世代の労働者は「深刻に労働を嫌い、そこから逃げたいと欲していた」[6]からである。

アメリカの自動車産業では、大規模な人員入れ替えが起きていた。新米の非熟練労働者の過半数が、一年と経たずに仕事を辞めている[7]。「経営者が呆然と伝えるには」、流れ作業に早々に嫌気がさした者たちは最初の数週間で「労働時間分の賃金を受け取りに工場に戻ることもなく」[8]姿を消したのである。

ゼネラル・モーターズでは、五％の労働者が具体的な理由もなく欠勤していた[9]。月曜と金曜にはこの数字は二倍になった。工場によっては、夏には二〇％に上ったところもある。一九七三年、「工場じゃ夏の月曜はどんなだ？」と聞かれたある自動車工場の労働者は「知らない、月曜に行ったことがないから」と答え、「週に四日しか働きに来なければどうなると思う？」と尋ねられた別の労働者の答えは「週に三日しか働かないと、食うに困る程度しか稼げないからねえ」[10]だったという。だが、要するになにが望みなのか、と三人目の労働者に聞いてみると、望みは「頭を使う機会があること」つまり「高校で受けた教育がなにかしら意味を持つ」[11]労働だった。だが工場は？　別の者がこう答えている。「まったく独房にいるようなもんだが、ブタ箱のなかなら自由時間くらいある」[12]。

実際、身体は壊すし心は傷つく。「延々とおなじことの繰り返しでうんざりだ［…］歌ったり口笛を吹いたり、コンベアのほかの奴に水をかけたり、とにかく気晴らしはなんでもやった」[13]。おなじことの永遠の反復にはもう耐えられないし、生産よりはクリエイティヴなことをしたい。「反抗的な気になってちょっとばかり部品をへこませたことは何回もある。正真正銘世界にひとつの部品にしてやりたいと思ったんだ。これはおれが作った、と言えるくらいにはなるかと思ってね。ハンマーでちょいと一発かましてやった」[14]。

ふつうの意味での無規律はそのペアになる規律と同様、細部が重要な技術である。規則違反をするからには、万事に規則を作る側とおなじくらいの綿密さと粘り強さが発揮される。ささやかな身のこなし程度のことでも、やってみればひと休憩の時間くらいは取り戻せるし、流れ作業のリズムの合間を縫って必死にかき集めた時間は、うまくいけば数十秒ほどにはなった。「結局いちばんの問題は時間だ」[15]。ひとりで、あるいはみんなで、わざとスピードを落としたり、とめたり、逆にテンポを速めてそのあとのわずかな空き時間を楽しんだりもした。「ほとんどみんなやってたな、このちょっとした遊びを楽しんでいたんだ」。じぶんのためにささやかな時間をちょろまかして、一息ついたり、多少の会話をしたりする。「てばやく二、三台の車を仕上げて、そのあとつぎのが来る前に一五秒か二〇秒くらいは時間が稼げるようになると、仕事もまあまあいい感じになった。そのあいだは読書だね。新聞や本を読んだりとか。かなり難しい本ってときもけっこうあった。こんな状況で読むには、読んだことを覚えて、読み終えていた場所をさっさと見つけるという芸が必要だったね」[16]。規律訓練がリズムの政治学であり、あるいは時間権力であるならば、無規律もまた同様である。方向が正反対なだけで、つまりはある特殊な時計と戦っているわけだ。「工場でひとりの女を見かけた。リズムを守るためにレーンにそって走っていたんだ。おれはひとのために走ったりしない。だれであれ、おれに工場で走れと命令するなんてとんでもない話だ」[17]。**スピードアップ**を最初に大々的に拒絶したのは労働者の戦いだったのである。無規律な者とは時間泥棒のことなのだ[18]。

ゼネラル・モーターズでは、「工場長は独裁体制下のような権力を行使していた」[19]とある組合員が報告している。セクションリーダーの権威主義、間近からの監視、こまかい命令や馬鹿げた指令、侮辱に圧迫。こんな手はもう通用しない。ボルティモアの黒人労働者は手短にこうまとめている。「職工長は労働者たちをいっそう丁寧に扱うようになった。イヌではなく人間に話すように話しかけるようになったんだ」[20]。

一九六九年の『ウォールストリート・ジャーナル』は、社会の緊張状態は「人類の記憶にあるなかで最悪」だと警告し、『フォーチュン』はあらゆる面から「マネジメントと労働者の壮大な闘争」[21]に向かっていると思わざるを得ない、と述べた。事実、アメリカ合州国では一九七〇年の一年だけでも、二五〇〇万人近くの労働者がストに加わっている[22]。これは戦後直後に起きて以来、最大の業務停止の波だった。動員数がおおきいうえに、闘争形態も急進的になった。訴えは賃上げ要求にとどまらず、労働の組織形態にまでおよび、それを強要する執行側が狙い撃ちされた。

一九六八年にデトロイトの自動車工場で労働者をしていたビル・ワトソンは、じぶんが目にした全面サボタージュの波について語っている。エンジニアたちは六気筒の新型エンジンを導入したが、労働者たちから見ればそれは出来が悪かった。かれらは管理側にその批判を伝えたが無駄だった。受け入れられないことがわかると、いくつかのチームは部品のいくつかを取り付けることを「忘れる」ようになった。すぐに周りもそれにならい、サボタージュをはじめた。工場のなかは使えない部品で山積みになった。「工場内は欠陥エンジンが山積みで、場合によっては区画から区画への移動もできないほどだった」[23]。この現象は例外ではないとワトソンは強調している。この当時のアメリカのいたるところでこの種の紛争があった。かれらは生産を、そして労働や働き方、それに**製造された**ものの管理をその手に取り戻したい、という欲望を表明していたのだ。

一九七〇年、ゼネラル・モーターズの社長は従業員たちにこう警告した。「従業員たちが職責を回避し、もっとも基本的な規律にさえ違反し、上司を嘲弄することは許容できない［…］。ゼネラル・モーターズは［…］労働生産性と労働条件を改善する新規投資をおこなうが、労働者が職場放棄すれば機械も技術も功を奏さない。［…］支払いに見合うだけの労働時間を求めるものである」[24]。

いかに規律を取り戻すか。GMの指導部は「強硬路線」[25]を採用した。流れ作業のテンポを速め、非熟練作業を自動化し、そうでないものは簡易化し、総賃金を切り詰め、監視と管理の手段を強化する。「世界最速」[26]の組み立てレーンを擁するオハイオ州ローズタウンの自動車工場が会社の技術の精華、生産性問題にたいする経営者側の解決策の具現となった。「もっとも手荒で強硬な」グループと形容される戦闘的なマネジメント・チーム、「ゼネラル・モーターズ組立部門」の指揮下でそれが設置されたのは、一九七一年のことだった。その指導下でおおくの職が削減され、すでに非常に速かった流れ作業のリズムがさらにテンポアップした。一時間に六〇台の自動車という数字がほぼ二倍になった。これ以降、「労働者は三六秒間で最低八つのことをおこなわねばならなくなった」[27]。「小便するにも許可が必要だ。冗談を言ってるわけじゃない。なにか飲みたくなったら指を上げて合図する。代わりが見つかるまで三〇分は待たされる。それで、毎回記録される。仕事の時間じゃなく休憩時間にやった、という扱いになるからだ。回数が増えすぎると一週間の停職処分だ」[28]。

ローズタウンでは労働力はとくに若く、平均で二八歳だった。こんなリズムに耐えるには若い身体が必要だったからだが、その肉体に宿る若い精神のほうには、それにしたがうだけの準備が足りない。さてある日、レーンの端に、部品をすべて揃えて車体の骨組みのあいだにきれいに山積みにした、組み立て前の一台の車が届く。経営陣はサボタージュを糾弾する。「サボるってのはな、だらだらしたやり方のことだ。車とリズムをあわせられなけりゃ途中で車に傷がつく。どんくさいのがエンジンキーをガソリンタンクに落としたこともある。先週はボンネットで手袋に火がついた奴もいた。レーンの上でそんなことが起きるのはどんなときか、ぜんぶ頭に入れておいてほしいもんだ……車をダメにしたら、それがサボるってことだ」[29]。

指導部は、「無規律」による損失は一年あたり、その拠点で生産できたはずの一万二千台の自動車に相当する、と見積もり、百箇条ほどの規律訓練の手順を発することで、よりいっそう厳格に対応するようになった。一分の遅刻で労働者はクビ。車の運転シートで屁をしたものは停職。工場で鼻歌を歌った者も停職[30]。

一九七二年三月初め、こうした厳格化に対抗して労働者たちは山猫ストに打って出る。ローズタウンの労働者たちの戦闘意欲は印象的である。「この連中は虎になった」[31]。「父親世代なら我慢していたことも、かれらはもう我慢しない。かれらはマネジメント側を恐れていない。ストの争点についてもそうだ」[32]。メディアは「ローズタウン症候群」、「産業界のウッドストック」[33]などと書き立てた。一ヵ月間の争議のあと、指導部は妥協し、生産ラインのペースを元に戻した。

労働者の無規律に直面したマネジメント側は、規律訓練の体制強化で対応する以上のことを思いつかない。しかし真っ先に拒否されたのはまさにそれだ。そのことがかえって火に油を注ぎ、公然たる反抗へといたるまでにかれらを急進化させることになった。マネージャたちは矛盾に陥った。労働者の無規律は、産業労働の組織化を根本から受け入れていないことのあらわれだ。「とくにいちばん若い被雇用者たちが、厳格で権威主義的な工場の規律訓練を受け入れることにますます及び腰になっている」[34]ことは、マネージャたちも適切に認識していた。かれらはまた、「新工場の労働条件がひどく、不満と反抗は例外的な反応というより理性的な反応である」[35]こと、「疲労と反復作業、不満と欠勤に関連性」があることも知ってはいた。しかし、かれらは不満が「罰せられるべき〈悪弊〉である」[36]かのように対処し続け、「延々と続く争議の種となった恐怖政策と絶え間ない圧迫」[37]で対応し続けた。

不安はここから生じる。こんなことが続けばどうなってしまうか。破滅だ、と答える者もいた。「この暗い日々は、経営側がしばしば宣言したように、ローズタウンは自動車産業の未来への道ではなかろうか、とGMに暗示している」[38]。

マネジメントの専門家たちのあいだにまで、困惑は深く根付いていった。昔ながらのプロセスが時代遅れになったと判断して、改革プロジェクトを練った者もいた。規律訓練型の統治性の危機を前に、あたらしい労働統治の技法を開発しなければならなかったのである。

第2章　人的資源

物理的その他の拘束がなければペストのように忌避されるという事実にこそ、労働の奇妙な特徴がすべて現れている。[39]

マルクス

一九五〇年代、保守派の知識人たちは「イデオロギーの終焉」を告げられるはず（こちらはすでにそうできそうだ）、そしてそれとともに、階級闘争の消滅も告げられるはずと信じていた。一九五六年、ダニエル・ベルはこう断言している。「アメリカの労働者は〈飼い慣らされた〉」。とはいえそれは、往年のマルクスが批判していたやり方によって果たされたわけではない。あるいは窮乏化や「機械の訓練によってでもない。〈消費社会〉、収入によって得られるよりよい生活の可能性、妻の労働による副収入、さらに信用の促進に依拠して」[40]果たされたのである。たとえ労働条件が苦しい者でも、労働者が目を向けるのは「闘争行為ではなく［…］逃走の幻想だった。つまり修理工場や、七面鳥牧場やガソリンスタンドなどの〈自前の小ビジネス〉のオーナーになることなどである」。[41]

万事は穏やかに始まって、それから混乱が訪れる。最初はみなが呆然とし、なにも理解していない。「消費社会」[42]では社会紛争はなくなっていくだろう、と固く信じていた者たちにとって、一九六〇年代の運動に代表される衝撃がどれほど強烈で痛みに満ちたものだったか想像してみなければなるまい。

反抗された者たちが、恩知らずな行為を煽る者たちを非難することもあった。ゼネラル・モーターズの副社長、アール・ブランベットは「さらなる好条件と改善を巻き上げようとする若い労働者たちの頑固さを嘆き、むしろ得たものに感謝を示すべきだろうと考えた」[43]。だがかれらはこれ以上なにを望むのか――ここに問題がある。どうしてさらに反抗する気になるのか――ここに謎がある。こうしてひとは説明を模索し、間に合わせの理論、反抗の原因論をつくりだすことになった。

こうした騒動は、まずは世代の問題として理解された。あたらしい労働者たちは「若くなるほど辛抱が足らず、人それぞれのちがいがおおきくなる。まず人種としての態度を打ち出すし、操るのもかんたんではなくなった」[44]。かれらは「工場に一九七〇年代のアメリカの若者のあたらしい価値観をもちこんだ」[45]。

だがそれから？　心理学者たちはやりの考えについてたくさんの論文を書いた。人間は一次的欲求が満たされるとそこには固執しない。胃袋が満ちればつぎは精神が飢えを訴えるのだと、アブラハム・マズローは説明した。かれの武器は有名な「欲求のピラミッド」[46]である。あたらしい世代は給料やキャリア以上のなにかちがうもの、密接な人間関係を求めている。『ハーヴァード・ビジネス・レヴュー』には、「共同体に集まる、というかたちで人びとがおこなっている生活実験」[47]が立証しているのはこのことだと書かれている。同様に、労働者の期待も飽和して、より質的な次元を気にするようになる。給料よりも仕事、その人間関係や仕事内容、その「意味」などが要求されるのだ。「ポスト唯物論」の精神状態への移行である。

こうした主体性が主張されるにつれ、疎外的な労働に従事する気がなくなっていくのはあきらかである。マックス・ウェーバーはすでにこう予見していた。「資本主義システムは、金を稼ぐという仕事に身を捧げることを必要とする」、つまり「富と黄金で飾られた墓に入ることだけを使命あるいは人生の唯一の目的として選んでもよかろう」[48]と願う奇妙な精神を必要とする。それ以外の望みが打ち勝って、「労働倫理」がダメージを受けるとどうなるか。「だれが働きたいと願うのか」が一九七三年の『ニューズウィーク』[49]のタイトルである。答えは問いのなかにある。

この分析では、あらたな不和の種と見なされたのは相対的な物質的豊かさだった。賃金の搾取についても、安定した【労使】合意が成立するようになったのはそのおかげだ、とまでベルが主張していたまさにそのことが、こんどはあらたな対立の原因と見なされる。諸々の反抗理論はこうしてひっくり返される。ではなぜかれらは反抗するのか。これまでは欠乏があるから、と語られていた。これからはゆとりがあるから、と語られることになろう[50]。

工場は、あたらしい願望と古い構造の衝突がもっとも激しかった領域のひとつである。だが注意してほしい。「時代錯誤の労働組織は爆発物と病原のカクテルを作りかねない」[51]。経営学教授リチャード・ワトソンはこう教えてくれる。「場合によっては、疎外は遅刻や欠勤、離職、仕事中の不注意など、受身な引きこもりのかたちで表現されることもある。そうでなければちょろまかしやサボタージュ、敵意、攻撃、爆破予告やその他の仕事中の無秩序といった、能動的な攻撃によってである」[52]。さて、「こうした暴力形態は工場で増加中である」[53]。この危険は政治的なものだ。労働者は「過激な社会運動や政治運動に参加することでフラストレーションを転化させる」[54]危険性がある。

ローズタウンのストライキの余波で、「職場における生活クオリティ」はいっとき、アメリカ世論の議論の中心課題になった。『ハーヴァード・ビジネス・レヴュー』は一九七二年、若き日のマルクスの術語を取りあげてこう問う。「工場での疎外にたいしてなにができるか」。そして同年の国会でも「労働者の疎外」[55]についての議員公聴会が開催される。

しかし、疎外が問題だとしてもそれはなによりまず経済的理由のためであり、生産性にマイナスな悪影響を与えるからである。ローズタウンのエピソードから得られる教訓があるとすれば、それは「人的資源と資本、技術の相互作用を無視」[56]しすぎていたことだ。「〈完璧に効率的な〉組み立てレーンがあっても、この〈完璧な〉レーンで働く労働者が感じた圧迫と非人間性が原因でストライキが起きたら」[57]いったいなんの得があろうか。

もし仕事のキャリアをゼロからやり直せるなら、いま働いているのとおなじ職をまた選ぶか？一九六〇年にこう問われた大学教員の九三％、ジャーナリストの八二％がイエスと答えたのにたいし、繊維産業の労働者は三一％、自動車の専門労働者は一六％だった[58]。この研究の著者たちの結論はこうだった。身体的負担が低いということ以上に、**自律性**こそが職場の満足度の最大要因である。逆に、「労働者が直接の業務のプロセスを管理できる可能性がないとき」[59]こそ疎外が起こるのである。

一九七〇年代のマネジメント改革者たちは、「自律と自己コントロール」[60]の長所を売り込み、「産業界はマネジメント過剰、管理過剰である」[61]と考えて、生産性と満足度を同時に上昇させるべく、労働者の「参加」向上を推奨した。昔ながらの「管理戦略」に対抗して打ち出されたのが「参加戦略」[62]である。

前者は集約的で、労働者を強化された規律訓練にしたがわせることでいっそう締め付けることを意図したものだったが、後者は粗放的で、「労働者の〈潜在的〉生産性をくみ取る」[63]ことを提案していた。

こうしてアメリカでは、いくつかの参加的マネジメントのモデルプロジェクトが日の目を見た。[64]フランスの左翼が、一九七三年のブザンソンでの自主管理から考えられたことをさらに展開しようと、労働者が占拠したリップ社の工場で実験をおこなっていたころ、アメリカのマネージャたちも、一九七一年のカンザス州タペカのゼネラル・フーズの犬用ドライフード工場で、参加の利点を評価する実践例を得ていた。これはローズタウンの対抗モデルであった。規則は集団によって決定され、活動は「自律的労働者のグループ」、つまり生産のおおくの領域に責任をもつ「自己マネジメント」チームへと組織された。[65]

主張は明快だった。「生産性が向上したのは［…］労働者が自分の生活に影響する選択に参加したからである」。[66]心理学者フレデリック・ヘルツバーグはこうまとめている。「仕事は充実し、採算はとれた」。[67]この検証の後押しのおかげで、「労働者の満足と経営目標の実現の幸福な一致」[68]という良い知らせも報告できた。労働者にとってはいっそうの満足、資本家にとっては生産性の増大。つまるところ、八方まるく収まりそうではないか。

しかし、すくなくともある社会グループは、そこで失われるなにかがあると考えていた。マネジメント側である。かれらは、じぶんたちの特権のある重要な一部分をこのようにして失うことになるのではと危惧していた。[69]活動家の労働者、ビル・ワトソンはこんな逸話を語っている。かれの働いていた工場で、管理側は操業中止期間を利用して棚卸しを予定していた。計画では六週間続くとされていた。作業は五〇人ほどの労働者に任された。かれらは時間を節約するために自前でシステムをつくり、この自己組織化された棚卸しは、当初マネジメント側が予定していた手順より効率的であることがあきらかになった。管理側はこの自発的な実験をいきなり中止させた。その口実はこうだった。「指揮系統や権限、正規のコミュニケーション経路にたいする違反」[70]。ワトソンはこう解説している。「マネジメント側は、労働者たちがじぶんの仕事をじぶんで組織することをなんとしても邪魔するつもりだった。棚卸しはずっと早く終わるはずだったのだから、家にだって早く帰れる、つまり支払う賃金も安く済むときでさえもだ」[71]。つまり経営者たちは、経済効率の厳密な考慮よりもじぶんたちの権力保持を重んじたことになる。

また、『ビジネス・ウィーク』ではこう指摘されている。「工場に民主主義を導入する試みが未完に終わるのは、労働者が決定のイニシアティヴを握りはじめると、こんな実験が成功すればみずからの立場が脅かされるではないか、とマネージャが感じるためである」[72]。アンドレ・ゴルツはこう評価を下している。「経営者側の敵意の理由は、本質的には技術的でも経済的でもなかった。政治的だったのである。仕事の充実は、大小の上役たちの権威や独裁的権力の終焉を意味していた。［…］つまるところ、ひとたびこの路線を進んでしまえば、どこでストップをかけるというのか」[73]。

コントロールを失うことも、危険なダイナミズムにスイッチを入れることもなく、参加がもたらしうる生産性の利得も手放さないでいる、そんなことは可能だったのか？　改革者たちは賭けに出た。自律のハンドルを劣化しない程度に限定して、労働者に委ねたのである。だが、はるかに懐疑的な者たちもいた。ひとたび自律を与えてしまえば、中途半端で満足していられなくなるのではないか？　つまり「ドミノ効果」を恐れていたのである。[74]

事実、経営者視点で言えば、操縦できる余地は狭まっていた。残された選択肢はなにか？　最初の戦略はこうだった。現状維持、つまり既存の規律訓練体制を強化することである。しかしそれは、無規律と社会紛争の激化の危険を冒すことになり、そのせいで得られるはずのものも得られなくなる。第二の選択肢はこうだ。「参加」は導入する。疎外はすくなく、生産性は高く、こうして利害を協調的に一致させることも約束する。ただし、この調和のテーブルの下では、制限された形であってさえ自律化という形を利用すれば、羊の群れに狼を放り込むことになるのではないか、とは懸念されていた。

ここにジレンマがある。反生産的とわかっている規律訓練体制を再導入するのか、たとえまがいものであっても危険なものになりかねない自律を促進するのか。こうして袋小路に入り込む。だが、その視線の先にはある別の解決策が姿を見せ始めていた。

第3章　治安の悪化

怠惰や自堕落、飲酒や悪徳のために困窮したとしても、他人の負担でゆたかな支援が得られる、それも食事や洗濯だけでなく、いつも通りの贅沢まで続けられるほどだとしたら、なにを恐れる理由があろう。[75]

ジョセフ・タウンゼント

一九七〇年、『ウォールストリート・ジャーナル』のレポーターが、とある工場を訪れた。かれが目にしたのは、レーンに並ぶ長髪にヒゲ、そしてTシャツにプリントされたピースマークがそこら中に、という光景であり、そして「若者の顔、好奇心たっぷりの視線、国中に広がる異議申し立て運動を見てきた眼差し」だった。じぶんに投げかけられた視線を観察してかれが下した結論は「恐れている気配はなかった」[76]だった。経営者にとっての最大の問題がこれだった。

これまでにない度胸のよさはどこから来ているのか。若者たちは「前の時代の厳しい経済的現実を」[77]なにも知らない。以前なら、一九二九年の大恐慌の暗黒時代を経験しなかった者たちでも、家族のあいだでその話を聞かされたことくらいあっただろう。しかしこの社会的記憶は枯れ果ててしまった。そう理論化する者もいる。「経済的恐怖が動機にならなくなっていくには長い時間、まるまる二世代ほどの時間が必要だった」[78]。いまの労働者は「欠乏や恐怖どころか経済的不安さえ一度も経験したことがなく、なにが起ころうと結局は公共政策がひとを飢え死にするまで放っておくことはないと知っている」[79]。

フォードの役員マルコム・デニーズはこうまとめている。「現在われわれが抱えている労働力にかんする苦境は」、「被雇用者の側の**不満耐性**が落ちてきている」[80]ことに由来する。「不満耐性」にさまざまなレベルがあるという考えは、行動心理学に端を発している。一九三〇年代後半、アメリカの研究者たちはチンパンジーを扱った実験をおこない、生まれてから早い段階でほとんど不満を経験しなかった個体は「のちに生じる不満に取り組むには不十分なレベルの不満耐性」[81]しか発達させないという結果を得た。心理学者たちがここから導いた結論は、きちんと構築された教育の基本的責務は、若い主体をのびのびと開花させるよりは、規律訓練を通じて「不満耐性を構築する」ことにある、というものだった。このブラック・サンタ理論【悪い子を懲らしめに来るとされるサンタクロース】が「逸脱行動」に加えた説明はそれにふさわしい。規律訓練されていない個体は不満耐性のレベルが病的に低い。その治療には、欲望を妥協することを教えなければならない。「再教育ないし心理療法は［…］抵抗力が段階的に発達し、不満耐性が低い部分がなくなるまで患者に少量の不満を処方してその経験を積ませ［…］不満耐性を構築していくプロセスのことである」[82]。

この解読の枠組みを労働者の反抗に適用するのはそれを、甘やかされた子どもの気まぐれのような心理学的な未熟さの発露、と表現することにほかならない。主体の**不満耐性が低すぎること**に問題があると考えるのは、疎外的な労働が強いる**あまりにおおきな不満**を問うほうが適切な問題なのではないか、という見方を否定することにほかならない。かれらの言っていることは要するに、労働者が神経過敏になりすぎたということなのだ。

ゼネラル・モーターズの役員のひとりはこう主張する。「欠勤は労働が退屈なせいではなく、国家の経済的繁栄、高いレベルの保障と産業界の提供する数多くの社会的特権のせいである」。[83] 問題の立て直しはどんどんと先に進む。「ブルーカラーのブルーな気分」を癒す方法よりも、かくも厚かましい態度に出られるだけの贅沢を与えてくれた、社会的に有利な条件に気を回したらどうだ、とアドヴァイスするのである。問題は労働がキツすぎることではなく、社会が甘すぎることなのである。

一九六〇年代末、しばしば歴史の画期とされるあの一九七三年の「オイルショック」よりずっと前から、アメリカ合州国では利潤率が低下しはじめていた。[84] ビジネス界はそのことを熟知し懸念していた。この没落をどう説明したものか。大手の経済マスコミは、てっとりばやく利潤率の危機についての理論、あるいはイデオロギーをでっちあげた。

一九六九年五月、『フォーチュン』は利潤の縮小について報じている。[85] 六月に同誌は犯人を見つけだした。労働費用の高騰である。[86] そしてこれ自体も、労働者の戦闘的姿勢のせいで増大したのだとされた。一足飛びに進むインフレーションを背景に高騰していく物価を目にした組合は、さらなる賃金上昇の交渉をおこなうにいたった。[87] 同時期、これまで一定のペースで向上していた労働生産性は足踏み状態に陥る。利潤が低下したのはこのふたつの現象が組み合わさったからにすぎない、という主張がなされた。

闘争の結果賃金が上昇したが、生産性の力強い成長が人件費の高騰を相殺することはなかった。さて、「生産性が沈下しはじめたのは、こころ構えや恐怖といった、いくつかのモチベーションが生産者から失われてしまったからである。ゆえにいま起こっているインフレーションは続くだろう、と思われる」[88]。

「利潤圧縮」の原因についての論争はエコノミストたちを分裂させた。ケインズ主義者たちはいつものように、需要の低調さや消費低下現象を強調する。マルクス主義者のなかにも、奇妙なことに『フォーチュン』編集委員の理論を考慮する者もいれば、代替の説明をまとめる者もいた[89]。利潤率低下の決定因がなんであれ――労働者階級の力（ボディ&クロッティ）、過剰蓄積（スウィージー）、国際競争激化と価格への影響（ブレンナー）――これからみるように「ひとつだけたしかなことがある。危機の**解決**は労働者を攻撃することなのである」[90]。

最有力の危機理論――「力関係理論」と呼ぼう――が犯人扱いしたのは、労働者そしてかれらの闘争に都合の良すぎる社会－経済状況だった。心理学的考察以前のレベルでは、三つの主要な要素に責が帰された。

一、完全雇用のためのケインズ主義的資金投入。二、福祉国家の社会保護の諸制度。三、労働組合の勢力。潮流をひっくり返そうとするなら、この柱のどれひとつとして無傷であってはならないのだった。

事実、一九七〇年代の最初の三年ほどまでは、アメリカ合州国の労働市場はほぼ完全雇用という状況にあった。この情勢下では、経営者が行使できる最強の脅しである解雇はもはや、それほど怖いものとは受け取られなくなった。デトロイトのあるトラック運転手はこう回顧している。「どこの倉庫や港でも、ちょっと顔を出せば仕事が見つかったもんだったよ。クビにされてもけろっとしてたね」[91]。ノーと言えること、そこから自由と力が生じるのであり、人びとはそれを恐れていた。

「政府が表向きには完全雇用を維持すると約束している国で、つまるところもっと金が、もっと権力が欲しいという至極当然の労働者の要求を食い止めるには、どれだけの力があれば足りるというのか」[92]と一九七〇年の『ビジネス・ウィーク』は問いかける。ビジネス界で言われるように、労働者の無規律は完全雇用のなれの果てだ、というのがほんとうなら、それと手を切ることを真剣に考慮しなければいけないはずである。「どう見ても〔…〕大量雇用だけが政治的に実現可能な選択肢というわけではない。軽率な奴らの一団をこらしめるためにこの国が必要としているのは、ちょうどいい不況である」、一九七〇年初頭にある経済記者はそう書いたが、この記事の署名が仮名、それも示唆に富むペンネームだっただけに、挑発効果はかなりのものだった。いわく、「アダム・スミス」[93]。

資本主義の自然発生的な危機がその種のチャンスを与えてくれなくとも、人工的にそれを到来させるよう自助努力することは、いつものことながら可能だ。事態の改善を期しておこなわれたのはつぎのようなものだった。「一九六九年から一九七〇年のあいだに、ニクソン政権は経済に冷や水を浴びせるために短期の景気後退を引き起こした。それは労働者を本来の立場に戻すための遠回しのやり方だった」[94]。一九七一年八月には、ニクソン政権は物価と賃金の統制を宣言する。賃金凍結の目的は「労働者に一発食らわせてやることだ。で、ほんとにやったわけだ」[95]とホワイトハウスのある顧問は告白している。

この政策が実りをもたらしはじめると、一九七一年には『フォーチュン』の編集者もついに希望の種を見出すようになった。失業率の上昇が堅持されることがたしかなら「労働界も瞬く間にその態度を改めるだろう」[96]。なにしろ知っておくべきなのは、異議申し立ての激しさを抑えるには「ごく少数の解雇でも目を見張るような効果を上げうる」[97]ことだからだ。

　しかし、社会保護の諸装置がある以上、失業で脅してもじゅうぶんな効果を発揮できない。「失業手当の存在は、解雇されたという事実と〈罰〉の関連を弱めてしまう」[98]。だが公的には、社会保障にたいする攻撃は別種の言説によって正当化された。ネオコン【新保守主義とも訳されるタカ派的・介入主義的な保守主義の一潮流を指す】のイデオローグ、ジョージ・ギルダーを筆頭に、「貧困の文化」とレッテルを貼る反福祉社会の言辞が弄される。「貧困層は一生懸命働かなければならない。それも上位の階級以上に一生懸命働かなければならない［…］だがこんにち、貧困層は一生懸命働くのを拒むのだ」。さて、「貧困層が怠けるのに慣れてしまうのは、道徳の弱さのせいではなく、貧困を理由に金を出してしまうからである」[99]。ギルダーにとって、福祉国家は**道徳**の、それどころか文明の危機を意味している。援助による生活様式が制度化されると、福祉国家はもっとも恵まれない者たちに、力強い美徳の指針を体現する市場の命令に完全にしたがわないでも済むよう認めてしまう。こうして、失業手当は怠惰へとひとを誘う。年金の権利は年長者にたいする家族の義務をなくしてしまう。障害者援助は表面的な身体的欠点を褒め称えることになる、等々。

　これは昔ながらの教義への大々的な回帰であった。一七八六年、イギリスのジョゼフ・タウンゼントは有名な『救貧法試論』において、同様の議論で救済措置に反対した。それがかれの目には誤った措置と映ったのは、貧者の胃袋を満たしてしまえば飢えという貴重な刺激要因がかき消されてしまう、という理由からだった。貧困層を働かせるには、法で強制する必要はまったくない。それは「労も多く、暴力も必要で、騒動をおおきくしてしまう。飢えはその反対で、平和で静かで一貫した圧力であると同時に、労働と勤勉のもっとも自然な動機であり、また最大の効果をあげる」[100]。奴隷は「働くよう強制されなければならないが、自由人にたいしては自身の判断と裁量に委ねなければならない」。リベラルな道徳の系譜学にとっては貴重な資料だ。かれの「自由」についての着想は、窮乏という名の刃を前提としており、社会的連帯を制度化した諸形態を破壊することが「自発的労働者」[101]の人物像を生み出す条件だ、ということがここから学び取れるのだから。

しかし戦後に入ると、こうした古い図式はひっくり返ったと本気で信じられるようになった。それ以前の時代の資本主義では、社会不安は「有用である、というのもそれこそが［…］人びとに最善を尽くし、できるかぎり効率的に働くよう強いるからである」[102]と考えられていたのかもしれない。だが逆に「豊かな時代においては」、ガルブレイスが一九五九年に考察するように「保障水準向上は最大限の生産に不可欠である」[103]ことがはっきりしたのである。たとえば失業手当は活動の停滞をもたらすどころか、需要を支えることで経済を安定化させる重要な役割をあきらかに担っていたのである。

さて、振り子がもう一度揺れるのと合わせるように、一九七〇年代初頭、この合意はふたたび問題視されるようになった。ある種の人びとは**社会不安**の時代に回帰しようとしたのである。「完全雇用という政府の政策のせいで、長いこと職がないことを以前のように恐れることは事実上なくなってしまった。失業手当は善意あふれる社会の設置したその他のセーフティーネットとセットになって、ストライキをサポートし、スト参加者たちが雇用者の妥協を期待しつつ、それなりに居心地よく過ごすことを可能にしている」[104]。プログラムはここから誕生した。この「セーフティーネット」を破って、「以前のように恐怖を感じる」よう急き立てるのである。

どう労働者を規律訓練するか。最初の選択肢は、これまで見たように規律訓練型の権力をエスカレートさせることであるが、それには反対効果を招くリスクもある。第二の選択肢はマネジメント改革者たちが提案したもので、自己規律を目的として参加という形を導入する。「労働を〈人間らしく〉するというマネジメント側の発案は一般には、繁栄によって生まれた無規律に起因する労働力コストの増大にたいする応答として理解された」[105]とスティーブン・マーグリンは分析している。しかし、この種の美しいプロジェクトは、失業がふたたび現実問題となるやいなや効力を失った。

こうして、第三の展望が生まれた。内部で規律訓練を施すには、外部で経済的・社会的不安を存分に暴れ回らせておけばよい。活動家の労働者、ジョン・リッパートは一九七〇年代末、景気の激変がすでに感じられるようになったこの時期にこう説明している。どんなに嫌いでもその条件で労働し続けるのは、「会社の労働者にたいする社内管理のせいではない。管理はまず外から来る。労働者が本能の命じるところにしたがい、職場を捨てて二度とそこに足を踏み入れないようにしたいと思っても、経済的窮乏はあまりに厳しい」[106]。

牢獄のように脱出でもしなければ出ていくことのできない閉じた制度と、企業のようにいつでも辞められるオープンな制度では、規律訓練を押しつけるやり方も変わってくる。前者において規律訓練は、出ていこうとする主体を妨害し、外部を遮断して続けられるが、後者においては逆に、強制的な排除によって脅すことで機能する。一方には監禁という手が、他方には解雇という手がある。主体に立ち去る「自由」がある制度では、規律訓練型の権力内部の厳格さだけでは主体を従順に変える力が足りない。さらなるなにかが必要だ。じゅうぶんにポジティヴなモチベーションがないなら、外の世界の規律訓練の効果によるネガティヴな刺激効果でもいい。考え方は二重になる。ただひとつの規律訓練ではなく、すくなくともふたつある。内部の規律訓練型の権力と、外部から規律訓練する圧力である。この図式では、後者の寛度が前者の服従傾向の程度を決定する。[107]

一九七三年以降、いつまでも続く「危機」の時代に生まれた世代は、前の世代に比べ全面的に悪い状況下に生きている、という考えをつぎつぎと内面化していった。恐怖することをふたたび学んだのである。この歴史的回帰は、ある種の集団精神療法つまり「不満耐性」の集団的再教育としても読めるかもしれない。

第4章　組合との戦い

同業者が集まれば、余暇や気晴らしの集まりでさえ、その会話が公にたいする企みごとや、価格高騰のしかけで終わらないほうが珍しい。じつのところ、この種の集まりを実行可能な法、あるいは自由と公正と両立する法によって禁じることは難しい。[108]

アダム・スミス

「国には労働者の要求に妥協するゆとりはない」とは、一九七〇年四月の『ビジネス・ウィーク』のタイトルである。「組合のあらたな戦闘的姿勢は、賃金の急激な増加と一足飛びのインフレーションを引き起こしかねない」[109]。同誌は組合が経済をほとんど掌握していると非難する。「民主主義社会を運用するにあたっては、この社会内部ではいかなる集団もじぶんの法を指図できるほど権力を集中させることはできないことも織り込まれている。［…］団体交渉ははまだ交渉と言えるものなのか、それとも組合による恐喝に変貌してしまったのか」[110]。

同様に『フォーチュン』でギルバート・バークは「一九七〇年代初頭の西洋世界が直面した最大の経

済的問題は、過度の賃金上昇のコストに端を発するインフレ問題である［…］この現象は西洋世界のいたるところで同様にみられる。労働者組織はいくらなんでもやり過ぎた」[111]と主張している。

しかし、こうした検証は逆説的である。というのもここでは、労働者の権力濫用が非難されると同時に、かれらの権威の喪失が懸念されているからである。『フォーチュン』でリチャード・アームストロングが記したように、組合の指導部は、「貪欲で反抗的な精神状態にある」[112]下部組織――「マネジメント側にたいしてのみならず、じぶんたちのリーダー、もっと広く言えば社会そのものにたいし怒りと反抗をつのらせる気運」[113]をいっそう高めている――をもはやコントロールできなくなっているように思われる。

組合指導部がじぶんたちのグループを抑えきれなくなっていくと、もうかれらでは社会の鎮静化という役割を満たすことができないように見えてくる。「年老いた組合のリーダーたちはコントロール能力を失ったのか」[114]。つまりかれらのほうもまた、統治性の危機に直面していたことになる。ある自動車産業の幹部が嘆くように、「いまわれわれの交渉相手は、これまでどおりの組合の実務屋ではなく、視野の狭い若造、無責任な地域のリーダー」[115]になった。「顔のない下部組織の人間」が権力を奪取したことで、「労働者との関係はあたらしい時代に入った」と予感せざるを得ない、と思われたのである。おそらくこの時代の特色となるのは、前代未聞の規模でのストライキだ。[116]

社会学者マイケル・ブラウォイが一九七九年に理論化したところによれば、戦後、アメリカの労働組合は企業の「内部国家」に統合された。組合はおおくの場合で実効性のある争議を諦めたため、正規の集団交渉の体制内では信用を失い、支配体制を再検討することよりもそれを再生産することに貢献することとなった。[117]「産業界内での私的統治」[118]の一形態と協力して、生産秩序の維持と同時に、合意形成、現行の生産体制の支配を確実なものにしたのである。だがマルクス主義の社会学者が理詰めでこの支配体制の強固さを論証してこのテーゼを広めていたまさにそのとき、その背後でこの体制にはいたるところで亀裂が生じ始めていた。[119]

経営者側の見方では、この診断は両義的だった。組合はある意味で強すぎ、ある意味で弱すぎた。強すぎるというのは、組合が依然として賃上げをかっさらうだけのポジションにいるからであり、もはやじゅうぶんな強さがないというのは、組合の実務屋たちがじぶんたちの集団をもう統制できないからである。[120]つまるところ、下部組織から社会の平穏を買いあげることができなくなったのなら、組合指導部に妥協を続けることになんの意味があるのか。

強硬姿勢で臨んだのは交渉のテーブルについた一方の側だけだった。なぜなら、労働組織の指導部はなにが起きたのかまるで理解していなかったからである。[121]ようやく理解したころには遅すぎた。そしてその反動は厳しいものだった。一九七八年、アメリカの労働組合の大物だったダグラス・フレイザーは「労働マネジメント・グループ」との決裂後、政治的遺書の趣さえある公開書簡を記した。「ごくまれな例外を除けば、ビジネス社会の指導者たちはこんにち、この国で一方的な階級闘争を、労働者・失業者・貧困層・マイノリティにたいする戦争をしかける道を選んだ。［…］アメリカ合州国では、産業界、商業界、金融界の指導者たちが、いまとなっては過ぎ去った時代に発展と進歩を支えていた脆《もろ》い不文律を破り廃棄した」。[122]かれがこの行動をとったのは、三〇年近くに及ぶ協調的協定、「おおくの大企業が、最重要の安定化勢力としての組合に頼ってきた」[123]時期が終わったあとのことだった。

理論の領域では、この方針転換はすでにある知的潮流によって準備されていた。かつてはマイノリティだったかれらの理論が、組合活動にたいする攻撃、それどころかその原則そのものにたいする拒絶の基盤として役立つことになる。ネオリベラル主義の経済学者たちは、それまでの長いあいだ、組合にたいする攻撃的な批判を練り上げていた。すでに一九四七年には経済学者のフリッツ・マハループが、組合の活動を「賃金の独占的決定」[124]の試みと特徴づけている。ニューディール政策の強烈な反対者であり、若きミルトン・フリードマンのメンターでもあったヘンリー・C・サイモンズは同時期に「じぶん勝手な組織による管理という異常事態」と非難している。ある種の組合統治のようなものが根付きかねない危険が目の前にある以上、「競争による規律を保持する」[125]ことが最重要なのである。ネオリベラル主義の揺りかごにして尖兵であるモンペルラン協会【一九四七年スイス・モンペルランで開かれた、共産主義・計画経済に反対するリベラル主義者の集まり】も、この戦略的論争においては立場が割れたが、マハループは開戦論を擁護した。「われわれが恐れるべきは産業界が平和であることなのだ。この平和を手にすることができたのは、賃金構造の歪みがおおきくなったせいなのだから」[126]。

一九七〇年代には、この立場が経済エリートのあいだで優勢になった。一九七一年の『フォーチュン』では「労働者の独占権力」[127]を酷評している。「労働組合は軍隊のように組織化することを認められ、目的を達成するために強制と脅しを用い、経済全体を不安定化させることもためらわない。[…]問題はこの勢力を抑圧すべきかではない。どう抑圧すべきかである。労働組合の権力は当たり前に不可欠なわけではないと理解することが重要だ。かれらの存在はじつはなにもかも、この社会では類を見ないある種の聖域をかれらに残しておくために政府が与えた一連の免除特権に依存している。われらの責務はこの聖域を破壊することにある」[128]。

これは上からの直接的な政治攻撃の様相をとっているが、もちろんよりローカルなかけひきの様相をとることもあった。一九七〇年代なかばから、新手のコンサルタントの華やかな活動が繰り広げられるようになる。それが「組合バスター」、「組合スナイパー」[129]である。


あるアメリカの大企業の上級幹部氏が、郵便箱に『組合：かかわらない・打倒する・追い出すためには』というタイトルのパンフレットを見つける。豪華ホテルでの三日間のセミナーへの招待状もいっしょだ。前日の晩にはホテルに着き、主催者と会う。最初に現れた産業カウンセラーの奇妙ないでたち――口ひげに胸元の開いたシャツ、まくった袖――に、幹部氏は最初、思わず考え込んでしまう。だがこのリラックスした振る舞いは、かれがＩＢＭやシェル、デュポンやテキサス・インスツルメンツといったアメリカの大企業を相手に二〇年来培ってきたキャリアの一環だ、と理解する。二番目に現れたのは落ち着いたスーツとぴったりのシャツという、いかにもニューヨーカーらしい服装の弁護士だ。

セミナーは三部構成である。第一部、組合結成を防ぐには。第二部、設立中の組合組織とどう戦うか。第三部、企業を「脱組合化」するには。

一日目を担当するのは「産業心理士」で、「どうやって組合を不必要にするのか」を教えてくれるだろう。かれはこう語る。「指導チームが企業内の組合を見つけたとしましょう、それはですね、とても頑張って探したからこそですよ」。「組合に立ち向かうときに取りうる態度はふたつしかありません。サボテンを置く【障害物を置く】か、プラムをやる【はねつける】かです。楽なターゲットにはプラムを［…］

しぶといやつらにはサボテンを、つまり手を出すと痛い目を見るようにするのです――組合には断固として敵対的な雰囲気を作らなければならないのです」[130]。

これは就職面接のときから始まっている。応募者の尋問法を学ばなければならない。というのも、個人的信条についてあからさまに質問することは法的に禁じられているからだ。やむを得ず遠回りしなければならない。「進歩主義的な理念のために活動したことがあるか、借地借家人組織だの、消費者協会だの、そのほか組合への共感につながりそうな活動に加わっていないか、知っておくようにしましょう」[131]。

ひとたび採用したからには、新入社員にはきちんと説明しておこう。「会社はずいぶん前から組合なしでうまくやっている［…］組合がとくに良いとも悪いとも言わないが、うちに必要だと感じたことがないというだけだ、とね。さて、だれも一度もうちに組合が必要だと感じたことがないように見えるのは、そもそもここには組合がないからだ」[132]。これで証明終わりである。

「衝突なきマネジメント」のテクニックにもなじんでおかねばならない。「高級車を飛ばして職場に来たりしてはいけません。相手を**労働者**、**被雇用者**などとは呼んではいけませんし、経営者を**経営者**と呼ぶことさえダメです。全員がただひとつのおなじ会社の一部であると見なさなければならないのです［…］技術者やエンジニアといった、相手が尊重する肩書きを与えてやりましょう」[133]。

心理学者はこのあと、部下を動かす策をより深く理解できるよう、研修の心理学の基本原則の手ほどきをする。車でイエローストーン国立公園に出かけて、熊を見かけたとする。窓からアメでもあげると「つぎを期待するのは当然のことです［…］これを続けていればアメがなくなります。熊はアメの袋だけでなく手足まで引きちぎろうとするでしょう。最初は可愛らしかった熊がなぜ突然凶暴な野獣に変化したのかと疑問を抱く。答えはかんたんです。攻撃的な行為をとることで報酬が得られ、強化されるからです。それはちょうど、いくつかの組織の被雇用者たちが集団行動で得たものとおなじなのです」[134]。

昼食休憩のあと、心理学者は「組合結成の早期警告システム」を紹介する。それは一セットの質問用紙になっていて、公式には「人間関係の問題を予見・解決する」[135]ための人格テストを従業員に回答させるのだが、実際にはそれは「被雇用者の忠誠心」を測り、その微妙なシグナルをもとに、組合に参加する可能性のもっとも高そうな個人を検出することを目的とした「労働力の心理学的プロファイル」を確定するのに用いられる[136]。「組合があなたの会社に出現したとき、従業員のだれがいちばんひっかかりそうか考えましょう。かれらがほんとうにみなさんにフィットしているのか。よそでならもっと幸せかもしれませんよね。クビにしましょう。チーム・スピリットのない連中は追い払うのです」[137]。

ためらってはいけない。あなたの**自由**がかかっているのだ。たしかに組合さえなければ、「好きな人間を雇い、できる範囲の、あるいは好みの額の賃金を払い、好きなときに解雇できるのです。仕事もあなたの望んだものを割り振れる。さて、組合と協定を結んだその瞬間から［…］なにもかも変わってしまうのです」[138]。「工場でひとつの組合が動きを強めたとして、だれがいちばん迷惑することになると思います？　会社の社長でも副社長でもありません。みなさん、スーパーヴァイザーであるあなたです。でかいツラをしている組合と対決することになるのはあなたです。労働者代表やら、訴えやら、苦情やら、生産低下やハラスメントやらを引き受けねばならなくなるのはあなたです［…］職場に組合ができるやいなや、あなた個人の仕事のしかたにもピンポイントで影響してきます［…］昇進、ポスト、仕事の割り当て、試用期間、服務規程、休暇、退職、解雇……」。みごとな口上で心理学者はセミナー初日を締めくくる。

翌日は法律家が組合結成を妨害し、職場投票の召集を遅らせる一連の作戦を披露する。つまり、違法すれすれの妨害戦術だ。反組合のパンフレットや、部下宛のタイプ打ちの書簡、事前に用意された演説の試案も手元に配られる。

最後の三日目は弁護士が厳格な守秘義務つきで「脱組合化」戦術を総ざらいする。従業員をスパイするときには（じつに賢いやり方だ）たとえばこんなアドヴァイスがある。「組合の集会がホリデイ・インで開催されると知りました。わたしは車を駐車場に停めて、集まった人間全員を観察します。これは監視行為ですが、だがそんなことをしたと思うひとはいません。逆に、なにかの用事でホリデイ・インにいたのだと思われる。そのとき、入っていく人間を見てしまったとしても法的になんの問題もありません」。訪れたのがだれかひとたび見極めがつけば、こんどはかれらを正規に解雇できるようにしなければならない。ここでも、前もってそれを準備しておくことが条件だが、それはかんたんこの上ない。「マネジメント側が欠勤や戒告の詳細な記録を残しておけば、だいたいの場合、組合派の労働者の解雇を正当らしく見せかけることができます」[139]。

備忘も兼ねて、コンサルタントたちの著作の献呈本を使ってこのセミナーのおさらいをすることもできる。反組合のゲリラ活動を実践的なものにする「必要な戦略戦術」[140]すべてが詳細に語られた実用ガイドである。

この貴重な手引きにはこう警告されている。組合活動の蠢動《しゅんどう》の前触れとなる徴候にはつねに警戒を怠らないことが重要だ。「活発に議論していたグループが、スーパーヴァイザーが近づいてきた瞬間に黙り込む」、「企業に喧嘩を売るような落書きがトイレの壁に書かれ」、そしてそのトイレに「おおくの人が集まる」ときがそれだ。「胃腸の感染症」に知識などなくとも、「連中はなにかを議論したいからトイレに集まっていると疑うことはできる」[141]。

動きが確認されたら、管理部門のある階に「戦略室」を開設し、「行動センター」[142]を担当する指令ポストを設置すること。壁には「部署ごとに〈組合派〉〈会社派〉〈?〉と付記した従業員全員の名前」をリストにしたおおきな図を貼ること。これで、従業員の忠誠心の全体像が一望できるはずだ。適切な情報はすべて、毎日戦略室にあがってこなければならない。戦場の変化のリアルタイムな情報を得ることで、マネジメント側は「戦略を規定し、反撃に有効なテクニックを決定」[143]することができるはずだ。

こんどはじぶんで戦い、ビラをまき、ポスターを貼る番である。このマニュアルはできあいのモデルを用意してくれているので、あとはコピーに回す以上のことはなにもない。ポスターのスローガンにはこんなものがある。「組合に投票すると失うもの：じぶんの問題を個人的かつ直接的にマネジメントと解決する自由」[144]。ポスターやビラ以外にも、このマニュアルでは食堂で配る反組合の「フォーチュン・クッキー」、ランダムにメッセージが詰めてある中国のちいさな菓子を作ることまで提案されている。従業員はビスケットを割って、「茶碗一杯ぶんが組合費で天引きされてますよ」、「悪いけど組合はお先真っ暗です」、「組合員の魔法のランプに潜むドラゴンに注意」[145]などというメッセージを読むわけだ。手順はちがうがおなじ手口も載っている。無料のカクテルパーティを催す、つまり「感謝祭の七面鳥をただで従業員に提供するしくみを作り」、それを通じて「幸福で満ち足りた労働者の一員に加わる従業員にたいし、実感できる経済的な追加支給」[146]をおこなうことになるはずだ。このときも、乾杯と乾杯のあいだに「企業は、組合があると従業員の感じる強い忠誠心が乱されると強調してもよいだろう」[147]。

こういったあらゆる努力を尽くしても問題が解決しない場合でも、いつでも反組合のコンサルタント・サービスに頼ることができる。かれらは戦闘モードでやってきて、「事前調査の心理テストで前もって検出していた、労働者たちのもっとも脆弱なポイントを標的にして」[148]力強い手助けをしてくれるはずだ。宗旨替えした「組合バスター」のひとりはその自伝のなかでこの「歪曲と個人攻撃のコンビネーション戦略」がより具体的に意味するものを証言している。「コンサルタントたちは組合を潰そうとするとき、人びとの生活のなかまで押し入って、友情を壊し、意志をくじき、家族をバラバラにするのだ」[149]。組合員のひとりはこうまとめている。「かれらの武器は脅しと権利の破壊だ。労働者が組織を作ろうとするやいなや、三つ揃いのスーツを着たゲリラ軍がもうそこにいて、やり返す気満々なのだ」[150]。

ジャーナリストのベス・ニッセンは一九七八年、組合のルポルタージュのために身分を隠してテキサス・インスツルメンツに雇われたのだが、それだけでもう、彼女は従業員を支配している恐怖を感じとった。ひとりの同僚に組合の質問を投げかけると、この同僚の答えはこうだった。「頼むから休憩時間中はもう話しかけないで。わたしがあんたの話を聞いているところを会社が見たらクビになるから」[151]。組合を作る可能性に触れただけで、潜入レポーターは雇われてから三週間と経たないうちに、どうでもいいような口実で解雇されたのだった。

第II部

マネジメント革命

第5章　神学的危機

資本主義の進化により、工場の壁と機械が株券の束に置き換えられただけで、所有権の概念は骨抜きになった。［…］形を持たぬものを専有しても［…］、すこし前なら所有権から実際に得られたような精神的な安心感は得られないのだ。最後には本気でそれを守ろうと心を砕く者はだれもいなくなっていた。[1]

シュンペーター

「企業のあたらしい考え方、いわゆるマネジメント主義が、ダーウィンの著作の反響や宗教改革の社会的・政治的影響にも比べられるほどのおおきな神学的危機をもたらしつつある、といってもさほど誇張ではないだろう。率直に言えば、過去数世紀のあいだ西洋の思考を支配していたイデオロギーは、それを支えてきた経済的・政治的な支柱の崩壊に直面しているのだ」。[2] このことにかんして知的な意味で決定的だった出来事は、いま引用した著者が一九六二年に指摘しているように、その三〇年ほど前にある一冊の本が出版されたことであった。法律家のアドルフ・バーリと経済学者のガーディナー・ミーンズの共著、『現代株式会社と私有財産』[3]がそれである。ジョン・ケネス・ガルブレイスはこの著作を「一九三〇年代において、ケインズの『一般理論』と並ぶ最重要の二冊のうちのひとつ」[4]と見なしていたが、事実この著作はほぼ半世紀近く、会社理論を巡る論争の中心であった。

しかし、その発売から数週間後、この本の編集を担当した税制問題を専門とするちいさな出版社は突然考えを改め、同書を回収した。この本を読んで恐れを抱いたゼネラル・モーターズの幹部が、コーポレーション・トラスト・カンパニー社の責任者に不満の意を表明したのである。くだんの出版社は、企業コンサルタントを業務とする同社の系列会社であり、ゼネラル・モーターズは同社のもっとも大口の、どうしても失いたくないタイプのクライアントだった。のちにバーリがコメントするように「お膝元に悪影響の源を囲っていたことに気づいた同社は出版を停止した［…］。権力システムを問いなおそうという書籍は、その正当性と基盤を分析された当の権力システムからは、手荒い歓迎を受けるものである」[5]。こうして検閲を試みたことが足を引っ張ったのかというと事態は逆で、マクミラン社から再版された際にははるかにおおきな売上をたたき出すことになった。「皮肉なことに、ゼネラル・モーターズこそ［…］バーリとミーンズの著作の成功の責任者だったのである」[6]と、後年ある保守派の知識人は嘆いている。

この著作のなにが、そんなにも混乱を引き起こすものだったのか？　著者たちはこの本で、私有財産の諸関係が知らぬ間に変化したことを見てとった。それは私有財産を擁護する者たちがほとんど三世紀にわたって正当化してきた、資本主義経済の諸原則そのものを切り崩すにいたった革命であった。

馬と飼い主がいたとしよう。「馬の持ち主は馬に責任を負う。馬が生きているあいだは養わなければならず、死ねば埋葬しなければならない」[7]。いま、これとはちがう関係、株主が自分の株券の発行会社にたいしてもつ関係はどうだろう。「証券株式はこの種の責任をなんら担うことはない」。株主は企業に責任をもたない。そこに足を踏み入れたことさえないケースがほとんどである。ソースタイン・ヴェブレンの名言が語る「不在所有制」[8]になったのである。もはや財を物理的に所有することはない。ただ「資格」のみを所有している。つまり非物質的・抽象的所有、紙切れの所有である。

過去の所有権－所有の関係は堅固であった。それは所有者を縛り付け、所有者は自分の物件が視野に収まる世界に生きていた。株主に縛りはない。所有物が役にたたなくなれば精算する。証券所有は非物質化され、流動化されるだけでなく、また分割されるものでもあり、ある会社の株は幾千もの所持人のあいだに拡散される。

しかし違った事態も生じている。「かつては個物だった所有物が、その構成要素へと分解される」[9]。古典的な私的所有がひとまとまりの全体に統合していた機能はふたつに分裂する。「かつては所有物へと統合される各部分を構成していた権力、責任、実体は別々のグループに委譲され、それぞれの手によって管理されることになった」[10]。いまや株主は受動的な所有物を手にしているだけで、企業の能動的な管理、その具体的な経営を担うのは非所有者、被雇用者たるマネージャである。ゆえに、一方には「実際には管理しない所有者たち」、他方には「実際には所有権を持たない管理」[11]があることになる。これがバーリとミーンズの中心的なテーゼ、**所有と管理【経営】の分離テーゼ**であった。

同時期に、企業の性格も変化した。大手の株式会社はオーナー－所有者の問題にもはや重きを置かなくなる。株式形態は個人ないし家族の所有物という枠から解放され、膨大な「大衆投資家」[12]から得た資本を集中し社会化することで、巨大企業や「半－公共」組織の発展を可能にし、そこでは幾千もの労働者が一本化されたマネジメントの指揮下に配置されることになった。

バーリとミーンズはこの論点に、ドイツの実業家・政治家ヴァルター・ラーテナウのテーゼを合流させた。「所有物の脱個人化、企業の客体化、所有物と所有者の分離によって、企業は変貌し［…］国家に似た組織になった」[13]。資本の所有という実体経済的な足かせから解放された「マネジメントによる管理」は、政府に似たたぐいの権力として登場する。だからこそ、それを描写するには政治的なメタファーを用いなければならないのだ。マネージャは「産業帝国」を率いる「あたらしい君主」なのである。

さしあたり、この現象の解釈ははっきりと二面性を持つ。無私の管理権力の出現を祝う者がいる一方、マネジメント側のあらたな独裁が力を強めることを警戒する者もいる。もっとも悲観的な見方は、一九四一年のジェームズ・バーナムが『経営者革命』[14]で広めた見方であろう。その諸テーゼを説明したオーウェルのまとめによると、経営者は「昔ながらの資本家階級を抹消し、労働者階級を踏み潰し、いっさいの権力と経済的特権を一手に収めるようなやり方で社会を組織化する」[15]。

バーリとミーンズの発見はおおくの示唆に富むが、理論面でとくに根本的なのはつぎのことである。かれらはこう主張している。「所有物という原子の解体は、経済秩序がこの三世紀以来依拠してきた基盤を破壊する」[16]。

かれらが照準を合わせているのはアダム・スミスと、その有名な神の見えざる手である。『国富論』の著者はこう述べている。金持ちたちは意味もなく、ただおのれの「無益で飽くことを知らぬ欲望」ばかりに気をとられているが、逆説的にもかれらの個人的な欲望によって、それと意識することなく公共の福祉のために尽力している。かれらの自己中心的な関心は、所有物から最大限の利益を引き出すことでしかないが、全体の富の増大に貢献するように、そして回り回って個々人の富の増大にもつながるように、効率的にそれを経営するよう突き動かされている。[17] しかし、バーリとミーンズが喚起するように、この経済学者の推論の背景にあるのは「**財の所有者の個人的利害**に依拠した自由企業体制」[18]である。「アダム・スミスとその後継者たちにとって、私的所有は同時に占有を意味する統一体であった。所有と管理の一体化が前提だったのである」[19]。

さて、「こんにちの近代的企業では、この統一体は崩れている」[20]。株主たちはあいかわらず利潤に無意味に一喜一憂しているが、そのことは「自身の所有物をより効率よく利用」[21]することを意味しない。「なぜならその仕事は、企業を管理する者に完全に任せているからである」。マネージャとてもはや所有者でない以上、かれらが他人の利潤を最大化するために血の汗を流して働くようしむけるものがなんなのかはわからない。

著者たちが指摘するようにスミスは、一八世紀当時まだ珍しかった株式会社の経営者が、委任された事業を成功させるべく、オーナー経営者が自身の事業に費やすのとおなじだけの熱意を燃やすことはないと検証し、「所有権の分散は効率的な働きを不可能にするという評価のもと、ビジネスのメカニズムとしては株式会社をきっぱりと排除している」[22]。古典的な教えはこうして、ある特殊な、しかし現在は圧倒的になった形態の場合は機能不全に陥ると**みずから**予見していたのである。この形態にたいする納得のいく説明がなかったために、あいもかわらずとある理論を用いてそれを擁護するのだが、あいにく当のその理論がその価値を認めていないのである。

経営側になんのモチベーションもないことも問題だが、さらに言えば、その利害関係が株主のそれと合致するという保証もいっさいない。それどころか、なにもかもが問題だらけの不一致を予想させる。とくにシュンペーターが書いているように、「経営陣は、違法ないし違法すれすれの行為に訴えないかぎり、会社では給与やボーナス以上のいかなる個人的利益もみずからの手で得ることはできない」[23]のだから、経営者が自身の自己中心的な関心を追求する上でもっとも利潤のおおきい方法は結局のところ、金庫から借用することしかない。歴史の皮肉、それはシステムが合理的な経済行為の主体の鉄則から逸脱しはじめたときに、経営者がその鉄則に合わせて行動しようとしたとして、実際のところは「管理者はおもに財政的利得があるから関与するようになったのだから、所有者と管理者の利害はおおむね対立する」[24]ことである。

バーリとミーンズは古典理論にはなんの異議も唱えていない。スミスがまちがっていたと言ってもいない。逆にかれは正しかった、それも自身の定理が通用しなくなる可能性を垣間見ていたという点で正しかった、と言っている。かれらの批判には深みがあり、だからこそそれを巡っておおくの議論が費やされたわけだが、その深みは「近代企業の法的構造をおおきなスケールで、しかもその諸前提条件を構成している伝統的な経済学概念とまさにおなじ言葉を用いて批判する、最初の試み」[25]であることから生じたものだ。

古典理論による正当化が効力を失ったとしたら、それは古典理論が知的に否定されたからではない。現実の変化によって無効化されたからである。これが「伝統的理論の不適応」[26]テーゼである。株主資本主義は所有の形態を変革することで、ついでに自身を正当化する言説の基盤まで手際よく崩してしまったのだった。

バーリとミーンズが世に問うたのは、このあとおこなわれた還元的な再解釈とは逆に、どうやってマネジメント側の行動を株主利益にそうものにするかではなく、経済活動の動機と目的という問題をあらためて提示することにあった。[27]まず、「正当性の問題が提示される。もし近代企業がもはや「古典的なオーナー企業の拡大像」[28]ではありえないとしたら、マネジメント権力の妥当性はどのようなものになるのだろう。

バーリとミーンズは支配的な経済イデオロギーに巨大な裂け目があることを見極めた。残る問題は、いかにそれを埋めるか、であった。偉大なる救世主としての道徳に頼るよりほかない者も出てくるだろう。しかもご丁寧なことに、中世の想像世界の溝からひっぱりだされた道徳の一ヴァージョンに、である。

第6章　倫理的マネジメント主義

近代の大企業の存在を満足に説明、ないし正当化できる会社理論はこんにち存在しない。そのあげく、会社理論を名乗りながら、社会的責任（ないし「企業の良心」あるいは「よき市民として」）という観念を提案しようとしている。[29]

ウィルバー・ヒュー・フェリー

目下のところ、個人の責任のかわりに、中世のギルドにならった企業の良心が創られるにいたってはいないし、そもそも当の企業からして、それをおのれの組織の力で厄介払いしようと躍起になっていたではないか。[30]

マルクス

近代に入ると、道徳とその説教のかわりにあたらしいタイプの言説が地位を占めた、とシャルル・フーリエは指摘している。「政治経済が山師のするようなことにまで首を突っ込む」ようになったことにすぐには気づかなかったため、「［…］モラリストたちは死に絶え、無慈悲にも小説家のなかまに組み入れられた。かれらのグループは一八世紀とともに消滅し、政治的には死んだ」[31]。あっというまに同盟者などいらないほどに強力になった経済学者の側では「和解の道がことごとく軽んじられるばかりか、**膨大な商取引と巨大な商業界によって得られる巨大な富、莫大な富**こそ必須なのだ、と熱烈に主張されていた」。

だがかれはこうも付け加えた。「モラリストの失墜は、同時にそのライヴァルの失墜をも準備した。これらの文学グループには、処刑台の上で首に縄がかけられたダントンが執行人に述べた言葉が当てはまるかもしれない。つぎはロベスピエールの番だ。すぐに俺のあとを追うだろう。モラリストたちもじぶんたちの執行人、つまりかれらを犠牲にした世論にたいしてこう言うこともできよう。つぎに吊されるのは経済学者だ。すぐにわれわれのあとを追うだろう」。

フーリエが予期していなかったのは、この死亡宣告のつぎに奇妙な復活が続いたことだろう。二〇世紀に入り、アダム・スミスの教義を揺さぶった前例のない危機が目の前にある、しかし理論のアップデートも出てこない――それは舞台裏で用いられていて、すぐに登場することになるのだが――そんな状態では、ひとは昔ながらの偶像をよみがえらせるほかになすすべを知らなかったのだ。こんどは経済も膝を屈し、失墜したライヴァルたるモラルの側も、**倫理的マネジメント主義**というあらたな装いで再登場する。それは一九五〇年代に、マネジメント権力の正当性の問題にたいする優れた回答として姿をあらわしたのだった。

昔ながらの産業的パターナリズムの世界観では、オーナー経営者はじぶんのものを支配するように企業を支配した。一九世紀に入ってもなおそれは、古代の「主人、主 dominus」の直系の子孫として「つまり雇用した労働者たちの所有者」[32]として理解されていた。その権力を疑う者にたいしてはつねにこういう反撃が待っていた。「ここでは命令するのはわたしだ。なぜならここは我が家だし、それはわたしのものだからだ」。現代の大会社のマネージャの権威ではけっして主張できない根拠である。

所有と管理の分離は、昔ながらの父権的な権威の正当化を粉々に吹き飛ばしたが[33]、たんなる受動的な所有者になった株主の「企業は自身の利益のためにのみ経営される」[34]という主張をも弱体化させた。その決定が万人の生活に影響する「半‐公的」巨大企業の登場によって「共同体は、企業が所有者にたいしてだけでなく〔…〕社会全体にたいして奉仕することを要請するようになった」[35]。

企業経営においていかなる利害関係が考慮されるべきなのか。一九三二年、エドウィン・メリック・ドッドはこう問う。「経営陣はだれの受託者なのか」[36]。とあるアメリカの社長はこう答えている。「マネジメントの社会的責任は拡大し〔…〕かつてのようにただ所有者の排他的利益のみを代表しているわけではなくなった。さまざまな集団の〔…〕バランスを維持するよう背中を押す、受託関係をもとに行動するようになったのだ」[37]。あたらしい「経営方針の哲学」はそれをこう定式化している。「〈補充指定〉の哲学ないし信託管理」。そこではマネージャは、複数の社会集団の受託者として表現されている[38]。

バーリとミーンズの著作を発端に、所有と管理の分離という問題にビジネスマンの社会的責任というイデオロギーが接続される事態が、数十年にわたって生じたのである。一九五三年に出版された、このテーマの基本文献と見なされている『ビジネスマンの社会的責任』で、ハワード・R・ボーエンは「個々人はじぶん個人の利益だけを追求し、容赦ない競争に身を投じる以外にルールなど持たないものだ」[39]という考えを拒絶している。ビジネスマンは利益をあげなければいけないとはいえ、企業の活動に「影響される関係全体を考慮する」義務も負っているのだ[40]。

正当な私的権限は所有権の一属性と見なされるが――企業は**わたしのもの**だからこそ、わたしにはそれを指導する根拠がある――倫理的マネジメント主義以降はそれを資産としての扱いとはちがったかたちで正当化する。経営陣は逆に、非所有者の利害関係も考慮に入れることからその正当性の根拠を得ている。**わたしのために**経営しているわけではないからこそ、わたしには経営する根拠があるのだ。ハル・ドレイパーはこう分析している。「このアプローチでは最近の、管理にしたがわない組織リーダーにみられる無責任さはもはや憂慮すべきことではなく、むしろ了見の狭い歪んだ影響、ひと言で言えば短期的利潤の最大化を考えることからかれらを解放する際に必要な前提条件として描かれる」[41]。マネジメント権力が自律性をもつこと自体は、専制が野放図に広がることを懸念させるものだったのだが、それがこうして魔法のように道徳的自律性へと変貌を遂げるのだ。この方向転換が完璧なのは、バーナムの主張とは逆にこれ以降、「あたらしいマネジメント主義はあたらしい独裁形態とかそういったものではなく」、「マネジメント倫理はその性質からして善意に富む」と主張できるようになるのだが、それは「**なぜなら**経営者がいかなる意味でも所有者ではないからである」[42]。

リーダーシップの技術は「利害関係のバランスをとる」技術であり、「マネージャのほとんど黒子のような」立場は、かれが**中庸**[43]という古典的美徳にそって公平に裁く、多様な主張の「集約点」となるべき立場である。ビジネスは「私的統治のシステム」[44]として理解され、経営者はその装いもあらたに、ある種の「政治家」[45]に変身する。「わたしこそが国家だ【ルイ一四世の言葉。『朕は国家なり』】」とは言うが、この場合わたしとは会社のことだ」と当時のアメリカの批評家が、ここだけはフランス語で皮肉交じりに書いている。[46]

モーリス・ツァイトリンが強調するように、一九七〇年代初頭まで、バーリとミーンズの所有と管理の分離テーゼはアメリカの社会科学において「インパクトのあるコンセンサス」だった。[47]ひろく受け入れられた一連の真理にもとづく、資本主義のマネジメント的ヴィジョンの核心だったのである。それは以下のようなものだ。

一、経済権力の主要な拠点が移動した。「現代産業社会で決定的な権力を行使しているのは資本ではなく組織であり、資本家ではなく、産業界の官僚主義者たちである」[48]。

二、利潤最大化の原理はお払い箱にされた。ダーレンドルフが主張するように「現代の官僚主義的経営者の場合、利潤がモチベーションになる、という考え方は、かつてないほど現場の動機から排除されている」[49]。

三、株主としての役割と経営者としての役割に引き裂かれた資本家階級は、すっかり一貫性をなくしてしまい、「不定形な権力構造」[50]に置き換えられる。バーリは「資本家なき資本主義」[51]とまで指摘している。

四、すでに解消されたと述べられていた生産手段の私的所有がほんとうに消滅する。ケイゼンが一九五七年に述べたように「所有は消滅しつつある」[52]。ベルも一九六二年には「生産手段の私的所有は、非常におおくの場合フィクションになった」と明言する。[53]端的に言って「資本家、そして同様に資本主義もまた、自己解体した」[54]。

ダニエル・ベルはこう結論づけた。「われわれの社会は、ジョン・ロックとアダム・スミスによって〈デザインされた〉個人主義と市場の合理性の前提のうえに成り立つものだった。[…]現在、われわれは共同体の倫理を目指しているが、しかしこの共同体はいまだじゅうぶんに定義されていない。ある意味で、**政治哲学による統治**を採用することでわれわれを政治経済学による統治から引き離していくこの運動は——この変動の意味するところはまさにそうなのだから——前資本主義的思想の一様相への回帰である」[55]。

ここでひと言。ネオリベラル主義への大転換以前に優位を占めていたこの統治思想、わたしはそれを「統治性」と呼応させつつ対比させるために、「マネジメント性」と呼ぶことを提案したい。ミシェル・フーコーは「リベラルの統治性」を近代の統治技法の中心課題、すなわち、国家にいかに経済を導入するか、にたいする答えとして理解した。いかに「経済というかたちで権力を行使するか」[56]。ネオリベラル主義はとくに、「市場の観点から見た公的権力の行為を批判し評価する」[57]ために、このプロジェクトの延長線上で「経済学の理解枠組みを通して非経済的行動を」分析しようと試みた。さて、その先駆者たる一九五〇年代から六〇年代のマネジメント主義はこのふたつ、実践と理論の観点から、その逆をおこなったのであった。その課題は国家に経済を導入することではなく、逆に私的な経済活動の経営に政治統治の類似物を導入することにあった。経済というかたちで政治権力を行使する技術としてではなく、逆にある種の政治つまり私的政治のかたちで経済権力を行使する技術として理解されるものである。マネジメント性は経済学を「重要な知のかたち」と見なしていたわけではない。その認識が根本的に重視していたのはむしろ倫理以上に政治、あるいはこれから見るように戦略だった。

一九五四年、『二十世紀資本主義革命』においてバーリは、「公共の利益の託宣者」という立場からビジネスを管轄するマネージャー君主という、魅惑的なイメージを描きだした。このテクストは、二〇世紀まっただなかのアメリカで、時代錯誤にも君主の鑑という古典ジャンルをリヴァイヴァルさせたものとして読むこともできる。[58] バーリが依拠したのは、聖アウグスティヌスとその著作『神の国』だが、そこでは「権力は最終的にはかならず［…］道徳的・哲学的組織によって導かれていた」。[59] プランタジネット朝の宮廷にも言及されているが、ここでは「大法官」と呼ばれるある人物、おおくは僧侶が「王の良心の守護者」[60] の役割を演じていた。あたらしい君主としてのマネージャも同様に、善意あふれるかれの権力を、ガードレールとしてのビジネス倫理をもって行使することになろう。経営者の権力に課された唯一の制限、それは世論というかたちのない制裁に取り囲まれた経営者の良心であった。[61] すこし離れた箇所では、バーリはとくに矛盾を気にすることもなくこう主張した。経営者は「永遠に続くちいさな寡頭制」を構成するが、「そこに含まれる暗黙の人間哲学」が、こうした権力の逸脱にたいする「現実的なコントロール」を保証するのだ、と。[62]

しかし、マネジメント主義の流れに乗っている者たちまで含め、懐疑的な者もおおかった。つまるところ、いったいどうして世間では「マネージャは公共のために働くものだと、ほんのちょっとくらいは信じられている、と思えるのか。そもそも経営者がじぶんの株主の資本に心を砕いているとさえ信じられてはいなかったのに」[63]。

マネージャたちが自己主張する美徳に任せるよりは、ある種の内部規範——マネジメントの権利と義務のチャート図——によって、企業の権力行使の枠組み作りをすることを提案する者もいた。ここでの論点は、マネジメント権力に「西洋立憲主義の本質をなす、限定された統治原則」[64]を適用することだ。

一九六二年、ゼネラル・エレクトリックの幹部、リチャード・セドリック・フォックス・エルズはこう説明している。企業が「〈立憲的〉構造」を持っているか、と問うことは、「企業の**統治**問題」[65]を問うに等しい。エルズが、この語を最初に用いた人間のひとりであったことは明記しておこう。もっとものちにこの語は、このあたらしい受け止め方としては使われなくなるのだが。とはいえ企業は「経済財の生産者、流通者、供給者かつ購入者である」が、それ以外、つまり「決定の中心」すなわち「権力と権威の機関」[66]でもある。こうした点で、経済学者とはちがう問い、統治の問いを企業に投げかけることもできる。「会社をほんとうにコントロールしているのはだれか。どんな権力を行使しているのか。権力を握った者はだれにたいして説明するのか。不測の事態の場合にはどうする？　ある人びとが形容したように、会社はそれ自体が永続的な寡頭制なのか、それともある種の共和制なのか？」[67]。

難点は、企業の私的統治は「どうみても民主制ではなく、だからといって巨大企業がいまさら専制体制をとることもまた可能ではなくなった」[68]ことだ、とエルズは指摘した。企業にとって立憲主義の道は狭い。一方では、かれによれば維持不可能であるという専制が、他方にはかれが排除した民主主義がある。この二重の診断にもとづくと、ではどんな政治的な隙間が残っているというのか。現実的にはたいしたものは残らないだろう。

だが注意してほしい。そのことを認めたとしても、一九五八年のロックフェラー財団の報告が注意を促すように、「私的統治についても別種の統治に投げかけるのとおなじような問いを発する」権利がある。ゆえにもし「国家に判定を下すために用いられるとされる民主的理念はまた、私的領域の生活の統治のあり方を評価するのにも用いられる」[69]とすると、ここですぐにおおきな問題を抱えることになる。「非常にかんたんに言えば、企業は民主主義的とされる社会のなかの専制的産業統治形態である」[70]。さて、政治的正当性の諸基準を企業に適用すれば、「合意にもとづく統治という民主的伝統と、必然的にヒエラルキーがある専制的なビジネスの手順」[71]のあいだの矛盾を抱えることになる。

ここにも重大な危険がある、と評価を下す者もいる。「マネジメントは労働者の利益に配慮しています」と喧伝して回ったとしよう。ピーター・ドラッカーは一九五〇年にこう警告している。マネジメントが「正当性を持っているのは、仕事をする条件にたいしてだけになってしまうだろう」。しかしそれはどの程度まで可能なのか。この種の約束をするのは非常にうかつだ。というのも、「近代の植民地におけるパターナリズムという、厳密に比較可能な経験で［…］」[72]それをたしかめることができたからである。「人民のための統治」というレトリックを採用する過ちを犯したことで、植民地主義の言説は「本国の経済的・政治的・戦略的利益に合致するよう植民地を経営する義務」[73]とのあいだで揺らぐことになった。この種の言説が破滅的だったのは、「考慮すべき唯一のことを確保すること、つまり原住民たちに正当政府として受け入れられること」よりも、「植民地政府とその責任者たちの理念と、本国の経済的利益とのあいだに生じていた間隙を、植民地の人びとに気づかせる」[74]ことになったからである。ドラッカーは断言する。ここにこそ、歴史の不動点が存する。「開明的な専制はすべて革命をもたらして終わる」[75]。この路線に固執すれば、「開明的なマネジメント専制」もこの歴史法則を免れないだろう。

これこそまさに、おなじ時期にネオリベラル主義者たちが恐れていたことだった。ミルトン・フリードマンは非常に早い段階で警告を発している。一九五八年三月、サンフランシスコのドレイク・ホテル、グリフォン像で飾られた金箔のモールディングの下でおこなわれたセミナーで、シカゴの経済学者は重々しくもこう述べた。「われわれの自由社会を確実に破壊するもの、その基盤から崩してしまうものをひとつ、と言われたら、それはおそらくマネジメント側のあいだで、できるかぎり金を稼ぐ以外にも社会的責任がある、という考えがひろく受け入れられたときでしょう。これこそ根本的に転覆的な教義です」[76]。それでは経営者は「株主に雇われているというよりは公務員であり、ゆえに民主制ではおそかれはやかれ選挙という公開のやり方で選ばれるようになってしまう」[77]と、かれはいたるところでさんざん繰り返している。

たしかに、企業の経営陣は取締役会を通じて株主たちによって指名されるが、それはいったいどういう名目なのか？　フリードマンは答える。現状で唯一の正当化は、経営陣は株主たちに奉仕するエージェントだから、である。ゆえにこの公準が失われれば、なにもかもがいっしょにダメになる。企業の経営陣は私的な公共エージェントのたぐいだ、と認めてしまえば、必然的に結論はつぎのようにならざるを得ないだろう。「このような公共エージェントが［…］現状のかたちで指名されるのは容認しがたい。ほんとうに公共に奉仕するのであれば、政治的プロセスを通じて選ばれるべきである」[78]。マネージャたちは、統治役割を果たすと認めたことで、軽率にも批判に身をさらすことになるが、事態はさらに急速に悪化するだろう。というのも、倫理にはひとを惑わす魅力があるが、フリードマンの見抜いたように、その背後にはソヴィエトの戦車の轍《わだち》が見え隠れするからだ。「〈社会的責任〉という教義には、社会主義的な見方を受け入れる、ということも含まれる。それによれば、市場ではなく政治のメカニズムこそが、資源の分配を決定するにふさわしいとされている」。[79]

統治形態として考えるのであれば、大企業はなにに似ているだろう。あまり良いイメージではない。選挙で選ばれたわけでもないカーストが全面的な権力を行使する体制として登場している。一九六〇年代初頭、あるイギリスのアナーキストはこう分析している。企業は「株主以外のだれにも報告責任のない政府をもち〔…〕この政府にしたがわなければならない者たちはいっさいの市民権を剥奪され、みずからを統治するリーダーを選ぶ権利も持たない政治体制。協力を随時撤回すること(ストライキ権)で、政府に影響力を行使する圧力団体(組合)を形成する権利のみがかろうじて認められている。こうしたシステムは〔…〕一八世紀のイギリスを支配した寡頭制の政治体制と比べても、民主主義と呼ぶに値しない」。[80]

被雇用者はそこでは政治的権利を奪われているのみならず、ほかの場所ならけっして否定されないものと認められている、いくつかの自由さえ奪われている。一九七七年、ハーヴァード・ビジネス・スクールのある教授は書いている。「ほぼ二世紀前からアメリカ人は、報道の権利、表現の自由の権利、形式に則った公正な司法手続きの権利、私生活の権利、良心の自由〔…〕といったことを知っている、と思っていた。しかし企業においては、こうした市民権のほとんどが剥奪されている〔…〕。アメリカ市民は、工場や事務所の門をくぐるやいなや、九時から五時までほとんど権利を持たずに過ごす。被雇用者は政治的権利を持ち続けてはいるが、重要な権利についてはそうではない」[81]。

リベラルな民主主義理論ではこのような待遇の非対称性に一貫した正当性を与えることがまるでできない、それが根本にある問題、重大なイデオロギー的難問だった。自主管理派の経済学者、ヤロスラフ・ヴァネックはこうまとめている。「資本主義は所有権を基礎としているが、民主主義は個人の権利を基礎としている。[…]もし西洋世界がこの点で分裂しているとしたら、それはわれわれが政治的民主主義と経済的専制を同時に備えているからである」[82]。

一九六〇年代から七〇年代においては、労働者の反抗の余韻静まらぬなか、批判的な哲学者・経済学者のあいだで、経済的民主主義の理論が作り上げられていった。企業ではいまだに大勢を占める権威の形態――マルクスが「専制権力」を与えられた「私的立法者」[83]のそれと呼んだもの――は、かれらの目には古代の権力関係の名残、民主革命を免れた独裁の防塁と映っていた[84]。

『正義の領分』でマイケル・ウォルツァーは、一九世紀末に産業資産家のジョージ・プルマンによって設立されたアメリカの村、プルマンを例に挙げている。プルマンはこの村のいっさいの所有者であり、これを根拠に「ひとがじぶんの家や職場を統治するのとおなじやり方で」[85]住民を「統治」する権利があると主張した人物である。プルマンはかれの町では私的専制君主だった。選挙もなければ、市民の自由もなく、きちんとした司法もなかった。集会やデモの権利さえなかった。町を所有することは「われわれの体制の理論と精神にそぐわない」という判断のもと、イリノイ州最高裁判所はこの事態を終わらせた。ここでウォルツァーは問う。町の住民に行使されたこの種の権力は、リベラルな民主主義の諸原則にそぐわない、と判断されたが、しかしじつのところ、プルマンがじぶんの会社の労働者に行使した権力となにが違うのだろうか。なにもちがわない、とかれは答える。「この種の事態が町の場合であれば非難されるというなら、企業や工場でもおなじことだろう」[86]。どちらの場合も、おなじ自己決定の基準が優先されなければならない。「政治権力に関する事柄については、民主的分配は工場の入り口で足止めされることはないだろう。基本諸原則は二種類の組織で同一である。この同一性が、労働者運動の［…］そして産業民主制へ向かう進歩的要求すべての精神的基盤である」[87]。

バーリとミーンズのテーゼは、資本主義秩序の伝統的な正当性言説を危機に追い込んだ。それは理論的問題だったが、あきらかに政治的問題でもあった。エドワード・メイソンはこう喚起している。「古典経済学は経済的行動を説明するのに用いられる分析システムないし〈モデル〉を提供するだけのものではなかった。自由企業システムの諸制度によって［…］向上した経済行動がつまるところ公益に資する、というテーゼを擁護する、それも非常に精緻に擁護するものでもあった」。そしてこう続ける。「一九世紀の資本主義の成長はおおくの点で、道徳的、政治的かつ経済的な根拠にもとづいたシステムの合理的な正当性がひろく受け入れられたおかげである」ことがこれほど強調されたことはなかったろう。「マネジメントについての文献はこんにち、このシステムの諸前提を破滅的なかたちで崩してしまった。だがその代わりになにを提示するというのか」[88]。なにも、あるいはほとんどなにも、がその答えだ。なお悪いことに、この空白を埋めようと努めた倫理的マネジメント主義は、企業内民主制を求める声を危険なほど呼び起こしてしまい、こうして組織をその原則そのものから弱体化させてしまった。

非妥協的な者たちの側では、こうした自然に反した言説は捨て、資本主義的価値観を高々と掲げよう、と呼びかけられていた。一九五八年に『ハーヴァード・ビジネス・レヴュー』でセオドア・レヴィットはこう助言していた。「ビジネス界は、一連の戦略的後退をおこない、産業国家の政治家の体を装いつつ生存のために戦うよりも、戦争を戦うように戦うべきであった。うまくいった戦争がつねにそうであるように、この戦争も容赦なく、勇敢にそしてなによりも**非**道徳的に遂行されねばならない」[89]。

第7章　マネージャを規律訓練する

委任状闘争はうまくいけば、専制を侵略によって中和する方法となる。[90]

ベイレス・マニング

ネオリベラル主義者たちにとっては、マネジメント権力の正当性問題はそもそも提起さえされない。経営者は株主のエージェントである、以上。だいたい、パンドラの箱は開けないことだ。この面倒な問いは有無を言わさず排除され、もはや技術的・実践的レベルで解消が難しいという以上のことではない、とされた。つまり、経営者が配慮や努力のすべてを株主価値の最大化に注いでいるわけではないのも事実ではあるが、ではどうやってかれらをそうするよう仕向けるのか、ということにされたのだ。というのも、ここにこそ統治性の危機のあらたな局面が潜在していたからである。言うことを聞かない労働者の事例のつぎは、サボっている経営者の事例だ。

バーリとミーンズの問題をこのように再定式化した経済学者たちは、まずその程度を最低限に抑えることに力を注いだ。「ほんとうに企業をコントロールしているのであれば、いまのＵＳスチールの経営者たちは苦もなく一〇〇倍の給与をじぶんの懐に収めていただろう」。さて、かれらはそうしなかった、そのことがかれらの自由が制限されていたことの証しである。とはいえ社長なら、最高のタイピストではないかもしれないが「金髪の美人秘書を雇う」くらいはできるかもと、ゴードン・タロックは譲歩してみせる。だが「利益の半分を定常的に貧困救済プログラムに割いていたら、あっというまに任を解かれてしまっていただろう」。[91] この例を見れば、かれの見識ある判断を評価できよう。経営は最適ではないかもしれず、熱意にはやや欠けるかもしれず、ちょっとばかり性差別的傾向があるかもしれないが、一部の人間が描くような全能の経営者、つまり、自由に振る舞い、金持ちへの配当金を横領して貧乏人に与えかねない経営者の肖像とは似ても似つかないではないか。

ここで、問題はこう要約される。遠くひろく散らばった株主は「お目付役として完璧に機能する」とは言いがたく、ゆえに経営者たちが「できるだけ金を稼ぐ」[92] という至上命題に完全にはしたがわないことも起こりうる。端的に、「代理権問題」[93] と経済学者たちが呼んでいるのがこれだ。「代理関係」があるのは、だれかが(こちらを「代理人」と呼ぶ)だれか他人のために(こちらを「本人」と呼ぶ)その他人の名前と立場において行動するからである。些末な問題の学者風の呼び方だ。要は、どうやって他人にじぶんの仕事をさせるのかである。

「本人がこうした関係で直面するおおきな問題は、実際に代理人を確実に本人のために働かせることである」[94]。バリー・ミトニックが見事に定式化しているように、問題はつまるところ、「代理業の取り締まり」である。本人はエージェントの活動をコントロールするためにいくつかの仕組みに頼ることができるが、しかし「監視と取り締まりの業務にはコストがかかる」[95]。ここから問題が生じる。「代理業コスト」

をいかに削減するか。いかに最低限の経費で監視するか。

こうして、バーリとミーンズの問題は、マネジメント業務の取り締まり任務へ帰着させられる。すべては日和見的な経営者たちを——そしてかれらとともに部下すべてを——ひたすら株主価値のために働くよう、効率的に規律訓練できる手法を発見することにかかっている。

しかしながらある批評家が記したように、この問題は、「権力を回復した株主は、マネージャたちを社会全体の利益にそうように規律訓練するものなのだと想定したとき、そしてそのときのみ」[96]正当化される。つまりそれは「ほんとうはむしろ問い直すべきだったこと、すなわち企業にたいし社会の残りの側が、企業を率いているのが企業の〈所有者〉だということにまるで懸念を抱いていないこと」を「公準」として認めることに帰着する。「[…]だがわれわれの社会はフォード・モーター・カンパニーの手中にあるほうが、ゼネラル・モーターズやAT&Tの手中にあるときより安全だという証拠の欠片でもあるのだろうか」[97]。たしかに前者、つまりオーナー経営者の場合なら、オーナーによる管理の一体性だけは残る。とはいえ「個人ないし一族はだれにたいして責任を負うのか」[98]。

ネオリベラル主義の経済学者たちはこの種の反論を無視し、経営者の行動を株主利益にあわせて調整させる「刺激同調」[99]なる方法を探究していた。かれらは、解決策はすっかり用意されてある、と確信していた。バーリとミーンズがあかるみに出した力学を無効にするような、気づかれていないひっそりと働くメカニズムがすでに存在していなければ、株式会社はずっと以前に、さまざまな形態の組織が競合するメタ・マーケットではより効率のよいものに追い出され、この地上からすでに姿を消していただろう。株式会社が存続しているのは、じつは「市場の規律訓練機能」[100]のおかげで所有者によるコントロールが失われないようになっているからだ、と考えられているわけだ。

マルクス主義者のポール・スウィージーは、バーリとバーナムのテーゼを否定し、一九四二年にはすでに、マネジメントによるコントロールがつねに株主利益に同調することを説明する、単純で、しかし重要な事実を指摘していた最初のひとりである。大企業の経営陣は「株式総額のごく一部しか持っていないとはいえ、たいていの場合、絶対額で見れば大口の所有者であり、ゆえにその利害関係はほとんどの面で株主の大多数のそれと一致する」[101]とかれは指摘する。

一九六〇年代初期、イギリスの経済学者ロビン・マリスもまた、「マネジメント資本主義」の時代では「マネジメント側は株式についてかなりの自由を享受している」[102]という鉄のごとき信念を主張していたが、にもかかわらず、経営陣の報酬の構造に生じた不測の変化がもたらす潜在的な効果についても問い直している。アメリカ合州国では、ボーナスやストックオプション【会社の経営者などが、将来一定の価格で自社株を買う権利】など、さまざまなかたちの「金融報酬」も含め、給与以外の原資から分け前をもらうことを強く推奨する経済学者もいる、とかれは記している。それは「経営者の利害を株主のそれとより緊密に一致させる」[103]こと、そして「〈新古典派的行動〉を奨励する」[104]ことを視野に入れてのことである。こうした「制度的変化」は「新古典派的な資本主義理解に内在する矛盾のいくつか」[105]をうやむやにすることにさえなりはしまいか。

ネオリベラル主義の経済学者は総じて、これらの動きに希望を抱いていた。ジェンセンとメックリングは「経営者にとって刺激的な報酬システムを確立するか、ないしはストックオプションを与える」[106]ことを推奨した。経営陣の収入はこうして、株式の時価ないし利回りと紐付けられ、イースターブルックとフィシェルが予見したように、かれらの個人的利益は「自動設定によって投資家のそれに同調する」[107]ことになった。こんにちでは対立陣営の側からフレデリック・ロルドンがこう理論化している。「動員されたのは、共同歩調という手段である。つまり巻き込まれた者の欲望を主人の欲望に同調させることだ」[108]。

他方には、報酬ではなく処罰をベースにした否定的な手法がある。一九六〇年代、「法と経済」という思潮をリードしたヘンリー・マンネは、バーリとミーンズのテーゼに決定的な反論を加えた。かれらの主張するように、経営陣が企業を絶対的にコントロールしているなら、なぜ社長たちはかくも当たり前のように、おのれの意に反して他人の手によってすげ替えられ、追い出されてしまうのか。この点について、マネジメント主義の標準学説ではなんの説明も示されていない[109]。しかしじぶんならできるとかれは言う。

かれの同僚にして友人のゴードン・タロックは明言する。「こんにちの世界では、経営のうまくいっていない企業を管理することで金を稼ぐことを［…］生業とする人びとや組織がある［…］。競争力のないものを排除するだけで、非常におおきな利益をあげることができるのだ」[110]。そのためにはあらゆる種類の手順がある。任意の期日までにじゅうぶんな数を集めることに成功したら、という条件で持ち主から手持ちの株を買い上げると約束する、株式公開買付に加え、「委任状闘争」もある。これは、ある株主グループが、他人の代わりに投票権を集めて、キャスティングボート【決定権】を握ろうとすることである。

企業管理自体もひとの欲しがる対象であり、それ自体で価値を持つリソースであるが、そのための市場も存在する。**権力市場**がそれだ。これは、それまで経済学理論において無視されてきた金融市場の一側面の発見であり、「経営陣が企業リソースの管理権、つまり経営の獲得競争を行う」、「管理掌握の市場」[111]の存在であった。

一九六五年、マンネはこの「マネジメント・コントロール市場」[112]概念を導入し、「マネージャをコントロールし規律訓練する道具としての証券取引市場が演じる役割」をあきらかにした。かれはこのようにして、ある会社が別の会社にたいしみずからのマネジメント権力を強化すること、と一般に理解されていた敵対的買収を、マネジメント全体が市場一般のパフォーマンスに従属すること、として再解釈したのだった。

ある企業のマネジメントが低調なパフォーマンスしか見せていなければ、株価は沈む。そのことはよりよい「パフォーマンス能力で」経営することができると考えている、別のアクターを刺激して、企業の主導権を握るべく底値で証券を買おうとしむける。この理論の基本的な前提のひとつは、「マネジメント効率と株価」[114]に高い相関性があるとするものだ。利益の最大化を目指す行動からはっきり逸脱すればそれは、つねに自動的な株価下落につながり、そのことで会社は敵対的なコントロール権の掌握を被りやすい標的になり、執行部の左遷にもつながりかねない。

このために、トップマネジメントはダモクレスの頭上の刃【シラクサ王の指示で頭上に髪の毛一本で吊された剣のある玉座に座らされたダモクレスの故事】を感じながら過ごしている。かれはつねに「すげ替えられるリスク」[115]にさらされている。相当の重圧がのしかかる。「金を稼げば稼いだ分だけ身の安全は守られる。稼ぎがすくなくなればそれだけお払い箱になるリスクがあがる」[116]。この絶え間ない脅威こそが経営陣を締め上げ、火にかけたミルクを気にするように株価を監視するようしむけている。「じぶんが資産何百万ドルにものぼる大企業の社長だと想像してください。突然、別の経営陣があなたの社の株を買い占めて、あなたの職とステイタスを脅かす。世界中があなたを、そしてあなたのパフォーマンスを観察している」[117]。さてどうする?

アルキアンはこう総括している。「マネジメント側の怠惰を取り締まる警察の足場になるのは、いまのマネジメントを引きずりおろそうとするあたらしい経営者グループ候補との市場競争である」[118]。「市場の非人格的な力」はこのように、「株主利益と合致した企業運営をおこなうよう、経営陣につねに圧力をかける」[119]べく力を貸している。

バーリとミーンズのテーゼの信頼性が完全に保たれているのは、このことを理解せず、「小口の株主とマネジメントのコントロール関係を見極められていない」ためだ。しかし、ひとたびこの論理を把握すればすべてが変わる。「企業をコントロールするための市場が、株主に権力と後ろ盾をあたえる」[120]こと、そしてその固有のメカニズムによって「所有者とマネジメントの実効的な一体性」[121]が保証されていることに、ひとは気づかされる。マンネは「市場にもとづく企業理論」[122]への道を開いた。それはすぐさま、マネジメントの合理性が市場にたいし自律性をもつ、という正反対の公準にもとづいた、昔ながらのマネジメント主義的な発想に取って代わることとなる。

平行して、もうひとつの重要な発見がなされている。一九五九年、マネジメント主義の経済学者でイエズス会神父でもあったポール・ハルブレヒトが、おおきな意味を持つあたらしい経済学的現象に注意を喚起した。かれの指摘では「年金基金」の受任者は大規模な株式投資を手がけており、それは「アメリカでもっともおおきな影響力のある会社のコントロールを、かなり急速に掌握する」[123]にいたっている。あと一〇年二〇年ほどすればどうなっているのか、とかれは問う。

その一〇年後、ピーター・ドラッカーはこう書いている。「もし〈社会主義〉が〈労働者による生産手段の所有〉として定義されるのなら、アメリカ合州国はほんとうの意味で〈社会主義〉になった最初の国である。アメリカ企業の被雇用者はこんにち、年金基金を介して現実的にすくなくとも企業の自己資本の二五%を握っている。それはコントロールを行使するにじゅうぶんすぎるものだ……」[124]。刺激的なパラドクスだが、ドラッカーは意図的に誇張している。

「ここまでの規模になった持ち株制度は、もう権力だ」とハルブレヒトも認めていたが、しかしかれは先回りしてこう修正する。「しかしこの権力を握っているのは年金基金の受任者たち」であって、被雇用者本人たちではない[125]。つまりは所有と管理の分離のあたらしいケースなのである。マネジメント主義はここに、あたらしい手段を付け加えた。企業のマネジメント化が株主のマネジメント化によって裏打ちされたことで、社会責任という問題設定はこの経済制度のあたらしい段階へ移された可能性がある。「社会基金」の運用者たちはだれの受任者なのか[126]。労働者たちは、じぶんたちの後払い給与が使われている基金の使い方を管理するべきではなかったのか、等々。

マンネはこうした議論を知っており、事態を深刻にとらえていた。社会基金は「ひとがふつう認識している以上におおきな役割を」演じていることをかれは認識していた。「ブロックトレード【同一銘柄を一度に大量に売却または購入する取引】での株の売却は一撃で市場における株式市況を引き下げることができる」[127]以上、こうした諸制度はじつは類を見ない打撃力を持ち合わせている。しかしながらマンネは、ハルブレヒトがまとめた批判を一蹴しつつも自制して、市場がマネジメント・パフォーマンスを規律訓練的にコントロールする、というかれの図式のなかで年金基金が演じうるおおきな役割を確認するにとどめている。

マンネとかれの同僚たちは、反対作用の存在を立証することでマネジメント主義のテーゼを拒否するにとどまらず、みずからの強化に向けて積極的に戦った。市場の規律訓練効果がコントロールにたいしてじゅうぶんに発揮されるには、証券市場の規制緩和が必要である。とくに、敵対的買収戦略を制限するアンチトラスト法制とは手を切らなければならない。

エージェンシー理論は説明的であり、同時に規定的である。つまり、どう機能するのかとどう機能すべきだったかを同時に述べている。ただし、言説のこのふたつの枠組みのあいだには、じゅうぶんに強調されていない矛盾がある。一方でその「実証的な」傾向では、非同調はじつは問題ではないと立証し、他方でその「規範的な」傾向では、あちらで否定していたこの問題を解決する案を必死に推奨している。ウィリアムソンはそこを指摘している。「熱烈な自由放任論者たちはある種の分裂状態を示している[…]。任意の時点tでの事態を考察するとき、かれらは一般に、マネジメント側になんらかの自由があることを否定する。しかし長期視点に立つときは、マネジメントをより効率的なコントロール下に置くことを可能にするあたらしい技法の演じる役割を誇らしげに主張する」[128]。

「マネジメント側の自由」というやっかいな問題を経験論的に指摘された経済学者ロバート・ラーナーは、それを切って捨てようと統計をしらみつぶしに当たったが、「マネジメント的」企業と「所有者的」企業のパフォーマンスにはなんの顕著なちがいも立証できなかった。「アメリカの巨大企業の大半で、所有と管理は分離されているが、株主の利益と繁栄を優先するよう企業を方向づけることに及ぼす影響はわずかだ。検討された効果の規模は非常に弱く、これではこの三八年間の文献（バーリとミーンズの著作の出版日を基準にしている）でかなりの関心を集めたことが正当だったとは言いがたい」[129]と、一九七〇年にかれは結論を下している。このことは、マルクス主義者そしてネオリベラル主義者が以前から確信を抱いていたことを確証する。マネジメント権力の自律そして利潤至上主義からの逸脱というテーゼは砂上の楼閣であった。

にもかかわらず、マンネとその一党のプログラムは熱心に喧伝された。それは、だれもが幻にすぎないと的確に知っている問題を解決するためではなく、むしろ株主価値にもとづいたマネジメント運営に、**再同調**というより**過剰同調**するためだった。

一九八一年、レーガンは司法省反トラスト局をウィリアム・バクスターに任せる。かれは反トラスト法の熱烈な反対論者であり、「コントロールのための市場」がもつ力についてのマンネのテーゼの信奉者だった。あたらしい競争政策を始動させ、M&A取引の規制緩和を行ったのはかれである。[130]

それに続く投資熱高騰の流れのなかで、利潤目当てに解体・転売するための敵対的な売り崩しで会社が買収される。アメリカ合州国の「トップ五〇〇」企業の四分の一が敵対的公開買付にさらされ、巨大な産業会社の三分の一近くは買収・合併された。[131]「マンネの想定にすぎない市場のコントロールがこうして現実になった」[132]。そして当然の帰結が訪れる。大規模なリストラと解雇、巨大な社会的暴力である。

アメリカの労働者階級は、もっともよく組織され組合化された党派、それ以前の一〇年はあんなにも活発だった——ご記憶だろうか——党派に加わっていた者たちさえ壊滅させられた。不況と国際競争の効果のダブルパンチにより証券市場から課された経済的規律訓練はあきらかに、「組合バスター」全員を合わせたよりもなお効果的だったのである[133]。

年金基金もまた、一九八〇年代の株式取引益の一大競争の例外ではなかった。この問題が悲劇的なまでに皮肉だったのは、アメリカの労働者階級のおおくを見殺しにした投資基金が、部分的には労働者自身の収入から構成されていたという点にある[134]。株主としての労働者の利益に寄り添いつつ、同一人物のはずの労働者としての株主の利益を踏みにじったのだ。それは資本主義の、とくに年金基金資本主義の核心的な矛盾の活写であり、社会的富の反社会的な一大転換の活写でもある。

後期の未完成の著作群で、マルクスは所有と管理の分離について、かれなりの理論を素描している。これはのちに言うマネジメント主義の諸テーゼに先駆けた別ヴァージョンともいうべきものだ。かれはこう記している。株式会社は「株式保有と執行の役割を分離する傾向が一般に拡大している」[135]。資本家－生産者という昔ながらの一体性は分解した。以降は一方に非所有者の執行役員、他方に株式所有者と単純な貨幣資本家がいることになる。同時に、昔ながらの生産手段の個人的・私的な所有物は、一方では社会資本、他方では株式の私的所有という二重の姿を持つことになる。資本はこうして、「私的資本との対比で言えば、直接的に社会資本の形態（直接的に連結された個人資本）を」とり、また「そこでは企業は私企業との対比で言えば社会企業として登場する。これは、資本主義的生産様式の限界における、私的資本としての資本の乗り越えである」[136]。マルクスにとって、資本主義的所有関係の乗り越えの誘因はここにあった。あるときかれはエンゲルスに「もっとも完成された形態としての（共産主義に変貌しつつある）株式資本」[137]と電文体で書き送っている。幸運にも、エンゲルスにはそれを解説してもらう必要はなかった。もっとも、きわめて重要だったのは弁証法的なニュアンス――「資本主義的生産様式そのものの諸限界において」――だった、という点を除けばだが。というのも、「すでに過去の形態、つまり社会的生産手段が個人所有物として現れるのと反対の事態」が垣間見られるとしても「株式への変容はしかしながら、それ自体ではいまだ資本主義の制約下に置かれている」[138]。社会的富と私的所有のあいだの矛盾は、あたらしい形態をまとって継続するのだ。

だがその形態とはどれを指すのか。マルクスはそれをあるときは、現代の投資ファンドの遠い先祖にあたる、ナポレオン三世下のフランスでの「クレディ・モビリエ」【一八五二年創設のフランスの株式投資銀行】の創設に見てとっている。かれの分析によれば、「産業界の王たちともいうべきものの誕生が目撃された。その力量は、その責任に反比例する。かれらは、みずからの株式の枠内でのみ責任を負うのだろうか？　だがかれらは会社の資本全体を自由にできるのではなかったか。かれらが程度の差はあれ持続的な組織体を形成する一方、株主の集合体は絶えず解体と更新のプロセスにしたがっている」。この現象を形容するために、マルクスはフーリエの「**産業封建制**」[139]という考え方を借用したが、ここで発案されたのは二重の現象なのだ、とも付け加えている。というのも「あたらしいアイディアだったのは、産業封建制を証券投資に従属させることだからだ」[140]。

マルクスは垣間見た、と言えるだけの時間さえなかったことをもとに結論を下さなければならなかった。それゆえその結論は、かれののちにバーリとミーンズが下した結論とはまったく別のものになった。つまり、全能のマネジメント権力の勝利を認めるものとはおよそかけ離れたものだった。株式形態によって資本の社会化という望ましい運動が始動させられることを思えば、この形態には資本主義的所有関係を乗り越える**潜勢力**が含まれていた。とはいえいまのところは逆に、株式形態はちがう主人たちに奉仕している徴候を示している。金融界のあらたな君主たち、社会化された膨大な貨幣資本の集積のコントロールを一手に担う受任者たちだけの話をしているのではない。より突きつめて言えば、かれらによって、かれらを通じて、そしてかれらを超えて、資本による統治が足を踏み入れた、証券や金融のあらたな段階に奉仕していることになるのだ。

第8章　カタラルシー

われわれは、いかに資本家が資本を通じてその統治権力を労働者に、ついで資本の統治権力を資本家それ自体に行使するのかを［…］見ていこう。[141]

マルクス

マネージャに規律訓練を施し、かれらの利害を株主の利害にがっちりかみ合わせ、企業運営を金融市場にいっそう従属させる強力なしかけは、こうして発見されたのだった。もっとも、短期的な株価を基準に「経済効率」をおおきく定義し直す、という対価を支払ってのことではあったが[142]。

これには、「統治【＝ガバナンス】」というソフトな名前が付けられた。われわれはすでにこの考え方に出会っている。だがそのあいだに、深刻な手直しが加えられていた。われわれが見てきたように、統治という語は、公的政府の諸原則に影響された基準を企業の私的統治にたいして適用するためにこの語を用いた「立憲主義的」言説により、一九六〇年代に一世を風靡した。エージェンシー理論の影響下で、この語は一九七〇年代末にはそれ以外のあらゆる観点においても使われるようになった。この症状をよくあらわすかのように、一九九〇年代末には「企業ガバナンスにたいするわれわれのアプローチはエージェンシーという観点からクリアに定式化される［…］。われわれが知りたいのは、投資家はどうやって、経営者にじぶんたちの資金を取り戻させるのか、である」[143]などと書かれていたものである。

企業ガバナンスの最初の考え方は、マネジメント権力の問題を政治という枠で提起するのに生かされたが、第二のそれは特殊に狭く理解された経済の枠内でこの問題をとらえ直した。「企業のマネジメントを規律訓練し、かれらに株価に目を向けさせる内外のツールを説明する」[144]ことに力を入れることで「企業ガバナンスの機能論者は株主資本主義にその知的な基盤を与えたのだった」[145]と社会学者ジェラルド・デイヴィスはまとめている。倫理的マネジメントから金融統治性への変化である。

現代のガバナンスにとって鍵となる問題は、どうやって統治者なしに統治するか、ということもできただろう。[146]だがこれは言い過ぎだ。経営陣の役割を演じるべく、ソファに腰掛けているエージェントはまだまだ必要である。真の問題はむしろ、どうやって統治者を統治するかであり、統治者が最初になにを望んでいようが、ひとたび設定されてしまえばそうしろと設定されたこと以外に選択肢がなくなるような、メタ・コントロールの諸形態をどう制度化するかである。マルクスが「資本の統治」と呼んだものを、現代のニュー・スピーク【ジョージ・オーウェルの小説『1984年』に登場する語。権力者にとって都合の良い語彙の整理をおこなうことで大衆の思考を制御することを指す】では「ガバナンス」と呼ぶよう決められているわけだ。統治者を統治する技術としての統治性――経営スタッフたちを非人格的に統治するメカニズムのことである。市場のガバナンスの支配するところ、古めかしい倫理的ガバナンスなど、なにか意味のあることを実現するにはいかにも無力である。[147]

このアイディアに固執するのは、当初はなによりもまず代替案を駆逐するためだった。実際ネオリベラル主義者にとっては、自主管理ないし経済的民主制の要求がもたらす「最大の危険」とは「つぎのように示唆されるコントロール形態」[148]、つまり、経済を意識的かつ目的意識を持って政治的にコントロールすることなのであった。根本的に言えば、かれらはこのことに対抗して市場によるコントロールという理念を提起したのである。

このプロジェクトを、フリードリヒ・ハイエク以上に明晰に定式化した者はいない。根本的な論点は、経済の定義そのものに関わる。語源学的に言えば、この語は周知のようにオイコス、つまり家族の住処であり家庭内生産——典型的には農業開拓——の単位である家庭にもとづいている。つまり、経済とはもともとはオイコスを統治する技術であり、主人の学問であり、妻や子、奴隷に行使する支配権のノウハウであった。経済と、私的支配の技術のあいだには、古式ゆかしい同義性がある。

ハイエクはこの昔ながらの考え方とは距離を置こうとした——そしてひともそれを理解した。かれにとっては、もうひとつの経済の表象のほうが好ましかったのである。それはさほど抵抗感のないあかるいもので、ハイエクに言わせればそちらは「カタラクシー」[149]という新語で呼ぶ方がよい、という。これは交換を意味するギリシャ語をもとに作られた語である。オイコノミアとの対比で言えば、そちらが「経済の厳密な意味、つまり家庭、会社ないしは事業がエコノミーと呼ばれうるものだという意味」[150]を指すのにたいし、カタラクシーは「市場秩序を構成する相互関係にもとづいた様々な経済のシステム」ないしは「市場によって自発的に生まれた秩序」[151]を指すことになる。

経済は「タキシス」つまり「じっくり考えられた手順」として理解される一方で、カタラクシーは「コスモス」つまり世界として表現される。前者は「遠隔支配」であり、中央のエージェントによって決められた目的の順序づけにそって指導される統一体であるが、後者は「法の支配」[152]、つまり普遍的ゲームの規則にそって各人がそれぞれの目的を追求する秩序である。一方には組織があり、他方には市場がある。一方には権威が、他方には交換がある。一方には中央集権化された指揮が、他方には明確な支配なき自己調節がある。一方では命令を出す側と受け取る側があり、他方には自由な相互作用に満ちた自発的な秩序がある。一方には指令としての秩序が、他方には配置構成としての秩序がある。一方には主人の専制が、他方にはジャングルの掟がある。

ネオリベラル主義的な歴史観では、カタラクシア【カタラクシアはギリシア語、カタラルシーはその英語表記】はオイコノミアに取って代わり、圧倒するのだとされている。「家庭モデルは市場モデルに取って代わられる」。アリストテレスの世界とこんにちのそれとのあいだで、昔ながらの「経済のパラダイム」つまり主人への服従のパラダイムは、「経済的交換のモデル、カタラクシー」[153]にこうしてその座を譲ることになるのである。

しかし現実には、一方が他方を駆逐することにはならなかった。したがわせたのである。オイコノミアはカタラクシアに吸収され、主人の私的統治は市場の宇宙的秩序に吸収された。しかしこのことで、カタラクシアはひと山越えてちがうものになってしまった。ハイエクの術語にもうひとつ別の新語を足してこう述べてもよいかもしれない。カタラクシアは「カタラルシー」【交換支配】――市場による統治者の統治として理解されるべきあらたな統治体制――に姿を変えたのだ、と。

マンネの理論化したコントロール市場は、エージェンシー理論で論点化された「検出と取り締まりのコスト」という問題に答えている。直接的なスーパーヴィジョンという骨の折れる仕事によって実施されなければならなかったはずのことが、投資の副次効果だけで成し遂げられるのだ。

だれが経営者をコントロールするのか。市場ではだれでもない。特定の株主はだれひとりいない。この二次的なレベルのコントロールは一次のそれと対立するまったく別の様態、つまり、人格的にではなく非人格的に、直接的にではなく間接的に、意識的にではなく無意識的に、意図的にではなく自動的に行使される。株主価値基準からの逸脱はいかなるものでも、株価に影響する好ましからざる反応を即座に引き起こすことになる。そんな路線にこだわれば、いずれは経営チームが淘汰されることになろう。報いは市場の機能のなかに統合されるため、株主価値はもはやたんにイデオロギー的規範というだけでなく、まったく別のもの、自動的に発動する取締手段のオペレータでもあることになる。

金融パフォーマンスという「唯一の基準」によって生産活動を評価する、ある種の真実開示の方式が証券市場に関連づけられる。[154]しかしこの「真実」の生産は、行動統治のテクノロジーの道具でもある。株価の変動はマネジメントのパフォーマンスについての情報を提供するものと見なされ、したがって各人が反応することになる。[155]こうして「マネジメント労働市場と資本家市場から送られたシグナルは［…］経営者を規律訓練することになる」。[156]株価指数 indicateur はまさにふさわしい名をもっているわけだ。密告者 indics である。

この装いもあらたな市場経済擁護論では、株主価値の優先こそ実効性のあるカタラルシー的なメタ統治の原理だと賞賛されている。それはあらたな信仰のドグマであり、ここでは市場の法こそが、資本のカオスを制御された規則性へと自発的に転換させることになっている。証券取引と利潤の真の存在理由、一九八〇年にフランスのネオリベラル主義者アンリ・ルパージュが「その究極の正当性」と記したそれは、なによりもまず「社会的〈調整〉の手段」であるということだ。「資本家の利潤の社会的正当性は」、

「市場経済のサイバネティクス的な調整原理」[157]にもとづくのだと、かれは主張している。

バーリとミーンズは、株主たちはしだいに無力になっていくだろうと考えていたが、ネオリベラル主義者たちは逆に、株主たちは組織的に「マネージャにたいする強い圧力」[158]を行使するだろうと示していた。しかしそれは、マネジメントの権威が社内でも雲散霧消するという意味ではない。マネジメント権力からは、とくに投資の選択という点で決定の自由が失われた。しかしそのことは、自身の部下たちにたいしてもそうだったということにはまちがいなくならない。両方を持つことができない――カタラクシアかオイコノミアかのどちらかだ――というわけではない。両方持っているのだ。株主統治に従属するマネジメント権力への服従、つまりそれぞれをそれぞれに特有の様相で持っているのである。

だが、だれがなにに服従しているというのか。あたらしい会社理論では、対象の姿がひどく歪められており、労働者は視界からほぼ消えてしまった。この潮流に乗った論文を一〇本ほど拾ってみても、労働者についてまったく言及されないまま読み終えてしまうこともあるだろう。それはまるで、企業とは社長と株主の距離を置いた関係に帰着するかのようである。「マネジメントを規律訓練する」と言いたてるときには、暗黙のうちに労働者のことにも言及しているわけだが、当時の労働者はひどく扱いにくい代物だった。つまりマネジメントを介して、そしてマネジメントの下にあって懸案とされていたのは労働者だったのであり、依然としてかれらを服従させることが懸案なのである。規律訓練の圧力が行使されたのは頂点にたいしてだったが、その圧力は最末端にいたるまで組織図のそれぞれのレベルに段階的に影響することになる。この最末端は、非常に特殊なやり方で、つまり自身の身体そのもので、その

「残存リスク」を担うことになる。公式のものとは異なる、別種の「トリクルダウン理論」だ。利潤は上昇するが、露となってしたたり落ちるのは圧力であり、モラルハラスメントであり、労働災害であり、抑うつであり、筋骨格系の障害であり、社会的な死——そしてしばしば端的な死である。

株主価値は、方程式に隠されたあいまいなイデオロギーにすぎないというものではなく、同時になによりもまず**理論－プログラム**なのである。遂行的 performatif ではなく、**プログラム遂行的** programmatique なのだ。理論－プログラムとは、それ自体は表明はされても実行されるものではない。それを現実化させるにふさわしい相手にたいし、必要な指示を示すのである。ゆえに、そこで真実とされるもののあり方は特殊である。プログラム遂行的な記述はそれが発言された時点では「偽」でありうるが、この不適合性はこの記述にたいする反論にはならない。対象をじぶんの記述にあわせることがそのプロジェクトなのであって、逆ではないからだ。発言内容を現実に一致させる運動ではなく、現実が発言内容に合わせるのである。概念が真になるよう、事態を変える。検証 vérification の運動ではなく、真実化 vrai-ification の運動なのだ。

マンネが理論化したものは、マルクスが資本統治について語ったことと奇妙なほどに類似している。どちらにも統治者を統治するメタ統治がある。しかし、青年マルクスはまだ批判哲学の見地から語っていたのにたいし、マンネは法と経済学の技術者の見地から語っている、つまりこのことを真理一般として語ったのではなく、作動させるべきプロジェクトとして語っていた、という点にちがいがある。

この領域においては、大衆を説得する必要はない。このジャンルの理論の強みはイデオロギー的次元ではない。極端なところ、立派な言説が述べられるわけでもない。リーダーに耳を傾けてもらえばじゅうぶんだ。内面化されたイデオロギーよりも具体化された幻影のひろがりが効き目のもとなのである。[159]

市場経済は「自発的なコスモスだ」とハイエクは書いている。たしかにそれはひとつの世界ではあるかもしれないが、しかし自発的ではないだろう。ネオリベラル主義は自然主義よりは政治エンジニアリングに依拠している。制度設計によって人工的な世界を構築すること。[160]自動的・法則的・非人格的と表現されるこの宇宙は、能動的に構築されたばかりではなく、その影響に異議を唱える者があとを絶たない以上、意識的な諸戦略によって休むことなく受け入れさせなければならない。資本が支配するというのはたしかにほんとうだが、しかし戦闘的精神と決意をもってその支配を拡大すべくつねに活動しなければ、それを長く続けることなどできなかっただろう。そうでもなければ長くはもたなかったはずなのだ。「市場の統治」はなにがあっても絶対に自己充足的な秩序ではない。このコスモスは、それをなんとか修繕し続け、日々出会うあたらしい敵から必死に防衛しているデミウルゴス【プラトンの唱えた工匠的な意味での造物主】のおかげで維持されている。

二〇世紀末、企業は多次元の「統治の危機」に影響された。この病の重要な様相のひとつは、ここまで見てきたように理論的なものだ。だがあらたな社会的・政治的対立の機会においてでしか、その危険がほんとうの意味で意識されることはなかった。

第 III 部

自由企業への

攻撃

第9章　私的統治の拠点

ひとつの企業とは、どこまでいっても統治でできている。［…］そうはいっても、政治統治に用いられるいくつかの技法、たとえば絞首刑は企業では現在用いられない［…］が、そこは重要ではない。企業の活動では、怠けたりケチったりした末にひとが死に追いやられることはすくなくないからだ。別に価値判断を述べているわけではない。単純に事実確認を述べたまでである。[1]

アーサー・フィッシャー・ベントリー

企業とはなにか。この問いにたいし、戦後のアメリカ合州国ではマネジメント主義が、のちに企業のネオリベラル主義理論が押しつけるものとはまったくちがった答えを示していた。その見解では、大企業は経済的実体であるとはいっても同時に、そしてなによりまずまったくの別物、つまりある種の統治、**私的統治**である、とされていたのである。

このテーマに関して引用すべきテクストは十数本にものぼるだろうが、たまたま選んだひとつを取りあげよう。これはマイナーで知られていないが、この潮流を非常に良くあらわしている。かつてフーバー大統領の顧問を務め、企業の経営者だったこともある（一九四〇年代にメイシーズ百貨店チェーンの社長だった）経済学者ビアーズリー・ラムルが一九五一年に書いたある論文がそれだ。知識人、技術官僚、そして経営者でもあるという三重の理由で、かれの立場からは教わることがおおい。タイトルは「権力の場としての企業マネジメント」[2]である。

ラムルはまず、当時すでにおおくの人びとがおこなっていた、「近代生活」における企業の遍在についての検証からとりかかる。企業はわれわれの生活のどこにでもある。どんな局面にも、どんな目立たない場所にも、どんなときどんな場所にもある。「食べている食事も着ている服も、住んでいる家も、気晴らしやレジャーのほとんども、移動も、世の中の流れについていくにも、すべてビジネスに依存している。そして大多数は雇用先という点でもビジネスに依存している」。[3]

ラムルはこう続ける。ビジネスがおこなっているこうしたいっさいは、ではどのようにおこなわれているのだろう？　規則を恒久的に固定しておくことでおこなわれているのである。[4]企業とは**規則**を規定することで機能する。それは規定権力、つまり物事がどうおこなわれ、ビジネスがどうとりしきられ、最終的には生活がどう生きられるべきか、そのやり方の指示を絶えず示す権力である。だがじぶんの言葉をじぶんで書き留めたかのようなこの特殊な諸規則は**法律**ではない。しかしそれでも統治行動に属する。「会社を私的統治という言葉で形容するのはいかなる意味でも比喩ではない。ビジネスは統治である。なぜなら法のぎりぎりのところで、ビジネスをとりしきるための諸規則を作ることが［…］許されているのだから」[5]。この意味で、企業はおおきな「私的権威」を享受している。

しかしこの権威はだれにたいして行使されるのか？　「ビジネスが私的統治なら、被統治民はだれなのか。それはわれわれだ！」[6]。労働者にしてみれば事態は明白である。企業の階層連鎖の全体にわたって、われわれは「ビジネスが生んだ諸規則によって統治されている［…］。ほとんどの人間にとって、じぶんの生活にもっとも影響する規則は雇い主の決めた規則である。［…］みなにとって、じぶんが働かなければならない場所、すべきこと、じぶんに命令する者、じぶんが命令することのできる相手、昇進、規律、所得向上、休暇の時期と期間を決定しているのはこれらの規則である」[7]。

さらにわれわれは別の性格、つまり消費者としても企業の私的統治に服従している。たしかに選択するのは消費者だが、しかし「提供するもの、そしていつ、どこで、いくらでそれを提供するのかを決めるのは、ここでもマネジメントである」[8]。

企業が私的統治であるというのは、言葉の当たり前だが狭すぎる意味、つまりマネジメントが労働者に権力を行使するとか、**内部**統治が扱われているといった意味だけではない。権力の場としてのマネジメントは被雇用者たち以上のものを統治しているからだ。つまり会社の壁の外もまた統治しているのだ。個人が果たしているその社会的役割のほとんどすべての面、ほとんどすべての次元において統治がおこなわれているため、だれもがさまざまなマネジメントの私的権威によって決定された多様なスケジューリングに囚われている、といって差し支えないほどである。かんたんに言えば、こうした意味での企業は巨大かつ増殖し続ける、**生活の私的統治**として登場してくる。国家権力よりも、ずっと繊細かつ侵略的なのだ。

だが会社を統治として考えることは、それ自体としてはなんら目新しくはなかった。その先祖にあたる「コーポレーション」はすでにずっと以前から、「ミニチュアのコモンウェルス」（ホッブズ）ないし「小共和国」（ブラックストーン）と形容されてきた。[9]しかし二〇世紀にはいると、ことはその比では済まなくなった。現代の大企業はそのおおきさも社会的インパクトのひろがりも、それまで経験したものすべてをはるかに超えていった。自身の成員という枠を超え、世界を統治し始めたのである。さて、この前代未聞の権勢は、「自律決定機関」[10]を構成する少数の経営者カーストに集まることとなった。かれらこそがその自由裁量で、価格や投資を決定し、市場に出すモデルを選び、好みに合わせてイノベーションをリードし、広告やマーケティングを通じて消費者の欲望や嗜好を方向づけるのである。マネジメントはこうして、社会を**スタイリッシュに支配する**立場にあるのだ。[11]

だが、こうした見立ての含意はなにか？　ラムルには企業の権力を批判しているつもりなどないことは明確にしておかねばなるまい。かれはマネジメントの「有機的知識人」として、権威ある学会誌で同輩に向けて書いている。かれの目的は、かれがその到来を予見した危険、かれが検証したことから直接に導かれる政治的危機について同輩たちに警戒を呼びかけることであった。

このような、遍在的かつ自由裁量的な権力が抗議されることなく長いこと行使され続けることはありえないだろう。多様な利害関係をもった巨大な大衆は、じぶんたちがいっさいコントロールしていないひとつの権威に従属していることに気づく。ラムルは予言した。「だれかがある日、おそらくもっとも望ましくないときに、こうした利害関係を法に転換するための十字軍を立ち上げるだろう」。[12]こうして、企業の私的統治への異議申し立ての巨大な運動が立ち上がることになろう。

だがかれはこう付け加える。「非常に幸運だったのは、この領域では行動圧力をともなうような批判的状況にはなかったということだ」[13]。だから先を越すようにかれは助言する。一九五〇年代初頭、かれはあいまいにこう匂わせている。ビジネス界はまだ時間のあるうちに、「あらたな責任」を前面に立てたほうがよいだろう。歴史家のモレル・ヒールドもこう認めていた。「さしあたりマネジメント側のイニシアティヴにたいし、見るからにあきらかな脅威は及んでいない。ブレーキとバランスのシステムを導入しろという、民衆の側からのはっきりした要求はない」[14]。一九六〇年代なかばまで、この論争は「相対的に平和な雰囲気」[15]で展開されていた。だがそれは長くは続かなかった。

一九六九年三月のある朝、ワシントンで六人のカトリックの神父がダウ・ケミカル社の事務所に忍び込んだ。同社は米軍のナパーム弾の主要な供給元のひとつであった。「かれらは見つけた書類を摑むと窓から投げ捨てた。そしてナパーム弾に生きたまま焼かれるヴェトナムの農民と子どもたちの絵を壁に掛け、家具という家具に血をまいた。そして同社にたいする犯行声明を残した。あなたがたは〈搾取し、スポイルし、利益のためにひとを殺している［…］。あなたがたが売っているのは死だ〉」[16]。

企業の私的統治についてのマネジメント主義的な着想、とくにラムルに見受けられるそれは、万人の**生**に行使される権力をあきらかにする。一九六〇年代末の異議申し立て運動によってこのテーマは急進化し、別の色合いを帯びることになった――死の権力、死‐権力 nécropouvoir の否定である。

この批判にたいし、ダウの経営陣は時間稼ぎに入った。「市民のみなさま、われわれは政府と軍に必要な製品を供給する義務を負っております［…］。弊社がこの物資の使用目的となる政策や、軍がこの物資を投入した作戦目的を決定しているわけではありません」[17]。まるでナパーム弾には一般の使われ方とはちがう使い方があるかのようだ。往時ハワード・ジンは答えたものである。たしかに「ダウの作ったナパーム弾を注文したのも、それをヴェトナムの農民を生きながら焼いて殺すために使うのも政府である。たんなる市民が[…]自分たちで化学産業の商業活動を妨げるために身体を張って介入することで、ことを動かすことができるだろうか。たしかにそうしたところで、それは結局〈われらの法にしたがう〉ことになるだけかもしれない。だが、市民的不服従とはそれで成り立っているのではなかろうか」。[18]

ハネウェルは反戦運動で告発された「死の商人」のひとつである。同社はとくにヴェトナムで展開された、かの「電子の戦場」に配備された最新型のセンサー、さらにきわめて洗練された対人地雷を製造していた。すなわち「人体検知機」。輪になった数千の金属針を四方に飛び散らせる「蜘蛛の巣地雷」。ガラス線維の球が詰め込んである「砂利地雷」。運動センサーによって作動する「サイレント爆弾」[19]は、栗色のプラスチックの皮殻でカモフラージュされており、地面に落ちた動物のフンに似せてある。同社は分裂型対人爆弾(「クラスター爆弾」)も生産している。これはひとたび投下されるとその金属の鞘から地面に広がる数百もの小型爆弾を放出するものである。

一九七〇年、ミネソタ大学の数人の学生が資金を出しあって同社の株を三九株購入した。かれらに言わせればそれは「つぎの株主総会の〈入場券〉」[20]だった。数ヵ月後、数百人の活動家がハネウェルの年次総会に押しかけた。社長は、抗議者たちは「会に出席して意見を表明する権利を持っている」ことを空しく確約したが、開始直後から一四分続いたブーイングのなか、会を延期することとなった。[21]

反戦運動は戦略を変更しているさなかだった。この転換は、一九六九年にニュー・レフトのリーダー、ストートン・リンドによって理論化されていたものだ。かれは問う。「なぜわれわれは、問題の核心がそこにあるかのように、ワシントンでデモを続けるのか」[22]。この戦争は軍産複合体の産物なのだから、軍事産業に直接攻撃をかければよくはないか。「近いうちに、われわれの敵はかならずや大企業になるだろう」。かれは効果的に「企業を包囲する手段」について自問し、まず株主総会を混乱させることから始めようと提案する。それが大衆による「反企業」運動構築の第一段階である。

こうした活動家たちが採用したのは、一九六〇年はじめに別の文脈で発案された手順である。ソール・アリンスキーはこの「委任状戦術」の誕生を語っている。一九六四年にロチェスターの黒人ゲットーで勃発した暴動の二年後、この町の花形産業だったコダックに黒人労働者を雇用させるべく、FIGHTという組織が結成された。だが、どうとりかかるのか。「ボイコットをするといっても、それはやるまでもなく失敗するに決まっている。国中に写真を撮るなと頼んでまわるのとおなじくらいに無理だ。だから別の戦術を見つける必要があった」[23]。いくつかの案が考えられたが、たとえばつぎのようなものもあった。ロチェスター管弦楽団のコンサートホールの座席を一〇〇席ばかり買い占める。同楽団はこの町の白人の金持ちブルジョアジーの文化の粋であり、コダックの慈善事業の最高の成果でもあった。こうして招かれた一〇〇人からの活動家はコンサートの前にあらかじめ、大規模な「グループ・パーティー」にお呼ばれされるのだが「出てくるのはすごい量のインゲン豆のトマトソースがけのみ。このあとオーケストラのコンサートで起こることは想像できるだろう」。われわれの敵は「デモや集会、ストのピケを管理する術を学んでいたが、しかし、かれらの立派なオーケストラにおならで電撃戦がしかけられるとは、どんなイカれた夢のなかでも絶対に想像しなかっただろう［…］たいていの場合、いちばん馬鹿げた戦術がいちばん有効だったとわかるものだ」とアリンスキーは説明している。締めにまた別の手段の話をひとつ。FIGHTはコダックの株主総会に出席し、反差別運動に屈服させるにじゅうぶんな委任状を会社の株主たち――賢明にも宗教献金を証券市場に投資していたいくつかのアメリカの教会も含まれる――から集めることにとりかかった。この別のかたちでの「委任状闘争」は大反響を呼び、企業経営陣はひどく神経質にそれを受け止めた。「コダックは恐怖した。ウォールストリートも恐怖した」[24]。同社は結局譲歩するにいたる。

リンドが述べたように、一九七〇年春の議場は大揺れだった。アメリカの大企業の社長はいたるところで、活動家の侵入によって混乱し、いつ終わるともしれない株主総会に直面していた。このあたらしい戦術は「普段はもったいぶったぶんだけ退屈なこういう総会が完全に崩壊していく光景に直面した企業の経営陣に、戦闘準備をとるよう」しむけたのだった。「会社はデモに対抗するため戦術を前もって想像しておくよう強いられた」[25]。

一九七〇年、活動家の研究組織NARMIC[26]は株主総会に侵入するためのさまざまな戦術を並べたかんたんな実践ガイドを書いている。[27]一九七一年、経営者組織カンファレンス・ボードは会社向けに、自前の反活動家マニュアルを出版、『株主総会での抗議活動を管理する』と題されたこの小冊子には、貴重なアドバイスが示されている。前もって「デモを計画しているグループの意図を探る情報活動」[28]を実行すること。参加許可名簿をもとに立ち入りをコントロールすること。悪臭球で攻撃してきた際に床を清掃するためのおおきな水筒を準備しておくこと。[29]マイクのコントロールを一ヵ所に集めることで発言を管理すること（「ホール内に戦略的に配置しておけば、オン・オフは思い通りになる」）[30]。必要があれば強化ガラスのあるオーディオルームを準備しておくこと。[31]「扇動者を断固として素早く排除」[32]するためのセキュリティ・エージェント（「警察国家のイメージ」を与えないよう、制服ではなくむしろ平服を着せておく）[33]を室内に配置しておくこと。あるいはさらに、「会議がメディアの騒ぎに使われないよう」室内にカメラをもちこむことを禁止すること。[34]

直接対決になったときの第一の鉄則は「過剰反応しないこと」だ、とダウの社長カール・ガースタッカーは助言する。[35]「腹が立つこともあろう。そもそもそれが当然である〔…〕だがなによりもっとも重要なのは冷静さを保つことだ」。[36]これについては、よい準備をおこなう以上のものはない。社長向けの「トレーニング」のような形でもよいだろう。協力者は、暗記しておく回答とは別に「起こりうる緊急事態を管理する手順」のいくつかを社長に教えるカードを作っておく。[37]かならず議事日程だけを守り、たとえば戦争についての議論などは拒否する。不規則発言の場合は「本会はビジネス集会であり、政治集会ではありません」あるいは「その種の議論にむいた場ではありません」といった紋切り型を使ってもよい。[38]会社によっては、社長に本番とまったくおなじ厳しい（とはいえひとによってはかなり面白いとも思える）リハーサルの会議をやらせることになる。「スタッフメンバーがプロの扇動者、抗議学生、うるさ型の株主の役を演じ、社長を思いつくかぎり最悪の言葉の試練にかける。〔…〕このリハーサルは社長にとって、どんな株主総会でもここまではないほど手厳しいものになる」[39]とある役員秘書は打ち明けている。

一九五〇年代のマネジメント主義者たちは、企業を私的統治として理解するよう勧めた。一九六〇年代の「新左翼」はそれを文字通りに受け取った。もし統治を「私的なもの privé とするなら、それはなにより剥奪 privation という意味においてだ――この統治は公的な説明義務を〈剥奪されて privé〉いる［…］」。この統治の私的な面は、おもにその権威づくの性格を守るために使われている」[40]。大企業は公的ないし半－公的な責任を果たす。かれらの活動は社会に相当のインパクトを与えるものであるし、その保健・環境に与える効果はわれわれ全員に影響する。「私的統治」という言い回しは、ゆえに縮約語として読まれるものであって、元に戻した完全なかたちは**公的問題の私的統治**になろう。このようにして、「私的統治」はスキャンダルの名になった。この考え方は批判的モチーフへ、論争を招く性質へ、そしてその対象を危機に陥れる支持しがたい語の連なりへ、変貌を遂げていったのである。

一九六〇年代末の運動がアメリカ合州国で成し遂げた功績はまさにここにある。マネジメントは私的統治をおこなう、という前提から出発し、そしてそれぞれなりに急進的な形式や指針に則ってこの権力に異議申し立てをおこなう[41]。一九六〇年代なかばには、この運動は「そのエネルギーを別の標的に向け直した。標的は政府機関から私的権力組織へと移ったのである」[42]と活動家のフィリップ・ムーアは認めている。こうしたあたらしい紛争は、マネジメント側も対処に慣れていた組合の動員とはちがい、雇用関係という古典的な軸にそってのみ展開するものではなくなった。もっともおおきな驚きはこれ以降、企業「外の」社会運動が労働者以外の主体性を動員し、直接に企業を標的にするようになったことである[43]。

活動家の戦略は「企業を政治化する」ことだった。その目的は達せられた。この結果、ビジネス界は前代未聞の動員を繰り出す[44]。辛酸をなめ、不安に陥ったビジネス界は多様な反撃を繰り出し、その反撃は容赦のないものとなっていたのであった。

第10章　観念の闘争

反リベラル派の陰謀なるものは純粋なでっち上げである。[45]

ポランニー

「良識ある人間なら疑念を差し挟む余地もなかろう。アメリカの経済システムは巨大な規模の攻撃を受けている」。[46]一九七一年八月、アメリカ商工会議所副会頭に宛てた非公式文書はこう始まっている。タイトルは『自由企業への攻撃』。著者ルイス・パウエルはニクソンが早々に最高裁判事に任命した人物だが、それ以前にも別の文書を書いている。『政治戦争について』だ。その著作では、かれは共産主義にたいする世界的なイデオロギー戦争について、ホワイトハウスに力いっぱいのアドヴァイスをおくっている。[47]だがこんどの著作では、正確には敵は共産主義ではない。問題の攻撃はまさにアメリカ合州国でしかけられたもので、モスクワの何人かのエージェントが関与したわけではない。「われわれが相手にしているのは比較的少数の散発的・単独発生的な攻撃、あるいは組織された少数派の社会主義者でさえない。こうした企業にたいする攻撃はよりひろい基盤を持ち、一貫したやり方でことを進めている。規模は拡大し、あらたな信者を惹きつけてやまない」[48]。パウエルが名指しした指導者たちのなかは、消費者弁護士のラルフ・ネーダーやエコロジストのチャールズ・ライヒが含まれている。前者は「食品に毒を入れた」経営者を投獄しろと訴訟を起こし、後者は「アメリカの緑化」[49]をたくらんでいる。端的に言うと、まちがいなく「正面攻撃」つまり「システムに対する大規模な武装攻撃」[50]に直面しているのである。パウエルのレポートには一連の推奨事項が並べられている。要は一九六〇年代末の異議申し立て運動によって根本から揺さぶられた社会を取り戻すための、ビジネス界向けの戦争計画である。当時のアメリカ合州国では、この種の書き物、戦争を思わせるタイトルをつけたマニフェストが山ほどあって、反撃を勧めていた。その種の資料の中から、この**反動言説** discours de réaction の中心軸を取り出そうと思う。それは**対抗的** réactif（対立状況、じぶん以外のなにかと対決することと要約される）と、**反動的** réactionnaire（変化に脅かされる支配的秩序の保存ないし復興を目指す）と、二重の意味を担わされている。

おおくの人びとが共有していたこの診断によると、近年のアメリカ史において資本主義とその諸制度がこれほど強烈に批判されたことはかつてなく、かれらの目には悪意とも映る感情がこれほどひろまったこともかつてない、とされていた。銀行家デヴィッド・ロックフェラーが一九七一年に宣言したように、「アメリカのビジネス界はこんにち大衆から、一九三〇年代以来最悪の不評を買っていると言ってもさして言いすぎではない。われわれは労働者の状況を悪化させ、消費者を騙し、環境を破壊し、若者世代を傷つけたと責められている」[51]。ゼネラル・モーターズ社長のジェームズ・ロシェはそれに応えるかのようにこう嘆いた。「自由企業にたいする極度の敵意に満ちた批判的雰囲気」[52]。ある社会学者は一九七七年にこう認めている。「ビジネスの正当性はこの一〇年で奈落の底まで落ちこんだ」[53]。

パウエルの言葉を信じるなら、この状況はなによりもまず、迅速に指揮されたイデオロギー的攻撃の結果だった。前哨は有名大学のキャンパス、とくにそこの社会科学の学部と、そうした学部につきものの左巻きの「邪悪な教師」である。ヘルベルト・マルクーゼやその他の「面白く、ひとを惹きつける」人物や「刺激的な教授陣、かれらの論争は学生聴衆の耳目を引きつけ［…］かれらが同僚やアカデミズムの世界に及ぼす影響力は甚大で、その実数をはるかに上回る」[54]。ネオリベラル主義の経済学者、アーサー・シェンフィールドもまたこう批判する。「知識人社会のメンバーたちは」、「西洋社会にたいするイデオロギー戦争を」しかけたのだ。われわれはもはや、単純な「諸思想の競争」の場ではなく、「社会そのものに**たいする**戦争」の場に立たされているのである。この攻撃は、「この社会を破壊する目的で、度を超した使い方をされた思想［…］」[55]にもとづいておこなわれている。

とはいえ、まだ説明すべきことが残っている。文章が小難しい上に、数の上でもすくない大学のちいさな急進派グループが、どうやって言われているような影響力を行使できたというのか。それを説明するには、なんらかの分析を深めることが必要だったはずだ。

一九六〇年代なかば、ある反動派の知識人がモダニズム批判理論をまとめあげた。芸術や文学においてモダニズムとは結局なんだったのか。ライオネル・トリリングはこう答えた。要するに冴えない女々しい中産階級という巣に産み落とされたニワトリの卵。美学の近代性は、根本的にそれを生み出した社会環境にたいする**敵意の文化**、敵対的意図によってつき動かされている。「近代文学を特徴づける転覆的な意図は［…］あきらかに、これまで文化のすべてが読者に教え、読者の判断や批判の拠り所となる土壌や立場となってきた習慣的な考え方や感じ方から読者を解き放つことを目的としている。つまり、じぶん自身を生み出した文化を見直すことである」。さらにかれはこう続ける。「この敵意の文化を軸に、わたしがひとつの階級と呼んだものが形成された」[56]。

ネオリベラル主義のイデオローグたちは一九七〇年代初頭に、トリリングの美学的直観を採用し、これに対応する社会学的テーゼを展開した。その理論化によれば、ビジネス界を襲う政治的・文化的敵対性は、それを流布する「ニュー・クラス」なるあらたな社会グループによって発信されている。ノーマン・ポドレッツはこう指摘している。異議申し立て運動は「大半が教育を受けた生活水準の高い、インテリ層を構成する人びとからなっている」[57]。「この〈ニュー・クラス〉の定義はかんたんではない」とアーヴィング・クリストルも同意する。「だが、ざっと描いてみることはできる。大部分が大学で教育され、〈ポスト産業社会〉にたくさんいるタイプの能力と資質を持つ人びとから構成されている」[58]。教師、ジャーナリスト、ソーシャルワーカー、幹部公務員……。「資本主義の始まりにまでさかのぼってみればいつだって、われわれの暮らす文明のいたるところで自由市場が影響を及ぼしていることを認めたがらない、少数派の男女がいるものだ。このグループは〈知識人〉と呼ばれていたが、これがわれわれの言う〈ニュー・クラス〉の先祖である」[59]。

シェンフィールドは、「西洋社会にたいするイデオロギー的攻撃の原因と起源はなにか」という問いにたいし、こう答えた。エリート主義という意味での「近代知識人の性格」が腐敗したのは、「知識人階級の定員数を大規模に拡大」し、「知的生活の基準を引き下げる」にいたった「民主化と教育の普及」運動のせいである。引き下げられたのかどうかはあくまで推定だが、結局はそのテクストの情けない水準が立証してくれることだろう。「恵まれない者への配慮」というじつに面倒な配慮がここに加わる。教育への「大衆」アクセス、社会変容の可能性への信頼、社会の底辺にたいする過度の共感、これらをカクテルにした火炎瓶が、知識人層が「社会の敵」[60]の巣になった理由を説明してくれる。もはやだれも知識人――というより「知識人もどき」[61]――をまともに相手にしなくなったのもそのためだ。端的に言えば、拡大し、相対的に巨大化し、そのことによって堕落した知識人階級をだれも相手しなくなったのだ。

『ウォールストリート・ジャーナル』の編集者、ロバート・バートレーはこう述べる。近年発生しているのは「たとえば汚染問題でビジネス界を悪役に仕立てようとする公益擁護者という新産業」[62]である。しかし、よく見たほうがよい。こうしたグループは全体の利益という装いのもとでカーストの利益を擁護しているのだ。クリストルは問う。「この〈ニュー・クラス〉はなにを望むのか。そしてなぜビジネス界にこんなにも敵意をあらわにするのか」。「もちろん［…］金にそう興味があるわけではないが、権力には非常に興味がある。［…］われわれの文明を作り上げる権力に――つまり資本主義システムにおいては自由市場に委ねられるべき権力に、だ」[63]。

さて、この現在進行中の戦争――これがこの診断の第二部だ――は敗色濃厚である。敵は凄まじい速度で進軍し、絶えずあらたな陣地を獲得している。若者はすでにほとんど全員が敵陣になびいており、他の社会階層もあとに続いている。全米製造業者協会の一九七三年のレポートでは「この種のインパクトの強い一連の戦いに勝利してきたシステム、つまり自由社会も、戦争に敗れるおおきな危機に直面している」[64]と警告が発せられている。

研究者のデヴィッド・フォーゲルとレナード・シルクは当時、アメリカの経営者の精神状態を調査し、深刻な自信低下、あきらかな信念の喪失を発見している。「ビジネスマンはとくに資本主義システムの未来について悲観的であった。それどころか資本主義の没落を目にしているのだ、と確信しているグループはひとつだけであった。マルクス主義者たちである」[65]。インタビューされた管理職のひとりは苦々しく皮肉っている。「アメリカの資本主義システムは史上もっとも暗い時期を送っている。事態の展開するテンポからすれば、ビジネス界はむしろエコロジストたちから支持されてもおかしくないかもしれない。絶滅危惧種のリストに載せるだけでよいのだから」[66]。

パウエルもまた、危険のほんとうのおおきさをあえて誇張して、つぎのような考えを伝えている。「われわれが自由企業システムと呼ぶもの自体の生存がかかっている」[67]。この芝居がかった言い回しの果たす役割は明快だ。行動せよ、ということである。戦いに敗れるのはなによりもそれを遂行しなかったからである。「基本的な経済原則、その哲学、自身のビジネスを経営する権利、つまるところあるべきあり方そのものにたいする大規模な攻撃を前にしたビジネス界の反応はどのようなものだったか」[68]。なんの反応もなかった、あるいはたいした反応はなかったのだ。形のない大衆を描きだすことも、内在的な脅威を前に立ち上がることもできなかったのだ。相手は、「資本家階級の放棄」[69]にも等しいこの受け身の姿勢を利用して前進した。「おおきな危機を無視し」、目をつぶっていたことが敗北の原因となった可能性がある。

アメリカビジネス界の主流派の巨頭たちはグラムシを読んでいなかった。にもかかわらず、かれらのテクストが描きだしたものは、ムッソリーニに投獄されながらも執拗に筆を走らせたイタリアの共産主義者が「ヘゲモニーの危機」[70]と名づけたものに似ている。

一九七二年、アメリカン・エンタープライズ研究所の所長ウィリアム・バルーディはこう書いている。こんにちのビジネス界は、「人間精神のための戦い」に身を投じなければならない[71]。敵の地盤――扇動の後方基地かつ発生源――は大学である。「観念を創造しそれを正当化する組織」が周囲の社会に相当の影響を及ぼすことは知っておくべきだ。こうした組織がシステマティックな批判的「バイアス」に影響されているという事実は「われわれのなかで、自由社会の保全を憂えている者たちにとっては重大な問題である」[72]。

「ビジネス界にとっての最優先任務のひとつは、大学にある敵意の源に介入することである」[73]。そしてどこでもおなじように、ここでも金は戦争のエネルギー源である。敵の観念のたまり場を生き延びさせてやっているのは、金を出してやっているのはだれだ？　大学は「その大部分がアメリカのビジネス界の納めた税、そしてアメリカのビジネス界が管理運営するキャピタルファンド」に依存しているのだが「[…]企業システムが自己破壊に貢献しているとまでは言わないにせよ容認している、これこそこの時代でもっともあぜんとさせられる逆説のひとつである」[74]。

じぶんを吊るすための縄をプレゼントするのはご免こうむるというなら、だれであれなんらかのかたちで資本主義秩序に批判的な見方をひろめる者にたいしては、民間融資を断つ必要がある。元国防副長官にしてヒューレット・パッカード社の社長デイヴィッド・パッカードが、大学とあればみさかいなく寄付を通じて補助を出すようなまねはやめよう、と企業社長に厳命したのもこういうわけであった。なぜなら、「敵意ある大学のコングロマリットこそ、こんにち若者の大部分を壊疽させた反ビジネス的指導におおいに責任があるからだ。企業が大学をサポートすることが企業の利益になるとは思えない」[75]。クリストルも賛同する。「企業も博愛精神を持つのはいいが、敵と友のあいだに区別を付けるくらいのことはしておかなければ、まるで筋が通らないことになるではないか」[76]。

パッカードはこう処方箋を出す。「今後われわれは個別の企業に特化し貢献する学部、ないし自由企業システム全般の繁栄に貢献する学部に金とエネルギーを集中させなければなるまい」。化学産業の一大企業を率いたロバート・マロットも、大学が民間ファンドへの依存を高めることのメリットを強調している。善意の寄付者は小切手を切るかどうか決める前に、プログラムの中身を評価してもよいかもしれない。専門家でなくとも、「経済学の講義で［…］たとえばミルトン・フリードマンの保守的見解が紹介されているか否かを確認する」のはかんたんだからだ。「株主の金をどうばらまくのか決めるために哲学のフィルターをセットする権利がわれわれにあるのか？　断言するが、権利もその能力もある。それ以上にそうする義務がある」[77]。

並行して、あたらしい組織を作る必要もあろう、と予見したのは、元財務長官でオリン財団の財務ディレクターでもあったウィリアム・サイモンである。それは「確実に非平等主義の大学人や著作家のための知的な隠れ家になるような組織でなければならないだろう［…］。かれらに与えるべきは財源、財源、また財源であり、それと引き換えに著作、著作また著作、と出版をさせるのだ」[78]。こうして一九七〇年代初頭、「保守派の政治アジェンダを展開する」[79]ことを目的とするあたらしいシンクタンクがアメリカ合州国に創設される。そして一九七一年のダヴォス・世界経済フォーラムや一九七三年の三極委員会の創設により、その規模は国際レベルにまで達する。

「観念は武器だ」とパウエルは書いた。しかしビジネスマンは「じぶんたちを批判する者と正真正銘かつ過酷な対決の場を持つことにほとんど興味を示してこなかった。知的、哲学的な本物の論争に加わるには貧弱な才能しかないのだ」[80]。たしかにその通り、とクリストルは答える。だが、ビジネスマンはそういうことをするのに向いた立場ではないことはかれらのために理解してやるべきだ。「素手で〈ニュー・クラス〉と渡り合うような戦いでは、ビジネス界はスタートの時点で負けているところから出発することになる。いま、じぶんの子どもたちにさえ企業は道徳的に正当なものだ、と説得できなくなったビジネスマンが、どうすれば自力で全世界を説得するのに成功すると思えるのか。観念と戦うには別の観念をもってするしかない。ニュー・クラスにたいしては、観念とイデオロギーの戦争などしかけるものではない。かれらのなかでそれを起こすことにしよう」。じぶんがにわか仕込みの知識人になるのではなく、転向した反知識人をリクルートするほうがよい。だがどうやってかれらを見極めるのか。「石油を探しにいくと決めたら、まず有能な地質学者を見つけることからはじめるだろう。同様に、知的・教育的世界に生産的な投資をおこないたいのなら、惜しみなくアドバイスをくれるような、言ってみればニュー・クラスから離脱したメンバーから有能な知識人・学者を見つけねばならない」[81]。プロジェクトは明確に「反インテリ」、ビジネス界の利害に同調する知識人共同体を養成することにある[82]。

観念の生産の場に加え、その流通経路にも気を配る必要がある。ここでもまた、会社は「いまあらゆる次元で確実に、平等主義の十字軍のための国家的拡声器の役割を果たしているメディアにたいし、広告を通じて」[83]スポンサーになっている。意識の高いビジネスマンにとっては、「反資本主義的見解の代弁者となっているメディア」に資金を出すことをやめ、広告という蜘蛛の糸は、もっと迎合的なメディアに垂らしてやることが、まずはささやかな一歩である。「企業の金は自由社会寄りのメディアに大量に流れるべきである。あるいは「ビジネス界寄り」である必要はないが、すくなくともプロとして、資本主義寄りの観念・価値観・論拠に公正かつ正確な扱いができるメディアに流れるべきだろう」。[84]

雄弁な者はなかまに、内在的脅威について警告を発していた。自由企業の敵から攻撃が発せられた。「われわれの社会の防衛は［…］攻撃そのものを攻撃し押し戻すのでなければならない。成功の第一の条件は攻撃に転じることだ。武装闘争については、攻撃は最大の防御なりということができるが、この原則は観念の戦争にも同様に通じるものがある。ごく単純に、守勢に回った考え方をする時点で半分負けているからだ」。[85]

しかしながらこの種の戦争勧告を拝聴したあと、おおくの企業社長は自社に戻って、あきらかにまったく逆の行動をとったのだった。揃いも揃って、言葉の上では譲歩してしまったのである。一九七〇年代初頭、パウエルのようなネオリベラル主義者かつ反資本主義的陰謀の理論家たちの頑固で偏狭な態度に対抗していたのは、より繊細なアプローチであった。それは、敵のテーマ設定をまるっきり排除するわけではなく、むしろ**検討させていただきます**戦略を用いることで、それを取り込むかたちで応答しよう、というアプローチであった。

ある一点については合意がみられた。すなわち、異議申し立てには喫緊に応答すべきである。だがその方法については団結にひびが入った。どう**反応するか**、という問いにたいして、当時の支配階級を二分するような活発な論争によって反応したのである。

第11章　どう反応するか？

伝統的な指導階級は〔…〕必要があれば譲歩もしているが、見通しがデマにもとづいているばかりに暗い未来に身をさらしている。[86]

グラムシ

「ビジネスマンはこのウィンストン・チャーチルの名文句を自家薬籠中のものにできるはずです。〈われわれにたいする批判にはたいへん世話になった。なにせ批判については一度たりとも物資の不足を嘆かずに済んだのだから〉[87]」。一九七一年、チェース・マンハッタン銀行頭取のデイヴィッド・ロックフェラーは、「責任増大の時代にビジネスマンが果たす役割」と題された、ニューヨークの広告業者向けの演説を、このユーモアある言葉で切り出している。

このテクストを、支配階級向けの**批判の正しい利用法**の決まり文句として読むことも、そこからいくつかの一般的原則を抽出することもできただろう。異議申し立てを前になにができるか。そしてまず、どんな目をもってそれを見、どんな耳をもってそれを聞くべきか？

手始めに、使われた用語について指摘しよう。当時、自由企業にたいする「攻撃」と言及している者もいるなかで、ロックフェラーは「批判」について語るほうを選んでいる。ここに最初の教訓があるといえる。攻撃は批判に読み替える。攻撃を批判として扱うことは、すでにその武装解除をはじめているということなのだ。ちがいは、敵意にどう対処するかにある。攻撃ははねつけるべきものだが、批判は考慮すべきものだ。攻撃は反撃を呼ぶが、批判もまた自己検証を招く。批判はなにをじぶんに教えてくれるのか、批判のおかげでどんな潜在的欠陥を修復することができるのか、それをじぶんに問う。言い換えれば、じぶんにとっての教訓をそこから引き出すために、否定のなかにある真理を再認識する準備を整えることである。権力にとって、批判は好機である。万事そういうものだが、批判からそれ以外の利益を引き出す術を見つけなければならない。それが批判を価値あるものにする原則である。

とはいえ、「ビジネスマンにとって、悪口には悪口で反撃に転じるのは魅力的です」。だがそれは良い戦略ではないし、頭から取るに足らないものと扱うのも、やはり良い戦略ではない。われわれに向けられた批判を十把一絡げに中傷するのは「信頼性がもっとも必要とされるタイミングで信頼性を落とす危険」があろう。このときロックフェラーが対決しているのは、一方は異議申し立てが社会的事実や企業の活動環境の客観的かつ永続的な変化の表現であることを理解せずに、反資本主義的陰謀と切って捨てる者たち、他方はそれが敗北へ向かう戦術であることを見ようともせず、既存の保守的主張を繰り返すことで対応する者たちであった。

現状維持を擁護することに、もはや実現性はない。代替案はこうだ。進行している変化にじぶんも加わるか、あるいは変化させられてしまうのか。かれはこう続ける。「ビジネスマンはじぶん自身が改革者になり、変化しつつあるいま現在の社会・政治・技術環境下での市場システムの動きに意識的に適応しようと努力する以外の選択肢を持ちません。問題はこう要約されます。企業の経営陣は必要な変化を起こすためにイニシアティヴをとり、意識的にあたらしい責任を引き受けるつもりなのか、それとも法律がそれを押しつけてくるのを待つつもりなのか」。

変化に抵抗してもなんの役にも立たない。逆に、動きにしがみついてそれを上手に方向づけするべきである。見物人のままではいけない。列車に飛び乗って、運転士のうしろに座らなければならない。マルクスの暗い予言がここまで空振りに終わっているのは、ビジネス界の「驚くべき回復力」のためだとかれは結論する。システムを損なう危機を超えてシステムが生き残ることを望むのであれば、このような知性と関係を結び直す必要がある。[88]

改良主義的な左翼のいくつかの組織は一九六〇年代末から、「社会的責任」というマネジメント主義のイデオロギーを取りあげ、それを新手のキャンペーンの軸に据えようとしていた。[89] 一九六九年、ラルフ・ネーダーを中心として集まった若手弁護士数人が、「会社責任プロジェクト」を創設した。「企業の経営陣は、みずからの決断が影響を及ぼした全員にたいして説明をおこなうことが望まれる」。一九七〇年二月、ゼネラル・モーターズの一二株を購入したかれらのせいで、会社の一三〇〇万人の株主が九つの決議に従わされるはめになった。目的は「経営プロセスを」変化させ「会社の決定に影響されるおおくの利害関係が確実に考慮されるようにする」[90] ことにある、とかれらは公言した。

一九七〇年、ゼネラル・モーターズ社長ジェームズ・ロシェは「われわれは社会的責任という観点からみずからの義務を全うすることを、かつてないほどかたく決意してこの会を終える」[91]と宣言して年次株主総会を閉じた。参加者に配布された冊子にはつぎのような文面も記されている。「ゼネラル・モーターズは自社製品・自社工場由来のものにかんする大気汚染問題解決に取り組みます。［…］経営陣は可能なかぎり早期に排気ガス問題の解決を見つけるよう、全力で取り組んできました」[92]。なるほどたしかに、約束に縛られるのはそれを誓った者だけだ。

保守派はこうした話を聞かされるとじつに気詰まりになる。一九七一年、リバタリアンの編集者ジェフリー・セントジョンは「ゼネラル・モーターズのような巨人が、知的にも哲学的にも完全に白旗を掲げて、巨大化する批判の群れに応えている」[93]と叱り飛ばした。そしてデトロイトの自動車会社の社長の譲歩の要点を整理し嘆いたものだった。活動家の圧力を前に、理事会に「黒人の理事」を指名すること、環境問題担当の科学委員会を創設することまで受け入れはしなかったか。かれは心を痛める。まとめてしまえばビジネス界のいまの対応はこういうことだ。かわす、妥協する、譲歩する。

しかし同年、非常にリッチな社長たちの内輪の集まり、シカゴの「エグゼクティヴ・クラブ」で、ロシェはなかまに表向きの演説を読み解く鍵を打ち明けている。「アメリカの自由企業体制にのしかかる、深刻でありながら把握しがたい脅威」[94]に注意を向けさせたうえで、かれはこう付け加えたのである。「社会的責任、それはこんにち目の前にある敵の文化のスローガンです。［…］この哲学は私有財産と個人責任という、われらがアメリカ的発想とは正反対です」[95]。それを旗印に掲げる活動家グループは「一九七〇年代のアメリカを自国の社会どうしの戦争に陥れる」[96]ことを狙った「分割戦術」を利用している。とにかく、こうしたテーマ設定がかくも反響と共感を呼んだ以上、もはやそれを当然のように無視することはできない。「われわれは変化を受け入れる備えをしなければならない。そしてこんにち、ビジネス界に期待されているのは、ビジネス界が奉仕している社会があらたに抱く希望に応えることだ。われわれは、大衆を動かしているこのおおきな期待を確認しなければならない」。[97]

戦術は明快であった。相手の土俵で批判に応える、公の場では臭いものには蓋をして、あらたな社会的責任とかいう言説の二番煎じを引き受けることにする、合間合間にはささやかな施しでもするが、根本的にはなにも変えない。圧力をかけられたゼネラル・モーターズは、実際に黒人神父のレオン・サリヴァンを社の理事会に指名、エコロジー問題担当の副社長ポストを創設し、自動車が環境に与える影響を研究する科学委員会も結成した。しかしこれこそまさに些末な妥協というもので、実質的というよりは象徴的なものにすぎなかった。

一九七〇年代初頭、アメリカ合州国のメディアは、企業の社会的責任を謳う広告の嵐に席巻されていた。ある社長はこう述べている。「企業はいたるところから絶えず攻撃されている。[…]企業が自社の方針や実践にたいする攻撃を前に沈黙を保っていては、罪の告白と解釈されてしまう。自己弁護は企業広告からはじまる」。[98] のちの「グリーン・ウォッシング」や「フェアトレード・ウォッシング」――エコロジーや倫理で見た目は綺麗にしあげようという作戦――の先駆者たるこのキャンペーンのスローガンは雄弁である。「みなさまの信頼を維持するよう努力します」と石油会社テキサコは約束する。「われわれは問題に取り組みます」と確言するのは製鉄会社USスチール。化学産業のデュポンは「あなたにできることはたくさんあります」と言葉を飾る。インドのボパール市で、一九八四年一二月の夜、有毒ガスとその数千の被害者、窒息死した死者を発生させた惨事と切っても切れない名前となるユニオン・カーバイド・グループは、それに先立つ一九七四年に、「緑の革命」のための取り組みを謳う十数ページの広告をアメリカメディアに提供している。広報担当者たちはその広告のなかに、あとから考えれば不吉な響きをもつスローガンを目にしていた。「こんにちでは、わたしたちのおこないがみなさまの生活に影響しています」[99]。

「こういうテレビCMを見るほど胃がムカムカすることもそうはない。とくにいくつかの石油会社のCMだ。環境の保全だけがじぶんたちの唯一の存在理由だとわれわれに信じ込ませたがっているのだから」[100]。そう嫌悪感をあらわにしたのはほかならぬミルトン・フリードマンで、一九七二年のことである。だがその吐き気の原因はなんだったのか。ネオリベラル主義の経済学者がむかついたのは、会社がエコロジストの言説を道具に使ったことではない。その逆だ。ヒッピー流の言い回しに身をやつすことで、企業精神が失われたからである。フリードマンの嘔吐、それは企業がじぶんたちの原動力――最大の利潤を稼げ――を、まるで恥じるかのように人前では受け入れようとしなくなったせいなのだ。

とはいえ、フリードマンもわかっていた。「こんにち世論を支配している雰囲気、〈資本主義〉、〈利潤〉、〈良心なき企業〉等々を考えれば」[101]、素顔を隠して進むのもやましいことではない。たしかにこの状況では、公益に奉仕するよう**装う**ことが自己中心的な利益を追求するもっとも利潤率の高い方法であるし、だとすればこのようにことを進めるのも、マネジメントにとってはじぶんの仕事をしただけのことである。「このような愚かなでまかせを述べたからといって、企業の経営陣を責めることはできない。むしろ、かれらがそうしなかったら責めていたことだろう。大衆の精神全般を計算に入れれば、社会的に責任を持つと装うことは、企業にとって利潤増大の一手段である」[102]。

左翼の側では、この種のプロパガンダを経営的偽善として非難していたのだが、フリードマンはまさに逆のことを不安視していた。かれが恐れたのは、こうしたエージェントがじぶんは誠実ではないことを忘れてしまったのではないか、美辞麗句を繰り返すうちに、表向きのご高説にすぎないはずのものを信じ込むようになってしまったのではないか、自家中毒を起こしたのではないか、ということだった[103]。シニカルなフリードマンは偽善を守ってやりたかったのである。かれにとって問題なのは、詐りの言説(他人にとっては詐欺であるという意味で)のことではなく、虚偽意識(自身にとっての幻像という意味で)のことだった。かれを恐れさせたこの現象のことを、**超偽善** hypercrisie と名付けてもよいだろう。偽善者とは仮面を付けたうえでそれを意識している人間のことである。超偽善者は、じぶんと仮面を取りちがえ、二重の意識が消えてしまった人間のことである。じぶん自身のことを忘れてしまえば、偽善は超偽善へと転じる。それは一種の健忘症的な信仰告白であって、「その告白によって、ある人間は騙す意図もなく他人を騙しつつ、じぶん自身をも騙す」[104]。フリードマンが嘆くに、「ビジネスマンは自分のことを哲学者と思い込むことがままある。あちこちで一個人として戯れ言を並べ立てて意見表明するからだ。ビジネス生活ならそんな戯れ言が稼ぎになることもあろうが」[105]。物事を幅広く考慮に入れなくなり、人前で話したことを心の底から信じ込むようになる、そこがビジネスマンの弱みだ。経営者は本物の資本主義精神をこの「責任ある」長広舌と取り替えてしまい、その拠り所をなくしてしまうのである。

脅かされているのは資本主義のエートスの保全そのものだ、という意味でこの危険は「倫理的」である。だがこの危機は政治的でもある。非資本主義的価値観によって資本主義をそうそう長いあいだ擁護できるものなのか。矛盾は維持できるのか。

おおくの広告のあと押しで、企業の目的は社会に奉仕することだ、と考えるよう促された世論は、「ビジネス界が、改革者のみならず企業のリーダー当人たちの作ったあたらしい企業倫理にそって行動するよう要求」[106]し始めないだろうか。企業の経営陣自身がレトリックのうえで妥協したことで加速した企業の政治化のサイクルが、こうして回転しはじめることになる。

ネオリベラル主義者たちは怒り狂った。かれらはそれに先立つ、まだ万事が穏やかだった時期にさえ、この種の言説のもたらす危険に警戒を怠ってはいなかっただけに、その怒りもひとしおであった。かれらは一九七〇年代初頭に、活動家による一連の運動はマネジメント主義の昔ながらのテーマを横取りして企業の経営陣に突き返したものだ、と検証し、こうしてじぶんたちの懸念がたしかめられたことを知ったのである。

社会的責任という言説の採用は、「厳密に防衛のための作戦として始められた」、つまり「批判を出し抜くことで資本主義の生命維持期間を最大化する」[107]方法として始められた、とも言えることはレヴィットも認めていた。しかし、この戦術にはリスクがあった。なぜならビジネスの基本的機能は「公衆に貢献する」ことだとビジネスマンが認めてしまえば、「喜色満面の批判が飛んできてこう言うだろう。〈ではどうして公衆に貢献しないのです？〉。もっとも現実には、ビジネス界が〈貢献〉するべく骨を折っても無駄で、批判派の目にはなにをやっても不十分にしか見えないだろう」[108]。ひとたび失敗が宣告されれば必然的に、さかんに売り込んではいるが役にたたない経営者の良心よりも、さらなる強制措置に頼ることを望ましいと考えるよう、世論は誘導されるだろう。公的規制に始まって、そこから進路が整備される。ハイエクはおなじような展開を予言していた。「長期的には必然的に国家権力による企業のコントロールの増大へとつながることになる」[109]。

「厳格な政府規制を回避するために」社会的責任という言説に頼った者が主張しているのは「資本主義の存続そのものが、企業が社会的責任なる態度を取ることにかかっている」[110]ということだ、とマンネは分析する。かれらに言わせれば、「企業はすでに社会的に責任ある姿勢で動いていると大衆に信じさせるよう導くことができれば、最低限のコストで政治的危険を遠ざけることができる。うまくいけば、産業界による自己規制の獲得が許され、ビジネス界に都合よく事態が展開する可能性もある」[111]。これが基本的に、経営者たちの側の賭けであった。マンネによると、この戦略は失敗に終わる運命にあった。

だが、ではなにをすべきか。フリードマンはこう皮肉る。「偽善的にうわべを取り繕うことに頼るのはやめよう、それは自由社会の根本を損なうのだから、と企業の経営陣に呼びかけたとしたら、わたしにも一貫性がないことになろう。それこそまさに〈社会的責任〉を果たそうと呼びかけることになるのだから」[112]。この自虐はたんなる冗談を超えて、根本的な難問を表している。つまり、ネオリベラル主義の経済ドクトリンでは理論的に、支配階級が自己の利益を守るために集団で動いたり連携のとれた動員をかけたりする可能性をそれ自体の枠組みで考えることはできない、という問題である[113]。この発言はその不可能性をそれと知らずに予言している。かれらにとっては、それを可能にすることが必要不可欠になったのだ。

ビジネス界が政治的に難しい状況にあったとすれば「それは、ビジネス界が知的な紋切り型を採用したあげく、じぶんたちの視点の明晰判明な説明を捨ててしまったからである」[114]。ジェフリー・セントジョンは一九七一年にそう説明した。さて、「ビジネス文化は、それがどう機能しているかを知的に一貫したやり方で説明できなければ消え去る運命にある。［…］理解していないことは正当化することはできない。正当化できないことは擁護できない。擁護の備えがなくては保全もできない」。正当化の作業は戦略的に重要だが、他人にとってというだけでなく、じぶんたちにとっても重要なのである。ただのプロパガンダ作業ではなく、自己確信の作業でもあるのだ。そのためには哲学をもつことが必要だ、急進派グループに妥協してしまうのは「そういう哲学がないからだ」、そうセントジョンは繰り返すが、堂々巡りを続けるあいだ一度たりとも、ひとかけらたりともその定式の概念的な内容を見せてはくれない。ではどこにそれを見つけようというのか。

あらたな土台にもとづいて擁護論を再構築するためには破壊しなければならないものがあるとして、どこから手をつけるかを、マンネは一九七〇年に指摘していた。「現在の〈ビッグビジネス〉にたいする攻撃のもっともおおきな知的源泉になっているのは、バーリとミーンズの古典的著作である」[115]。企業の政治的な脆弱さには理論的なルーツがあるというのなら、理論的な手段でそれを修復すべきであった。企業の致命的な危険がここにあることを理解した者にとって至上命題になったのは、企業の基礎、権力、目的を疑ってみようとしても、知的に解析できないようにしてしまうことだった。

第12章　企業は存在しない

歴史的に見ても、分析的に見ても、企業は権力の束 Nexus［…］であるように思われる。[116]

リー・レーヴィンガー

束 Nexus：絡み合い、締め付け、結び目、紐帯［…］ある契約を結ぶこと［…］隷属状態に陥ること。[117]

「アメリカのネオコン主義のゴッドファーザー」とあだ名されるアーヴィング・クリストルは、一九七五年にいたってもあいかわらずこう嘆いていた。「こんにち大企業の抱える問題とは、リベラルな資本主義の枠組みにおいて明快な理論的つまりイデオロギー的正当性が微塵も存在しないことである。［…］〈マネジメント〉、この同族的寡頭制は、どんな権利があってその権力を行使しているのか。どんな原則にもとづいてそうしているのか。こうした本質的には政治的次元の問いに、経営陣は経済的次元というただ一種類の薄弱な答えしか対置することができずにいる」[118]。理論をもたず、知的にもろい、そしてそのせいで政治的に危険にさらされやすい権力について、きわめて憂慮すべき事実を確認したのである。当時、アメリカ知識人の生活について注意深く観察していたソヴィエトの分析官は、クリストルのこの問いを興味津々に記録しているが、かれが「この問題だけをとっても、建設的な解決策をなんら提案できていない」[119]ことを露呈していると、ばっさり評価を下している。

スチュアート・ホールはグラムシの分析を取りあげてこう記している。「危機は深刻であり、古い配置を解体してあたらしく作り直すためには相当な政治的・イデオロギー的作業が必要とされる」[120]。しかしそれには時間がかかる。さらに言えば、このような場合、反応が出るまで遅れが生じる。「大企業にたいする大衆ないし知識人からの攻撃は、防衛策が機能しはじめるずっと以前から起こっていた」[121]とマンネは記している。ゆえに、一九七〇年代初頭はまだ「アメリカの企業システム防衛を確固たるものにする、信頼に値する理論」[122]は入手不可能だった。

しかし、事態は急速に変わりつつあった。異議申し立ての拡大が作業をせかしたのも事実だ。新古典派の経済学者はこの期間に、必死にあたらしい企業理論を発展させようとしていた。マンネに言わせればそれは「情熱をかき立てる分野」であり、一九七九年には安堵すべきことに「長いこと反ビジネス的姿勢を、そして大衆への防衛策を行使する能力がじぶんたちにあるのかを不安視していたビジネス界にとって、良いニュースが届いた」[123]。

こんにちの経済学者にとって、「あたらしい会社理論」はなじみ深いものだ。学生向けには、それを紹介するスコラ学風の無味乾燥な議論が延々と続く講義や教科書がある。だが、この理論が作られる動向を支配した当時の歴史的・政治的背景を復元する、という作業はほぼ省かれている。こうして、著者たち本人にははっきりと、異議申し立てされた資本主義を擁護するための知的な武器と理解されていたものが、中立的な教義として紹介されるのである。こうしたごまかしが見られるのは残念なことだ。おかげで、これらの理論やその根本的な意味の政治的な争点の把握が妨げられてしまうからである。

一九七三年、「企業は生き残れるか」と問うたのは、のちにノーベル経済学賞を受賞するマイケル・ジェンセンとそのメンターのウィリアム・メックリングであった。しかし、かれらは真剣にそう言ったわけではない。現状の傾向がかれらの予想通りになったことを考えるとなおさらである。「企業の経営陣の権力は［…］日を追うごとにますます制約に縛られている」[124]。かつてはあれほど自由だった経営陣に、あたらしい政府規制の山が足かせをかける。エコロジストがさかんに突っついたおかげで、ＤＤＴ（殺虫剤）を含むいくつかの中毒物質は禁止された。これは商業の自由を軽視するものだ。反差別主義者やフェミニストといったさまざまな「圧力団体」の働きかけに応えて、積極的な差別対策が雇用者に課せられた。これは雇用の自由を軽視するものだ。こうした要求に軽率に譲歩したために、「政府は［…］自由企業」システムの存在そのものの拠り所である「契約権システムを破壊しつつある」[125]。自由企業とは「非常に脆弱な組織形態」[126]なのだとかれらは説明する。時流とともに、「たとえなんらかのかたちで生き残ったとしても、大企業はわれわれの知っているような形態としては破壊される運命にある。いくつかの産業では、大企業の消滅が目前だとさえわれわれは考えている。［…］夜逃げ寸前の会社もある［…］ちがう形態に衣替えしようという会社もある。国有化されたもの、労働者の自主管理に移行したものもある」[127]。

さて、「企業への攻撃」[128]は社会的・政治的領域で展開されているのだが、その根拠となるのはふたつのおおきな概念的前提である。一方は「所有と管理の分離」、他方は「企業の社会的責任」だ。理論的領域では、これらが打ち倒すべき二大標的だ。というのも、敵が一本取ったのはなによりまず、公の論争には「意味の落とし穴」[129]がたくさんあるからこそなのだ。地雷除去作業が必要だ。それは再概念化という辛抱強い努力なのだが、これまでは無駄に「意味に難癖をつけている」[130]だけと思われたせいで軽視されていたのである。言葉の定義は政治行為なのだ。意味を確定するものは、戦略的切り札を与えられるのである。

一九六〇年代末、致命的に欠如していた会社理論を作り上げるべく発掘されたのは、一九三七年に経済学者ロナルド・コースが発表した論文だった。かれはイギリスのある著者から借用した喚起力に富む隠喩を用いてこう述べた。企業の市場にたいする関係は「バターの鉢のなかで固まっていくバター片のように、無意識的な協働作業の海のそこかしこで漂っている、意識をもった権力の島々」[131]のようなものである。会社は理論的には脂、漂う脂である。

新古典派経済学は、こうして企業という驚くべき実体の存在を再発見した。企業はここにいたるまで、個人としての経済的行為者のイメージにそって、取引で相互に結ばれた点のように図式的に理解されていた。かんたんに言えば、入出力は記録されるが中でなにが起こっていたのかについてはとくに興味を持たれないブラックボックスのようなものだ。箱を開けてみれば、会社が市場でないことは一目瞭然である。そこではちがった協働方法がおこなわれている。「ある労働者がY部門からX部門へ異動するのは相対価格の変化のせいではなく、命令を受けたからである」[132]。企業はその内部では、価格メカニズムや無意識的協働で動いていない。命令、意識的な指令で動いている。交換ではなくヒエラルキー、自発運動ではなく権威、市場ではなく計画によって動いているのである。

新古典派の観点では、これは驚きであるばかりでなく謎であった。市場こそ唯一の効果的協働方式と見なされているのに、こんな型破りの形態が存在しうることをどう説明するのか。会社を説明しなければならない。ライプニッツ風の言い方をすれば、なぜ無ではなく会社があるのか。あるいはむしろより正確に、純粋なる市場だけでなく私的な経済的権威が存在するのか？

コースの提案した説明には、正統的な理論の一貫性を維持できるという利点があった。「会社を創設することで利潤が出るおもな理由は、価格メカニズムを利用するにもコストがかかるからだと思われる」[133]。「市場で首尾よく取引を進めるには、取引したい相手を見つけ、相手とビジネスしたいと思っていることを伝え、どんなやり方で交渉して合意にいたるか、契約を結ぶか［…］等々を伝える必要がある。この作業はしばしば非常にコストがかかる」[134]。企業内で活動が調整されるならこのコスト、つまり「取引コスト」は回避される。「組織を作り、リソースを運用するある種の権威（「企業家」）を認めれば、いくらかの市場コストの節約が可能である」[135]。資本主義経済が働くには、ひとつではなくふたつの奇跡が起きていることが、つまり市場の見えざる手のほかに、企業経営の見える手があることがわかったのだ。[136]

市場では扱えない、企業特有の協働方式はなににもとづいているのか。コースは答える。「なすべしfiat」つまり権威による決定、ヒエラルヒーによる命令である。それは市場関係に還元できない権力関係、自由裁量の権力であり、「主奴」[137]のタイプの服属関係において行使される。

一九六〇年代から一九七〇年代にかけて、理論のアップデートを目的にこのテクストを再利用した新古典派の経済学者は、実りおおいと評された取引コストという考え方に惹かれていたが、それとおなじくらい、ふたつめの側面、つまり経営者の権力を枷からはずす、とすこし露骨すぎるほどに紹介されていることに気詰まりを感じてもいた。ここまでフォローしてきた政治的文脈では、このためらいはなによりまず戦術的理由で理解されていた。あまりにおおっぴらに、資本主義企業は権威主義的権力関係によって構造化されていると認めてしまうと、いとも易々と民主的・自主管理的な会社批判の機会を与えてしまうからである。問題はまさにその批判から武器を奪うことであるのに、だ。当時の新マルクス主義の経済学者たちは騙されなかった。相手側の練り直しに刺激されたかれらは、じぶんたちでもコースの論文を読み直し、すぐさまじぶんたちが有効利用できる箇所を見てとった。ゆえに「新古典派経済学は、資本主義企業は市場システム内の権威システムとして存在しているとみずから認めている」[138]と、少々の悪意をもって論拠となる引用箇所をすかさず指摘してみせた。

こうして、このあたらしい会社理論は外からの意見に反論するという本来の仕事とは別に、自身の属する潮流内部に存する概念的障害を相手に戦うことになった。コースの問題設定を、ひどく間の悪いかれの告白とは分離したうえで更新する方法を探さなければならなくなったのだ。実践においてはこの権力を維持し続けることを求めている一方で、おなじ目的のために理論的にはこの権力を否定することが問題になろう。これはじつにアクロバティックな作戦だが、そのわりに日常生活にひろまった。それは知らぬ存ぜぬを決め込むことがだいじだったから、つまり、ひとが批判する策謀を、そんなものは存在しないと主張しつつ維持することがだいじだったからである。

かくして、アルメン・アルキアンとハロルド・デムゼッツが一九七二年、会社理論の新古典派的考察を再スタートさせることになる論文を執筆したとき、最初のパラグラフからしてかれらが気にかけていたのは、コースに反論して——一般的な経験にそぐわないことも厭わず——つぎの観念を排除することだった。この観念によると、企業は「一般市場で用いられるものより上位の規律訓練的行為によって、自由裁量や権威を用いたやり方で問題を解決する権力」である。これをかれらは「幻想である」[139]と断言するのである。

おたくの社長があなたに行使する権力は、あなたが出入りの雑貨屋にたいしてもっている「権力」となんら変わるところがない、とかれらは言う。たしかに社長はあなたをクビにできるが、あなたももうそこで買わないことで「雑貨屋をクビにする」ことができまいか[140]? だがそうしたところで雑貨屋が失業することはなかろう、とあなたは反論するかもしれないが、それはどうでもいい。この危なっかしいたとえが、かれらにとっては労働契約がどんな商業取引とも絶対的におなじ性質を持つこと、ということとは企業内ではいかなる**特殊な**形態の権力も行使されていないことを示すにじゅうぶんなのだ[141]。

こうしてかれらは以前のコンセンサスとは逆をおこなった。一九七〇年代初頭までは事実、企業が存在する、しかも「経営的権力構造」として存在する、というじゅうぶんな合意があった。ひとによっては「権力の束」とまで言ったほどである。かれらの会社理論は、こういう着想の信頼性を揺るがそうと努めていた。たしかにこの理論では、権力関係をその図式の中心に位置づけるのはひどく不都合だったのだ。

マネジメント主義は、会社理論を政治化するという致命的な失敗を犯していた。最初の任務はそれを脱政治化することであり、そのためには会社を**非実態化**するよう全力を尽くすことになる。「私的統治」の占めていた位置にはもうなにも、組織や実体でさえただのひとつも置かれていない。マーガレット・サッチャーが「社会のようなものは存在しない」[142]と宣言するはるか以前から、この公式を企業に当てはめていた人間がいたのだ。この直感に反したテーゼをひろめるために、かれらは技巧のかぎりを尽くすことになる。一九八三年、マイケル・ジェンセンはこう振り返って評価している。七〇年代のかれの著作の最大のメリットは、「組織科学革命の基礎となるものを提起した」ことだった[143]。このあたらしい科学はまだ発展途上ではあったが、成熟した力強いものになるだろうとかれは約束する。一九七六年、メックリングとともに『金融経済学会誌』に書いた「会社理論」についての萌芽的論文はこんにち、近年の経済学論文でもっとも引用された文献の統計で第三位を占めている[144]。このテクストで、かれらは非常に含意に富む存在論的決定を下している。会社が会社である根拠はなにか？「たんに契約関係の連結として機能する法的虚構のある一形態」[145]。あまり明快ではない。どういう意味だろう？では取りあげてみよう。

一、会社とは法的虚構である。つまり、「ある組織が個人として扱われることを認める法による人工的構築物」[146]。会社はたとえば不動産の所有者と見なされうる。会社を相手に訴訟を起こすこともできる。端的に言えば、会社は人間個人ではないが法的人格として扱うことができる。ジェンセンとメックリングはこの現象を唯名論的に解釈している。「会社」すなわち虚構的人格のもとには、それを構成している行為者以外になんの現実もない。

二、会社はラテン語でnexus、つまり「集団内の諸個人の連結、結び目、ないし紐帯」[147]として機能する。人びとが会社と契約を交わすとき、実際にはそのことで会社を通じて個人間で関係を結んでいるのだ、とジェンセンとメックリングは言う。つまり会社は、法的実体の虚構のもとで、ないしそれを通じて個人間を結ぶ膨大な契約の交錯として理解される。

このような理解では、会社はもはや現実的実体ではなく、「契約関係」の総体につけられた紛らわしい呼び名でしかない。契約関係はここでは、かならずしも明示的な契約と理解しなければならないわけではなく、「意思による交換」[148]をすべてひっくるめてよい。コースの提起した権威の基準は、会社の境界線を定めること（マネジメント側の権威が力を失うところで境界が定まる）を可能にしたが、契約関係――取引一般の同義語としても理解されている――の基準は境界線をすべて消し去ってしまう。会社－連結は被雇用者のみならずサプライヤー、債権者、株主あるいは消費者をも、かれらもまた程度の差はあれこの巨大な交錯に参加する、という意味で包含している。ゆえにこの定義はまた、会社の境界線（だれがそのなかにいて、だれがその外にいるのか）と同様、会社への帰属関係の問題をもあいまいにしてしまう（だれが会社のメンバーで、だれがそうでないのか）。

この定義の多孔性を批判する者もいようが、しかしその欠点は望むところなのだ。定義作業を行うよりはむしろ**脱定義**操作、つまり対象を確定するのではなく解消してしまうことが必要だったのだから。かれら経済学者にとって当初問題だったのは、会社という「ブラックボックス」を開けることだった。蓋を開けるだけに飽き足らず、箱ごと吹き飛ばしてしまったのだ。要するに、連続する関係の交錯という漂うようなイメージ以外、もはやなにも残らないのである。そして箱はもう存在しない。そのおかげでかれらは、コースとは対照的に、企業とは「純粋な市場の創造物」[149]にすぎないと結論を出すことができた。目的は、会社を――マネジメント主義では「半公的」と形容されていたまさにその会社を――概念的に再私企業化することにあった[150]。

以降、最終的には「企業」にたいする批判はもはや見込みを失った。なぜなら**現実には**企業はもはや存在しないからである。それはただの虚構なのだ。抗議者たちは幻影の被害者なのであり、影と戦っているのである。「企業」を批判し、企業に要求を出し、企業を問題視しようとするのはいいが、そのどれもが、問われるべき実体としての企業の存在を前提としていた。だがじつは企業など存在しない。あたらしい会社理論の理論家たちは手品師であり、手品を、つまり観客の目の前にあるものを消してみせるわざを使っていたのだ。

その哲学的な解釈については、ジェンセンとメックリングは「定義選択の重要性」という考え方を取りあげている。「定義はもっとも重要なものであり、読者にとってはできるかぎり注意を傾け続けるだけの価値がある」[151]。これは賢い教訓である。ではかれら自身の定義にその教訓を生かしてみよう。

その分析をしてみると、著者たちはよく似た、しかしことなったふたつの定式化のあいまいさを利用していることに気づかされる。被雇用者であれ、供給者であれ顧客であれ、「契約の束に用いられる法的実体と片務的契約」[152]を交わすことになる。それをタンポポの綿毛のようなものだとしよう。束としての会社は白い土台、茶こしのようなかたちをした、ぽこっと丸い部分に等しいことになろう。種はそこに植わっている。綿毛はその種のところから、個々別々に茎から切り離されるが、相互に直接くっついてはいない。

こちらもジェンセンによる第二の定式化であるが、会社は「個人間の契約関係全体の束」[153]であり、それをフィシェルはこう言い直している。「企業はしばしば〈契約の束〉と言われる［…］。この定式化もまた、自発的に企業内で関係を結ぶものがたがいのあいだに形成することになる、複雑で非常に多様な種類の取り決めを示すために端折ったものである」[154]。流し読みすると最初のものとおなじとは思えないこのもうひとつの定義は、なにかちがうことを述べている。会社はここではもう、めいめいが片務的に契約する共通の留め具としてだけ定義されるものではなく、行為者のあいだでの多角的関係の集合体にたいする集合名になっている。それはタンポポの綿毛がたがいにくっついてしまうようなもので、こうしてみると会社に比すべきはタンポポの綿帽子全体ということになる。

さて、厳密に言えばこのふたつの構想はたがいに排斥しあう。会社が契約締結する実体、契約を結ぶ際に使われる法的人工物として定義されたのであれば、それは定義からして会社を通じて締結された契約とは区別されたままのはずであるが、第二の定式化はまさにそれを否定している。というのも、そこでは会社は逆に、会社がその成立に貢献した契約の総体として定義されているからである。その不条理さがあらわになるのは、たとえばジェンセンがこのように書いている箇所である。「各個人は、会社の束として機能する法的虚構と契約を結ぶことで、おのおのの行動を調整する」――つまり会社自体が束として定義されており[155]、ゆえに法的虚構は束の束の役割を果たす、さらに言えば、会社は会社の束の役割を果たすということになってしまう。アイゼンバーグが示したように、この理論は必要な概念の区別をしなかったために論理的循環に陥ってしまう。「会社は会社と結ばれた相互の取り決め全体から成る、というのはまちがいなくありえない。というのもそれは、契約の束という着想を完全に循環的にしてしまうからだ。それはまるで、シマウマはシマウマと結びつけられた縞の束であると言うようなものである」[156]。端的に、会社は結び目を入れた袋なのだ。

こうした混乱に陥らないよう、**組織体**としての**企業** entreprise の観念（そこで働いている生身の人間の集合）と、**法的形態**としての**会社** société の概念（法によっていくつかの能力と義務とが関連づけられた、紙の上の存在）のあいだの基本的なちがいに注意するところからはじめるべきだったのである――もっともそれでは、いまおこなっている手品の操作を不可能にしてしまうだろう、というのもたしかである[157]。

労働契約にサインするとはいうが、その相手はだれなのか？　相手が書類にサインしたとしても、私人としての社長相手に契約を交わしたわけではない。社長を通じて、そして**社長の決定**で、法的主体としての**会社**と契約したのだ。会社と契約したが、組織体としての企業と契約したわけでも、おなじ第三者と契約した他の被雇用者と契約したわけでもない。顧客や取引先、債権者と契約を交わしたわけでもない。かれらもまた、あなたが契約した会社と契約で結ばれているのはたしかではあるが。ジェンセンとメックリングが反対意見を提案できたのは、**会社** société と**企業** entreprise の取り違えを利用したからにすぎない。実際に、かれらの手品の都合にあわせて一方を他方の意味で理解したとしよう。すると法的な存在である会社と契約したあなたはそれを企業、つまり社会関係の総体と交わしたのだと想像してしまうことになる。

この核心的な難問を回避したために、ジェンセンとメックリングは芋づる式に暗黙の誤謬を犯し、馬鹿馬鹿しくもご都合主義な結論に到達することになった。すなわち、**社会的組織としての会社は法的虚**

構でしかない[158]、ゆえにおわかりのようになんら現実的な具体性をもたない存在である、というものだが、これは二重の意味で偽である。一方では、組織としての企業は企業にとって枠組みでありかつ手段でもある法的実体へと還元することはできない。つまり、ある企業がもはやそれに対応する会社へと還元できないのは、結婚したカップルは婚姻契約に還元できず、スポーツチームがクラブというステイタスといっしょではないのとおなじことである。おなじものにならなくとも結びつきは成立する。他方で、**会社**は法的虚構であるということがすなわち、会社は人工的存在、法の被造物であることを意味しているにしても、まさにその事実のために会社は非常に具体的な効力をもつひとつの現実、特殊な実存様態であることになる。法は人工物であろうがそれでも効力をもたないわけではないのだ。

これらのあたらしい会社理論は、こうして詭弁を駆使して対象を「リヴァイアサン【聖書に登場する海の怪物。ここでは巨大企業の比喩】の地位から張り子の虎へ」変貌させたが、これらふたつの記述が矛盾し合うどころか両立してしまう、というパラドクスは手つかずだった。すなわちジェラード・デイヴィスの指摘するように「法人 corporations」は「サーロー男爵の言葉にならえば〈罰すべき身体も地獄に堕ちるべき魂も〉もたない法的虚構であるが、同時に社会的事実でもある[…]。身体をもたない可能性もあろうが、だがその名前の由来となったのはラテン語の corpus、つまり身体である。魂をもたない可能性もあろうが、だがその成員は――しばしば――まるで魂をもっているかのように法人が活動することを期待しているのだ」[159]。

ジェンセンは、かれにとっての『方法序説』と言えなくもないある論文の中でこの点を主張している。かれから見れば、ある定義の利点とはなにを措いてもそれが「生産的」[160]であることだ。なによりも有効な効果をもたらすかぎりでそれは価値を持つ。だがまさに、ここで期待された効果とはこの場合なんなのか？

ジェンセンとメックリングはこう指摘する。「組織を契約の束としよう。これで組織をあたかも人格であるかのように扱う傾向を解消できる」[161]。「会社は個人ではない。会社はなんの感情も持たないし、なにも選ばない」[162]。かれらがここでおおきな理論的成果として紹介しているのは、実際にはささいな擬人化批判以上のものではないし、それを語るために「束理論」が必要になることなどまったくない。ついでに言っておけば、この理論自体も、本物のプラグマティズム的なアプローチをとれば取り除くことのできるような概念的混同にもとづいている。哲学者ジョン・デューイはすでに一九二〇年代にはこうわれわれに警告していたものであった。「〈虚構的〉人格という理論は〈個人主義的〉哲学の影響下で用いられたが、［…］それは企業のバックグラウンドや行為の裏にどれほどわずかでも現実が存在していることを否定するためである」[163]。

この再定義がおもな争点としているのは政治的次元である、とジェンセンとメックリングは主張する。「会社を個人間の契約の束と理解することは［…］〈会社の公正な役割はなんであるべきか〉について、あるいは〈会社は社会的責任を負うのか〉などといった問題が、人格化という深刻なまちがいに依拠していることをクリアに示すのに役立つ」[164]。大部分が組織やそのリーダーに向けられていた批判が表明不可能になるよう、会社を脱具体化・脱政治化することが重要だったのだ。契約主義的アプローチの最大の利点は、「おおくの論者たちを苦しめていたある問い、つまり〈企業の目的とはなにか。それは利潤か（そしてだれにとっての利潤か）、あるいはよりひろい意味で定義された社会福祉か〉が適切な質問の範疇にないことにしてしまえる点にある［…］」。こうした問いにたいするわれわれの答えはかんたんだ。

〈どうでもいい〉」[165]と打ち明けたのは、この潮流の先頭を切っていたもうふたりの人物、フランク・イースターブルックとダニエル・フィッシェルである。

この時代に、密度の濃い知的な練り直し作業に身を投じたすべてのグループの反動分子が繰り返し述べていたことがある。すなわち、理論をもつことが必要だ。なるほど、だがなぜ？　もっともおおく返ってきた自明の返事は、いかにも不十分とはいえ、正当化という観点から述べられたものだった。露骨な支配は長くはもたない。支配に必要なのは弁護士と口頭弁論である。[166]

しかし、より戦略的で攻撃的なもうひとつの面もそこにはある。こんな小噺がある。一九四〇年代後半、『隷従への道』を読んで夢中になったある若い男が、政治活動への志を語るべくハイエクに会いに行ったのだった。先生はこう答えたものである。「問題外だね。思想の世界から変化を与えていなければ社会は変わらない。まずは教えたりものを書いたりしている知識人とコンタクトを取って、理性的な論拠でかれらを説得すべきだ。社会にたいするかれらの影響はおおきいだろうし、そうなれば政治家もあとに続く」。[167]

とはいえ、もっぱら束としての会社という理論から発した者にとっては、この理論はクリストルの問題意識に部分的に答えを出したとは言える。かれが懸念したのはこの問題意識が欠落していることだったのだから。しかし、この理論の専門性や難解な専門用語、文体のクールさ、さらには倫理的なドライさのせいで、大衆防衛にたいする実質的な貢献を果たすには不向きであった。

かれらの最優先の標的はアカデミックな世界だった。この世界を奪回せよ。一九七〇年代以来、経済学における学問的な問いのあり方を再設定するにあたっては、議論の上でも組織の中でも執拗な「異論」排斥の努力がついてまわった。知的に表明されるものの支配を確保せよ。アカデミックに認められた「真実を語る」資格から敵を排除せよ。

この「あたらしい会社理論」があたらしいといえるのは、この理論が排斥に尽力した過去のコンセンサスにたいしてだけのことだった。それまでのヴィジョンを知的に精算しようという――歴史的に見れば成功を飾った――試みであり、その目的は政治的な反攻だった。哲学的な作戦としては、会社の定義そのものに影響したという意味でラディカルなものだった。ここで戦場となったのは存在論的な領域であり、それまでのマネジメント主義的な前提はほとんどすべて排斥された。権力や権威との関係が認められていたところにひとが見てとるのは、もはや契約やエージェンシー問題でしかない。現実的に存在する組織の代わりにあるのは、もはや交換関係の交錯をカバーする虚構にすぎない。操作は大胆だったが、その再定式化そのものを通じて、あらたな難問への扉が開かれることになったのである。

第13章　警察的な会社理論

このあたらしいリヴァイアサンを「所有」するのは誰だ？　だれが統治しているのか？　なんの権利で、なんの原理にしたがってそうしているのか？[168]

アーヴィング・クリストル

「株主価値の優先」をいかに正当化するか。一九七〇年代初頭、この問題にたいし、まるでロック以来なにも、あるいはほとんどなにも変わらなかったかのように、昔ながらの図式、つまり私的個人所有の哲学によって解答を出すことに固執する者たちがいた。「このリヴァイアサンを所有しているのはだれか、というような問いには、われわれはこう主張する。株主こそがそれを所有する、経営陣は所有者に諮ることなく重大な決定を下す、そしてこの関係になんの異論もない、なぜならそれは［…］契約合意の原則にもとづいているからだ」[169]とフーバー研究所の研究者、ロバート・ヘッセンは書いている。そういえば往年の絶対主義もまた、権力の座を維持するには「われわれが望むから」と言えばそれでこと足りる、と信じていたのが弱点だった。こういう擁護は少々手短に過ぎるし、そもそもひどい歪曲に依拠している。事実、受け入れられている考え方とは逆に、株主は「企業の所有者」**ではない**。

わたしがなにかの所有者であるというとき、わたしはなんの権利を持っているのか。この財がわたしのものであるとして、わたしはそれをじぶんの考えたとおりに利用できるし、それでよいと思うならそれを壊してしまうこともそこに含まれる。他人がそれを使わないよう排除することもできる。貸すことも、賃貸することも売ることもできる。抵当に入れることも、場合によっては返せなかった借金のかたに差し押さえられることもあり得る。[170] 古典的にはこれが、ローマ法の伝統を受け継ぐ私的所有のカテゴリーにカヴァーされる、権利の束である。

では株主はじぶんが株を所有している会社の資産にかんして、こうした権利を持っているのか。答えはノーだ。アップル社の株を買ったからといって、アップルストアで電子機器をただで使えるようになる権利がもらえることはない。[171] では、株主はなんの所有者なのか。その名が示すように、株式だけを、会社が付与した資格だけを所有している。その資格のおかげで、かれらは株主総会で投票権を与えられ、**ときには**配当も受け取れる。[172] 株主は転売可能な資格こそ持ってはいるが、会社の不動産や機械、在庫はなにひとつもっていない。

だがしかし、株主が会社資産の所有者でないのなら、だれがそうだというのか。だれもいない［…］株主でもほかのだれでもない」[173]。会社形態の本質的な特徴のひとつは事実、「それ自体が生産的資産の大半を保有する」[174] ことにある。「会社は自身の所有者である独立した法的実体である」[175]。

株主は会社の所有者ではない。しかし、それはかれらにはたいしたことではない。正反対でさえある。そうでないことに非常におおきな利点があるからだ。歴史的に言えば、株式会社の発明は伝統的な私的所有につきもののリスクを激的に低減させた。その利点のひとつが**有限責任**である。以前の合名会社では、メンバーそれぞれが共同ビジネス上の負債に共同責任を負っていた。株式会社にはそのようなものはない。会社に負債があっても、それは**会社の**負債である。債権者に支払いをするために株主の個人資産を取りあげに来る者はいない。逆に企業に利潤がある場合は、配当を懐に入れることで**株主の**利潤にするおおきなチャンスがある。このリスクの非対称性が、おおきな勇気を与えてくれる。賭けた分よりおおくを失うことなく、無制限の額を懐に入れることもできるのだ。この種の非常に創造的な所有権の抜本改革こそ、株式形態への熱狂、一九世紀中盤からのその異例の発展、そして以前の所有形態ではじつのところほとんど不可能であっただろう、前代未聞の規模で資本を集約した巨大会社の誕生、といったことを説明してくれる[176]。

一九世紀前半にはそう理解されていたかもしれないが、じつはもう株主所有は生産手段の私的所有とはそれほど関係がないのだ。にもかかわらず、それはこうした古いカテゴリーにそって考えられている[177]。「自由企業の擁護者」のなかには、この断絶を意識したうえでこう懸念する者もいた。「あらたな正当化が得られないせいで、古いイデオロギーが保たれている。そしてこのイデオロギーの罠にはまってしまうのだ」[178]。そこから抜け出すには、おおむね時代遅れになった古いものを再度強調したところでなんの役にもたたない。あたらしいものを発案しなくてはならないのだ。

あたらしい会社理論の側からは一九八〇年、ユージン・ファーマが長らく役にたっていなかったカテゴリーを捨て、画期的な一歩を踏み出した。「この契約の束という見方によれば、会社の所有権はまったく適切さを欠いたコンセプトである」[179]とかれは認めた。「このリヴァイアサンを所有しているのはだれか」という問いにたいして、束理論は最終的にこう答えるのである。リヴァイアサンは存在しない。諸々の契約、「生産の諸ファクター間の契約の集合」[180]、区別されるような実体などもたない諸々の関係があるだけで、なにかもののように所有できるわけではないのだ。

ファーマはこうして変化を確認した――ただし**半分だけ**。なぜなら、株式会社はだれの所有物でもないと認めたところまではいいが、その推論にまちがいがあったからだ。それは、会社は会社自身の所有者であり、会社に集まったすべての生産ファクターは「だれかの所有物」[181]であり続ける、という事実を確認しそびれたためである。ゆえに、株式形態の独自性、歴史的に見ればその躍進を可能にしたこの形態そのものを――マルクスが書いていたように、「資本主義的生産様式そのものの制約のなかで、私的所有としての資本を乗り越えるもの」[182]に近づいていくという事実を――全面的に認めるというよりは、所有者主体の連合としての会社という時機を逸した古い着想を維持し続けてしまったのだ。

資本は生産ファクターに含まれる。一次市場で株式を売却することで「資本と技術を購入するために用いられた資金の当初の総額」が供給されたのだが、それでファーマは、株主は「資本と技術」[183]の所有者であると結論づけられる、と考えたのである。言い換えれば、株主は「企業を所有している」という幻想をかれが捨てたのは、たんに株主はじぶんの**資本**の所有者であるという別の幻想に乗り換えるためだったのである――この資本という語と「資産 actifs」という語をごっちゃにすることで。**資産**なら所有者は会社だけであり、**株式**なら保有者は株主であろう[184]。

資本のほかに労働もある。しかし被雇用者もまたある種の「資本」の所持者であるとかれは主張する。被雇用者は「富――人的資本――の実質的な一部を会社に賃貸ししている」[185]。資本という用語の比喩的な拡張は、あらたに解釈された所有的個人主義にもとづいて株式資本主義を精神的に再構成する試みの一部をなしている。この混乱した説明では、階級関係が否定されており、労働もまたもはや資本にとって他なるものではなく、ほかとおなじただの資本とされる。人的資本であろうが金融資本であろうが、われわれはみな資本の所持者であり、要は資本家である。もはやこのレトリックで意図されているのは、持てる者が持たざる者に比べて優位を占めることをとくに正当化することではない。たとえその「資本」が身体ひとつかその程度に切り詰められていても、われわれみなが「資本の所持者」であるかのように仕立てることで、「資本の所持者」の利害を前面に押したてることである。

だがひとつ、それもおおきな問題が残された。もし実際に会社が喧伝されているような契約の束、水平的関係の交錯であるとすると、ここでいま一度、株主利益が最優先であることを正当化するのはなにか？　なぜ横並びの貢献者のひとりでしかない株主が頭ひとつ抜け出すのか？　よくわからない。「企業が契約の束、とくに諸々の出資の提供者との契約とみなされるのであれば、無条件の前提として株主を特別扱いする理由はどこにもない。とすれば、マネージャは株主だけのエージェントであるとするエージェンシー理論の中心的仮説から［…］、正当性が完全に失われてしまうように思われる」[186]。束理論は、一方で勝ちとったものを、他方で失ってしまうかのようだ。全員の立場を平らにならすことで、だれかのための特権の基盤を削ってしまったのである。

どういう理由で、賭け金を回収する「中央エージェント」が必要なのか。「利潤にもとづく社会組織の存在を正当化する」ことを試みる者たちがかならず直面することになるであろう、しつこい問題である。[187]

アルキアンとデムゼッツは一九七二年の論文で、議論全般にとっての基礎となる「フリーライダー理論」を定式化した。どんな労働者集団においても怠け者が存在する、とかれらは断言する。職責から逃れる者もいようし、じぶんの苦労を他人に背負わせる者もいよう。こうしてたいした貢献もなしに労働の共通の成果をいただくのである。この種の行動を取り除くには、まずその目星をつけるところからはじめなければならない、とかれらは続ける。それにはあらゆる監査活動が含まれるが、それ自体コストがかかる。ここでつぎの問いが生じる。この発見コストをいかに抑えるか？　ひとつの良い方法は、この仕事に特化したチームのメンバーにかつてのなかまたちを見張ることに時間を費やさせることだろう。[188]たしかにそうだが、しかしそちらが怠けない、つまり一生懸命管理しているふりをしつつ、見て見ぬふりをしたりはしないと、いったいだれが保証してくれるのだろう？　昔からの問題が再登場する。「しかしだれが見張りを見張るのか」。[189]ネオリベラル主義者たちはユウェナーリス風の風刺を効かせる【古代ローマの風刺詩人。その作品に「だれが見張りを見張るのか」という一節がある】。出発点となる問題の言葉を入れ替えるのだ。古典的な定式では、自身は管理対象外になった管理者が権力を濫用する恐れが指摘されているのだが、ここで懸念されているのはそれと正反対のリスク、つまり見張りがじゅうぶんに見張りをしない、見張り自身がぐうたらしていることである。ではその監視権限を制限するためではなく、それを最大化するために、つまりこのエージェントをチームのメンバーのどんな些細なおこないや振る舞いまでも可能なかぎり詳細にスパイさせるよう強いるにはどうしたらよいのか？

答えは金だ。アルキアンとデムゼッツは言う。チームが合理的に決断するような解決策とは、良質かつ忠実な奉仕と引き換えに、全員の活動から生じた利益から賃金や活動費あるいはその他の生産コストを除いた剰余をスーパーヴァイザーに支払うことであろう。リーダーとなる見張り役は余った分を受け取るのだから「残余請求権者」[190]の立場になろう。見張り役の収入、個人的な取り分はチームの生んだ利益全体に応じたものとなるため、チームが最大限の利益を稼ぎ出すよう規律訓練を施すことに、個人的な利益があることになる。[191]

しかし、そうするための手段がなくてはならない。それはつまり、リーダーが処罰と報酬を意のままにできることを意味している。[192]スーパーヴァイザーがそうした権力、なかでも解雇権を与えられていることは必要不可欠である、なぜなら、こうした人員は望むときにつねに「労働者に天罰を」[193]科すことができなければならないからだ、とこの系統に属する別のある著者は書いている。ここからつぎの定義が導かれる。アルキアンとデムゼッツの結論によれば、会社は「チームによる生産に特化した特殊な警察装置」[194]として理解されなければならない。これほどうまい表現はないだろう。

かれらはこうして、当時流行した自主管理理論にたいし**警察的会社理論**で対抗する。この合理的な再構築を要求するからには、チームはリーダーとなる見張り役なしには有効に共同作業できないこと、そして当のリーダーも利益の一端をじぶんの懐に入れられるのでなければその役割をじゅうぶんに果たすことができないことが前提となる。資本主義企業の警察的系譜学がここにある。それが最終的に物語っているのはこういうことだ。どんなチームも有効にその役割を果たすにはサツが、見張り番が、現場監督が必要であり、そういった連中には、身体で支払わせる権限を持たせてやらなければならない。

さてここに、オーナーの誕生についてのちょっとした物語、単純すぎる言い伝えがある。アルキアンとデムゼッツは資産という観点から権威を正当化する、昔からの論理を逆転させた。管理権はもはや所有権から派生するのではない。逆に占有権は管理権の取得から生じたものとして紹介される。以降利潤のピンハネは、利害関係のメカニズムによって中央エージェントのやる気を保証する手続きとみなされる。統治のためのかんたんな取引である。[195]

　だがその再構成のもとになったのは、歴史的真理ではなく仮説的・条件的な推論だった。この会社の起源にまつわる想像の物語に対抗して、別の系譜学を提示することもできる。こちらもフィクションだが、しかしよりそれらしいものだ。話はこうである。もともとのチームで、だれより腹黒い怠け者が思案を巡らし、もっとサボれるのでは、と思いついた。チームのなかまに仕事の一部を背負わせるだけでなく、生産的な仕事に参加すること自体をまったくやめてしまえないものか？　まぬけで釣られやすい周りの人間に、かれはアルキアンとデムゼッツと似たような演説をぶち、目的へと誘導することに成功する。チームの上に立つポジションを占め、見張り役という不可欠の役割を確固たるものにするという動機のもと、共同の利潤の大部分をじぶんの懐に入れる。

　利潤のピンハネを労働のスーパーヴィジョンという仕事にたいする正当な報酬だと紹介するやり方は、見かけこそあたらしそうだが、実際には大昔からの支配美化を繰り返している。マルクスはずっと前から、アメリカの奴隷制擁護論者を引用してそうした言い回しをからかっていた。その論者はたいへん理性的に、「黒人」は労働を通じ、「そのおこないと才腕によってじぶんを社会ひいてはじぶん自身にとって有益な存在にしてくれた人物にたいし、補償金を」支払わねばならない、と評したのである。マルクスはこう続けている。「言うまでもないが、経済学者にとって賃労働者は奴隷と同様に、じぶんを働かせじぶんに指示を出させるために主人をもたねばならない。そしてこの主奴の関係が認められてしまえば必然的に、賃労働者は賃金分を生産するだけでなく、じぶんの主人と見張り役の賃金をも生産せねばならなくなるものだ」[196]。共通の基準は、その本質からしてじぶん自身で生産活動を指導することができない、とされている労働者の根本的な異質性である。ここから、主人の必要性、そして主人が利潤を独占するじゅうぶんな正当性が演繹される。

このオーナー権力の系譜学はしかしながら、この活動そのものの本質的な次元を隠蔽している。われらが経済学者たちは、「怠け者」をたたき出すためだけに監視がおこなわれるかのように話を進めている。さてそれは、この警察装置がほかにもうひとつおおきな有用性をもっていることを忘れることにほかならない。逆にマルクスはこの主題にたいし、とりたてて遠慮もしなかった。「見張りの仕事は必然的に、[…]労働者と直接生産者、そして生産手段の所有者のあいだの敵対関係にもとづいたすべての生産にわたってひろがっていく」[197]。

こうした経済学者たちが、経済効率という口実で階層的な見張りを擁護していることもまた逆説的である。その時期は、すでに見てきたように、現実のアメリカ企業の世界では、それなりの数のマネジメント主義の理論家も含めおおくの者が、労働の規律管理の危機、そのコスト、その反目的性、非有効性を診断することに合意していた時期だったのだから。

その弱点にもかかわらず、アルキアンとデムゼッツの提案した理屈はより高いレベルにも移植され、株主の立場を正当化するためにも用いられた。かれらが配当をもらう根拠もできた。だがそれは、もはやそれまで言われてきたような「会社の所有者」としてではなく、「残余請求権者」としてである。それが認められるのはいちばん最後、つまり他の「権利保有者」に回ったあとだ。賃金が労働者に支払われ、原材料についてはサプライヤーに支払いを済ませ、手形は債権者に決済し、等々とくれば、残余金はすくないだろう。ゆえに株主たちにとっては、利潤が薄ければ懐に入るのも予想よりすくない、あるいはまったく入らないというリスクがある。さて、この不確実性こそ、「残余リスクを担う者」が経営「効率」の最善の保証人であるという事態をもたらすのだ、とこの経済学者たちは述べるのである。[198]

ここにリスクという、伝統的な所有的個人主義を刷新して現代の株主資本主義を正当化する主要な言説のひとつをもたらすことになるテーマ設定が登場した。株主に気前よく分け前が回らなければならないのは、かれらが「リスクを担う者」だからである。だが正確にはどんなリスクなのか。株式形態は「リスク好き」な投資家といういまどきの神話とは逆に、むしろ歴史的には投機的投資にまつわる**リスクの制限**という、非常に魅力的な装置として構成された、ということはすでに示したとおりである。現代のイデオロギーでは、このように呆れるほど事実がひっくり返されているのだが、その逆転をより理解してもらうために、一九世紀に株主の「有限責任」という当時のあたらしい概念がいかに受け入れられたかを指摘しても無駄ではなかろう。まだ古典的な所有者道徳のなごりを気風に残しているいくつかの証言では、この特権は正真正銘のスキャンダルとして登場している。あるイギリスの法律家は一八五六年、いかなる文明国においても、「負債を返済し、契約を遂行し、過ちを償う」ことは法によって認められた「道徳的義務」に属すると憤慨してみせた。さて、有限責任は逆に、「利潤が出るときにだけ代理人のようにこそこそ動きたがるが、さもなくばいっさいの責任を拒否する。損益の責任はとらないが利潤をあてにする」[199]ことを許してしまう。

「投資家」として描かれた株主の肖像についても、そのおおくはいい加減な言葉の使いかたに頼ったものだ。「わたしがAT&Tとゼネラル・モーターズの株を買っても、どちらの社にもなにも投資したことにはならない。わたしはそれをニムから買い、ニムはそれをバードルフから買い、バードルフはそれをピストルから買い、ピストルはそれを一万人の前権利者を介してファルスタッフから買った、そしてファルスタッフはその株を新規発行直後に買った。ファルスタッフはほんとうの意味で投資家だったとしよう。そして直接会社から買ったのだとする。[…]この出資、連鎖全体で唯一本物の〈投資〉は、わたしがニムに払った額のほんとうに一部にしかならないということはおおいにありそうだ。[…]いんちきな習慣で、われわれはAT&Tやゼネラル・モーターズの株の買い手はこれらの会社に〈投資した〉と述べる。しかしそれは純粋な虚構である」[200]と、バーリはマンネを修正して注意を促している。二次市場で株式を購入しても、株主は会社になんらあたらしい資金をもたらさない。こうした人物がこれらの会社に**投資した**のだ、あるいは「資本供給者」なのだ、と信じさせたいようだが、手持ち金を株券に**移して**、会社から金を抜いてレント【地代・賃貸料などの不労所得、またそこから派生して経営者の私的な超過利潤獲得などを指す】を受け取っただけのことなのだから、それはただの詭弁というものだ。

しかしながら底意にある議論は、株主優位が生産効率を刺激する、というものだった。この新版の「レント生活者のための弁明」は、利潤の占有を所有者の自然権の表現形として正当化することは断念し、パフォーマンスの高い経営に不可欠な指針という名目で、ちがったかたちで擁護する。ファーマは「最低のコストで生産することは、総資金のフローを増大させるのだから残余請求権者の利益にかなうものだが、価格を下げることで組織の生き残りにも貢献する」[201]とその価値を評価している。ウィン・ウィンの関係というやつである。株主の利益にしたがうことは、株主にとって都合が良いだけでなく、コストカットによって競争力を増強するよう背中を押される「企業自身にも」有益である。しかし、背中を押されたのはだれなのか？　答えはわかりきっている。オリヴィエ・ワインシュタインはこう検証する。「逆説的なことに、株主の見方に直接影響されてマネジメント手法が変化することで、株主のリスクの大部分を別の利害関係者に、とくに被雇用者に移転させる結果が生じた」[202]。このような利潤にもとづいた組織形態は、それが効率的であることを根拠にみずからを正当化していたが、しかしどのような意味で効率的なのか。エコロジカルに「効率的」なのか。社会的にか。ちがう。他人のために短期利潤を稼ぐのに効率的なのである。つまり「効率的」[203]であることに効率的なのだ。

こういった諸々の株主価値理論が、インチキにも「投資家」として紹介された株主への偏愛を正当化し、現今のイデオロギーに土台を提供した。われわれは経済効率の名のもとに、株主たちが「リスクテイキング」してくれたことになんどでも報いなければならなくなるだろう。しかし、このあたらしい言説が一九七〇年代に生じたとき、つまり、強烈な社会紛争と資本主義への拒否感の高まった時代には、だれもそれを信じなかった。その直接の味方になってもおかしくなかったはずの者たちからの批判も含め、強烈な批判があがったのである。ネオコン主義者たちはとくに容赦がなかった。クリストルが懸念したように「リベラルな資本主義にはほとんど生き残りのチャンスがなさそうだ」[204]。というのも、ネオリベラル主義者は要するになにを提案したのか。資本主義の擁護だ。しかしそれは、敵の喧伝する引き立て役としてのイメージに完全に一致するたぐいの資本主義だった。だが「だれもが［…］金銭を巡って競争し、じぶん自身の物質的利益を取り憑かれたように追求する社会に生きたいと望む者があろうか。言い換えよう。エゴイズムと自己崇拝が枢要徳として祝福される社会に生きたいとだれが望むのか」[205]。ほとんどすべての哲学的・宗教的伝統で警告されていたように、こうした社会は「ひとが暮らすのに向いていない」だろう。つまるところ、かれはこう言い返しているのだ。非難され続けてきたことがそっくりそのまま当てはまると認めてしまえば、どうして真剣に資本主義を擁護できると思えようか？　こんなふうにことを始めたのなら、負けは目に見えている。たとえばハイエクがそうしたように、資本主義的競争から生じた社会秩序は原則としてあらゆる正義原則となじまないことを殊勝げに認めたとして、それはイデオロギー的に馬鹿げている。「ハイエク教授の提示する現代資本主義の正当化は、アカデミックな社会のちいさな飛び地のそとではまったく使われなかった。あまりに長くスコラ的な学問にさらされていた精神の持ち主以外の者たちは、そんな説明ではささやかな賛意さえ芽生えはしまい、と懸念している」[206]とクリストルは続けている。

ミルトン・フリードマンもこのことをかれなりに理解していた。ネオリベラル主義は——そしてこのことはなんのパラドクスでもないが——あまり**売れ筋**ではない。「自由企業については、単純な集団主義的考えのほうが洗練された考えよりも売り込みやすい。社会的責任というテーマを考えてみよう。こんなナンセンスがなぜ時流に乗っているのか。単純で売り込みやすいからだ」[207]。こうしてかれはみずからを慰めているのだが、うぬぼれもないわけではない。われわれの考え方に人気がないのは、たぶんあまりに複雑微妙だからだ。

あまりに複雑微妙？　ひとはどう判断しただろう。「企業の経営陣は［…］株主のため最大限に金を稼ぐ以外の責任を［…］もっていないのか？　わたしの答えは、その通り、それ以外の責任など持っていない、だ」[208]。しかしネオコン主義者たちはちがう説明をする。ネオリベラル主義者のテーゼにこうも魅力がないのは、かれらの言うような知的洗練のためではなく、倫理的にドライだからである。「株主のため最大限に金を稼ぐ」、なるほどあまりときめかない話である。

一九七四年、クリストルはこう書いている。「大企業は絶滅の道をたどった恐竜かなにかにますます似てきた」[209]。環境が敵対的なら、適応しなければ死んでしまうだろう。なにが変えたのか。おもにつぎのことである。大企業はその巨大さのゆえに、かれらの決断がみなの生活に及ぼす帰結が単純な私的な経済取引のよう見なされることはもはやない。公的規模の権力組織として見られているのである。それが、企業に経済的利潤率以上の考慮を求める理由であり、またこの領域内で回答するに留まっていてはあきらかに不十分な理由である。企業の経営陣は「たんに経営する、ないしは管理するだけでなく、統治することを学ばねばならない。そして統治とは政治的に考えるということだ」[210]。

「統治する」ことは、一九五〇年代にラムルが述べたような「規則を公布する」ことだけを意味するものではなくなった。別の含意があるのだ。戦術そして戦略を立てること。そのためにちがうノウハウが必要となる。かれらに不意打ちを食らわせたあたらしい紛争に思慮を巡らせるための、操作的な考え方が早急に必要となったのだ。ネオリベラル主義の会社理論は、権力関係を否定することにばかりかまけていて、その必要を満たすことがまったくできなかった。概念を示してくれる別の人物に目を向けなければならなかったのはそのためである。

第Ⅳ部

異議申立者たちの

世界

第14章　企業の活動家対抗策

競争原理の戦いに身を置いている以上、企業はそもそも戦争状態にある。[1]

アルテュール・フューラー（ネスレグループ代表取締役）

一九七〇年代を通じて、経営者側からの反撃の呼びかけは続いていた。いつもおなじような軍隊風の響き、おなじような陳腐な戦争の比喩、おなじような攻撃性を通じてだ。一九七九年にいたってもまだ、キャッスル&クック社社長ドナルド・キルヒホフはこう断言していた。われわれが経験しているのは「経済システムへの直接攻撃だ［…］われわれは戦争状態、それもゲリラ戦の状況下にある［…］アメリカ資本主義の最良の伝統において企業のリーダーシップを再活性化し、攻勢に転じる必要がある」。[2]

ビジネスは戦争だ、とかれらは繰り返してやまない。資本主義企業はつねに火薬に火をつけている組織であるから、その経営陣には紛争マネジメント学習が不可欠である。戦争を起こすことは企業の存在様式に刻み込まれており、内部で自社の被雇用者を相手に起こすだけでなく、外部でも、自社の活動に影響される「社会環境」を相手に起こすこともあるのだ。

異議申し立てを前にして、これまでにないノウハウがしだいに発展していく。戦争のレトリックから、ほんとうの戦略再開発へと変化したのである。この時代、広報活動と軍事偵察、蜂起対抗戦術が交差してあたらしいなにかが始動する。それが企業の反活動家ドクトリンの基本要素である。

一九七四年、イギリスの活動家たちが『ベイビー・キラー』[3]と題したパンフレットを出版した。第三世界の諸国でネスレが商業化した母乳の代用品が健康に及ぼす効果を告発したのだ。ほとんどの場合で使用上の注意が読めず、飲料水にも事欠く住民層に売られた結果、粉ミルクが乳児たちにとって害になるケースが頻発した。[4] ネスレは栄養学者からの警告を無視してアグレッシヴなマーケティングキャンペーンを敢行、たとえば看護師のかっこうをした企業代理店の人員を派遣し、アフリカの母親たちに母乳で授乳することをやめるよう説得するなどした。[5]

この活動家による文書は、会社の経営陣が過剰反応するというミスを犯さなければ、部外秘のままだったかもしれない。農産物加工業界の巨人は一九七四年、この小冊子をドイツ語に翻訳したスイスの小グループを相手に訴訟を起こしたが、それは世界中にこの告発にたいする反響を引き起こすことになった。[6]一九七七年七月、アメリカの活動家たちがネスレのボイコットを呼びかける。[7] その四年後には、七〇〇以上の組織が世界中からこのスローガンにたいする賛同を寄せた。

それが、これほどの規模で呼びかけられたボイコットキャンペーンの最初のひとつであった。ひとつの多国籍企業を相手にした、生死にかかわる問題にたいする闘争は国際化し、南側での会社の暗躍にたいし行動するよう北側の消費者に呼びかけた。この戦いで、「生政治は生–資本主義とでも呼ぶべきもののなかで［…］地政学と合流した」[8]とブライアン・クナップはまとめている。

ネスレの経営陣は当初、みずからの理解の及ばない運動によって完全に不意を突かれた。[9]一九八〇年一一月、ネスレのあるスイス人幹部がワシントンに飛ぶ。「かれはヴヴェイ［会社の所在地］でみなが語っていたことに勇気づけられ、ボイコットは興奮したごく一部のマイノリティの行動にすぎない、と信じ込んでいた。到着後まもなく、かれは車のバンパーに〈ネスレをボイコットしよう〉というステッカーが貼られていることに気づく。ショックのあまりかれはこう吐き捨てた。クソっ！ クソっ！」[10]。

企業の首脳陣はこれまで認識されていなかった脆弱性に気づいた。実際に使える手段は徹底的に不釣り合いであるにもかかわらず、活動家のちいさなネットワークが巨大産業グループに相当の圧力を行使できる。それは苦い驚きであった。これははじまりにすぎなかった。「活動家の運動は国際化しつつあり、将来的にはこれ以外にも、統一したかたちで行動する活動家グループが、綿密に準備した攻撃を多国籍企業に向けることだろう」[11]。

「ネスレの経営陣が費やすはめになった時間のせいだけでなく、かれらやその部下たちがしばしば士気喪失するはめになったため」ボイコットのコストが感じられるまで時間はかからなかった。「なによりも企業に影響したのは〈心理的、感情的〉なものだった」。ネスレは「論争を通じて落ちこんでしまった社員たちを癒すため、精神分析家に話を持ちかけたほどだった」[12]。

追い込まれた会社はアプローチ変更を決断する。当時すでに危機管理の専門家との評を得ていた、専門のコンサルタントを雇ったのである。[13]ラファエル・パガンはガチガチの右派で、元軍事情報士官。ケネディ、ジョンソン両大統領にこの問題のコンサルタントとして仕え、一九七〇年代末に企業コンサルティングへ転業した。[14] 一九八一年一月にネスレ社との仕事を始め、活動家にたいする地道な闘争を担うタスクフォースを立ち上げた。[15]

元軍人を含むこのチームのメンバーを追いかけていくと、一九八〇年代なかばならパガン・インターナショナルのオフィスで、[16] それ以降はモンゴヴェン・デューチン・ビスコで、そして二〇〇〇年代に入ると「ストラトフォー」でかれらを見かけることになる。こうした陰謀の巣窟の名になにがしか心当りがあるとしたら、それはハッカーのジェレミー・ハモンドが二〇一一年、サーバからハッキングした数千の電子メールをウィキリークスに公開し、その名をあかるみに出したためだろう。この三〇年のあいだ、こうした反活動のエキスパートたちは、アパルトヘイト・ボイコットに悩まされたシェル社やユニオン・カーバイド社、さらにはモンサント社のような、ご立派な多国籍企業に高値でサービスを売りつけてきた。

経営陣が敵対関係を考える際、伝統的にはふたつのおおきな図式が用いられてきた。企業内の社会紛争か、市場競争かである。内部での部下たちとの緊張関係と、外部でのライバルたちとの競争。多国籍企業を標的とする活動が勃発したことで、三つめの、見知らぬ、予期せぬ姿が浮かび上がった。**外部社会との紛争**である。これにたいしては伝統的な戦術が不適切であることがはっきりした。会社は当初、労働争議とおなじ方法でこのあたらしい異議申し立てを扱えると信じていたが、結局「この新参の当事者は**マネジメントされたいなどと思っていなかった**」[17] こと、まちがいなく「企業の設定した作戦の枠内では」マネジメントされたくないと思っていることも理解するにいたる。直接のかかわりをいっさい持たないこの外部勢力と対抗しようとするなら、それに適応して、まったくあたらしい対抗策のレパートリーを用意しなければならなかったのである。

「反ビジネス活動家」が多国籍企業を足止めするまでにいたったのは、「かれらがネスレの人材より狡猾だった」からではなく、すくなくともかれらは「じぶんたちが政治闘争にかかわっていることを知っていたが、ビジネス人はそれを無視していた」[18]からだと、当時ラファエル・パガンは考察している。政治闘争に向けて能動的に組織化をおこなわないのなら、企業の経営陣がどれほど巨大なリソースを扱えても意味はなく、むしろそのリソースは裏目に出る。「われわれがいつの日か愛され、人気者になることも可能だ、などとは思わないが［…］政治的に考え行動することを学べば、われわれを誹謗中傷する活動家をやっつけることはできる」[19]。パガンの同僚、アリオン・パッタコスは、企業にとって「いまこそ積極主義 activisme によって社会活動 activisme を打破するべき時が来たのだ」[20]と話を膨らませる。

一九八五年一〇月、反ネスレ・キャンペーンを盛り上げた立役者のひとり、ダグラス・ジョンソンは、ボイコット終了後に旧敵のひとり、パガンの右腕ジャック・モンゴヴェンとサンパウロで会っている。かれらは夕食を共にし、ワインを飲み、そして夜を徹して話を続けた。ジョンソンはこの出会いの報告を書き、こんにちそれはセントポールのミネソタ歴史協会の資料庫に保存されている。[21]

「自慢しているわけじゃないがね」とその夜、モンゴヴェンはかれに打ち明けている。「そう、レイ［パガン］とわたしは作戦の戦略担当者だった。われわれはだいぶちがう。わたしは政治キャンペーンでキャリアを積んだが、かれは軍隊だ。［…］最初の日、われわれは分析のために部屋に詰めていたが、レイは不在だった。わたしは壁にクラウゼヴィッツの九つの原則を書いた。大学でクラウゼヴィッツを勉強したことがあったからだが、政治キャンペーンを展開する際にクラウゼヴィッツは非常に役にたつ、といつも思っていた。［…］レイは部屋に戻って、わたしを見て、士官学校育ちかと聞いた。ちがうと答えると［…］かれはこう言った。〈でもクラウゼヴィッツの原則を知っているじゃないか〉。こうして、いっしょに仕事ができそうだ、補い合えそうだとわかったんだ。孫子の著作もキャンペーンをしかけるときにはとても重要だった。あんたがたとのちがいがでたのはね、最初の数年、あんたがたが戦略を展開していたとき、スイスであんたがたが相手にしたのは、戦略のなんたるかをまるで知らず、なんの戦略も展開しなかった連中だったということだ」[22]。

「大規模戦闘のミッションを計画しているようなものだった」[23]とかれはさらに回想する。「われわれはすべての重要なファクターを検証した。われわれの力量とあんたがたの弱みと、あんたがたの力量とわれわれの弱点と。あんたがたの支持基盤もまとめてね」[24]。活動家問題にたいし適用されたのは「S.W.O.T」（強み、弱み、チャンス、脅威《Strengths, Weaknesses, Opportunities, and Threats》）モデルだった。組織とそのライヴァルの長所短所のクロスチェックにもとづいた市場分析手法だ。環境内に存在するチャンスと脅威もここに含まれる。即席の活動家対策ノウハウにはこんなふうに、複数の由来がある。軍事戦略、党戦略、市場戦略のハイブリッド化だ。

モンゴヴェンは活動家ダグラス・ジョンソンを相手に話を続ける。「あんたがたの弱みはリソース不足だ。強みは味方する人間のおおさだ。われわれの長所はリソースにあり、弱点は人間だ。それでわれわれは、あんたがたの強みのもとを断つための戦術を構想しなければならなくなった。だいたいの場合、われわれがなにかの戦術を採用するのは、それがわれわれの戦略に直接に役立つからではなく、あんたがたの労力を分散させられそうだったからだ」[25]。

どうやれば資金繰りの良くない、疲弊し、いつバーンアウトしてもおかしくない活動家の小グループが、比べようのないリソースをもつ経済帝国にとっての脅威となりえたのか？　この分析の答えはこうだった。かれらにとって、足止め効果を引き起こすための切り札は「正当性をふりかざす能力」[26]にある。逆にそれはかれらと対決する会社の側に決定的に欠如しているものだった。「われわれは、あんたがたの強みや正当性のもとを突き止め、そしてそれを奪おうとした［…］あんたがたの正当性や強みは別のところから引き出されている。あんたがたを支持する教会、大学、科学者の小グループ、いくつかの医療組織なんかだ。われわれの踏んだ手順はこう。標的を特定し、支持や正当性を奪う戦術を展開すること。そうすればそのあと、あんたがたをわれわれ自身との関係で扱うことができるからだ」[27]。敵の戦線を分裂させ、ひとつひとつ「信頼項目」[28]を奪っていくのだ。

かれらの主導したおおくのキャンペーンの過程で、パガンとその一党は活動家のタイプ分類を精緻にしていった。この簡略な図式のおかげで、かれらはあらたな対決を迎えるたびに、敵をステレオタイプな心理戦術的区分に整理することができた[29]。一味のもうひとりのメンバー、ロナルド・デューチンはこのお手製の分類を全米畜産業者協会の会合で披露したことがある。この発言は、のちに同組織の会報に収録された。「わたし自身も畜産家でしてね」と、まずは聴衆の共感を得るところから話はじまる。「妻とわたしはそこそこの開拓地をケンタッキーの平原地帯にもっていて、リムジン種やシャロレイ種の牛がいます。［…］われわれは、なんらかのかたちでみな活動家ですね。ですがここで問題にしている活動家は、みなさんの業界の仕事を変えようとする者たちのことです」[30]。たとえばモンサント社が生産しているBST（ウシソマトトロピン）という成長ホルモンのことを考えよう。「みなさんのほとんどがよくご存じでしょう。わたしもです。というのも、この件にかんしてモンサントと仕事をしたことがあるからです。［…］このホルモンは生乳生産量を一〇から二五％増やすと示されています。ですがおおくのグループが、公益の名のもとにそれに反対しています」[31]。

だがこのグループとはいったいだれのことか。もしかれらに勝ちたいのなら、かれらを知らねばならない。そしてそれは難しいことではない。かれらはつぎの四つのおおきなカテゴリーに――判で押したように――分類される。

一、**急進派**。かれらは「システムを変えたいと望んでおり」、「隠れた社会経済的ないし政治的動機をもち」、企業そのものに敵対していて、「過激で暴力的な面をみせることがあります」。かれらはどうすることもできない。

二、**日和見主義者**。「認知度や権力、群れること、場合によっては雇用」[32]を求める者たちである。「日和見主義者を扱うキーポイントは、部分的勝利という見かけくらいは与えてやることですね」[33]。

三、**理想家**。こういう連中は「ふつう、ナイーヴで［…］利他的です」。倫理的・道徳的原則にしたがっているのですね」。かれらを扱う際の問題は、かれらが真剣であり、ゆえに信頼される、という点である。ただし、かれらは非常に信じやすい。「ある産業やその製品にたいする反対運動はだれかほかの人間にダメージを与え、それは倫理的に正当化できるものではない、と示せれば、かれらも立場を変えざるを得なくなります」[34]。

四、**現実主義者**。かれらに文句はない。「かれらは妥協を受け入れます。システムの中枢で働きたがっている。急進的改革に興味はない。実用主義者です」[35]。

異議申し立てを扱う手順はつねにおなじである。現実主義者と交渉すること。というのも「だいたいの場合、勝ち残るのは現実主義者と交渉した解決策だからです。とくに、ビジネス界が決断のプロセスにかかわっている場合には」。そして理想家は「再教育」して現実主義者に改宗させる──「教育者の側にゆたかな感受性と理解能力があることが要求される教育プロセスです」[36]とデューチンは解説する。現実主義者と仕事をし、理想家を再教育したら、後者はみなさんの立場に傾く。「良心の批判」がひとたび方向転換するや、急進派は道徳的権威の支持のおかげで得られたおおくの信用を失う。「現実主義者や理想家の支持を失うと、急進派や日和見主義者の立場は見かけだけの、私利私欲のあるものに見えてきます」[37]。この段階で、日和見主義者たちは最終的妥協に傾くことが計算できる。[38]

「急進派」はより穏健なグループと近しいからこそ勢力を得ている、というのが大原則だ。この結びつきを断ってしまえば、かれらは無視して構わない。急進性という狭い立場に閉じこもった急進派は無害であり、脅威にはならない。影響力のないマイナーな見世物である。これが一般戦略だ。現実主義者と共働し、理想家と話し合って現実主義者に転向させ、急進派を孤立させ、日和見主義者を吸収すること。

ネスレのボイコットの際、活動家の中期目標はこの分野の企業に「行動規範」を課すことだった。パガンはこの見通しを拒絶するのではなく、じぶんたちの都合にあわせてそれを取りあげ、規範条項についての終わりなき交渉に乗り出した。公的にはその原則を奉じたことにして、中身をおざなりにするためである。パガンの評価によれば、かれの分析でいうところの多国籍企業への**倫理的批判**と対決するにあたっては、社会的責任という言葉を排除することはもはや有効な戦略ではない。「産業界にとって、もはや選択すべきは〈責任を引き受ける〉の**かどうか**ではなく、**どうやって**引き受けるのか、である。じぶん自身の計画にそって行動するのか、それとも交渉の末の計画に、つまりむりやり押しつけられるかもしれない計画にそって行動するのか」[39]。

この受諾戦術には、うわべの企業イメージを向上させ、信頼性という見せかけだけを輝かせつつ、異議申し立て側をうんざりするような交渉に引きずり込む、という利点がある。活動家に長話に加わるよう強いること、「議論を解釈の問題に」置き換えること、それが「熟慮の上の戦略であった」[40]。敵のリーダーをネスレ・ボイコット以外のことにかまけさせ、終わりなき会議で消耗させること、それはひとえに運動を、大規模動員という最重要任務から遠ざけるためであった。これこそが、**対話**にもとづいたあたらしい戦術だったのである。

第15章　支配的対話の産物

そうはいってもソクラテス、修辞学をほかのどんな武術の技ともおなじように用いる必要があろうね。[41]

プラトン

ビジネススクールで教わるようなRSE（「企業の社会的責任」）の公式の歴史では描かれていないが、一九五〇年に「マネジメントの社会責任」というテーマで出版された最初のひとつとなった出版物は、かの有名な『プロパガンダ』の著者にして「PR活動」の偉大な理論家、エドワード・バーネイズから推薦をもらっている。[42]

だが、その数十年後の後継者たちは認識した。「防衛宣伝」や「パルチザン・プロパガンダ」の流れをくむコミュニケーション形態など鵜呑みにするものではないことを、大衆は学んでしまったのだ。昔ながらのレシピが時代遅れになったことを確認した『マッドメン』【六〇年代ニューヨークの広告業界をモデルにしたアメリカの人気ドラマ】は自己批判を始めた。「バーネイズのパラダイムでは、PR活動は［…］影響されやすい大衆に〈合意を仕込む〉

ことだと定義されていた。［…］このパラダイムはいまでは倫理面で支持できないばかりでなく、それ以上に効果がないことが明らかになった。大衆は疑うことを学んだからだ」。[43] 昔ながらのプロパガンダが以前ほど機能しないのなら、ちがうものを見つけなければならない。広告がなくなることはないだろうが、そこには別の、より遠回しに言いくるめるようなやり方をつけ足すよう努めることになった。

目的は、四方八方に散らばってしまう言葉の次元をふたたびコントロールすることだった。だが昔ながらのモデルの代替品、あるいはその必要な補完策になりそうなのはなんなのか。あたらしいスローガンは**対話**だった。あたらしい「対話的ＰＲ」[44] が賞賛したのは「組織と大衆の関係構築を方向づける理論的枠組みとしての対話的コミュニケーション」[45] だった。ここでは、プロパガンダにたいしては参加を、天下り式には横のつながりを、一方通行には双方向を、非対称には対称が対置されていた。[46]

一九八〇年初頭、マネジメントのイデオローグたちは哲学者のような顔をして、その本質からして「倫理的」な対話的理性を褒めそやしたものだった。[47] なかでもひときわ目立つのはハーバーマスであった。かれのあたらしいアプローチによって「独話的理性と対話的理性の区別が非常にはっきりする」[48] のだった。このモデルでは、送り手と受け手はコミュニケーションの麗しい対称性のおかげでたがいの立場を入れ替え、「相互理解を目指すコミュニケーション・プロセスにおいて平等な参加者」[49] となるのだった。こうして「倫理的コミュニケーション」の時代が到来する。あるいは「あらゆる企業イニシアティヴが正当性を得る前提条件」としての「中立的対話」[50] の時代である。上から見下ろすような真理の時代はとうに終わったのだ。こうした広報担当者たちのおかげで、われわれは良質のポストモダニズムに宗旨替えできる。すなわち、相互協定はいまや当事者間の対話によって共同構築されるのでなくてはならないのである。

とあるマネジメント・マニュアルにはこう記されている。「哲学者たちのあいだでは、対話はたがいの尊厳と尊敬を高めるがゆえにコミュニケーション倫理の向上に役立ちうる、と認められている。[…]対話の哲学的概念はプラトンに、そしてかれがモノローグ・スタイルをとる純粋なレトリックとしてのソフィズムを排除したことにまでさかのぼる」[51]。われらが企業の哲学者は、途中でへまをやらかしてわれわれにこう教えている。つまり、プラトンは「ソフィズム」に対抗して**「目的ではなく手段[原文ママ]であるようたがいを遇し**、言葉の戦いに身を投じたりはしない対話」[52]を対置したのだと。哲学者たち、とはなかなかよい言い草である。名前を出す前に目を通しておくくらいの労力を(あるいは楽しみを)費やすべきだったのだ。そうすればおそらく、(ソフィズムと詭弁、プラトンとカント、手段と目的等々)なにもかもごっちゃにするようなまねは避けられたことだろう。こうした哲学者たちは対話の実践という点でも、かれらがそう思いこませようとしているような聖人君子にはほど遠い、ということも計算に入っていない。そもそもソクラテスからして、議論好きで口が悪いうえに容赦のない対話者で、なにごとにも手を緩めることはなかったのである。

なんにせよ、対立構図が利用されている。いまでは広報担当にあしざまに扱われている、かつての偶像たるモノローグの側には、操作、見せかけ、教条主義、不誠実、猜疑心が置かれ、逆に対話の側には他者への配慮、真正性、開かれた精神、率直さ、信頼が置かれる。かつての忌むべき振る舞いである一方通行の説得にたいして、いま好まれるのは相互の傾聴、たがいの協調、コンセンサスにもとづいた関係的・共感的コミュニケーション、「当事者」間で「共有される理解の共同形成」、水平性、「承認」、他者関係、そして以下うんざりするほどに続く。**けっこう、けっこう。もうたくさん。空気を、新鮮な空**

気を。理想をこしらえるこの露店――鼻をつく嘘の臭いがぷんぷんするようです。[53]

とはいえ、こういった対話礼賛にはふたつの傾向があることが抜けおちている。ひとつではないのだ。表向きの顔は倫理だが、裏の顔は戦略である。完全な見通しを得るには、倫理哲学のごった煮にたいしてその分身、つまり企業の活動家対策エキスパートが同時並行で理論化した対話戦略を対置しなければなるまい。一方がハーバーマスを引用すれば、他方はクラウゼヴィッツを参照する。だからといって、この両者、つまり哲学ヴァージョンと秘密工作ヴァージョンが、おなじ活動全体でたがいを補完しあう顔を持てないこともないのだ。

ネスレのために反キャンペーン活動をおこなった際、パガンとその同僚たちは「ボイコットを終わらせることができるとしたら、それは批判者と額をつき合わせた長い対話と議論によってである」[54]という確信を得た。「かれらにとって、対話は相手に心を開く方法ではなく、戦略であり［…］戦闘を遂行する別の方法であった」[55]。かれらの側には、対話の際に**交渉する**意志などなにひとつなかったのである。「理性的」な連中に会社は誠実であると信じ込ませ、キャンペーンから撤退させることだけが目的だったのだ。この種の議論の目的は「交換」ではなく「連中にあなたがたの視点を納得させ、あなたがたのために行動するきっかけを与える」[56]ことなのである。

伝統的なPR活動は、みずからを正当化する広告を滝のように流して、対立する言説を水没させようとするものだった。だがこのあたらしい戦術は、「反体制派がすくなくともかれらが攻撃している企業とおなじくらい、あるいはそれ以上に大衆の注意を引く時代にあっては、敵を壊滅させるのは端的に不可能である」[57]という現状確認からスタートする。したがって、戦術はより綿密に実施しなければならない。「発生した問題が危機的なものになる恐れがある場合、「問題解決マネージャ」は侵入者にたいし本能的に部隊を派遣するようなまねはしない［…］。むしろ相手側のグループや哲学のリーダーとコンタクトを取り、かれらとともにアジェンダから消せるような共通の利益を見出す可能性を合理的に模索する」[58]。

支配的イデオロギーの生産理論を刷新するというからには、それはこんにちであれば支配的対話を批判することにもなるはずだ。権力の戦略として、対話がもつ長所はなにか。そのいくつかはすでに垣間見てきたわけだが、ここで隙間を埋めておこう。

一、**情報機能**。対立側と対話することとは、発生しうる危険を最速で突き止め、「公共の目にさらされる前に議論の種になりうる問題を」[59]特定することを可能にする。敵が念頭に置いていることを知ろうとすること、しかもたんにそのプロジェクトを学ぶというだけでなく、どのようにものを考えているかを理解することまでが必要不可欠だ。ゴッドファーザーの教えには、友はそばに置け、しかし敵はもっとそばに置け、とある。このために、「すくなくとも短期的には、破壊屋とも思われるような」[60]グループまで含め、敵対グループとのコミュニケーションのチャンネル確立に努めることになろう。

二、**区分け機能**。一九八〇年代初頭のあるネスレの幹部は、頼まれたわけでもないのに活動家向けの一連の行動規則を作成している。それは以下のようなものを含む。「メディアでの大衆キャンペーンにまで進展する前に、標的とされた企業とコンタクトを取り、対話を確立する［…］」[61]よう、つねに努めなければならない。この「発生した政治問題を先買いすることでグループのあいだで政府を介さず解決する」[62]という戦術のおもな利点は、**測量学的**な次元に属するものだ。対決は私的なフォーラムに局限し、「公共空間」[63]から離れたところに隔離する。こうすることで、活動家をそのおもなリソース、つまり問題の公共化から引き離す。そしてまた、一般に人前ではあまり妥協できないという、相手のリーダーたちが抱える社会的制約を解放してやる。モンテスキューが書いているように「首長が［…］人民が勝ちすぎることを望まない」状況では「賢く権威のある者たちが仲裁する」[64]。

三、**牽制機能**。攻撃的な役目から脱線するよう、反対派にアメでも投げてやること。パガンは一九八〇年代末に南アフリカにたいするボイコットの打倒を試みていた際に、このポイントを力説している。「シェル社がみずから、鍵を握るグループと意味ある対話を確立すれば状況をひっくり返せる、という確信を得ることが、この戦略の鍵を握る見方なのだ。教会が、たんにシェル社をボイコットする以上の前向きで創造的なやり方でアパルトヘイトと戦う、という選択肢を受け入れることが、この対話の目的だった」[65]。はっきり言えば、「宗教グループを［…］アパルトヘイト以降のプラニングの推進に」[66]参加させ「ボイコットや投資の停止からかれらの注意を逸らす」ことである。

四、**選別機能**。しかし対話には、上手にリードすれば敵対するいくつかの「圧力団体」を選別できる可能性がある。[67]バート・モンゴヴェンはこう要約している。「古典的な企業の選別戦略では」、「企業はもっとも声のおおきい〈現実主義的〉組織を見極めようとするものである。かれらを議論のテーブルに招き、問題解決と引き換えに権力や名誉、富を与えてやる。一度受け取ってしまえばその組織は、問題は解決した、と世間を説得する。異議申し立て運動がこうして、たった一度の取引で一挙に（たいていは企業の都合の良いように）飲み込まれてしまう。問題は解決していない、とこのあとも粘る連中は急進派として登場するが、かれらは信頼を得られていない[68]。

活動家はしばしば敵のカリカチュアめいたイメージを持っているため、予期しているのとはまったくちがった顔を見せてやることで不意を突くのは難しくない、とわれらがエキスパートは指摘する。話を聞く際には謙虚でオープンな姿勢を見せること。おなじ言葉遣いで話すことで丸め込み、責任ある組織のあり方だと認めてやることで良い気分にさせ、賞賛を示し、「否定的」ないし「不毛」な対立とは対極にある「建設的」行為をちらつかせる。パガンご推奨の、中傷する者たちをたくみに穏健化するための心理操作技術のなかには、たとえばこんなものもある。暴露されれば会社に害が及ぶ――しかしたいした被害ではない――書類を渡して、内々に留めておくよう約束させる。経験から言えば、この種の信頼の証は「けっして裏切られない」[69]とかれは言う。

五、**資格剥奪機能**。重要な点はこうである。反対派へのロビイングの一形態と考えられるこの対話は**選択的**である[70]。つまり、あるグループを抱き込む道筋をつけると同時に、ほかは閉め出すよう機能する[71]。「コンセンサス」こそ「対話」の目的だと強調することで、異を唱えるような方針はすべて資格を剥奪する、つまり「産業界とコンセンサスを目指す議論に加わらないグループは〈対決的〉、〈議論不可能〉、そして最終的には民主的決定のプロセスに参加するに〈値しない〉、というレッテルを暗黙のうちに貼り付ける」[72]。対話の用意のある者とそうでない者に境界線を引く。一方を従属させ、他方は信頼を失墜させる。ロゴスの通じない相手だとイメージさせることができれば、かれらをかんたんに抑圧できるだろう。

六、**正当化機能**。尊敬に値する、という雰囲気のあるNGOと対話することで、企業はさらに「イメージの転化」[73]という恩恵が得られる。相対的に声望という資本が足りない大企業は、批判する側からの声望を獲得する期待が持てるだろうし、対立側もまた相乗効果を利用できる。経済資本は弱いが象徴的な訴求力は強いからだ。この非対称的な土台にもとづいて、たがいが相手を選別する関係が結ばれる。対話によって、ひとは協力そしてパートナーシップへと移行することになろう。その目的は企業優位の連立を構築することなのだから[74]。

「批判者たちのもたらす混乱を管理するための企業新戦略」[75]がこうして完成されていく。目の前の危機に直接的に応対するための反動的操作、という域を超えて、しだいに「批判にたいする組織的・事前対応的アプローチ」[76]がテーマとなっていくのである。

第16章　問題解決マネジメント

戦略家になるためには企業であることをやめねばならなかった。[77]

アンドレ・ゴルツ

「一九六〇年代から一九七〇年代の公民権運動、ヴェトナム戦争やエコロジー運動の決起からのち、活動家組織は公共政策の形成過程の主要なアクターになった［…］。ビジネス界は対活動家闘争に加わらなければやられてしまうだろう」。[78]その混乱は、企業活動のあれやらこれやらにたいする局所的な異議申し立て運動の域を超えて、「政府の過剰な規制」の真の推進力として登場した。ゆえにビジネス界はそれに対抗して立ち上がる――とくに環境問題にたいして。

つまり、企業と活動家の一対一の対決を超えて、国家権力も絡んだ三つの項からなる機能が作動している。そしてその中心的な争点としては、立法者を捕獲することも含まれる。企業の経営陣自身が活動家にならなければならないとしたら、それは敵の攻撃をはね返すためだけではなく、自身のアジェンダを押し通し、その結果「民間セクターによって公共政策選択が影響される」[79]事態を引き起こすためである。

マネジメント・ノウハウのあたらしい一ジャンルが明確に掲げる野心はこのようなものであり、ハワード・チェイスは一九七七年にそれを「問題解決マネジメント」と名づけ祝福したのだった。かれは「マジノ線」[80]【第二次世界大戦中にフランスの用意した対ドイツ防衛線】的なメンタリティ、つまりビジネス界で濫用される防衛的姿勢とは縁を切り、攻勢に転じたい、と公言したのである。

企業が「**公共政策をマネジメントする**」能力を身につけること、それが隠すつもりもない目的であった。「われわれは企業による公共政策のマネジメントを語ることをためらわない」とチェイスは認める。「公共政策は政府だけの領分で**はない**。多元化したわれわれの社会では、公共政策は公的・私的な観点の交錯の結果生じるものである。組織としての企業は道徳的にも法的にも、公共政策の**形成**に参画する十全の権利を、つまり政府の発案になる諸政策に〔…〕反応するだけにとどまらない権利をもつ」[81]。デヴィッド・ロックフェラーさえもこう弁じている。「公共政策への参画は企業の経営陣としての基本的な責任であり、ほかと同様にビジネスの体系的な一分野として扱われるべきものでもある。公共政策にたいしても企業は目標を設定し、優先順位を確定し、効果的なプランを実施し、成功を測る尺度にもとづいた運営方針を示さねばならない」[82]。「多元主義」という装いのもとで問題にされているのは、じっさいには資本家の利益が政治的に優先されると押し通すことにある。

どれもみな、あらたな競争力の獲得を想定している。もちろん、政府へのロビイングも組織だったものにする必要があっただろうが、戦術の幅はそれ以上にひろがっていった。公共政策は既存の**考え**を具体化する。こうした考え方、その生産、流布、それらもまたマネジメントすることを学ばなければならなかったのだ。

考えとはどう形成されるものなのか。「問題」とはどうやって生み出されるのか。パガン・インターナショナルがシェル社のために一九八七年に書いた長い機密レポート――多国籍石油企業がアパルトヘイト体制のボイコット迂回を可能にするとされた「ネプチューン戦略」――ではその付帯文書で、政治問題の発生を描いた大部のダイアグラムが描かれている。[83]あるひとつの考えは、派手な論争の対象となる問題になってしまうまでに、非常に長い、はるかに地味な熟成プロセスを経ているものである。「問題」には、その最初の形成から危険域に達するまでの「ライフ・サイクル」がある。この単純な、ありきたりな伝播主義的図式を信じれば、「公共領域での伝播と選択のプロセス」には三つのおおきなステップがある。一、創造段階。考えは、活動家と知識人の相互作用によって生まれ、まずは狭いアカデミックなグループのあいだで孵化する。二、浸透段階。論文やレポート、書籍、講義やセミナーを通じて知的な世界に拡散する。三、広範な拡散の瞬間。マスメディアが伝えたことで、大衆に影響する。これまでそれを取りあげていた活動家たちは、そのメッセージがおおきな社会的反響を呼ぶであろうという確証を得る。問題は政治アジェンダに載るにじゅうぶんなほど熟した。広報活動でそれを抑えることはできないだろう。

悲惨なことに、企業のリーダーたちは一般に、サイクルの終わりになってはじめて「問題」に気づく。それが新聞の一面を飾ってしまった、もうすでに手遅れの段階で気づくのだ。というのも、この段階では、「ビジネス界にできることは退却戦の指揮だけである」。[84]それは高くつくうえに、たいてい負ける。「リングに上がる前に他人が問題を決め、正当化している事態をただ待ち受ける」[85]ことなど許されるものではない、「事前に無力化する」戦略を展開しなければならない。このあたらしいアプローチによれば、行動するにあたって「組織はことが足もとで起きるのをただ待っているだけではない。問題が危機的・現実的・喫緊になるのをただ待っているだけではない」[86]。

それまでビジネス界でこうした批判に効果的に応える能力がなかったのは、「アカデミックな領域、そしてこの領域が演じる、活動家という火に油を注ぐ役割の重要性を、まるで推し量れていなかった」[87]ためだと考えられた。ビジネス界が「みずからの社会制度的、知的な正当性が切り崩される」[88]事態に深刻に悩まされる状況では、大学界と緊密な関係を結ぶことが至上命題となる。[89]工業製品の健康・環境への効果を評価する際に演じている最重要の役割を考えると、その筆頭に来るのは生物学や医学である。研究者を買収しろ。「科学的」見解を買え。疑いの種をまけ。[90]これもまた「問題解決マネジメント」だからだ。つまり、問題の定式化にも諸々の事実の立証にも影響を及ぼすことを狙う、**真理のかけひき**だ。[91]ピーター・ラドローが分析するように、「現実を隠すだけでなく生み出す」ことを狙ったアプローチであり、それは大規模な「認知工作」[92]に頼ることも辞さないのである。

大企業は、発生した問題を特定し機をとらえて介入するために、その「軌跡」を追っていくことを可能にする戦略的な監視能力を持たなければならない、というアドヴァイスもみられる。[93]この分野での金言はこうだ。「企業の存続や成長を**脅かす**問題については、危険域にまで達するのをけっして見過ごしてはならない」[94]。

組織上では、問題解決マネジメントの責務は広報担当よりもむしろ戦略プラニングの責任者に委ねられなければならない。マネジメントを専門とするS・プラカシュ・セティ教授は、パガンがネスレのために設置した危機対策チームに影響されて、こう提案している。大企業は社内に「戦略的ビジネス・ユニット」を作る。だがより人聞きがいいよう、正式には「社会的責任センター」と名前を付けておいてもよい[95]。

外部監視作業は内部での予測的次元と合流する、つまり、みずからの活動が引き起こすことになる問題を前もって見抜く、ということだ。新技術を発展させる会社は、その技術のもつ社会にたいする潜在的な影響を事前に問い、それが引き起こしかねない拒絶反応を予測する必要がある。パッタコスはこう述べている。「長期の企業プラニングには、〈売れるのか〉という問いを中心とした、あいまいで伝統的なマーケティング・アプローチよりはるかにおおくのものが要求される。[…]ビジネス戦略家はこんにちでは、みずからのプランの社会的・政治的環境全体への影響を考慮し評価しなければならない」[96]。

この種の事前対応戦略をシステマティックに採用した最初の多国籍企業のひとつがモンサントである。このセントルイスの会社がリクルートした、社会的責任にかんするエキスパート、マーガレット・ストロープは、チェイスが理論化した「問題解決マネジメント」に直接影響されたアプローチを一九七〇年代末に実行した。「環境全体の分析」は会社にとって市場分析と同等の必須責務であると確信した彼女は、「環境スキャニング」と「問題特定」を任とする研究者グループを設置した[97]。

一九八二年八月、アメリカ最古の自然保護組織のひとつ、「全米オーデュボン協会」の代表クリストファー・パルマーは、『ワシントン・ポスト』に「ビジネス界と環境論者――和平の提案」と題した原稿を載せた[98]。かれはこう譲歩する。「われわれは尊大な態度や［…］妥協や交渉に乗り気でない態度をとることもしばしばあった。エコロジストの側にも、譲歩したり柔軟な姿勢を示したりすることを恐れることがたびたびあった」。しかし、たとえ相手がビジネス界でも、「共通の大義を掲げる際に悪影響を及ぼす憎しみや相互の誤解」を脱却するくらいのことがあってもよかったのではあるまいか？

モンサントの経営者、ルイス・フェルナンデスは同紙の記事で即座にこれに応えている。「ビジネス界は、エコロジストは絶対に邪魔になる敵だという考え方を捨てなければならない。［…］われわれの関係を落ち着いたものにする解決策は、わたしの確信するところでは［…］われわれのより頻繁な対話を踏まえたものになる――環境問題が凝り固まった論争へと変質してしまう前にそうすべきだ」。そしてフェルナンデスは、エコロジスト団体を、この問題を論じる「議論のテーブルに着く」よう招待するという。「モンサントには、いくらでも椅子の余裕がある」[99]。パルマーはわれわれに「オリーヴの枝」【平和の象徴。アメリカの国章にも用いられている】を差し伸べた。喜んでそれを受け取ろう（もちろん、これこそ迷わずなかまに選別すべき「現実主義者」だ）。「オリーヴの枝に猶予を与えよう、栄養を与え、そこにたがいのためになる果実を実らせることができるかを見ようではないか」。かくして、産業界と野鳥保護論者のウェディングが祝われるのである。

モンサントはこのあと、NGOといくつかのパートナーシップを締結している。湿地帯保護プロジェクト、有害廃棄物処理プロジェクト、環境保護局への財政支援プロジェクトなどがそれにあたる。企業の経営陣が問題をどれほど重要と見なしていたことか。その証拠に、環境保護グループとの連合の構築戦略をスーパーヴァイズしていたのは会社社長みずからであった。事実、一九八〇年初頭以来おおくの大規模なNGOは、産業界とのこの種の取引をもとに発展したのである。[100]

当時、モンサントはバイオテクノロジーの方針転換を決定していた。同社の経営陣は、同社の新製品が社会の強い抵抗にぶち当たるかもしれないことを的確に認識していた。焦点となるのは、同社の産業戦略の再編方針の安定性を確保することであり、そのためにそのかなり前から「問題解決マネジメント」の予防的アプローチが採用されていた。一九八四年以降、モンサントの「初期問題対策委員会」は公共政策への影響行使戦略にとっての鍵となるいくつかの問題を特定していた。そこには「バイオテクノロジー規制」、「知的所有権」、「農業政策」そして汚染の補償体制などが含まれる。[101] こうした問題は会社の将来にとってきわめて決定的であり、どの問題も同社の最高経営者のスーパーヴィジョンを直接に受けるものとされた。「われわれにはビジネスマンとして［…］これらの問題をおおやけの舞台に載せるというデリケートな仕事をマネジメントする必要がある」とフェルナンデスは宣言している。[102]

もはや単純なグリーン・ウォッシング作戦【エコロジーを尊重する態度を見せることでイメージアップを図る作戦】にとどまらず、さらに「共同」以上のところまでその手は延びた。その諸原則をここまで追ってきた先買い戦略がここで発動された。一九八四年にフェルナンデスはこう書いている。「われわれにじゅうぶんな度胸があれば、そして決意と創造性をもってわれわれの利益のために戦い続ければ、われわれは競争に勝ち、円滑に作戦遂行に成功することだろう」。[103]

ここでその跡をたどり直そうとしてきた歴史–哲学的描写で、われわれは企業の私的統治にかんする三つのおおきな着想を目にしてきた。第一の着想、一九五〇年代から一九六〇年代のマネジメント主義の着想では、私的統治は国家権力との類比で考えられていた。第二の着想、一九七〇年代の新古典派の経済学者の着想では、権力関係はすべて否定され、マネジメント側の行動を株主価値に連動させる「代理権問題」の統治という問いに還元された。こうして、倫理的マネジメントからネオリベラル主義の金融ブロックにおける統治性へと移行したのである。しかし、ここで第三の契機が実践面での補完として登場する。社会環境の戦略的マネジメント技術がそれである。

ここで描かれるのはしたがって、企業の私的統治のもうひとつの考え方である。それは、数十年ほどまえのマネジメント主義のそれとも、それとおなじ時期に並行して定式化された、会社の株主統治のそれともことなる受け止められ方であった。

倫理的マネジメント主義が啓蒙専制君主的な形式で企業を統治することをみずからに課した一方で、このあたらしい戦略的マネジメント性は、周囲の社会環境を「企業の活動をより受け入れやすくなるように、外的——物理的・社会的・政治的——環境の操作」[104]技術を展開して統治することを要求する。

ここでのパラドクスは、ネオリベラル主義的な会社理論が権力との関係を否定し、企業の社会的責任という概念をまとめて排除しているまさにそのとき、その企業のコンサルタントたちが逆のことをおこなっていることにある。一方が理論において会社を脱政治化しているとき、他方が実践において会社を再政治化するべく働いている。前者が企業の社会的責任を危険な幻想として排除しているとき、後者は逆にそれを役にたつ口実として取り込んでいる。一方が会社を純粋な契約として理解しているとき、他方は会社のいたるところに紛争を見てとっている。こうして支配階級のそれぞれのセクターが、おなじ利益を擁護しつつも、対象について相矛盾する着想を展開していったのである。

一九七〇年代に準備され、その後一九八〇年代にさらに具体的に展開されたおおきな反動を、そのネオリベラル主義的な構成要素に帰着させようとする傾向はしばしばみられる。それはまちがいである。知的な面で言えば、この運動はより雑多である。あちこちのレベルで反撃がおこなわれ、それぞれが地盤の裂け目を埋めようとしていたが、中核となる連携や教義としての統一性はない。この対抗運動のさまざまな側面のあいだにある不調和、なにより会社の経済理論と企業の戦略的思考のあいだにある不調和はそのせいで生じたのである。

わたしが説明してきた、社会環境の戦略的マネジメントの立場からのアプローチは事実、おおくの面で「経済的ネオリベラル主義のアンチテーゼ」になっており「[…]あたらしいパラダイムにおいて企業は、社会的なレベルで政治的な専門技術を、リベラルな経済理論が完全に無視してきたこの能力を発展させることを要求された」[105]。このおおきな隔たりを確認した論者のなかには、両者を歩み寄らせようと試みる者もいた。概念を総合しようという試み、あるいは理論的なマヨネーズを作ろうという試みの皮切りとなったのが、「ステークホルダー理論」と呼ばれるものであった。

第17章　ステークホルダー

拳闘愛好家がいて、興行元の名が売れていればそれでじゅうぶん。試合見物の札をもった好事家たちがステークホルダーあるいは賭け金の預かり人のもとにはせ参じ、のぼせた頭で賭けに興じる。[106]

『イリュストラシオン』誌

はるか昔、イギリスではstakeholderという語に意味はひとつしかなかった。「第三者の預かり人」あるいは「賭け金の預かり人」である。どういう意味か？　ギャンブラーたちは拳闘や闘犬の結果に賭ける際に、賭け金を第三者に預ける。それが《stakeholder》である。この人物がそれを預かって、それから幸運な勝者に小金を再分配するのであった。[107]

一九六〇年代初頭、スタンフォード研究所の研究者たちがこの廃れた言葉を再利用して別の意味を与えた。ステークホルダー――《parties prenantes》とフランス語では訳される――は「そのおかげで組織が存続し続けているグループ」[108]と定義された。この語が選ばれたのは「ストックホルダー」（株主）という別の語との音の近さ、共鳴効果のためである。要するに、マネジメントが考慮に入れなければならな

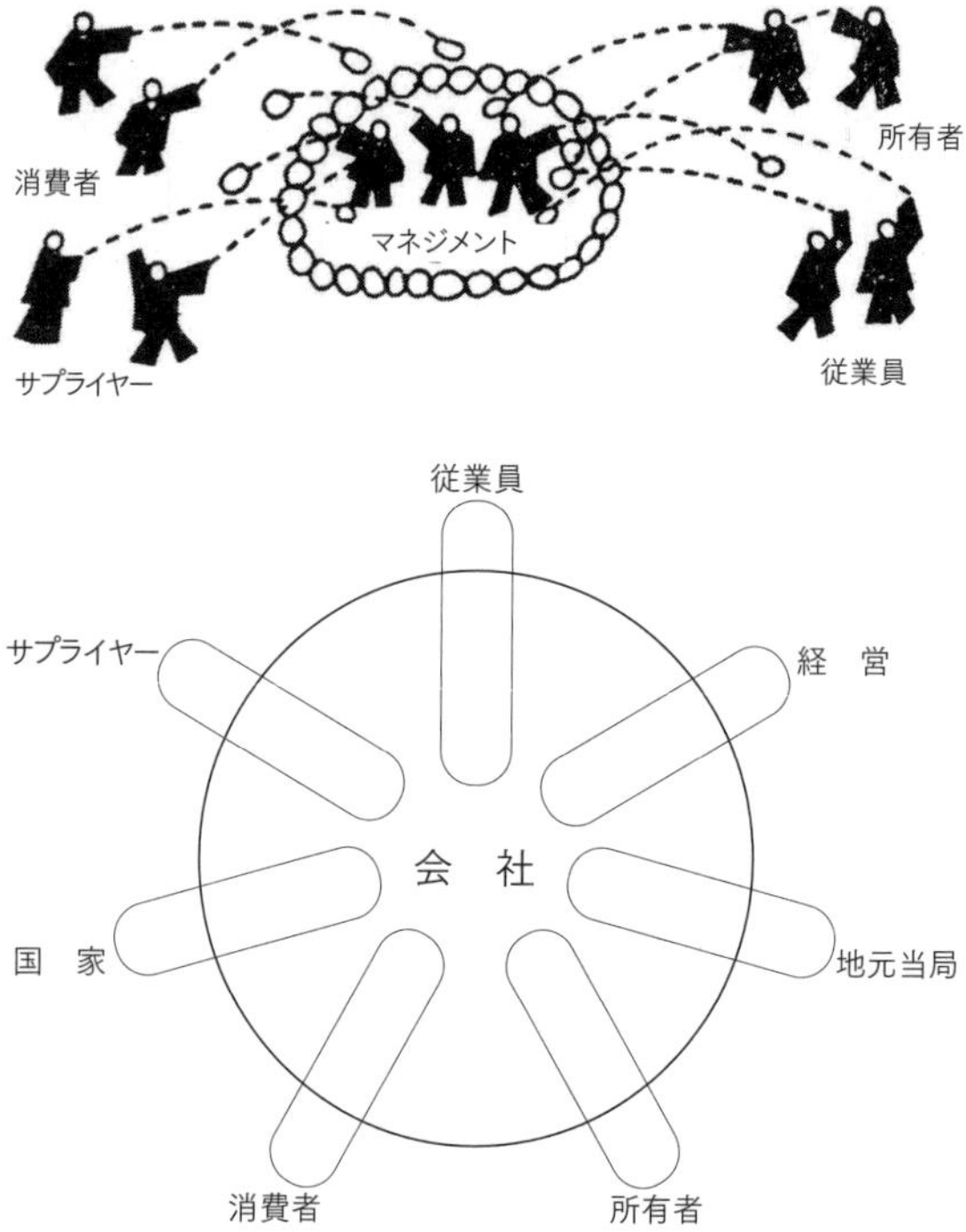

レンマンによる企業とその利害関係者

いのは「株の所有者」ばかりでなく、「賭け金の所有者」集団の全員でもある、と言いたかったわけだ。[109]

一九六四年、スタンフォード・グループの考察と並行して、スウェーデンのマネジメント理論家エリック・レンマンがかれ独自のステークホルダー理論を提案した。ステークホルダーはかれの言い方では“Interessenterna”となっており、これは「自身の目的の実現を企業に依存しており、かつ企業もまたみずからの存在をそこに依存している個人ないしはグループ」と理解されていた。[110] レンマンは社会紛争を雪合戦かあるいは石合戦のように描いている。この図では、企業のリーダーは全方位から包囲され、あきらかに数に劣っており、いかにも勝ち目がなさそうだ。こうした社会紛争にたいし、レンマンは平和な社会的世界という北欧的な理念によりふさわしい、調和を保った利害関係の融合によって調整された図式を対置する。

おなじスウェーデン人のひとり、マルクス主義社会学者のゲラン・テルボルンは、早くも一九六六年から、レンマンと地元の経営者との密接な関係を指摘し、かれの見るところ「企業のリーダーたちのイデオロギー」、「ヘゲモニーと呼ばれるイデオロギー的権力関係の典型例」にあたるものを批判した。[111] レンマンの企業理論が「主張するところによれば、権力は端的に存在しない」、支配関係はない、ただ単に「圧力団体とステークホルダー」がいるだけとされていた。レンマンはつまるところ、あいまいなカテゴリーのもとにくくられる雑多な社会関係をひとまとめにして、自明の理を唱えていたにすぎない。「いかなる決定も社会的真空のなかで下されるものではなく、逆に社会環境の諸要因によって条件づけられている」。会社理論のなかに多少の紛争、多少の社会性を注入したことで、「経済人」という狭いパラダイムから脱却するという利点はあったかもしれないが、結果としては「驚くべきものはなにもない」と――婉曲に――テルボルンは結論づけている。

アメリカ合州国では、ステークホルダー理論はすでに受け入れられていた戦略的なオリエンテーションを採用した。一九七五年、ウィリアム・ディルはこう評している。これからわれわれに必要なのは「企業の戦略決定に直接影響を行使しようとする［…］個人や組織でいっぱいの［…］能動的で侵襲的な環境に向きあうことである。その外には、つまり企業の外には非常におおくの人びとがいるが、かれらのことを〈ステークホルダー〉と呼ぼう」。[112] それは「環境保護、海外投資政策、雇用慣行」[113]などについて、イライラさせられる問いを投げかけることをやめない人びとのことである。ステークホルダー理論は、このような拡大していく異議申し立て運動、つまり企業にも影響する「環境化の問題」にたいするひとつの答えにも思われる。[114] 多数のベクトルをもつ異議申し立て運動を前にしたマネジメントは、もはやその社会・政治環境を無視できない。これから先、その生きる世界は「異議申立者たちの世界」であり、その世界に適応しなければならなくなるのだ。[115]

R・エドワード・フリーマンはもともとは哲学科の学生だったが、マネジメント理論に宗旨替えし、一九八四年にこの分野での標準となる著作を発表した。『戦略的マネジメント——ステークホルダーからのアプローチ』がそれである。[116] 会社はかつてない攻撃を受けている、つまり「消費者、エコロジスト、株主、被雇用者、組合、政府を含む鍵となる圧力団体により外部から行使され増大する圧力」[117]を被っている、とかれは述べる。戒厳令下にあるのだ。反撃は生き延びるための問題となった。[118] やり方はご存じの通りだ。

フリーマンによれば、正面から向きあうために必要なのはとにもかくにも「あたらしい概念枠」、つまり会社とその外部との関係理解のあたらしい方法であるという。[119] 伝統的にはそれは、さまざまなリンクをもつ生産ラインのイメージで想像されていた。極論すれば、原材料をもってくるサプライヤーがいて、つぎに企業がそれを製品に変え、そして最後の出口にはそれを買う顧客がいる、つまりインプット／アウトプットだ。

この第一の図の縁には「〈環境〉と呼ばれるあいまいで危険な領域」という説明が付してあるが、そ

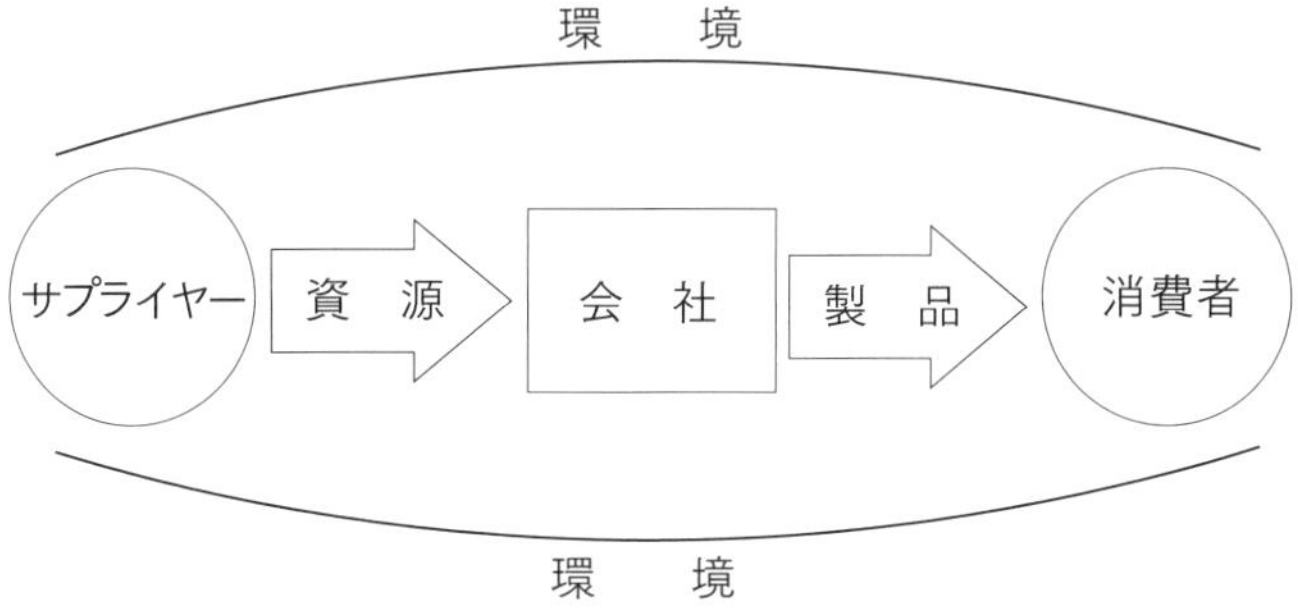

生産モデルから見た会社像[120]

れは「われわれの無知をごまかすための手軽なラベル」[121]にすぎないとフリーマンは批判する。さて、あらたな挑戦に応じようというなら、いまこそこの未知の大地を測量し、地図を作成して、この大地のよりよき主人となるべき時である。

フリーマンは「われわれの会社のイメージを描き直す」[122]こと、あたらしい「概念図」を描こうと試みる。中央の四角が「会社」であり、その周りには「会社」と種々雑多なたくさんの実体、つまり会社と「ステークホルダー」との相互の影響関係を描く、双方向の矢印がある。

このタンポポのような会社イメージは同時期の「束理論」が展開したそれを連想させる。会社を契約関係の交錯として定義したジェンセンとメックリングと並行して、フリーマンもそれを「協力・競争関係における利害関係の配置」[123][124]として理解している。さまざまな「資本の所持者」のあいだの結びつきという考え方には、会社と利害関係をもつさまざまな「ステークホルダー」の結びつきが対応しているように思われる。つまり、同時期に一方は経済における、他方はマネジメントにおける、ふたつの企業イメージが描かれており、たがいにちがいがあるといっても――この点に

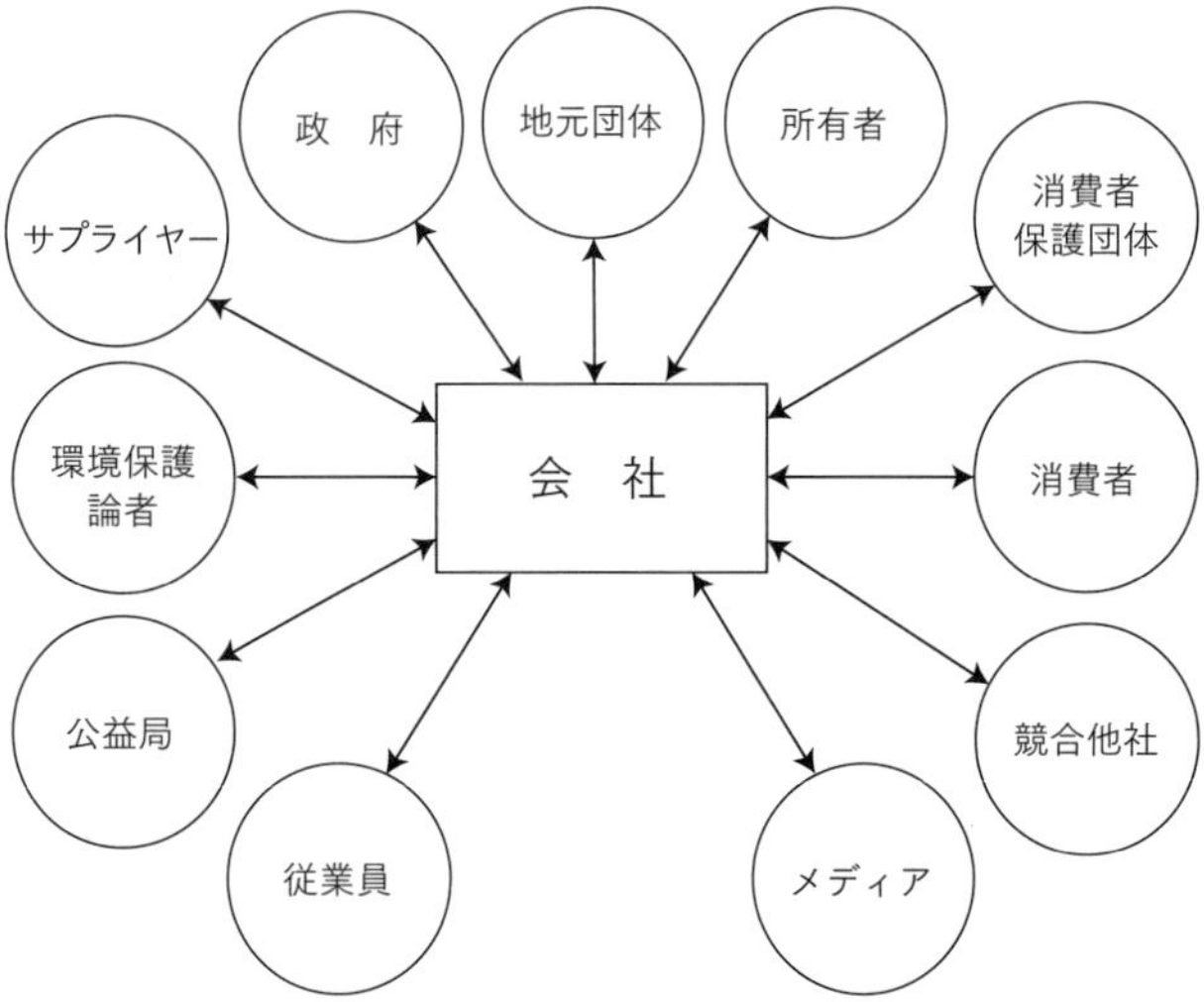

利害関係者モデルによる会社像

ついてはまた触れる――おなじ家族のような雰囲気、ある種の同型性をもっているように見えるのである。

『政治的なものの概念』においてカール・シュミットは、リベラルな概念性の構成を分析することを可能にする図式を提案している。光学プリズムを通過すると、白い光は区別された色域に分解される。同様に、このような思考のかたちを通過した政治的概念も回析されて、区分けされた考え方へと投射される。こうした諸概念は、経済と倫理という二極へ向かう分岐したふたつの束にそって分解される。「このようにリベラル思想においては、政治的な闘争の概念は経済の側では競争へ、精神の側では論争へと変化する」。国家ないし社会という考え方は「倫理と精神という角度から見れば、人道主義イデオロギーによって影響された人道性のイメージになろう。別の角度から見れば、生産とコミュニケーションの画一的システムの経済・技術統一体を構成することになろう」[125]。

ここには分裂や二分化だけでなく、具体的な政治的概念の隠滅もみられる。この回折そのものがそれを思考不可能にし、倫理‐経済という抽象概念の対へと置き換えてしまうのだ。この対のそれぞれの要素には、もはや当初の考え方から切り取られた一様相しか含まれていない。結果として、「リベラルな概念はどれも倫理（精神）と経済（ビジネス）のあいだを、非常に特徴的なかたちで動いている［…］。この対立する極から発して、政治的なものを無化する傾向をもつ」[126]。政治的な敵対関係はこうして、想定可能なものの範囲からは姿を消し、一方では経済競争という観念に、他方では倫理論争という考え方に置き換えられる。シュミットは言う。「結果として、非軍事化され非政治化された概念のシステムに達することになろう」[127]。

われわれが本書で研究してきた諸々の企業理論も、同様の回折プロセスに似ているように思われる。経済の極では束理論という抽象化が、もう一方の倫理の極ではステークホルダー理論という抽象化が、具体的な諸関係に取って代わったのだ。

一九八〇年代には、経済と倫理というリベラル派の会社思想の二極を、統合されたイデオロギーへと節合しようとする著者もあらわれた。それは「トップマネージャとステークホルダーのあいだの契約の束として会社を再概念化する」[128]ための試みであった。かれらに言わせれば、すべてのステークホルダーは会社にたいし「なんらかのかたちで人的資本ないし金融資本を投資したことで、なんらかのかたちのリスク」[129]を負った以上、だれもがビジネス経営の事案にその声を届かせてしかるべきであろう。エージェンシー理論の理論家たちが擁護した「株主優先」はこうして別の、多元論的ないし「多元信託的」[130]な規範に置き換えられる。それによれば、マネジメントはすべてのステークホルダーの利益のために行動しなければならない、とされる。こうしてふたたび、どっちつかずの道が開かれる。マネジメント主義の古いテーマは、ステークホルダーの語彙に着せ替えられて再利用される。しかし、マネジメント主義者たちが企業を私的統治として説明したのにたいし、われらが批判者たちはそれを「連立」ないし「パートナーシップ」として描く。それは、パートナーシップはたがいに敬意をもって扱われるべきであり、それぞれの利害や要求を考慮すべきである等々、と結論づけるためである。

　こうなると、会社はほんとうに自由で平等なエージェント間の契約の束**だからこそ**、株主に優先権があるという主張は受け入れがたいのだ、と言い出す者も出てくる。ただし、具体的な関係はまったく別の話だ。株主優先はたんなる規範的主張ではなく、端的な事実である――積極的な働きかけによって構築された、あくまで現実的な支配というのがほんとうのところなのだ。他方で連立としての会社のイメージは、会社を構成する社会関係の現実を表現するにはほど遠く、ひとつの**伝説**にすぎない。批判者たちはこの会社の伝説を真に受けてしまい、それにひとつの現実を突きつけたのだが、かれらはかれらでこの現実のほうをたんなるイデオロギーとみなしていたりするのである。

「具体的な政治的意味」を引っぺがしてしまえば、こういったカテゴリーはつじつまの合わないプログラムにしかたどり着かない。こうしたものの見方を受け入れれば、問題はつぎのように還元される。支配ではなく水平的なパートナーシップという状況だと見なされているはずなのに、マネジメント側がほかを差し置いて、あるステークホルダーのひとつにシステマティックに肩入れする事態にいたるのはどうしてか。不思議である。それはおそらく対話が不足しているからだ、傾聴が足りないからだ、決定プロセスの機能不全のせいだ、という者もいよう。かならずといっていいほど提案される、文脈から遊離した分析をもとにした上っ面の解決はここから出てくる。取締役会を改革しよう。「参加」を促そう。「哲学ディレクター」[131]を任命しよう。決定をよりバランスのとれたものにするために、経営陣の耳になにごとかつぶやくビジネス倫理の専門家をリクルートしよう。政治プログラムにかんしては、このステークホルダーについての言説は企業統治の改革プロジェクト以上のものへと冒険することはけっしてなかった。もっとも極端なヴァージョンでも、その最終的な視野はドイツ人との共同経営に収まる程度でしかなかったのである。うわべでは、経済絶対主義はなんとかならないものか、と考えてはいるのだが、その基礎にある資本主義的な所有関係は視野の外なのだ。そんな目隠しをつけたあと、感動で震える声で「多元的」次元、「ステークホルダー資本主義」に訴えかけるようになる。ここまでやったからには、「カント的資本主義」[132]でもなんの問題があろうか。

そうはいっても、こうした腰の引けた束理論の改革を精査したネオリベラル主義の経済学者が、自身のコンセプトがむやみに歪められた、と怒り狂ったとしてもおかしくはないだろう。リベラルな概念体系である経済の極は、このあらたな転機において総合を拒み、みずからの分身たる倫理の極に背を向け否定するのである。

ゆえにジェンセンは、マネージャは「金融的な権利を持っている者ばかりでなく、被雇用者、顧客、共同体そして統治責任、そしてまた解釈によっては環境やテロリスト、泥棒の」[133]利害を考慮しなければならない、という考え方を辛辣に批判する。このテーゼを受け入れてしまえば、マネージャたちはたがいに一致しない多数の不協和音に満ちた義務にしたがうよう拘束され、すべての決定は不可能になるだろう。なにより、利潤の最大化という至上命題がその座から転がり落ちることになる。

かれによれば、ステークホルダー理論はいま、人当たりの良い仮面をつけて闘争を続けている、かつての「社会主義・共産主義的な中央計画経済」[134]の信奉者たちの逃げ込む先として役立っている。端的に言えば、ビジネス倫理に隠れて自由世界の基礎を破壊する陰謀が続いているのだ。ステークホルダー理論を認めることは、「人権を覆す」ことに、つまり（なぜならおなじことだからだが）「基本的な個人の自由を擁護し行使するために必須である、私有財産制を転覆させる」ことに等しかろうと、ネオリベラル主義の理論提唱者、エレーヌ・スターンバーグは非難する。「企業が人質に取られ、株主の設定した目的を迂回することになれば［…］所有者たちはおのれの基本的権利が否定されるのを目の当たりにすることになる［…］。型にはまったビジネス倫理の主導者たちは、**所有者を奴隷として扱う**ことを望んでいるのだ」[135]――これこそ容認しがたいことである。なぜなら、この世界では主人はいつまでも主人、奴隷はいつまでも奴隷でなくてはならないからだ。

しかしここで、ジェンセンとその徒党からの応答は真剣に受け取る必要がある。株主利益は横並びの社会利益のなかのひとつではない。株主利益こそが主導権を取るのであり、取らなければならないのであり、当然のことながらその権力が分有されることはない。ある意味でかれらは正しい。資本独裁体制に真の多元主義はありえない。それを否定するような所有関係を問い直すことなくして、ほんとうの意味での社会倫理はない。ステークホルダー理論に唯一メリットがあるとすると、それはあるひとつの経済教義が、味方が「プラグマティックなリベラル主義」という相当ソフトなヴァージョンをもつことさえ許容しない、必要とあらば専制も辞さない性格を持つことを、その反応から浮かび上がらせたことにある。

一九九〇年代末にこれらの論争を振り返って、ある社会学者はこう結論を出している。このあたらしい企業倫理が実際に持ち得たかもしれない意味はなにひとつ知ることができない、という可能性もじゅうぶんにある。なぜなら「このモデルについて真剣に討論が始められてからほどなくして、資本主義のアメリカではそのモデルから実質的な意味をすべて奪い去ってしまうような一連の出来事が生じたからである」。[136] つまり、ネオリベラル主義者の対抗改革が猛威を振るい、株主優位をかつてないほどの支配力を持つ現実に仕立てあげるにいたったからである。では「ステークホルダー」というテーマにはなにが起こるのだろう？　「それが派生させるかもしれないアカデミックな関心を除けば」、企業の経営陣にとって、「ステークホルダーはあいかわらず、株の所持者に比べればものの数に入らない程度の心配事だ」。[137] そのなかのいくつかの有害な権力は考慮に入れることになるだろうが、「それは倫理とはなんの関係もない。たんなる用心である」。[138]

教条的なネオリベラル主義者たちがどうあっても理解したがらなかったこと、だが逆にマネジメントの実践家たちはじつによく把握していたこと、それはステークホルダー理論とは道徳的教義というより戦略的手段、行動のための知的枠組みであることだ。

おまえはどの立場から語っているのだ？　一九七〇年代の左翼はいつもこんなことを問いただしたものだった。フリーマンの答えは、要はこういうことだ。ステークホルダーについてのわたしの考え方は、

「企業リーダーの視点から」定式化したものだ。つまり「あるグループないし個人が会社に影響を及ぼす可能性があるなら（あるいはおたがいさまで、むこうが会社に影響されうるなら）、経営陣はそれを懸念しなければならないという考え」[139]である。この理論は「敵であれ味方であれ、外部の勢力や圧力をすべて分析」し、「波乱に満ちた環境において戦略を遂行」[140]するためにある。

その時点まで、マネジメント理論がとくに関心を向けていたのは、労働者をより生産的に、といういつもながらの探究における「組織内部の人間」だった。外部からの異議申し立てに直面したいま、その野心は、マネジメント権力の領域を拡大し、会社の社会環境を戦略的マネジメントのあらたな対象へと作り変えることに向かう。[141]国家が対外問題を抱えるように、企業も「外部案件」を抱えることになろう。当時は、「環境全体のマネジメント」[142]を言い出す者もいたほどである。

ステークホルダーという考え方は二面的な概念であり、倫理的な考え方であるようにも、戦略カテゴリーであるようにも見えてくる。マネジメント側にとっては、この二律背反こそがその利点であった。ふたつの場でプレイすることを可能にしてくれるからである。[143]しかしこの二重性はまた、概念的な緊張関係を深刻にもたらすことになる。倫理的側面からは、それはマネジメントに義務を課すテーマのように見え、戦略的側面からは、それはマネジメントに従属させなければならない対象に見えてくる。一方ではそれらを尊重し、他方ではそれらを威圧する。一方ではそれらを承認し、他方ではそれらを特定するのである。

「ステークホルダー」として重要なのはだれか。それは問う者の視点しだいだ。倫理というメガネをかければ、配慮基準は力量の考慮をもとにしたものではありえない。実際、正義理論という枠内では、主体が弱い状況におかれていても、いやだからこそ、かれらを承認してやらなければならない。さて、これこそまさに強者、つまり実際に危険になりうるグループ以外には目もくれない戦略的配慮が排除するところだ。それ以外のすべては取るに足らないものとして排除される。この第二の視点では、利害関係者への配慮は企業の案件にたいする**影響力**、潜在的なインパクトしだいである。ある社会的勢力は、重大な脅威となればなるほど配慮しなければならない。それはその勢力が「正当」か否かという問いとは無関係である。厳密には、障害となり得る能力だけが配慮される。ステークホルダーとして認めて欲しければ、リスク要因にならなければならない。

　したがって、倫理的承認と戦略的特定のそれぞれの基準のあいだには不協和音がある。戦略的観点からステークホルダーと見なされるグループは、倫理的観点からはそうではなく、そして逆もまた然りである。この系統に属する著者のなかには、こうした問題に取り組むにあたって、承認基準を倫理的－戦略的に総合することを提起する者もいた。ミッチェルとその共著者たちは、三つのファクターの交差を提起した。グループが会社にたいし行使する力、その正当性、そしてその要求の緊急性の三つである。これらを組み合わせることで、ひとつの類型のなかにさまざまな特徴が作られる。さて、ある憂慮すべきカテゴリーがこの分類表を横断している。「危険なステークホルダー」というカテゴリーである。このグループには、緊急の要求をもちこんできたときでさえそこに「正当性」がなく、にもかかわらず会社にたいし力を持っている、という特徴がある。このようなステークホルダーは「強制力と、そしておそらく暴力性」を示すことになるだろうし、「文字通り会社にとって危険な者たちである」[144]と予言される。

いったいだれのことが、あるいはなんのことが念頭に置かれているのであろうか？　「山猫スト、労働サボタージュ、テロリズム」が雑然と考えられているのだ。「強制的な戦術に頼るステークホルダー」のリストには、「会社の方針に抗議するためにエンジンブロックに瓶をハンダづけする」ゼネラル・モータ－ズの労働者、製材所では木の幹が使いものにならなくなるよう、「木に長釘を打ちつける」エコロジスト、爆弾をしかけ、銃撃戦を演じたり、人質事件を起こしたりする「テロリスト」がグループ分けされる。具体例をひとつ？　たとえばネルソン・マンデラのＡＮＣ【アフリカ民族会議】は、アパルトヘイト体制にたいし「強制力を行使したことがあることを理由に〈危険なカテゴリー〉に分類された。事実、レーガン大統領時代にマンデラとＡＮＣはアメリカ合州国では「テロ組織」リストに載せられていたのだ――それも二〇〇八年まで。

しかし、われらが著者たちにも良心、道徳的意識はあり、リストを書き連ねるほどにそれがかれらを責め苛んでいく。「正当性の限界」をあきらかに踏み越えているとはいえ、こうした当事者たちを「ステークホルダー」と雑に描くのは上品とは言いかねるのではないか？　そうすることで正当的ならざるもの、「暴力」を正当化する危険がないのか？　「われわれの提示した類型学のおかげで、危険な行為者［…］がある種の正当性を得てしまうことにならないか、と考えるとじつに気が重い［…］われわれは危険なステークホルダーを**特定**せざるを得ないと感じていたが、しかしそれは必ずしもかれらを**承認する**という意味ではない。なぜなら、われわれのおおかたの同僚とおなじように、われわれはそうしたおこないを嫌悪しているからだ。危険と特定されたあるステークホルダーにたいする承認拒否は［…］文化と文明を維持する戦いにおいて有効な対抗策であることはじゅうぶんに意識している。このステークホルダーのクラスを特定することで、われわれは意識的にこの戦術に協力している」[145]。
特定することは**承認する**ことではない。一般に、特定するのは尋問して捕まえるためである。しかしもちろんのことながら、わざわざ説明されているように、警察による特定は道徳的承認どころのはなしではない。むしろ逆でさえある。なぜなら、この倫理が良心的に協力する戦術は、「利害関係者を危険なもの」ないしは――どちらが先でもいいが――非正当的なものと「特定し」、「文化と文明」の防衛という名目で例外的な力の行使を許可する「承認拒否」によってそれに対抗することで遂行されるからである。

ANCは南アフリカに恐怖政治を敷いた人種差別主義の警察国家にたいして「強制力」を行使したのであり、その結果ANCは「非合法」になった、とかれらは結論づける。シュボーブルト・バネジーはこうコメントしている。「この立場は驚くほど尊大で、植民地支配にたいする闘争の歳月を否定するばかりでなく、〈南アフリカを支配する文化と政府〉を正当化するのに資するものでもある。ANCが抵抗運動で用いた強制力にのみ焦点を合わせるために、「正当」政府が行使した強制力に注意を払おうとしない、まことしやかで没歴史的な議論である（政府の強制力には目をつぶり、ANCのそれには怯えてみせるのがこの著者たちだ）」[146]。

しかし、著者たちはこう続けている。「きわめて幸運なことに、ANCは合法性を獲得し、強制力に頼ることをやめたことで」、「危険なステークホルダー」という状態を脱して「従属的なステークホルダー」（著者たちの分類によれば、合法で緊急の要求を掲げる、自律的な力をもたない組織のことである）に移行した。これは、他の関係要因からの支持を勝ち取ることのできる立場である。組織はこうして「南アフリカの多国籍企業に従属するステークホルダー」となる。そういう意味で「ANCはひときわ目立つステークホルダー（とくに投資家）の保護を受けられることになる」。以降、「**多国籍の株主たちがリードした投資削減運動は**」体制の「変化をもたらす大きな力となった」[147]。この興味深い歴史の書き直しによれば、熱心な反アパルトヘイト支持者たる多国籍企業とその株主たち（すでに論じたように、その雄弁な例としてはシェル社のケースがある）こそが、寛大にも「従属的な」解放運動をその保護下に置き、体制を倒すことを可能にしたボイコットや投資削減、制裁といったキャンペーンを組織したのであった。

「危険なグループ」があるとしよう。なにをなすべきか。まず特定する。しかし承認はしない。つまり合法性を与えはしない。むしろ非合法化することでその抑圧を許可することになろう。それは、かれらの言う「強制力」、物理的な力以外にも、「直接行動」のあらゆるレパートリー、議会外対立のあらゆる形態が包括される非常に広いカテゴリーの行使を断念するようこのグループに圧力をかけ、これにより、つまり力の放棄により「従属的ステークホルダー」の状態へとこのグループを追いやるためである。さて、このグループが武器を置けば、有力者からの承認が得られるだろうし、交渉のテーブルに招待されもするだろう。そしてグループを合法化し、ときには地位向上を支援するにまでいたるかもしれない――必要に応じてこのグループを飼い慣らし、前もって確実に扱いやすい存在にしておければ、の話ではあるが。

かれらの言う「危険なステークホルダー」は非合法である。だが理解すべきはむしろつぎの点である。人畜無害な者だけが合法と見なされるのだ。権力の目から見れば、じぶんたちを脅かすきらいのない反対派だけが合法的な反対派なのだ。主人たちの見る「合法性」の秘密はこれだ。力を放棄した者だけが合法と承認される。「合法性」とは武装解除と引き換えに授与される安物のメダルなのだ。こうした意味での承認を求める戦いで賭けられているのはそんなものだ。「合法性」を必死に欲する者もいるが、ではその獲得条件は現実にはどんなものなのか？　それはすでにマルコムXが批判していた、主人のスローガンに要約される。「戦っている相手が決めた基本ルールを尊重しろ、さもなくば戦うことを禁ずる」[148]。つまりは、戦う手段を奪うために作られた当のそのルールにしたがわなければ戦ってはいけない、ということだ。

ステークホルダー理論のふたつの顔、倫理的承認と戦略的特定は、当事者たちにのしかかる二重の制約を配備するために接合されている。「ステークホルダー」との力関係が構築されれば、かれらは戦略面からは考慮に入れられ、倫理面からは非合法化されるだろう。この**承認のジレンマ**が異議申し立て側に選ばせる、偽りの選択肢はつぎのようなものだ。非合法の強さか、無力な合法性か。ここに罠がある。

「ステークホルダー理論」はいっけん煙幕、「単純なイデオロギー」にすぎないように見えるかもしれない。しかし騙されてはいけない。この理論ははるかにそれ以上だ。二面性を持っている。マネジメント側には倫理的言説の言葉遣いを提供し、同時に異議申し立て運動を戦略的に管理する操作的カテゴリーを提供している。事実、ステークホルダーという考え方は「各グループの力量と争点が精緻に地図化」[149]できる分析ツール、たとえば「ソシオグラム」や「分析的モデル」と連携している。偽りのイメージの下には本物のテクノロジーがあるわけだ。

二〇一一年にヒューストンで開催された、シェールガス採掘用の水圧破砕に特化した「ステークホルダーとの関係作り」についての会議で、アナダルコ石油の「渉外担当」マット・カーマイケルなる人物は、聴衆に読書アドヴァイスをおくっている。「この業界で渉外を担当している方であれば［…］三つのことを推奨したいと思います［…］。一、『米軍対反乱作戦マニュアル』をダウンロードすること。というのも、われわれがここで相手どっているのは反乱だからです。このテキストからはおおくの学ぶべき点があります。わたしには軍事知識がありますが、ここにはほんとうに注目すべき考え方が見つかりました。二、ハーヴァードとMITでは年に二回講座が開かれます。『怒れる大衆を管理する』というタイトルです。この講座を取りましょう。［…］われわれの軍隊にはこの授業を受けているたくさんの階級持ちがいます。みなさんにツールを与えてくれます。［…］。三、わたしは一冊、『ラムズフェルドのルール』をもっています。ドナルド・ラムズフェルドはどなたもご存じでしょう。わたしにとっての、ちょっとしたバイブルといったところです。わたしのやり方はこんなかんじです」[150]。

もうひとりの発言者、情報軍事専門教育の経営者、アーロン・ゴールドウォーターがこの日のセッションを締めくくっている。信奉者たちを前にした説教で、かれはデータ収集とデータマイニングの諸手法の重要性を力説した。「きょう一日、［…］ステークホルダーとの戦いを、いや戦争を連想した方もいらっしゃいましょう。ええ、この問題の専門家、つまり軍人に相談なされば、かれらがやることは情報収集です。ステークホルダーの情報を収集するためにはなにから手をつけることになるのでしょう？［…］最後にはかれらとかかわることになるのですから、であればかれらの思惑について情報をもらっておかねばなりません。［…］ステークホルダーは、たとえば地理学と相性が良い。コミュニケーションをとる方法は山ほどありますし［…］関係者もおおい［…］そしてその関係のすべてが重要です［…］。わたしの父は活動家でした。パパはおおくの人物とつながりがありました［…］。戦いを続けるためにこうした関係に頼っていたのです」。不肖の息子はこう続ける。したがって必須なのは「ステークホルダーの諸関係を追跡して地図化する」ことだと。ここでも、軍人は見習うべき手本である。「軍はシャレや冗談でデータマイニングに数百万ドルも使っているわけではありません。だれがだれと関係を持っているのか知りたがっているのです」。企業もおなじことをしなくてはならない。「みなさんの〈オフライン〉の会話すべての記録にとどまらず、「オンライン」の会話すべての記録を含むデータベースをもつ、というのがアイディアです。これにより、たとえばわれわれがメアリーと水圧破砕法について話している際に彼女が「それはいい考えね」とわれわれに言い、それからツイッターで「この汚い野郎どもはうちの近所で破砕をおこなおうとしている」とつぶやいたとして、そういったことを報告できるようになるはずです。でなければそんなことは知りようがなくはありませんか？　データは組み合わせるようにしなければいけません」。

さてここで、安心させられるような演説の装いの裏になにかがあることに気づかされる。これは転用なのだ。もとは対反乱作戦の専門家がイラクとアフガニスタンで展開した情報メソッドが、会社戦略に反対する男女へと転用されたのである。その名も「人間領域の地図作成法」[151]。かくして、「脱軍事化」されたものと思われていたコンセプトが再軍事化されるのである。

リベラルの概念形成を考察するためにシュミットが提案した図式は修正されなければならない。経済と倫理のあいだには、第三極がある。それは戦略的な極で、残りのふたつを媒介する。束としての会社という経済理論と、責任あるパートナーシップとしての会社という倫理理論とのあいだには第三項、つまりステークホルダーの戦略的マネジメント理論がある。

会社－契約から会社－紛争へと移行すると、コンセプトはふたたび二重化する。倫理面では他者の承認が語られ、戦略面では軍隊的・警察的な特定が実践される。倫理面では対話が賞賛され、戦略面では戦闘が遂行される。そのために、脱政治化されたカテゴリーが政治をおこなうのに用いられ、脱軍事化されたカテゴリーが戦争をおこなうのに用いられる、というパラドクスが用いられているのだ。

たしかに紙の上では、この三つの観点は理論的にはどれもたがいに両立不可能に思われる。しかしそれは、これらが実践面でたがいに補完しあうことを排除しない。契約の結節点としての会社という概念化と、戦争機械としての会社というそれとのあいだ、ジェンセンとパガンのあいだには、知的な面でなにひとつ共通点はない。しかし、一方の勝利は他方の展開の必要性をひたすら高める。ネオリベラル主義的な企業統治の方向修正、そして思い切った株主利益への再同調には、大規模な社会的・環境的インパクトが必然的についてまわることになるだろう。ポランニーが正しいのであれば、歴史的にはそれは社会の側からの強い反対運動を引き起こす傾向がある。マネジメント側も、局面ごとの戦略的思考を持たないままそれに向きあうことはできないだろう。

第Ⅴ部

新たな規制

第18章　ソフト・ロー

法の諸規則はなにに由来するのか。社会的事実そのものから、そして倫理と権力の結合に由来するのだ。[1]

ジョルジュ・セル

一九七〇年代は、その他諸々の喜ばしいことと並んで、多国籍企業の存在が発見された時代である。それ以前の時代の言説にはほとんど見られなかったこの用語、このテーマが、世の中で議論されるようになった。大学人、ジャーナリスト、活動家そして政治家が、おおくの点で国民国家のライヴァルとなり、世界に影響力を拡大したこれらの巨大な会社に関心を示した。多国籍企業、つまり「経済領域における戦後もっとも重要かつもっとも顕著なイノヴェーション」によって、人びとは「真の世界経済の登場」のもっとも明確な症状に正しく気づき始めたのである。「〈主権〉という語がはじめて発明された一六世紀末以降［…］もはや領域的な政治単位と経済単位が等しいものになることはない」[2]とピーター・ドラッカーは指摘している。商業の国際化は、生産がますます国境横断的になることに裏打ちされ、昔ながらの国家権力の領土的枠組みはもはやどう見ても私的経済の権力とは一致しなくなる。その結果、国家法制の限界と、それ自体が国際的なものである多国籍企業の規制という問題がよりはっきりと提起されることになった。[3]

この点について、まず攻勢に転じたのは労働界だった。一九六〇年代末から、組合組織は国際自由労働組合総連合も含め、「労働者の権利を損ない」、「利潤増大のために人件費の国際格差を搾取する」[4]多国籍企業にたいし、そのおこないに枠をはめるあらたな国際法を目指して戦った。一九七二年、国際自由労働組合総連合は国連のバックアップのもと、国際条約の作成を呼びかける。このテクストは労働者の権利のみならず、資本課税やホスト国による投資のコントロール、技術移転や第三世界の発展への寄与なども含め、こうした企業のほとんどあらゆる側面に判断を下すものになるはずだった。

同年、国連の経済社会理事会は専門家グループにこの問題の研究を担当させる。拘束力のある協定を選ぶべきか、それともより柔軟な形態を優先すべきか。委員会の聴問にたったフィアット社長、ジョヴァンニ・アニェッリは経営者の立場を擁護した。「多国籍企業と政府の関係を規制する、よりよい規則が必要とされているのはあきらかです。しかし、「投資版のGATT【関税および貿易に関する一般協定。一九四七年に発効。通商障碍の撤廃による自由貿易促進を目的とする国際協定】」のような形態をとる拘束的な多角協定［…］は現時点では実用的とは思えない。そのかわり、多国籍会社の権利と責任についての自主的規範を作成するという考えがより有望な選択肢であるように思われます」。[5]

ワシントンでは議会での公聴会の際に、エイブラハム・リビコフ上院議員がおなじことを問うている。「あらゆる国々で多国籍企業をどう扱うかを明記した国際行動綱領のようなものをわれわれが必要としている、とお考えになりますか？　世界資本主義を規制する方法を見つけることは、一九七〇年代の一大問題です」。専門家のサミュエル・ピサールはかれに答えてこう明言する。「行動綱領は現実的にわれわれが必要としているものですが、しかしどうそれを施行するのか［…］。多国籍企業がじぶんで自己規制的な綱領を設定し遵守するのを期待するのが賢い考えとは思えません」[6]。

その最終報告で国連の専門家たちの下した結論は、かりに目的が最終的には「国際条約としての効力を持つ、多国籍企業にたいする一般協定」ならば、このテーマの交渉を開始するのはしかしながら「時期尚早」である、というものだった。ゆえに条約よりは行動綱領を作成することになる。「この種のアプローチにはなんの問題もないが、しかし対処すべき危機に比べれば軽すぎはしまいか」[7]。

それがいかに軽いものであろうと、この提案はビジネス界に懸念を抱かせた。一九七三年の『ファイナンシャル・ワールド』はこうコメントしている。「国連のレポートが多国籍企業にたいする将来の投資への脅威となる時限爆弾となったことはまちがいない。投資の増加がピークに達した、それが多国籍企業を支えているのだ、というのはごくあたりまえに考えられることなのだが、その投資の見通しにここまで悪い前兆が積み重なるのは、第二次世界大戦以降、多国籍企業にとってはまったく経験のないことだ」[8]。

国連では、労働組合総連合の動議した国際規制計画と、おおくが直近に独立を勝ち得たばかりの「非同盟」諸国の連合による反帝国主義アジェンダとが共鳴した。アルジェリア大統領ブーメディエンのイニシアティヴにより、国連総会は一九七四年五月、「新国際経済秩序樹立のための行動計画」[9]を採択する。六ヵ月後、国家間経済権利義務憲章が自国の天然資源にたいする国家主権と外国投資にたいする権限行使の不可侵権を再確認する。ここには補償と引き換えに「外国資産の所有権を国有化、接収、譲渡する権利」も含まれている。ビジネス界にとって、この最後の一句こそとりわけ容認しがたいものであった。

これは戦闘準備にほかならない。デヴィッド・ロックフェラーは一九七五年にこう書き残している。「多国籍企業はいまやいたるところで包囲されている。しかも戦いはまだ始まったばかりだ」[10]。「大学人、作家、左翼の経済学者と政治家」はこんにち、生産を移転させ、資源の独占によって発展途上国を搾取し、脱税し、国民国家の主権を侵食していると、このあらたな「悪魔」を糾弾している。「包囲網を打ち破るためには、われわれのもっている力のすべてを行使しなければなるまい」[11]。さもなくば「多国籍企業は深刻なダメージを受ける、このまま行くところまで行けば、一〇年くらいで破滅させられることさえおおいにあり得る」[12]とピーター・ドラッカーも話を膨らませる。

「国連は事実上、多国籍企業と自由企業体制に宣戦布告した」。ヘリテージ財団の一九八二年のあるレポートではそこまで明言されている。[13]「貧困国」がじぶんたちの都合の良いように「リソースの移転を増大させる」ため「規制権限を行使し」、「世界経済を統治するよう」国連をせっついたのである。こうした国々では、技術は「〈人類の共同遺産〉――すべての国々で共有されるべきだれのものでもないリソース」として、つまりは「購入すべき私有財産として」[14]ではなく、**権利**として理解されている。そして「所有物の国有化、接収、譲渡」が俎上にあることも明記された、もっとも憂慮すべき補足事項が非難されている。同様の見解は翌年のジェーン・カークパトリック（外交官。国連アメリカ代表を務め、レーガン政権に入閣、熱烈な反共主義者である）にもみられる。国連という「反資本主義的イデオロギーの露骨なヴァージョン」[15]、「マルクス主義のカテゴリーを国家関係に粗雑に転用して展開された階級間戦争の一ヴァージョン」[16]の支配するアリーナでは、「父権主義的規制」計画がたくらまれている。この計画は実際には、「あらたな世界社会主義」をのさばらせるための戦略という色を帯びている、と彼女は言葉を荒げる。極論ではあるものの、カークパトリックは議論の流れで敵対関係の真の争点のひとつを特定している。「規制とは世界の富と呼ばれるものの再分配の道具なのである」[17]。

この妄執的な脚色の理由を理解するには、つぎの事情をじゅうぶん心に留めておかなければならない。こんにちわれわれがそう理解しているように、一九八三年とはネオリベラル主義への転回が恒久的に始動した年であったかもしれないが、「おおくの多国籍企業は一九八〇年代のはじめを新時代の幕開けとは見ておらず、一九七〇年代の継続と見ていた」[18]のだ。後付けの物語の運命論的な幻想に対抗して、「自由市場という考え方が容赦のない勝利を収めるどころか、未来はワシントン・コンセンサス［と呼ばれることになるもの］と〈国際経済新秩序〉の戦いと思われていた」[19]と指摘しておくのが重要なのはそのためだ。当時は戦いに勝つ確証はなかったのだ。よく知られているように、最初の勝利は危ういものであり、いつひっくり返ってもおかしくなかった。一九八三年にいたってもなお、パガンは警戒を怠ってはいない。「新経済秩序」をつくろうという試み、「多国籍企業規制の先例を確立する努力」は死んではいない。再浮上する「よりよい機会をうかがっているだけだ」[20]。

つまり、その意味やステイタス、影響範囲について対立する解釈が生じることになるある種のテクスト、すなわち「行動綱領」が戦いの中心にあったのだ。それは義務的・拘束的なのか。それとも随意的・自発的なのか。この論争を機に、こんにちの資本主義によるあらたな統治性の中核を担う「ソフト・ロー」という考え方をテーマにしようと目をつけた法学者もいた。ソフトな、柔らかい、柔軟な法、つまり「ガス状の法」である。

登場したばかりのこの考え方に関心をもった最初のひとり、法理論家ルネ＝ジャン・デュピュイは一九七五年、「ソフト・ロー」をまだ法として成立することのできない力の発現と考えることを提案した。つまりまだ「未成熟な」、生成途上、移行的、あるいはかれの好んだ言い方によれば、「プログラム段階」の法である。「第三世界諸国が票を投じた［これらの解決案は］、そこで批判された実定法とは正反対のものとされている。［…］不完全な法というより、法プログラムという考え方をとったほうがよいだろう」。[21]「慣習法的手法による法の修正という試み」をそこに見てとったかれは強く心を惹かれた。将来の法にとっての材料となるべき新規の慣習法を、先行する伝統ぬきで一から一〇まで創造するものと見なされるという点で、それは独自の手法だったからだ。「政治的意志を事実に投影すること」で遂行される、ある種の「革命的慣習法」である。[22]

デュピュイの熱中ぶりに与するどころか、進展し始めたプロセスに懸念を示す法学者もいた。かれらの理解によれば、非同盟諸国のかけひきは「綱領が［…］その法的性格としては自発的なものでなければならない、そうすれば北側諸国もそれと引き換えに綱領そのものにおいて、より実のある政治的・経済的な譲歩を受け入れる、と〈暗黙に〉認識している」[23]ことで成立していた。事実、西洋諸国の外交官は、「義務的な規則としてではなくたんなる〈ソフト・ロー〉として課される」のであれば重大な譲歩もやむなし、という姿勢を見せていた。さて、「この傾向は危険である。というのも、〈ソフト・ロー〉（「法的義務をもたない法」なる概念が、論理的にも意味論的にも不可能であるという点はさておいて）は〈法的義務をまったくもたない法〉をはるかに上回るものだからだ」。厳格な法を回避するために柔軟な法を受け入れても、柔軟だったはずのものがまたたくまに硬化する危険はある。この「ソフトな規則」の恩恵を被る者たちは、その規則が「最大限の速さで最大限にハードなものになるよう努めることになるはず」だからである。[24]

国際綱領は、採択後ほどなくして規範的基準として利用されることになるだろう。つまり実践的には、「じぶんに都合良く〈綱領〉を最初にまとめた陣営が相当な戦術的有利を手にすることになろう」。[25] 基準となるための争いにおいては、最初に手を挙げた者、主要な関係者たちが納得した者に優先権がある。このために、綱領作成競争、つまり「対抗声明のラッシュ」がはじまる。[26]

富裕国の側では、「攻撃こそが、G77【77ヵ国グループ。1964年の国連貿易開発会議で南側諸国を代表してアジア・アフリカ・ラテンアメリカの国々で結成】が西洋の経済利益にしかけた攻撃にたいする最善の防衛策である」[27]と見なされることになる。そしてこの攻撃は「見かけの譲歩」というかたちをとった。なかまうちでコンセンサスを取りつけるほうがより容易であると考えたアメリカ政府は、OECDに自前の行動綱領を作成するよう圧力をかけた。より望ましいフォーラムを選び、アリーナを替えたのである。先進国は国連では少数派だが、OECDならじぶんの庭である。ここでなら話は早い。OECDは「多国籍企業ガイドライン」を作成するのに一年半しか要さなかった。これは非拘束的な推奨であり、「大部の、しばしばあいまいな」[28]論述で書かれていた。採択されたのは一九七六年六月、つまり国連が自前の綱領についてのレポートを出す六ヵ月前であった。事実、ニューヨークで構想された綱領は、和解不可能な立場の争いが続く交渉のぬかるみにはまってしまい、まったく日の目を見ることなく終わった。

これが「対抗的な綱領作成競争が［…］OECDの勝利に終わった」[29]顛末《てんまつ》である。ジョン・ロビンソンの要約によれば、これは「ニューヨークの国連で交渉中の、法的拘束力をもつはるかに厳格な行動綱領という脅威の出現にたいし、富裕国が素早く見せた反応」[30]であった。「予防的一撃」[31]である。綱領には綱領を、というわけだ。

この戦略は国家レベルの当事者たちによってOECDで発動されたが、いわゆる「規制対抗ガイドライン」[32]という戦略は、それ以前からすでに民間の当事者たちが使い始めていた。組合組織が多国籍企業規制の最前線で発揮したイニシアティヴにたいし、非常に早い段階から警戒感を抱いていた国際商業会議所は、一九七二年一一月、自前の「国際投資指針」でそれに対応する。重要なのは「組合や発展途上国のイニシアティヴに任せれば警戒すべき規模までひろがりかねないプロセスを抑えるべく、イニシアティヴをとる」[33]ことだった。

要点を把握したいくつかの大企業もまた、自社製の行動綱領の作成にとりかかる。そのなかにはキャタピラー社のように、一九七四年にいち早く自身の「世界ビジネス行動綱領」を起草した者もいる。同社の広報担当役員は一九七五年にこう宣言している。「とくに多国籍企業が大衆からいっそう観察される時代を背景に、他社もこうした行動にとりかかるであろう、と予言をしておく」[34]。

手立ては古典的である。すなわち、法的拘束を回避するため、倫理的な善意を陳列してみせることだ。経済学者のレイモンド・ヴァーノンはこう分析する。「国家の鼻息がうなじをかすめるやいなや、多国籍企業は局所的な圧力緩和を可能にする方法を探すのである〔…〕。〈行動規範〉のたぐいの定番が表看板になるのはそういうわけだ」[35]。そう思わせようとしていることとは裏腹に、この種の自発的取り組みは善意の印どころかむしろ規制されて然るべき**悪意**のあらわれなのである。

ソフト・ローのことを、「ハードな」規制のさほど厳密ではない一ヴァージョンというだけで、似たような目的をちがう方法で追求しているものとばかり思っているのならそれはまちがいだろう。その機能は根本的に異なっている。軍需産業の倫理的自己規制についてのあるレポートの著者たちが善人面をして述べていたように「法や規制が公益保護を目的とするのにたいし、会社の綱領やスタンダードは会社の利益、とくに名声を保護するためにある」[36]。一九七九年、IBMのある役員が公言したように、社会的責任のプログラムを採択することで、会社は「自由企業体制擁護のために立ち上がる」[37]のである。

「ソフト・ロー」はある負け戦をきっかけに誕生した。この負け戦の終わるころに、その意味と政治的機能が逆転した。つまり、南側諸国にとっての武器から、北側諸国の多国籍企業の防具へと転じたのである。デュピュイの楽観的な見通しとは正反対にソフト・ローは、死産で産み落とされた規範を法という賽の河原に永遠に引き止めておくことで規制を回避する、という戦略にとってのおおきな手段となったのである。

このあたらしい潜在的な武器の出現を懸念しつつ見守った当人たちが、それをみずからの尖兵に転じさせた。そのために前面に出されたのが、経済分野においては、国際的規模では特別な法体制しか存在し得ないはずだ、という考えである。それは「コンセプトや拘束力の弱い、法律化や法の支配を離れた自律的な部門」で、そこでは「古典的な国際法の厳格・厳密な規範は［…］より拘束力の弱い規則にその場を譲るように思われ」、その規則は「プログラムに、規範性は規定に、純粋なハード・ローはソフト・

ローに、それぞれその座を譲る傾向にある」[38]。

多国籍企業の自発的な自己規制に与する者たちはこんにち、ソフト・ローを規範制度の問題にたいする実用的な解決として紹介している。国民国家の伝統的な法枠組みは事実上過去のものとなり、国際秩序には最高の権威をもつ仲裁者はおらず、この規模で拘束的な規制を敷く試みはすべて失敗する運命にある以上、唯一残されたのは行動綱領という、柔軟でエレガントなオプションである。しかし事実としては、克服不可能とも喧伝された拘束的な国際合意を締結する際の障害も、多国籍企業の投資と所有権の保障についてては乗り越えることができていたではないか。この領域では、あいまいな推奨や善意で事足れりとするなど問題外である。社会的・環境的な法の場合には、ハードで厳格な規範制度は見つかりっこない、と主張されるが、蓄積の条件を確保するために必要と見なされるやいなや、まさにそういうものがさしたる困難もなく制定されるのだ。どこもかしこもダブルスタンダードである。

ビジネス界はすべての規制に敵対しているわけではない。ただいくつかの規制にたいしてだけだ。OECDが一九七六年六月に多国籍企業にかんする自発的な行動綱領を公表したときがまさにその典型だった。OECDはその公表とまさにおなじ日、この綱領に、つまりおなじ「パッケージ」に、自国企業と外国企業の公平な取扱原則も含め、この懸案のもっとも決定的な諸側面について、参加国にたいする拘束力をもつ協定を盛り込んでいる。こうして諸々の条項のあいだを巧みに操ったのである。規範の構成や一貫性はどこでもおなじではなく、想定された対象ごとに異なり、社会権については柔軟でソフトな面を、所有権については厳密で厳格な面を見せるのだ。

つまりソフト・ローといってもそれは、ネオリベラル主義によってなにもかもが一様にひっくり返されてしまった新体制全般を指すわけではないのだ。この単純すぎる見方に反し、セザール・ロドリゲス＝ガラヴィートは「多国籍企業は戦略的に、かれらのビジネスの利潤率という本質的問題については国や世界レベルのハード・ローの強化を訴える側に与し（たとえば知的所有権）、それ以外の領域についてはソフト・ローや自己規制のプロジェクトに与する（たとえば労働にかんする自発的な行動綱領）。ネオリベラル主義によるグローバリゼーションは〈規律訓練的〉規制にも、企業の自己規制にも、〈国家の退潮〉に関連した規制緩和にも依拠していない。ネオリベラル主義の統治性は両者のミックスあらばこそだ。ハード・ローは会社の権利を守るために、ソフト・ローは社会権を規制するためにある」[39]と強調した点で正しかった。

言葉の含意を濫用したまま放置することも、やはりあってはならない。規範の柔軟性、その見かけの柔らかさが意味しているのは、一貫した法的保護がないために、実践的には私的権力、つまり非常にハードな諸関係が恣意的に支配することになる、ということだ。（一方にとっては）法的拘束力が皆無であることが、（他方にとっては）さらに強い強制力に変換される。ソフト・ローが「柔らかい」のは**だれにとって**なのかが、つねに問われなければならない。「ソフト」な労働法、それはハードコアな搾取である、ライトな環境法、それは深刻化した汚染である、といったように。ソフト・ローについて述べるよりは、おそらく「低水準・ロー」について話したほうがよかろう。政治学者ジェームズ・ローはさらに真っ向からこう表明している。「自発的メカニズムの規律訓練的な裏側［…］それは警棒やゴム弾、催涙ガスである。ビジネス界が自発的メカニズムによってでは獲得できない合意は、あからさまに暴力的なたぐいの〈公的規制〉によって確保されねばならないことになろう」。ひと言で言えば「警棒は行動綱領の

目的因なのだ」[40]。

構想段階の規制にたいする盾となった行動綱領は、第三段階に入るとこんどは既存の規制にたいする武器として役立つことになる。「想定されうる法にたいし自衛する」[41]、つまり規制を回避するだけでなく、能動的に規制緩和することが焦点になったのだ。それは国家の意志に背くものではなく、当のネオリベラル政府が推進したことだった。

ここまで語ってきた出来事から三〇年たった二〇〇六年、デヴィッド・キャメロンはイギリスの経営者を前にこう演説している。かれの狙いは、経営者のなかで「いまだに企業責任を、秘密裏に実行される社会主義的なものと考えている」者たちの目を覚まさせることだった。こういう耳の遠い連中には大声でものを言ってやらなければならない。それはひとつのスローガンに集約される。「規制緩和対責任」。分かりやすく言えば「企業が責任あるおこないを自発的に採用すればするほど、［…］管理や規制の軽減要求に信憑性がでる」[42]。

第19章　コスト・ベネフィット

それ自体としてみればこうした判断は馬鹿げている。だからこそ、生の価値は評価されえないものだという、このひどく繊細なことがらを把握するべく指を伸ばさねばならない。[43]

ニーチェ

一九七〇年代初頭、エコロジスト運動および消費者保護運動は、アメリカ合州国において避けては通れない政治勢力としての存在感を示すことに成功した。かれらが動いたことにより、前代未聞の政府規制の波が押し寄せた。一九六五年から一九七五年にかけて、労働者、消費者、環境の保護についての二五以上の連邦規制が採択された――該当する予算はこの期間に五倍に増加している。[44] 健康や環境規制のさまざまな部局が設置され、そのうちふたつは、アメリカの経営者たちから蛇蝎《だかつ》のごとく忌み嫌われた。環境保護庁（EPA）と労働安全衛生局（OSHA）がそれである。

社会運動による側面圧力に、厳しさを増していく政府管理が上乗せされた。怒り狂った『ウォールストリート・ジャーナル』のある編集委員に言わせれば、規制の飛躍的増加は「ビジネス界にたいする用意周到な攻撃」の直接的な帰結であり、「圧力団体」がそれをリードし、その「敵意に満ちた議題は、新手の全能なる政府規制部局によって採択された」[45]のだった。

こうした「あたらしい社会規制」の独自性は、その横断的な、ないしは「汎－産業的」[46]な性格にある。この結果、その他の要素ともあいまって、伝統的には企業活動の部門やセクターごとにおこなわれていた経営者のロビー活動が無効化されてしまったのである。デヴィッド・ロックフェラーが記しているように、企業が「同時攻撃」を被っている以上、「反論するにはすべてを結集させねばならない。孤立主義は破滅的なことになりかねない。これは外交政策においてもビジネスにおいてもおなじことだ」[47]。共通の戦いにおける戦線形成のために、競争的な戦いという狭い論理を乗り越えることができるのか、が焦点になる[48]。これに向けた努力をおこなうために、昔ながらの組織が再活性化されたのだった。そこにはアメリカ商務省も含まれる。あらたな組織もつくられた。そのなかのひとつが、一九七二年の「ビジネス円卓会議」であった。ここでは組合組織の用いた戦術を引き継ぐかのように、友好的な候補者の選挙キャンペーンに資金融資する役割を担う「政治活動委員会」の設置にとくに力が注がれた。これは「議会の政治構成を変える」[49]ことも視野に入れていた。

「新規制」にたいする一大決戦が始まった。だがつまるところ汚染削減、労災防止、企業内の反差別運動や消費者の健康保持くらいのことしか意図していない対策のなにを非難していたのだろう？

一九七一年、最初の反エコロジスト宣言のひとつの共著者だったトーマス・シェパードは、かれの言う「災害ロビー」を標的に選んだ。これはかれによれば「アメリカでもっとも危険な男女」[50]である、扇動的なエコロジストの群れを指す。こういう活動家は未成熟で融通が利かず、極端に走る連中であり、また恥知らずの嘘つきで、事実とはまったく逆に、大気汚染は悪化していると信じさせようとしている。さらには、「いわゆる黒人の反抗」が緊迫しているなどとも信じさせようとしているが、ほんとうはそれは「どこの国でもそうであるように、すでに鉄格子の向こうにいたことがあるような頭のおかしい一握りの活動家」にしか関係しない。「かれらの享受する自由は、われわれが世界でもっとも自由かつ人種差別的ではない国に住んでいることをみごとに立証している」[51]。森林保護により自然を救うという主張については、シェパードは有無を言わさぬ反撃を加えている。「ビーバーがダムを造るために木をかじり倒しても、自然に干渉していると責めたりはしない」[52]。こうした論拠を支えに、かれはこう結論づける。「もはや譲歩や妥協の時ではない。自由企業が消費者運動やエコロジストその他の災害ロビーの攻撃に屈してしまえば、消費者の自由もおなじ運命をたどる、ということをアメリカの大衆は知るべきだ。じぶんの好きに生き、好きなものを買う自由は、ワシントンのビッグ・ブラザーが禁止禁止と言い出す前に終わってしまうだろう」[53]。つまり、指針となる論拠はこうだ。倫理・哲学的な面では、こうした規制は消費者の奪うべからざる自由を妨げる。鉛のペンキで部屋を塗り替えたり、アスベスト板で天井の防音をしたり、シートベルトのない自動車を買おうとしたり、パーム油を塗ったパンで子どもたちを太らせたいという願いを、いったいどんな権利があって「ビッグ・ブラザー」は邪魔するのか。

だがそれがすべてではない。というのも、顧客の自由のほかに経営者の自由もまた規制によって潰されてしまうからだ。衛生監視員は予告なしに、令状を見せることもなく工場に立ち入る——これこそまちがいなく人権擁護派の怒りを買うはずの、政府介入と言われるものだ。それは「企業の経営者としての個人の自由の侵害」[54]なのだから。規制国家、それは新手のビッグ・ブラザーか？　マレー・ワイデンバウムはニュアンスを変えて「ビッグ・マザー」[55]なのだと言う。配慮を口実にする息苦しい権力、福祉の専制、自由を潰してしまう社会的過保護の意志のあらわれである。

しかし、状況は人びとが思うよりいっそう深刻である。「私企業にたいする政府管理の大幅な拡大」[56]の裏には、じつは水面下の体制変化が隠されているからであり、この変化は資本主義からの脱却へと一直線に向かっているのだ。ワイデンバウムはバーリとバーナムを参照しつつ、「ビジネスにたいする政府規制のあらたな波」とともに控えているのは「第二のマネジメント革命」にほかならない、と述べる。[57]第一のそれは所有者から経営者へ管理権を移したのだが、今度は規制当局の官僚という公的な経営者のために、企業経営者から特権がしだいに奪われていくのである。

権力の変質はこれにとどまらない。じつは官僚のうしろには左翼活動家がおり、ほんとうはかれらが糸を引いているのである。[58]当時のネオマルクス主義者たちが、エンゲルスとレーニンをひっくりかえして「国家からの相対的自立」[59]というテーゼを提案していた頃、保守派の知識人のなかにははるかに過激な立場を取る者もいた。国家はかれらの手の及ばぬものになりつつある。それはジェンセンの告発するように、国家の強制力が「警察国家の権力を味方につけるために政治プロセスに頼り、社会活動の管理を掌握しようとする」[60]敵の手に落ちたからである。規制にたいする敵意のなかでも決定的な原動力となったのは、企業経営の権力を無傷で保持したいという意志である。この意味でそれは根本的に政治的な反抗であった。しかしさらに根本的には、この「国家恐怖症」は社会運動にたいする巨大な恐怖の表現でもあった。

当然のことながら、この拒絶には経済的な面もある。こうしたあたらしい社会・環境規制は追加支出要因、さらには社会的再分配のオペレータのように思われた。[61] 事実、こうした規範は社会・環境コストの一部を再度、私的生産へと内部化し、以前はネガティヴな外部性というかたちで他に転化されていたコストを資本家側に負担させるのだから、再分配的な性格を持つことになるのだ。[62]

マレー・ワイデンバウムはのちにレーガン政権で経済諮問委員会委員長となり、一九八〇年代の規制緩和の波を設計することになる人物だが、一九七〇年代なかばのかれは「政府規制の過剰コスト」を非難することにありったけの力を注いでいた。規制者の公布するあたらしい基準は産業界にとっては直接コストにもなるが――「適合コスト」(たとえばあたらしい設備の購入)もそこに含まれる――間接コスト(たとえばあらたに管理文書を作成するために費やした時間)にもなる。さて、こうした追加の生産コストのツケを払うのは消費者だ、とかれは論ずる。[63]

かれの報告によれば、環境安全および環境保護のあらたな基準は、一九六八年から一九七四年のあいだに自動車の平均価格を三二〇ドル上昇させた。[64] 金食い虫の対策リストには、一九六八年の自動車会社にたいするシートベルト設置義務化(一台ごとに一一・五一ドルの追加コスト)や、一九七二年の排気ガスの汚染物質排出基準の遵守義務(六ドル)、さらに同年の、乗員の安全確保のための運転席の車枠保護の強化義務(六九・九〇ドル)が含まれる。かれの結論はこうなる。「過剰コストを生む管理対策撤廃に向けて立ち上がらねばならない」。[65] この理屈にしたがえば、シートベルトや排気フィルターはオプション仕様にしておくべきなのだ。

「生産性と生活水準が急速に上昇していた以前の時代なら、国はコストに目をつぶってでも規制化を進めることに賛同することもできた。だがこうした連邦の管理強化は、いまでは生産性上昇の停滞を深刻化することになる」[66]。われわれの利益やあなたがたの雇用が危なくなってきたときに、健康や環境の心配をするのは賢いことか？　こうした規制を解体すれば、経済は重荷を捨てることができる[67]。危機というレトリックは、「経済秩序に服従させるよう教育する」手段であり、これまでに引き出された社会的譲歩を巻き返すことを正当化するのである[68]。

だが、単純に社会・環境規制を撤廃しろと叫ぶだけの頭の悪い超保守派とはちがい、ワイデンバウムは間接的な戦術を採用した。十把一絡げに規制を取り払うよりも、そこにブレーキをかけ、横やりを入れて現場で足止めするのである。

かれの主張によれば、規制全般が問題なのではない。行き過ぎた規制、**過剰規制**だけが問題なのだ。たしかに規制は必要だろうが、超えてはならない一線がある。だがどうやって線引きするか。基準はどこに置くのか。過剰規制になるのは「社会にとってコストが利益よりおおきくなるときだ」とワイデンバウムは言う。ここから、かれの推奨する鉄則が導かれる。「政府規制は増加コストと増加利益とが釣り合うところまでにとどめるべきであり、それ以上には進まないこと」[69]。見かけは良識的だが、このルールにはちょっとした革命が隠されている。問題なのはこのように定義されたコスト・ベネフィット分析があらたな決定基準として提起されたこと、つまりすべての規制計画にとっての絶対条件として課された基本ルールになったことである。

この変動がどれだけの影響をもったか理解するためには、このあたらしい原則と、この原則によってその座を奪われようとしている原則とを対比してみる必要がある。近隣に呼吸器障害を引き起こす有害な煙を出す工場のケースを考えてみよう。政府当局はどのような条件で、汚染物質除去フィルターを設置するよう強制することができるのか？

第一のアプローチでは、健康保全を基本権という意味で絶対的優先事項として認める。病原汚染物質排出を最低限に抑えること、かぎりなくゼロに近づけることがその見通しとされる。この論理にしたがえば、産業界はできるだけ高性能の汚染物質除去フィルターを設置するよう強制されるべきであろう。

第二のアプローチは第一のそれのヴァリエーションで、技術的・経済的な実行可能性を考慮して保護原則のバランスをとるものだ。基準を発布する前に当該技術が既存か、あるいは開発可能かを確認し、必要に応じて産業界に必要な猶予期間を残しておく。適合に必要なコストを見積もり、利益と照合し、この措置が活動を財政的に破綻させないかを確認する。移行を可能にするための公的援助を事前に立案する覚悟も必要だ。この原則によれば、能力の限界に応じてもっとも効率の良い汚染物質除去フィルターを設置するよう産業界に命じることになろう。[70]

もし逆に、規制緩和論者の擁護するコスト・ベネフィットアプローチをとった場合、これまでのふたつの原則は失効する。無条件の健康基準を策定することは不可能になり（産業界にとって「あまりに高い」コストがかかるのでない場合にかぎり、沿岸住民の健康を守ることになろう）、企業はかりに財政的に可能であっても、かならずしも中毒物質排出を削減する義務は負わないことになる（汚染物質除去フィルターは、たとえ企業の得られる利潤と比べて微々たる出費であっても、それが当該住民の「利益」を超える価格になった瞬間にたいへんなコストと見なされることになる）。具体的には、企業にとっての煙の排出削減コストが、被害者にとっての呼吸器疾患治療のコストよりも高くなれば、産業界は汚染を続けてもかまわないことになる。**沿岸住民にとって**の健康支出の総額と、**産業界**にとって沿岸住民にその支出を押しつけないようにするためにかかるコストとを比較するのである。いにしえの格言の逆をいって、「予防するより治療するほうがよい」というわけだ。

しかし、規制計画がこの種のテストによって法的効力を持つようになるかどうかという以前に、テストそのものが可能になる条件が問われる。その要件となるのはなにか？　バランスというものがありうるとするなら、規制コストとその潜在的利益を前もって評価できるのでなければいけない。さて、ふたつめのステップについては、ことは容易ではない。汚染除去措置から「期待される利益」を実際どう計算したものだろう？

金銭的な評価という問題とは別に、まず起こりうる影響についてもモデル化し、たとえば大気中の分子の比率減少と、それが関連疾患数へ厳密にどう影響したかについて、信頼できる相関性を確立できなければなるまい。さて「物質への曝露と疾病リスクのあいだの線量効果関係の確定」[71]は「汚染源、大気化学、気象学、物性学や伝染病学の入り混じる複雑怪奇な経路をたどることで急激に不確定性が増大する、科学的・医学的モデルの範囲全体」[72]が必要となる困難な作業である。

一九七〇年代末、このテーマについての公聴会で、ある上院議員はこう叫んだ。「アルムコ社の工場に集塵フィルターバッグを設置する際のコスト・ベネフィットのバランスが、はやり風邪やその他の呼吸器疾患の医学的治療の収支バランスと等価かどうかを確定するのに必要な情報が得られるのを待っていたら、そんなことを待っていたらですね、われわれは絶対になんの規制も達成できなかったでしょう。

もし証拠の基準がそんなふうだったら、どんな規制も絶対に法廷でひっくり返されてしまったでしょう」[73]。焦点はここである。コスト・ベネフィット分析を決定原則とすることで、証拠の枠組みそのものを産業界のいいように作り変えようとしたのだ。学術と司法との二重の領域で、証拠にたいする攻勢をしかけたのである。

一九七七年、『ランセット』に掲載された学術研究は、許容数値以内のレベルでベンゼンに曝露した食品用ラップフィルム工場の労働者たちは、一般的な人口の五倍から一〇倍、白血病進行のリスクが高いことを立証した[74]。労働衛生安全問題を管轄する部局である労働安全衛生局は緊急に、ベンゼン曝露の上限レベルを引き下げた新基準を発表する。この件に関して、同局は発がん性物質にかんする政策にしたがった。すなわち、技術的・経済的な実現可能性の限界まで、可能なかぎり曝露を抑えることである[75]。

しかし、産業界はそれに耳を貸さなかった。一九七八年、ルイジアナ州裁判所は「具体的な証拠に基づく利益算定の欠如」のため、労働安全衛生庁は新基準が労働者の健康へ及ぼす効果が「その費用に合理的に見合ったもの」になるという証拠を示さなかった、として新基準を無効とした。裁判官たちの付言はなかなか巧妙である。「科学界が一般に承認するところに従えば［…］曝露の法定限度を引き下げることは［…］一定の利益があると推論できる。しかし、［…］この推論からは、そこから測定可能な利点が生じると結論づけることはできない。さらに、同庁はそれを証明する研究や予測を示すことができない」[76]。はっきり言おう。物質が発がん性であることはわかっている。曝露の低減はリスクを低減させるだろう。しかし、当局が答えなかったのは「どれくらい」という問いに対してである。無数のベンゼンが作業場の空気からどのくらい減れば白血病はどれくらい減るというのか。当局がそれに答えなかったのは、答えを可能にする研究がなかったからである。当局は予防的に即時に基準を低下させるのではなく、そうした研究が手に入るまで決定を待つべきだ、と裁判官たちは決定したのである。

この判決により、コスト・ベネフィット原則はアメリカ合州国の判例に浸透した。当時、ワイデンバウムはこの決定を希望のしるしと歓迎した。熱狂っぷりを隠しきれないかれのコメントによれば、それは「よりおおくを要求するあたらしい枠組みを提案しているように思われる。規制をめぐる世論の論争は、有益にもこの枠組みへと切り替わることになろう」[77]。組合活動家のアンソニー・マゾッキは事態を違ったかたちで見ていた。「裁判所は、死体が霊安室に着くまで待っているような立証方法しかわれわれに認めなかった[…]。問題はだれがツケを払うかだ。そして裁判官たちは断固として企業寄りの立場をとった」[78]。

事実、一九七七年に公布された基準に戻るには一〇年の歳月を待たなければならなかった。専門家のピーター・インファンテの概算によれば、この遅れにより、関係する労働者のなかからさらに二千人の白血病および骨肉腫による死者という「コスト」が発生したという[79]。これはコスト・ベネフィット分析の名のもとに遂行された妨害戦術が生み出した、ほかにも山ほどある「人的コスト」の一例にすぎない。エコノミストのなかにはその手を血で汚した者もいるのだ。

だがコスト・ベネフィット分析というカミソリは二枚刃である。第一の条件、つまり予期される影響の正確な規模を蓋然的に指摘することが満たされたとしても、第二の条件が残っている。これによって回避される損害を金銭で数値化することだ。規制手段の社会的・環境的「ベネフィット」を産業界のコストと関連づける、不可欠の条件である。

環境や健康、あるいは人生に生じたダメージをどうやって金銭的に見積もるのか?[80] 破壊されたのが商品財であれば値段を見ることもできる。しかし市場の外の現実に影響するとなると、経済学者はもはや手がかりをもたない。であれば、経済学者は取り決めによる見積手順をつくりだす必要があろう。一九七〇年代、コスト・ベネフィット分析の勢力拡大に押されて、経済学者たちはこの問いに答えを出した。いくつもの、だいたいは馬鹿馬鹿しい方法を組み合わせて、人生の価値を見積もったのである。

第一のアプローチは「逸失利益」(« Discounted Future Earnings » あるいはDFE)というもので、早すぎる死が奪った未来の収入の総額が人生の価値に等しいものとしている。収入が等しいわけがないのだから、人生もまたおなじ価値は持たない。この基準で測れば、おなじ年齢の管理職の人生は労働者の人生より価値がある。弟の人生は、すでに給与所得のある兄よりも価値がない。弟はまだ長いあいだ親がかりだからである。主婦、つまり所得のない女性労働者の人生の価値は無である。老人のそれも無に等しい。一九七〇年代末、「逸失利益指標によれば、八五歳の黒人女性の価値は一二三ドルである」。[81]「マイナスの人生」という、ためになる事例もある。それは収入を生み出すことなく支出の機会(たとえば医療負担引き受け)だけがある人生のことだ。「重度の障害のある子どもを死なせた交通事故は、この方法論によれば社会にとって純益をもたらしたことになる」。[82]

スウィフトは有名な『アイルランドにおける貧民の子女が、その両親ならびに国家にとっての重荷となることを防止し、かつ社会に対して有用ならしめんとする方法についての私案』において、別の計算方法を考案した。「物乞いの子どもの養育費はぼろ着もふくめ[…]年二シリング程度と計算される。

すでに述べたように、栄養のある素晴らしい肉料理四皿分になるはずの、よく太った子どもの身体に一〇シリング出すことに不平を言う紳士などおるまい」[83]。つまり、かれはふたとおりの計算方法を区別している。一方に生産コストによって決定される子どもの**価値**があり、他方でおなじ子どもにたいし、グルメ食品市場でこの種の料理に金を出す買い手の意思によって決定される**価格**がある。

これを受け継いだ経済学者たちは、生命の生産コストという問題は――むろん不可欠のものではあるが――度外視することにして、逆に第二の基準つまり、金を出すという意思を基準にするという考えを維持してきた。しかし、スウィフトのテクストに比べれば無視できない倫理的な向上もみられる。というのもこれ以降、買い手の意思だけでなく、生命が取引される当人の意志も考慮に入れることになったからだ。きみ、いくら払えば食わせてくれる？　あるいは逆に、といってても結果はいっしょだが、食われないためならいくら払う？

この重要な第二の方法、つまりこの「財」である当人自身の評価にもとづいた、「支払同意」（支払意思額WTP［Willingness To Pay］とも言う）と呼ばれる方法こそ、生きているという事実に相当するものである。当初、経済学者たちは調査を通じて人びとに直接問いかけようと考えていたが、聞かれた側は返答につまった――そして結局、死ぬくらいならいくらでも払うことを選ぶのだ。この難題を回避するため、シェリングとミシャンは問題を設定し直すことを計画した。「死なないためならいくら払いますか？」ではなく、「Xパーセントの早期死亡リスクを低減させるためにいくらなら払うつもりがありますか？」[84]としたのである。だがこの評価額はさまざまであった。とくに支払能力のちがいがおおきな決定要因になる。鉱山会社の幹部管理職は現在の職場のアスベストを撤去させて発がんリスクを〇・

〇五%から〇・〇一%に低減させるためならさらに支払うと同意するが、おなじ会社の労働者はそのリスクを〇・五%から〇・一%に低減させるためであっても同意しない[85]。この場合、どちらの評価額が優先されるべきで、それはだれにとってのことなのか。

この種の難問を前に、より古典的な別の方法が採用されることとなった。ものごとの金銭的価値を測るには、「消費者の集団的な支払同意」つまるところ価格に依拠するのが通例である[86]。この種の真理にアプローチしようにも、経済学者は奴隷市場の廃止以来、人間の生命の公的な市場を使うことはできなくなっていたので、「代替市場」が求められることとなった。それは典型的には危険を伴う仕事かポストである。いくらの追加額なら労働者はより高いリスクを受け入れるのかを観察することで、そこから労働者が自分の生命に割り当てる価値を導くのである。だがこのやり方でも難題は増える。

事実、この方法を基礎づける公準とは逆に、危険手当増額が生命の価値の自己評価として適切に解釈されうるのかは疑問である。それはむしろより散文的に、制約された選択肢を選ばされる状況に置かれた労働者がその状況下で交渉することのできたもの、に対応している。そして資格や資金、情報アクセスの不平等はこの状況におおきく影響する。失業や移動の制約、差別などは言うまでもない。人びとは日常的に低い賃金に「同意」しており、それは日常的に高すぎる支払いに「同意」している人びとがいるのとまったく変わらない話だが、だからといってどう考えても、その安すぎる給料や高すぎる賃料が価値の正当な基準や公共政策の一般的基準として使われる価格だと見なしていることにはならない。

社会は経済学者に正面からこう問いかける。「世間に認められた、事物の金銭的価値についての専門家」[87]としての立場では、生命の価値はなんなのか、つまり、生命の正当な価格はいくらで、たとえば労働のリスク低減のベネフィットを金銭的に評価する参照基準として用いることができるような価格はいくらなのか。だが非常に気まずい思いをしている経済学者は、ほんとうのところこの種の基準についての問いに答える能力はない、とわざわざ白状したくはないので、ためらいがちに口ごもって目を泳がせたあげく、社会に問いを投げ返すだけなのだ。いいですか、この質問票に回答して下さい、いえ、しなくてもいいですが。そもそもみなさんの回答をどこまで信じて良いものか自信がありません。むしろ給与明細を見せてください。リスク労働者をはじめとしてみなさん、じつのところいくらなら命を失う危険を受け入れるのでしょう？　ああ、それっぽっちですか。「生命はいくらか」という問題はそもそも生命を救うためにいくら支払うのが合理的かを知るために立てられた問いだったのだから、経済学者は結局こう答えることになる。雇用者が生命を救うためにいますでに支払うつもりがある額以上ではない。端的に言うと堂々巡りである。

賢明なる経済的試算による評価では、アメリカ合州国の二〇〇六年の統計的な生命の価値は正確に一二六万六〇三七ドルだったという。しかし、バングラデシュではこれまた正確に五二四八ドルだ[88]。ならば結論は、バングラデシュ人の生命を救う「ベネフィット」はアメリカ人の生命を救う二四一分の一弱ということになるのだろうか？　今世紀末には国土の四分の一が水没するだろうとみられるこの国は、現在進行中のエコロジー的破局の最前線にいる。温室効果ガス排出削減が生命に対してもつグローバルな「ベネフィット」を計算するときも、国ごとに割引を適用するのだろうか？　あるいは人間の生命の平均共通価格を確定すべきなのか。だがそれはどんな「科学的」根拠にもとづくのか。

そんなものはない、というのが真実だ。それは技術的困難や方法論的バイアス、計算ミスのせいではなく、生命の**正当な**価格が存在しないからである。生命を消滅させるには、どうしたって取り返しのつかない喪失と引き換えだ。言い換えれば、問題はかならず矛盾するのだ。さて、ここで強調すべきは、この点がそっくりそのまま、規制緩和論者からの挑戦の一部をなしていることだ。**スフィンクス戦術**と言ってもいい。解決不可能な問題に答えるような立場に相手を追い込むか、あるいは虚空に身を投げるかで、それ以外に選択はない。

一九七九年に上院委員会の聴問に出席したワイデンバウムにたいし、若きアル・ゴアは生命の価値という問いを執拗に投げかけ、かれをおおいにいらだたせた。手足の切断、先天的な奇形、アスベスト労働者の失った生命、それらの金銭的価値は？　ワイデンバウムは道徳的価値観を振りかざして、意固地に回答を拒んだ。「わたしは算出の際にひとの命に値札を貼ったことはけっしてありません。命は貴重なものだと思います」[89]。

しかし上院議員は食い下がる。あなたの求めるように、コスト・ベネフィット評価原則を課すというのであれば、たとえ暗黙にでも生命に金銭的価値を割り当てないでどうするのか？　たとえば、「アスベスト禁止のベネフィットを数量化してみてはいただけないか」。

ワイデンバウム：アスベスト禁止のベネフィットとは、それによって命を救われた人間の数、ないしアスベスト禁止によって増加した寿命になりましょう。

ゴア：そして金銭的価値はいかほどになりましょう……。

ワイデンバウム：値札を付けようとは思いません[90]。

しかし、ではどうやってコスト・ベネフィット分析を適用するのか。ワイデンバウムの答えでは、アスベスト禁止によって回避できた死者数を、この禁止のせいで生じた死者数と比較しなければなるまい。アスベスト禁止によって生じた死者？「アスベストを利用する自動車運転手ですと、車のブレーキペダルを踏むごとにアスベストから利益を得ます、ブレーキ板はアスベストでできていて、それがあなたの車につっこむことを防ぐことで、わたしにもあなたにも利益があるわけです、委員長閣下、つまりわれわれふたりとも、アスベストの長所をよく知っているわけです。アスベストの禁止によって失われた命は考慮せず、アスベスト禁止によって救われた命にだけを扱う分析ではどうやっても社会に資するところはないでしょう」[91]。

ワイデンバウムは粗雑なジレンマに頼る羽目になったのだが、わたしの知るかぎりブレーキ板がアスベストではなくグラスファイバーで作られるようになってから路上であらたな大惨事が生じたという話は聞かない。しかし、上院議員は手を緩めない。

ゴア：あなたはこうおっしゃいました。コストと利得、ないしコストと効率性の分析が実施されない うちは、アスベスト曝露にはいかなる制限も課さない、と。ですからわたしは、あなたに申し上げたのです。職場での労働者のアスベスト曝露に制限を課さなかったことで命を救われた人数を計測するために、正確な数字を出すことは不可能でありましょう、と［…］。この数字を正確に計算することができるとお思いですか？

ワイデンバウム：まさにそう試みるよう、わたしは規制組織に提案したのです。

ゴア：あなたがかれらにそう試みるよう提案なさった、その試みを成功させるようかれらに要求なさった、職場で曝露した人間の保護が可能になるのはそのあとだと？ ［…］ この試みに成功できるか、あなたにも確信がなかったのに[92]？

ワイデンバウムはかれの戦術を端的にあらわすキーワードを口にすることで本音を漏らしてしまったのだ。規制側に、応じることの不可能な**試み**に挑ませること。

産業界にとっては、規制のコストを見積もることは比較的容易であるが、オープンな環境では事前に数量的にその効果を確定することは難しく、それが市場外の財にとって及ぼす「ベネフィット」を金銭的に評価することは、**ごまかしなし**では不可能である。ワイデンバウムはそのことを知っていた。かれの戦術は、敵を麻痺させるために全面的にこの非対称性を利用することだった。だが、最後にじぶんにその問いが回ってきたときに、かれ自身がおなじ目に遭うことになったのである。

第20章　政治的エコロジー批判

事業の企業家の収益はときとして、略奪でしかないことがある［…］、自社のコストをはるかに上回る生産によって稼いでいるのではなく、かかったコストをびた一文支払わないことで稼いでいるからだ。[93]

シスモンディ

資本は［…］地球が太陽に落ちてくるかもしれないことに実践的には影響されないのと同様に、人間社会の腐敗、ひいては人口減少という見通しにもほとんど影響されない。[94]

マルクス

一九五〇年、革新的な書物が出版される。ウィリアム・カップの『私企業の社会コスト』である。この異端の著者の名前はそれ以降、経済思想史から抹消された。[95]この著作は、エコロジー的な資本主義批判という早すぎた構成内容を特徴とする。経済的リベラル主義の信奉者たちはこの著作に、知的な反撃で応酬する必要のある新手の攻撃、挑戦を見てとった。

汚染を引き起こす工場を考えよう。その活動には「私的コスト」がかかる。設備費や原材料費、給与といった支出だ。しかしそのほかに、「社会コスト」つまり「企業の支出とは見なされない、他へ転嫁され他が引き受ける」コストもかかる。[96] 典型的には、たとえば工場経営者が廃棄物を再処理するのではなく近隣の川に流していたとすると、なんらかのかたちでその「コスト」を押しつけられることになるのは他（魚、鳥、川遊びをする人びと、沿岸住民……）である。

私的生産の社会コストは**未払い**（工場経営者にもその株主にもなんのコストもかかっていない）であり、かつそのコストを「払う」ことになる他へと**転嫁されている**。支払いは現物（その福祉や健康、つまり生命への「コスト」であることもしばしばである）であって**記帳されない**（会社のバランスシートにも国民会計にも残らない）かもしれないが。この外部化は基本的には物質的、物理的なものだが、同時に認知的、認識論的なものでもある。資本主義経済のプリズムを通すと、こうしたネガティヴ要因はあらゆる意味で**勘定に入らない**。

ヴェルナー・ゾンバルトの主張によれば、近代会計技術における「ものの見方」とは、もとをたどれば純粋な量、項目枠の一番下に書き込まれる数字として利潤をあらわすことで、資本という概念を思考可能にするものであった。[97]「会計基準に取引を記載する者の目的はひとつ、純粋に量的な意味での価値増大である。原則として穀物だ、羊毛だ、綿花だ、織物だ、船荷だ、茶だ、胡椒だ、といったことは考慮しない。こうした現実は［…］日陰の身となり、非現実的になる［…］。〈営利的所有〉としての資本の概念そのものが、現実的には学問的な会計分析に依拠している」[98]と、経済史学者ヘクター・ロバートソンもまた考察している。この仮説にしたがえば、資本主義的合理性はある種の「書記法的理性」[99]の産物、質を量に転換する記述法の結果であろう。

しかし、資本主義的な価値定義は同様に、いやそれ以上に根底的に、なにが記帳され、なにがされないのか、という基本的な区分に依存していた。歴史家のキャロル・キグリーはこう喚起する。この区別は「〈経済コスト〉は記帳されるが〈社会コスト〉は記帳されない」[100]という決定に依拠している。「一九世紀初頭のあたらしい産業システムにおいて、これらのコスト——労働者の工場への行き来の交通費、住宅、教育、退職、埋葬、疾病、孤児のケア——のすべてが［…］企業会計から排除される。ならばその財政的成功に驚くことがあろうか」。資本は、正の外部性をまるごと利用しながら、みずからはその出資の一部しか負担しない。おまけに企業にとっての社会・自然環境にかんしては、負の要因からそっくり解放され、人間ないし人間以外のものに負担させる。生産の実際のコストが二重に免除されるという隠れた条件があればこそ、資本とは経済的に利潤をあげるものと思わせることができたのである。資本主義は**負担免除経済**なのである。

しかしながらこの生産の社会コストの大規模な外部化は、お返しに社会の自己防衛というおおきな対抗運動を引き起こさずにはおかなかった。カップは一九五〇年に、友人のポランニーの分析[101]を敷衍《ふえん》してこう書いている。「第三者、ないし社会に生産の社会コストの大部分を転嫁することに反対して大規模な民衆反乱が起こっていたことを見てとらないかぎり、この一世紀半ほどの政治史を十全に理解することはできないだろう」[102]。社会および環境闘争の近現代史をこの展望のもとに、**外部化されたものへの反抗**、として読み直すこともできるだろう。そのモチーフが多種多様であるのは見かけだけのことで、その一体性は共通のルーツのなかに見出される。私的生産の「社会コスト」を背負わされることが、資本のためにツケを払わされることが、おなじように拒否・拒絶されているのだ。[103]

カップは社会コストという概念を用いて、経済学者アーサー・ピグーが一九二〇年代に提唱したテーゼ[104]を急進化させた。ピグーによれば、生産は場合によってはそれを実行した私的エージェントに利潤をもたらすが、社会にとってはその利益を上回る損失をもたらすことがある。「私的生産」と「社会的生産」[105]の分岐点がピンポイントで存在している以上、自由放任論者の論拠は例外状態にあるとして無効化される。同様に、自己中心的な利益追求が価値全体を最大化するという主張もあきらかに偽である。この種の機能不全を是正するためには、「より規模のおおきい担当部局が介入し、美観や大気、日照といった集団的問題に取り組む必要がある」[106]とピグーは結論づける。このようなケースでは、国家は「特別助成」ないし「特別制限」をつうじて介入できるし、またそうすべきである。[107]一方には助成金を、他方には税金を、というわけである。

カップの著作以前は、こうした負の外部化は周縁的な問題、経済理論における些細な逸脱と考えられていた。カップは逆に、社会コストの免除は一般化した問題であり、「決定グループの〈外〉にあると言われるネガティヴな結果（たとえば大気や水の汚染）を無視する先天的傾向」[108]に影響された決定様式と一体化している、と証明した。これには急進的な理論的含意があった。というのも、企業の会計においても一般価格においても、社会・自然環境に波及した「市場外での破壊的結果」[109]を確認することが現実的に不可能とすれば、「価格指標は不完全・不完備なだけではなく、虚偽なのである」[110]。

リベラル派の経済学者フランク・ナイトは、一九二四年以来ピグーの擁護する環境課税を批判した最初のひとりであり[111]、一九五〇年代のごく初期にカップの著作の辛辣な要約を書き、この著作を社会主義プロパガンダの純粋な見本だとけなしている。[112] かれの答えによれば、環境破壊はコストになるものだが、それは環境保護も同様である。貸借対照表を完成させるには、私的生産の社会・環境コストと代替案のコスト、つまり「コスト削減のコスト」の差し引きを出さなければならない。[113] こうしてかれの述べたことは、のちに社会・環境規制にたいするネオリベラル主義的批判の表看板とされる比喩になる。これらの批判はどれも、治療と病の対称性の原則にもとづいているのだ。その働きについてはまさに前章で見てきたとおりのことである。

それ以前のコンセンサスでは、産業汚染の場合、「工場主に起こった被害の責任を帰す」[114] ことが望ましいという点については一致があった。さて、ナイトとその一派はそれに異を唱える。かれは論点整理のためにロナルド・コースに依拠する。一般の考えでは、「公害を抑制する措置はなんであれ望ましい」[115] とされているが、そこに偏見がある。というのも、こういうようなケースでは、「Bに起こった被害を避けるためにAに被害を押しつけるものだ」ということを忘れるべきではないからだ。汚染は（汚染を起こされた者たちにとって）コストとなるが、汚染防止措置もまた（汚染を起こした者たちにとって）同様である。なにをするか決定する前に、両者を天秤にかける必要がある。

ダニエル・フィシェルもおなじように擁護する。「ある企業が川に汚染物質を流したとして、この企業は利用者に本来のベネフィット以上になるコストを課す。だからといって、汚染はけりを付けるべき非道徳的な行為であるということにはならない。逆の場合を考えよう。川の利用者にたいし、汚染を引き起こさない、よりコスト高の廃棄物除去法を採用させたとする。この場合、川の利用者は出資者、従業員、そして企業の消費者に、その本来のベネフィットを超えるコストを押しつけることになる。汚染するとも、汚染を止めることも、それ自体として〈倫理的〉でも〈道徳的〉でもない」[116]。だれかを傷つけるにも手当てをするにもコストがかかる、と言い訳すればどちらも倫理的にはかわりがない、とでも言いたげである。わたしがあなたを傷つける、するとあなたにはコストがかかる、しかしあなたの手当をすればわたしの側にコストが出るだろう、ゆえに結論として、君を傷つけることもわたしがきみに与えた被害を癒すことも、それ自体として「倫理的」にも「道徳的」にも正しいとも正しくないとも言えないのだ、と経済学者は計算機をパチパチ叩きつつあなたに言ってくるわけだ。

この手の経済学者たちはこうわれわれに断言する。支払いをするのはつねに責任のある側だと主張するのはまちがってはいまいか。それはケースバイケースだ。なぜなら、加害者を罰することはそうしないことに比べて全体として利益がすくないことがあきらかになるかもしれないからだ。こうしてわれわれは、コスト・ベネフィットのバランスシートに則って被害を判断するよう誘われるのだが、バランスシート上でだいじなのは全体価値の考慮のみである。だからその価値が「被害を被った側が被害を受け入れたほうがおおきくなる」[117]場合は、他人に押しつけられたコストを犠牲者が背負うほうに経済的な合理性がある、と主張される。「汚染被害の影響で魚が殺されている、という話とすると、判断を下すべき問題はこういうことになる。すなわち、失われた魚の価値は、川を汚染することで可能になった生産価値より上か下か」[118]。もし死んだ魚が化学工場の生産品よりも価値が低ければ（じつにありそうな話だ）、好きに殺させておくことに経済的に合理性があることになる。[119]ネオリベラル主義とは、根本的には反エコロジー主義である。

こういった経済学者たちが無益にも、じぶんたちの議論の運びが理の当然であるように提示しようが、この手の勘定では①特定の活動に関係する社会的・経済的ダメージの網羅的な調査、②それを商品価値にしたがって適切に計ること、これらが可能なことが前提とされており、このふたつの公準には問題がある。それぞれを検証していこう。

その手の文献にあふれている諸事例を見ると、環境ダメージの一覧を作るのは子どもの遊びに等しいかのようである。仮説によれば、排煙は直接の近隣住民にしか影響せず、有毒物質の排出は近隣の川のX匹の魚を殺すだけにとどまる。手短に言えば、時間的・空間的に局限された、限定されたダメージという状況だけを考えるのである。それはたんに、それとは正反対の無限定さこそが特徴の汚染だ、という現象を完全に無視しているだけのことだ。まず空間から考えよう。この現象は厳密な領域に限定された局地だけでなく、ほかの場所にも波及する。つぎに時間だが、環境ダメージは瞬時かつ直接とは限らない。最初にあらわれてから長いこと持続することもある。長い潜伏期を挟んで、ずっとあとになってからあきらかになることもある。[120]

新古典派経済学では、「ミクロ経済単位間の相互交換関係」[121]という昔ながらの図式で汚染現象を分析できる、と主張されている。もっともエコシステム内では「因果関係のプロセスは一般に、個々の汚染要因が特定の、ないし同定可能な人間または実体にダメージを与えるというような、双方向的な性格をもたない」[122]のだが。カップの強調するところによれば、ひとはむしろ「累積的ないし循環的な因果原則」[123]にかかわっている。多数の汚染源が複合的な効果をもたらすが、その効果は「かならずしもその質や頻度に比例して変化する」わけではない。「環境の吸収力が危機的な水準に達し、さまざまな汚染が組み合わさり濃縮されると、連鎖的な化学反応を起こして、あとひと押しのほんのわずかな放出でも人間の健康に破局的な結果を引き起こす、非線形で比例関係にない、つまり不均衡な効果をもたらしうる」[124]。環境変動は無限定かつ多重に決定されるという性格に加え、さらにはグローバルな性格をもっている。カップは一九七七年にこう書いている。環境変動は「グローバルである、というのも汚染物質と残留物のなかには、大気の化学組成を変え、気候変動によって重大な帰結を引き起こすことで、潜在的に地球全体に影響しかねないものもあるからである」[125]。

このエコシステムという思考様式の流行にもかかわらず、オーソドックスな経済学は依然として、特定の汚染とその直接のダメージの単純な関係以外のものを着想することを妨げる、連続的で線形の交換概念に囚われていた。温室効果ガスの排出はそれを直接吸い込んだ者に影響するかもしれないが、グローバルで巨大な現象をもたらす一面ももっている――エコロジー以前の時代遅れの認識論に従属する新古典派経済学的思考では、惰性的なやり方でそれを断片化し過小評価することでしか把握できない、「巨大対象」があるのだ[126]。「この試みを果たすには、数量化と数学以上のものが要求される。リアルタイムで物理的なフローとその効果を評価する［…］意思が必要だろう」[127]とカップは指摘している。ちがったかたちで科学すること、エコロジー的なあたらしい理性によって、経済的合理性を乗り越えること。

環境効果の総計を出すという問題に加えて、被害を共通尺度に乗せるという問題もある。コースの要求によれば「被害を防いだことに関連する利得が、被害を生み出した行為をやめたことで被った損失分を上回っているのかどうかを知らねばならない」[128]。しかしこの種の収支は、二種類の「コスト」が計算可能なおなじ単位で適切に表現できることを前提としている。これまでにすでにわれわれは、その難点を指摘しておいた。生命の価値はいかほどか？　エテルニット社の利益とアスベストによる死者の共通の尺度はなんなのか？　だれが等価であると決めるのか？

道徳家はそのことをスキャンダルとみるかもしれない。しかし汚染を引き起こす産業にたいする課税からして、規制措置はプライスレスといわれるあれやこれやの事実に、暗黙のうちに金銭的な等価性を割り当てているではないか、とネオリベラル主義者は言い返す。問題は景観や動物種、人間の命に価値を当てはめることではない、とかれらは言う。そのやり方が問題なのだ。公共政策の基礎となっている現行の評価方式は「個人選好の階梯表全体についての完璧な認識をもとにした〈最適な〉社会水準よりも、しっかりと組織された、特殊な動機を持つロビー（圧力団体）がこの暗黙の価格について持っている考えを反映した社会価格（人命の価格、事故防止の価格……）を基礎としている」[129]とかれらは言う。手短に言えば、かれらが懸念しているのは現行の評価方式が**政治的**次元から生じていることだ。たしかにそれは政府によるものだろうが、あまりにも社会運動の「圧力」に従順すぎるのである。

だが代案はなにか？　吸っても大丈夫な空気や、健康な人生の「最適」価格をそれ以外にどう決定するというのか？　「我慢しなければならない汚染を減らすためならいくら払える、という価格と、汚染を引き起こす者が汚染を削減するために払ってもよいと思っている価格とを各人が比較できる**市場**があるとして、そこで決まった額である」[130]。

有名な例として、コースはふたりの隣人にご登場願う。一方は医師で、他方は菓子屋である。菓子職人の機械の騒音が壁のむこうの医師の聴診の邪魔になる。医師は隣人に訴訟を起こすつもりだ。第一の可能性——裁判所は医師を正当と認め、菓子屋に機械を止めるよう強制する。アメの製造元はこうして収入源を失う。しかし、コースが指摘するように、判決が下ってしまえば、騒音をたて続ける権利を隣人から「買う」ために交渉を続けてもなにも問題はない。第二のシナリオ——裁判所は医師の訴えを棄却し、菓子屋に機械を動かし続ける許可を与える。にもかかわらず医師がどうしても仕事を続けたければ、かれもまた静穏権を買うために隣人と交渉することができる。

ジョージ・スティーグラーによって有名になったコースの定理は、汚染する側とされる側の「関係の根本的な対称性」を、そして「生産物構成は法による責任決定に影響されない」[131]ことを、逆説的に証明するものとして紹介された。このふたつの事例では、裁判官の決定がどうであろうと行為者は双方が満足する私的な協定を交渉することができる。残るは、だれが払うのかについての「経済学的には中立の」問いである。というのも、一方から他方への金銭の転移は価値総額に影響しないからである。社会的立場の入れ替え可能性、権利にたいする経済の中立性、責任追及の無意味さ、政府規制の余計な性格と、その反対に権利の商品化（汚染権と非汚染権）にもとづいた私的秩序の自己充足性についての綺麗な説明である。

ただし、それを仔細に見れば話は別である。コースのたとえ話のおかげでこうしたいっさいが確証された、というわけではまったくないからだ。だいたいどんなケースなら、交渉が合理的に合意に達するのか？　医者が機械の沈黙を買うことができるのは、菓子屋が機械を止めることで失うことになる収入とすくなくとも同額をオファーできるくらいには稼いでいるときだけである。同様に、菓子屋もその騒々しい仕事を続ける権利を隣人から買うことができるのは、すくなくともかれとおなじ程度稼いでいるときだけである。さもなくば、医師が失った謝金を補償するだけのオファーを出すことはできないだろう。[132]

裁判所の判決がどうあれ、ただ相手より稼いでいるほうが商品化を通じて好ましからざる司法の決定を修正する望みがもてる、ということはたしかだ。裁判官が菓子屋に有利な判決を下したとして、医師の稼ぎが菓子屋より悪ければ、臨床にあたる医師は騒音公害に耐えなければならないだろう。この範例的なたとえの解釈とされているものとは逆に、行為者の立場はつねに入れ替え可能であることも、司法の決定はいかなる場合も中立的であることも証明されてはいない。その反対に、汚染を被った側の使える収入とは独立に汚染を被らない権利を認定しているのだから、司法は区別をしている、と確証されたのだ。また、収入が不釣り合いであるせいで生じる交渉力の非対称性は、規制法がなければ一般に入れ替え不可能だ、ということも立証している。要は、法的規則がなければ決定は経済的不平等のなすがまま、ということを証明しているのだ。

なんであれ、コースの理論的におおきな革新は、汚染を被った側は汚染した側から汚染されない権利を買う立場、権利を商品化し、責任を私的なものにする立場にあるとする、奇天烈な考えにある[133]。これはおおきな変動が起こった徴候だった。事実、コースの論文以前は、「交渉による解決の可能性は端的に認められなかった」[134]ので、経済学者たちのあいだでは公的権力による是正措置の必要性について広範な同意が得られていた。ネオリベラル主義者たちは一九六〇年以降、汚染にかんする政府介入の伝統的な手法――課税、補助金、基準――にたいし、移転可能な所有権という観点からのアプローチを対置するようになった。このアイディアは、国家介入、ひいては社会的・政治的な力関係の代替メカニズムとして、汚染権の取引される新市場を設置する、というものである。

まずは、コースの描いた菓子屋と医者の小噺のレプリカになる商業装置が考案される。汚染された側に、汚染されない権利を汚染する側から買い取る機会を提供するのである。スティーグラーは言う。「工場が数千人の住民に煙をまき散らすのなら、理想的解決は［住居の］所有者が工場にたいし、排煙低減の限界費用が所有者にとっての差益総額と等しくなるところまで排煙を低減させる装置を設置するために金を払う補償システムを設立することである」[135]。健康・環境「財」の価値は政治決定ではなく市場メカニズムによって確定されうるものとなった。健康や景観にこだわるのなら、それらを保つことが重要なら、それに値段をつけろ、支払同意という客観的措置を通じて最終的に当該の「財」の価値を表現するはずの総額を出せ、ということだ。汚染される側が支払側であるという、じつに奇妙な原則が発明されたのである。

一九六六年、トーマス・クロッカーは違ったタイプの市場を構想した。オークションにかけることになる汚染物質排出権制定のため、政府が仲介するのである[136]。ジョン・デールズはその二年後に同様のモデルを提案する。政府が限度額を設定するが、価格は「必要な廃棄物の流出量削減が、可能なかぎり最低限の総コストで達成されることを自動的に保証する」[137]市場によって決定される、譲渡可能な「汚染権」システムである。

市場は過ちを犯したことがなかったのか？　市場万歳だ。既存の市場に欠陥があるなら、もとの市場を幻想で糊塗するあたらしい市場をつくりだすという以外にどんなよい解決案があろうか。こうして、**商品化による外部性の統治**が発案される。早くも一九七一年には、ニクソンが再選キャンペーンでいっとき「汚染許可販売」[138]を提案したこともあるが、このアイディアはまだ政治的に成熟してはいなかった。こんにちではすっかり知られるようになった、このような汚染権市場がアメリカ合州国で実験されるには、一九九〇年代まで待たなければならない[139]。これはどこもかしこも経済理論をもとに作られた「人工市場」という前代未聞の事例であった[140]。その成功は周知の通りである。

エコロジストの批評家に言わせれば、社会・環境コストは資本主義経済によって算出できないことが問題だった。新古典派経済学者たちは、もしそういった現実を勘定に入れようとするならそこに値段をつけなければならない、さもなくば勘定する方法などない、と即座に言い返した。かれらは政治による評価という原則を拒み、商品化による評価という原則で対抗する。こうして、市場は価値基準という問題にたいする知性認識論的解決として紹介され、このことにより、そもそもその本質的動機は粗野な唯物論だったにもかかわらず、それとはかけ離れた優雅さで、私的所有領域のあらたな拡大を正当化できたのだった。

カップはこう明言している。「環境被害や健康被害、人びとの生活、ひいては美的価値に金銭的価値が割り当てられることを否定はしない。それは芸術作品に金銭的価値をつける可能性を否定しないのと同様である。実際、市場ではこうした評価はつねにおこなわれている。しかし[…]金銭的価値がこうした被害を評価する適切かつ責任ある基準である、という点については反対する」[141]。ゆえに問題は、こうした現実が絶対に共通の尺度で測れない、ということではない(そういう話はしていない)。商品化による共通尺度作成は的外れだ、ということなのだ。

市場は適切に社会・環境コストを評価できるのか? カップの答えは否定的である。「市場」というフェティッシュの背後には、集団的選択をつうじて環境という現実の公正な価格を決定することができるとされる、個人の行為主体たちがいる。だが諸々の構造的限界が、かれらが満足なかたちでそれをおこなうことを妨げるのだ。

最初の問題は、合理的な経済的行為主体の知性認識論的能力の限界問題である。本人に任せると言われても、「**個人**は、汚染の否定的な帰結をすべてのレベルで評価することはできない」し、「環境改善の短期的・長期的な健康・福祉へのベネフィット」[142]についても同様である。こうした影響が絶対に認識不可能であると言いたいわけではない。ただ、この行為主体は市場のシグナルをもとにそれを見抜くことはできないだけのことだ。それにはまったく別の前提条件があるはずだ。別の根拠、つまりカップが願ったあたらしい環境諸科学の発展にもとづいて社会にひろまった情報の働きがそれである。そして市場がその発展を自力で生み出すことはないだろう。

ふたつめの難問は、こうした行為主体が選択をおこなう場となる、時間領域にかんするものだ。かれらの決定は「将来世代の利害」に影響するが、それは計算には「組み込まれていない」ため、その利害は「現在の市場価格では考慮されることはないだろう」[143]。つまりじぶんたちには関係のないはずの未来において、他者へとツケを回し、直近の利得を選ぶのが構造的傾向なのだ。

第三の障害は、「支払同意」原則の限界にかかわる。なんらかの財のために諸個人が支出するつもりのある額の総計をつうじて、市場は主体的選好状態を明らかにすることができる、というのが新古典派の考えである。もっともらしく見える原則だ。もしなにかがあなたにとってたいそうな価値があるなら、それを得たり守ったりするために相当の額をつぎ込むつもりがあるだろう。ただし、実際にはあなたの**支払能力**が支払同意の境界線となっていることを除けば、だが。おそらく、あなたは貴重な存在を救うために**すべてを与えるかもしれない**が、しかし、提示できる額は手持ちの額だけだ。支払同意という基準は構造的に、経済不平等の構造によって歪められている。[144] たとえば富裕層の居住区か庶民の街か、どちらかに公園を作ると決定するためにこの原則を用いたとする。それをオークションにかけて平等な主観的選好を見れば、前者の住民グループが圧勝するのは確実だろう。ゴミ捨て場や繊維工場の場所決めならば、やはり後者が負けるのもまた目に見えている。不平等な社会では、譲渡可能な環境権を割り当てる仕事を市場に委ねることは必然的に、いちばんの金持ちたちがいちばんの貧乏人たちに社会コストを押しつけ放題という事態を招く。[145]（金銭で）支払う手段のない人間たちが（天然自然のもので）支払うのである。経済的不平等が持たざる者の現状の貧しさをさらに悪化させる環境的不平等を引き起こす悪循環がここにある。

環境の現実を**勘定に入れる**のであれば、資本主義的な価値の論理にそれを統合しなければ、とネオリベラル主義者たちは言う。そこには、まだかれらの手を逃れている共有財ないし公共財にまで私的所有の領域を拡張することが含意されている。ある現実が私的なものになった瞬間から、商品価値が付与され、そこから利益を得ている者たちにとってはその現実を保全することに利があることになる。こういう世界観では、経済化されているのでもないかぎり、環境という現実を破壊しようが計算の対象外である。たとえば結果的に収入が低下する水上交通拠点があるなら、湖の汚染は経済的現実——あるいは端的に現実——になる。逆に資本化されていない湖は**存在しない**。自然の商品化による占有こそ保全の条件である、というのが根本原則なのだ。その反対に「共有財」は悲劇であると見なされる。[146]

どういうわけで、このあたらしい「緑の資本主義」の約束は詐欺という以上に破滅的であるのか。それを理解するには一冊の古い本を改めて紐解いてみると教わることがおおい。フランス革命と出会ったことで急進化したスコットランドの貴族、ローダーデイル公爵ジェームズ・メイトランドは、一九世紀初頭のパリでかれの名を冠する経済的パラドクスを発見した。[147]

「公的富」とはなにか？　そう思われているかもしれないものとは逆に、「個々の富の総計」に、あるいはいまどきの言い方をすれば「生産価値総額」[148]には還元できない。公的富と私的価値というふたつの考え方は区別されるだけでなく、じつは矛盾するものでさえある。なぜなら、後者は前者を犠牲にすることなくして成長することはできないからである。

なにかが「個人の富に数え入れられる」には、そのなにかが魅力的であるとか、役にたつとかだけではじゅうぶんではない、とローダーデイル公爵は指摘した。「さらに、ある程度の希少性がなければいけない」[149]。逆に言えば、ある富がたくさんあり自由に手に入るのなら、それは利潤が出るようなかたちで占有されるものではありえないだろう。公的富を私的価値に転換できるのは、それが稀少になる、という条件が成立する場合だけである。ローダーデイル公爵は言う。「生活の助けとなり楽しみとなるものがなんでも」そろっている国を想像してみよう。そこは「この上なく清らかな小川ですみずみまで潤っている。この美しい国の富を増加させる手段として、住民たちが自然のもっともおおきな恵みのひとつとして眺めているこの豊穣さのかわりに、ちょっとした水不足を生じさせる計画を提案する男がいたら、なんと言われるだろう。まちがいなく頭のおかしな男として扱われるはずだ。だが、男の計画が個人財の総計を増加させることを目指していることはたしかだ。なぜなら、水は依然として生活を便利かつ快適にする性質を保持しているが、この計画のあとにはさらに、稀少という条件まで付け加わることになるのだから、そのおかげでいくらかの価値を獲得することになるはずだ」[150]。ここにパラドクスがある。交換価値を基準にしてはかった私的富が増加するには、それに相当する公的富が希少であることが前提である。ならばわざとそれを破壊することで、人為的に稀少化させても構わないのではないか。

ローダーデイル公爵の時代では、破壊によって水資源を占有するという一幕は作り話の世界のものだった。だがそこにはすでに当時の資本家の、とくに植民地での振る舞いの雰囲気が漂っていなくもない。ローダーデイル公爵は一例として「オランダ人たちのおこない」をあげている。オランダ人たちが「我が世の春を謳歌していたおそろしく豊かな時代には、かれらは膨大な量の胡椒を焼却処分したり、あるいはナツメグの木の育つ島々の原住民に報奨を出し、木を傷めるためにつぼみや若芽を摘むようし向けたりした」[151]のだった。

もし現代の「エコロジー危機」のほんとうの意味を把握したければ、それをこの物語、つまり、自然破壊を通じた占有が不可欠の拡大条件となる経済システムの物語のなかに置き換えてみるべきだ。そしてローダーデイル公爵が手回しよくわれわれに呼びかけていたように、それを植民地獲得と資本の始原的蓄積との連続性のなかに位置づけ直すべきなのだ。

こうした意図的な破壊のたとえ話と、それ以降にわれわれが経験してきた環境変動の巨大現象とのあいだにはちがいがある。たとえばグローバルな大気汚染の原因を、それによって直接に利益を得るために意図的に引き起こしたのかもしれない独占グループの意図的行動のせいにすることはできない、という点だ。呼吸しても大丈夫な大気が稀少化したとしても、それは瓶詰めの空気を売る業者のひそかな陰謀のせいではないし、温暖化がエアコン業界の陰謀のせいというわけでもない。かれらの売る機械が逆に温暖化に一役買ってさえいるにしても、だ。グローバルな影響それ自体が狙いだったわけではないのだ。しかしそれが唯一のちがいであり、稀少化が意図的にたくらまれたのか、あるいは社会コストの外部化の構造的な副次効果として生み出されたのかを除けば、結果はいっしょである。環境が被るダメージは、稀少化という結果を生み出すがゆえに、あらたな商品化のサイクル、かつての**富**をあらたな**価値**へと商業的に変換する客観的条件となる。それは以前とおなじように、いまでも私的占有が拡大するには公的富の破壊が前提条件となる、という図式のもとに行われる。

かつての公的富が否定され商業生産に統合されてしまえば、そこから利益を得ている者たちにとっては、それが市場の外に豊富にある状態に戻ってもなんの得にもならない。むしろまったく逆である。ボトル入りの水を売っている会社は、客観的に見て公共の水飲み場が消えてしまうことでむしろ得をするはずだ。ならば稀少な状態が続く、あるいは強化されることが必要なのだから、それは公共の環境財を復活させ拡大させる政策とは相容れない。「息をするのとおなじくらい土地を手に入れるのがかんたんだったら、地代を払うものなどいないだろう」と若き日のエンゲルスが書いている[152]。その逆もまた真になる日が来るとはかれも想像しなかったろう。純粋な空気が稀少になる時代には、どうにかして空気代を払わせようと手ぐすね引いている輩がいるはずだ。

ジョン・ベラミ・フォスターが力をこめて指摘するように、支配的な経済が口にする誇大な約束は、いま惑星を破壊しているこの資本主義そのものの拡大によってこの惑星は救われると主張する[153]。ネオリベラル主義者たちは現実をファンタスティックに逆転させ、環境災害にたいする解決策として私的所有を提示するが、しかしその災害はかつての私的蓄積の産物であり、また拡大する商業的占有のあらたな条件である。それは中毒性の依存症の場合とおなじように、緩和すると謳っている苦痛をより悪化させることでのみ、みずからの影響力を拡大する、インチキ治療法なのだ。

第21章　責任化する

ヨークシャー、ランカシャーの鉄道企業の経営陣は自社の切符に、怪我の程度、あるいは経営者・社員の怠業の有無にかかわらず、いかなる事故の場合でもいっさいの法的責任を免れるものとされる、と記載していた。［…］資本にはじぶんたちに都合の良い特殊な道徳らしきもの、一種の上位法があって［…］一般の道徳は貧民にしか関係しないとされているかのようである。[154]

マルクス

一九七一年。車窓越しに伸びた手が紙袋を投げる。紙袋は遠くの道端で破れる。飛び散ったゴミはモカシンの靴を履いた、ある立派な人物の足もとまでひろがる。羽根飾りをつけたネイティヴ・アメリカンだ。そしてクローズアップ。かれはカメラ越しにあなたを見つめる。泣いている。痩せこけた頬を流れる涙がズームされる。音声は消される。スクリーンには文字がかぶせられる。「汚しはじめたのは人間。止められるのも人間。キープ・アメリカ・ビューティフル」[155]。

ネイティヴ・アメリカンは自然である。みなさんは文明だ。かれは、みなさんのやましい良心なのだ。

サバルタンは語ることができない【サバルタンは従属的な社会集団を指す。スピヴァクの著書『サバルタンは語ることができるか』でも知られる】が、つぐんだ口の代わりに見開いた目がものを言う。植民地化される前の処女地アメリカは汚され、荒らされ、虐殺され、そしていまもまた傷つけられている。そのことを無言で非難しているのだ。そしてスローガンが入る。汚染の原因はみなさんだ。それを修復するのもまた当然のことながらみなさんだ。すべてはみなさんの肩に掛かっている。じぶんの罪の意識はじぶんの手で癒すことができる。行動を変えればそれでよいのだ。

エコロジー意識に、そして各人の責任感に訴える見事なスローガンだ。だが、この広告のご立派なメッセージの署名の裏にはだれが隠れているのか。そう思われがちな話とは裏腹に、「キープ・アメリカ・ビューティフル」は環境保護組織ではない。飲料業界と容器業界のコンソーシアムだ。コカ・コーラやアメリカン・キャン・カンパニーもそのメンバーである。このフロント組織が設立されたのは一九五三年のことだが、その設立の背景をたどるのも有意義だろう。

アメリカ合州国では、飲料販売の際の瓶の払い戻しシステムがずいぶん以前から存在していた。客は数セント余分に支払うが、空き瓶を戻せばその分が返ってくる。この容器再利用のシステムは——資源リサイクルとはっきり区別される（ガラスを溶かしはしない、瓶に詰め直すだけだ）——有効かつ長く維持できるシステムで、ゴミを最小限に抑えていた。[156]

一九三〇年代から事態は変わり始める。禁酒措置が解除されビジネスが再開、ビール産業は金属缶を開発する。消費者の慣れ親しんだ、再利用可能なガラス瓶がしばらくは過半を占めていたものの、使い捨て容器のおかげでおいしい展開が見えてきたのである。回収や再包装のコストは削減できるし、中間業者（地域の瓶詰め業者）を排除できるし、流通範囲を非常に遠くまでひろげつつ、生産集約化もできる。

使い捨てが一般化すると、もちろんゴミの量は増えるが、産業界の手は汚れない。一九五〇年代初頭、ペプシを筆頭に続いてコカ・コーラと、炭酸飲料の製造元もビール業界をまねる。方向転換は激的だった。一九四七年には一〇〇％の炭酸飲料と八五％のビールが再利用可能な瓶で売られていたのに、一九七一年ではもはやそれぞれ五〇％と二五％にすぎない[157]。結果として、側溝や分離帯、土手やその他のピクニックの場には、これみよがしに空き缶と使い捨ての瓶が増え続けることになる。これに心を動かされた人びとが署名活動を始め、当局が規制措置をとるよう訴える。一九五三年、ヴァーモント州議会は払い戻しシステムを義務化する最初の法律を採択する。この法制が「そのうち全産業に影響しかねない前例[158]」となることをひとは恐れ、運動を開始するために同年「キープ・アメリカ・ビューティフル」が結成されたのだった。

一九六〇年代、この組織は白い服を着たちいさな女の子、「けがれなきスーザン」が、地面に汚れた紙を投げ捨てた両親を注意している情景をモチーフにしたスポットCMを打った[159]。一九六三年には石油会社リッチフィールドとの共同制作で短編映画を一本撮っている。「輝かしき遺産」と題されたそれは、国土の自然の美を賞賛しつつ、ひとりひとりが汚した果てに行き着く荒廃の末路を告発するものだった。ナレーションは、当時はまだ政治に転向していない、ロナルド・レーガンなる初老のハリウッド俳優が担当した。姿の見えないナレーターが語る。環境への無分別な振る舞いには強い怒りをおぼえる。地域によっては川の土手に立ち入ることさえ禁止しなければならなかったのだが、それは「なにも考えていない釣り人が通りすがりに残していくゴミの清掃費が上昇[160]」したせいだった。むこうでは「よいマナーを忘れた少数の人間のせいで、海岸全体を閉鎖せざるを得なかった」。ちなみにこの映画は一九六二年、

DRINK RIGHT FROM THE CAN; NO EMPTIES TO RETURN

アメリカン・カン・カンパニーの 1936 年の広告[161]
「飲むのもそのまま、空き缶もそのまま」

こちらもまた「よいマナーを忘れた」にちがいない石油施設の下流にあるミシシッピ川とミネソタ川を荒廃させた河水汚染の直後に公開されている。

だが、レーガンの声が非難した、たちの悪い釣り人たちについてもうすこし語っておこう。一九三六年夏、コンチネンタル・カン社はまったくあたらしい缶ビールを市場に投入するにあたって、アメリカ各紙に大規模なキャンペーンを打った。このキャンペーンは自社の新発明の長所をこう讃えた。じつに便利で、かんたんに開けられ、風味と冷たさを保ち、そしてなにより「飲むのもそのまま、空き缶もそのまま」。驚くほどのことでもないが、缶ビールのいちばんのセールスポイントは使い捨てできることなのだ。払い戻しも、持ち帰らなければならない空き瓶もない。メッセージのついた一枚の写真には、小舟に乗ったふたりのシャツ姿の釣り人が写っている。ふたりのそれぞれの仕草は、のんびりした午後の釣りのあいだ飽きもせず繰り返されたことが傍目にも

「キープ・アメリカ・ビューティフル」のスポット CM（1971）

分かる、一連の動作のふたつの瞬間を切り出している。ひとりは肘をあげてビールを飲み、もうひとりは空き缶を手に腕をふりあげ、湖水にそれを投げ込もうとしている。飲んだら投げて、ということだ。

　このあと三〇年もたてば、こんな広告を思いつきさえしないだろう。だが根本的にはなにも変わっていない。使い捨てのメリットは捨てられることにある（そうでもなければ理解できない）。だがもう、そう公言することはできなくなったのだ。最初のメッセージを第二のそれで修正するときが来ている。

　一九七一年のテレビのスポット広告、涙するネイティヴアメリカンのそれにはおなじ仕草が映っている。ものを投げるためにふりあげた腕だ。だがこんどは別の映像、つまり原住民の涙がそのあとに流れる。それはクレショフ効果【前後の映像を編集することでその意味を変える映像技法】でその仕草にあとから別の意味を与えるのだ。いまは抑圧されているが、以前はあからさまだった内容が語っていたのは「わたしを買え、便利だ、一杯飲んだら湖水に捨てられるぞ」だった。それは潜在化され、表向きはこう置き換えられる。「わたしは使い捨てできますが、でも気をつけて、捨てるべきでない場所に捨てると（もうやっちゃったでしょうけど）罪悪感を感じることになります。われわれがそうするようお誘いしていたことではありますが、いまとなってはそれ、禁止です。それどころか罪悪感も芽生えますよ」。だいじなのは**後悔**という影響を引き起こすことなのだ。

『ヴァンダリズムの心理学』についての論文集の一節にはこう書かれている。「社会コントロールの観点では、良心に訴えかけることで［…］恥と困惑への懸念をかき立てることが目指されている［…］。あからさまであれ、陰にこもったものであれ、その役割は人びとに罪悪感を感じさせることにある」[162]。こういう場合、この方法はまた責任感を植え付け、一方を責め他方の名誉を回復するのにも役にたつ。この涙が流れたのはあなたのせいだ。ほかのだれを責めることもできない。

このメッセージは「汚染」という言葉の意味を再定義し、その意味を「ゴミ」や公道へのポイ捨て程度の話にしてしまおうとしている。問題がこうして逸脱行動によるものと整理されてしまうと、解決策は当然、道徳的再教育を働きかけるところから生じるはずだ、ということになる。汚染に終止符を打つには、みなが個人的によいマナーで振る舞えばじゅうぶんなはずなのだ。

産業界はしだいに隠しきれなくなった問題を抱えていた。汚染に責任があるのは「人びと」だけだ、と力説しても無駄で、「人びと」がいなくなったあと景観の真ん中に立ち尽くすように残っているのは、派手な文字でブランド名の書かれた、玉虫色の諸々の物体だけだ。この汚染は、コカ・コーラでもペプシでも、バランタインでもパブストでもミラーでもなんでもいいが、各社の提供でみなさまにお送りされていて、かれらがこのゴミを得意げに宣伝しているような雰囲気が醸し出されている。空き缶を捨てたのがわたしでなくとも、「そのゴミにはうちのロゴが印刷してある」[163]と、全米ソフトドリンク協会の会長は一九七〇年に手短に述べている。コカ・コーラの社長も同様に「わが社のパッケージはとても目立つので、よその製造元よりも非難される」[164]と遺憾の意を表明している。

一九七〇年四月、第一回の「アース・デイ」[165]の数日前、コカ・コーラ社のポール・オースティン社長は銀行家を前に演説をぶった。当時の環境問題に話が及ぶや、かれは二〇〇〇年にはいまのじぶんの年齢になるであろうわが子たちのために、現在進行している「環境殺人」を懸念していると述べる。いずれ地球はひとの住めない状況になる危険があり、人類には「惑星間移住」[166]しか選択肢が残されていないかもしれない。異議申し立てをする若者を口汚く罵る者もいるなか、かれは若者世代への賛辞を公言する。「この国の若者たちは争点に気づいていますー⋯ーわれわれがいっけん無頓着であるからこそ怒っているのです。おおくの学生が活動に加わり、デモをしています」。さて、いまやこの騒々しい若者世代に**感謝**すべき時である。「若者たちの意識と洞察を讃えたい。かれらは警鐘を鳴らすことで、われわれに貢献してくれたのです」。さて、こう提起したあとはなにをすべきか？「政府は問題を解決できません。［⋯］しかし人びとはなにかができるのです」[167]。この二段構えの発言から、エコロジーからの異議申し立て、そしてそれを引き継ぐ規制の気配と対決する産業界のスローガンがうかがえる。公的介入は無意味で、個人に責任を負わせることこそ万能なのだ。

しかし環境保護運動は、こうしてお勧めされたとおりに「無頓着な釣り人」やその他のひどいマナーで休日を楽しむ者たちをバッシングするよりも、汚染源を突き止めることを選んだ。そして収益ばかりを懸念してなじみの容器再利用システムをおじゃんにし、使い捨てを選んだ産業界に異を唱えた。一九七〇年代初頭には、払い戻しシステムに戻すよう製造元に強制しようという提言が多発した。

一九七二年のオレゴン州、ついで翌年にはヴァーモント州で、この方向性にそって「空きボトル法」が採択される。怒りに我を忘れた産業界は、時にじぶんたちの基本メッセージを忘れるほどだった。「今年メーン、マサチューセッツ、ミシガン、コロラド各州で行われる空きボトルについての投票とは、あらゆる手段を用いて戦わなければならない。こうした州でオレゴンへの道を進ませようとしているのは共産主義者か、あるいは共産主義的考えを持った連中だ」[168]とアメリカン・キャン・カンパニーの社長と「キープ・アメリカ・ビューティフル」運動のリーダーを兼任するウィリアム・F・メイは激怒する。

規制という脅威に直面したガラス容器製造業者協会（GCMI）は一九七〇年に、数百万ドルをつぎ込んだ一大広告キャンペーンを打つ。この作戦を担った広告会社はティーンエイジャーのあいだで使い捨てボトルが流行るよう、ミュージシャンたちを売り出すことを思いついた。最初は「ソーダ・ポップとワンウェイ・ボトル」[169]と名付けられたこのグループの使命は「ラジオやテレビのCMを通じて若い世代に、炭酸飲料を買うときは使い捨てボトルを選ぶよう説得する」[170]ことだった。このグループは初期のシングルで「使い捨てボトルで元気いっぱい、いま絶好調……町まで持って帰ることなんてないさ」と歌い上げた。[171]それが即座に物議を醸すことになると、つぎはすこし後戻りする。GCMIの会長は「われわれは失敗した、環境問題が政治の緊急課題だと予想していなかったのだ」[172]と認めている。グループは「ガラスボトル」と改名し、テーマも遠回しになった。ミュージシャンたちは長髪にインド風のチュニックにボサボサ髪をまとめるヘアバンドというヒッピー風のかっこうで、甘ったるいムードにあいまいな言葉遊びを詰め込んでボトル入りソーダの良さ（ガラスは清潔で味も長もち……）を歌うことにし、[173]あまりにあからさまに使い捨て容器の便利さを力説するのは諦めた。

しかし、反払い戻しシステムのキャンペーンはこんな低レベルの歌謡プロパガンダより巧妙な、別の方法でもおこなわれた。一九七〇年、第一回の「アースデイ」の二日前、GCMIはロサンゼルスでリサイクルの試行プログラムを開始した。提携する各種団体や学校、教会の仲介で動員された住民たちは、回収されたガラス五〇〇グラムごとに一ペニーと交換するという目的で、開放された回収センターに広口瓶や空きボトルを持ってくるよう誘われた。[174]「経済的観点からもエコロジー的観点からも、払い戻しの対象にならないボトルを禁止したり課税したりするよりは、リサイクルするほうが好ましい」[175]ことの証拠を示そうとしたのである。メディアは連日、回収されたボトル数の報告を受けた。参加者数は期待以上だった。一ヵ月も経たないうちに、週あたり二五万本のボトルが山となって回収された。この成功に勇気づけられたGCMIは翌年、「ゴミポイ捨て禁止週間」にあわせて全国規模のリサイクル・プログラムを実施に移す。

産業界はこうしてリサイクル活動を、払い戻し義務化と使い捨て容器禁止という計画の代案として売り込んだ。産業界のロビーがリードし勝利を収めたこの反撃が幕を閉じるころには、「リサイクルはもとを断つという強制プログラムの補完ではなく、唯一の選択肢となった」[176]。産業界がプッシュする分別とリサイクルが実践され始めた段階ですでに、家庭ゴミの量は爆発的に増加していた。

この例は、いつのまにやらおおくの領域で現代版の「倫理的ネオリベラル主義」の戦術原則のひとつとなった、**責任化**の手順の典型である。その最初の役割は規制回避である。つまり法的強制よりも、善意をかき立て自発的な参加を刺激することで行動を統治することだ。ロネン・シャミールの分析によれば、責任化は「モラルを持って行動する能力を構築し、またそれを自明の前提とする要請」、「当局権限が横のレベルで強制力を展開することに協力できるとされた、反省的な主体性を動かす統治技法」[177]である。

責任化は主体の自律に訴えかける。じぶんのことはじぶんで引き受けじぶんで統治する、とされる諸個人にむかって話しているのだ[178]。一九八〇年代初頭、トーマス・シェリングは**じぶん自身をマネジメントする技法**をあらわす「エゴノミー」という新語を提案した[179]。じぶん自身がだれか他人であるかのように扱うことは、「ひろくみられるセルフ・マネジメント技法」[180]だとかれは指摘する。責任化は、この意味でのエゴノミーだろうか？　おそらくそうだろう。しかしそれは、他人にそのひと自身をマネジメントさせることで、その他人を支配する技法として登場したものでもあるのだ。じぶんの方向性を反省する能力の活用をもとに、他人を支配する技法である――他律のなかの自律なのだ。

かれらが消費者のエコロジー的責任化に訴えかけたのは、払い戻しシステムが解体され、そして再処理コストを免除された瞬間、構造的に反エコロジー的な決定がなされたまさにその瞬間のことであった。これはモラルに裏表があることの典型例だ。ここでは、じぶん以外のすべての人間に適用される規範が主張される。じぶんの責任回避のために、他人を責任化するのである。

広告キャンペーンのおおきな後押しによって、産業界はゴミ問題を「生産プロセスとは関係のない個人の責任問題」[181]に、つまり産出源からのゴミの削減問題とは無縁のものとすることに成功した。われわれ各個人が、じぶんたちのこのか弱い肩にすべてがかかっていると思い描いているとしたら、それは少々浮かれすぎというものだ。しかし、いっけん分かりづらいが、台所で容器の分別にかまけているわれわれもまた、地方公共団体をはじめとするその他諸々と並んで、指数関数的に増える家庭ゴミに直面し、必要なインフラの財源のための投資や借入を強いられた関係者なのである。とはいえ結局、「飲料産業の生産した容器のリサイクルシステムに（じぶんたちの活動と税金を通じて）助成金を出し、企業が追加コストを引き受けることなく活動拡大することを許している」[182]のは市民なのだ。

一九七〇年代、産業界は活動家の運動のレトリックを再利用して、責任感あるちいさな行動を通じて「参加し」、「闘争を続ける」ようアピールを発した。議論の流用の仕方は大雑把だったが、それが問題にならないほどかれらの戦術は繊細で、エコロジー運動の地位を奪えるだけの反撃行動を導入しなくては、かれらの運動に打ち勝つことはできないだろう、と理解していた。涙を流すネイティヴ・アメリカンのキャンペーンは、こうして「汚染を食い止めるためにあなたのできる七一のこと」[183]を載せたパンフレットにつながっていくのである。産業界ともめごとを起こすよりは、むしろその利益と両立する非敵対的な指針に則って方向を修正しつつ、湧きあがる行動意欲も満足させられる、そんな飼い慣らされた参加形態を推進するよう努めていたのだ。

耳にたいへん心地よいことをささやいてくれる、それこそがこうした戦術の心理的な長所だ。そしてまちがっているわけでもない。もっとも、適切に理解すれば、の話だが。すべてはみなさんにかかっている、「ちがいを生む」力を持っている。これらは、日常生活の実践レベルまで含め、いまここで事態を変えたいという強い願いに出口を見つけてやろうと努めている。しかし、それを人畜無害な行動形態に取り込んでしまうのだ。リサイクルの企業プロモーションはこの種の戦術である。非政治的な**雑事**にかまけるよう仕向けることで、潜在的な反対派を丸め込むのだ。[184]

この奇妙な倫理的ネオリベラル主義は、無意味とされる政治活動に対抗して、連帯精神によるミクロ活動を掛け持つよう促す。だがかれら自身の行動がすぐにそれを否認する。環境規制プロジェクトを失敗に追い込むために、産業界は活発に政治活動をおこなっていたからだ。かれらは**烏合の衆**として行動するどころか、逆に**コングロマリット**へと結集する、つまり集中的に行動できる集団へと結集しているのである。[185]

一九六〇年代、登場して間もないエコロジー運動にとっては、フェミニズム運動とおなじように「個人的なことは政治的なこと」であった。支配関係を日常生活の奥底まで突き止めなければならなかったのだ。革命もまた、無反省な習慣やプライヴェートと言われる行動をあらためて問い直す過程を経るのだから。生活形態をフラットな状態に戻すことは、まったくもって革命的政治の次元の一環だ、と見なされる。個人的行動を変化させるよう働きかけつつシステムを変えるよう戦い、堆肥を作りつつ政治活動もする、こういったことが排除されるわけではないのだ。

産業界の推す責任化の言説こそが、個人の行動のミクロな改革を政治活動の代替プランとして推奨することで、ふたつの次元を分離させ対立させた。ミクロな変化とマクロな変化という偽りの二項対立を広めたのは産業界なのだ。「システム変更」の要求は、もう絵空事だ、ユートピア風の不毛なものだと言われてしまう。そして各個人の実践形態の自足性なるものこそ、集団活動や紛争など抜きにして、純粋になにかをつけ足すだけで事態を変えられるものだと評価される。産業界はこのふたつを対置したのだ。

つぶさに考えると、この歴史には逆説めいたものがある。払い戻しシステムは現金払いという利益を利用することにもとづいている。よき経済人間たるもの、空きボトルを持っていけば、五〇セントを取り戻せるわけだ。これは利益による統治装置で、古典派経済学の人類学的な諸々の前提ともマッチしている。まさにこの原動力を他の、それも利益のない動機にもとづいたなにかと取り替えようというのである。純粋に全体の利益を気づかって、これからはゴミを分別しよう、というとき、わたしには見たところそうする利己的な動機はまったくない。経済人間と政治人間のあいだに[186]、こうして第三の人物像が登場する。倫理人間、つまりシステムのマクロな悪徳にたいし、じぶんなりのレベルのミクロな美徳で反撃することを買って出る「責任ある」主体である。

ただし、このあらたな倫理的統治はほかの統治、つまりこの統治の行動主体そのものを支配している経済的統治を駆逐するわけではない。それを捨て去るのではなく、上書きするのである。倫理的主体として呼びかけられた当の個人はつねにまた、それよりもはるかに強く、経済的行動主体として呼びかけられているのである。ゆえに、だれもがこの矛盾する命令の引き起こす緊張関係を管理する必要があることになる。経済的に効率よく、しかしエコロジー的に責任感をもって、というわけだ。

責任化は、個人の心理生活におけるこの矛盾関係に、つまり、**ジレンマによる統治**という形態から生じるやましい良心のあらたな人間像につけられた名でもある。活動の倫理的次元と経済的次元が引き裂かれている世界では、主体は「天上と地上の二重生活を」生きることになる、と若き日のマルクスは書いている。かれらは経済的行動主体としての「地上の」生活と、倫理的主体としての「天上の」生活とに引き裂かれている。「しかし、政治経済と道徳とを信じるわたしはなにものでなければならぬのか?」[187]。

答えるのは難しい。なぜなら「すべては疎外の本質にもとづいているからである。それぞれの次元が食いちがい矛盾する規範を、つまり道徳は一方を、経済は他方をわたしに適用する。なぜならそれぞれが人間にとってのある特定の疎外であり、それぞれが重要だが疎外された活動の特殊な次元を支えているからだ。それぞれが他の疎外にたいする疎外関係に巻き込まれている」[188]。

道徳が悪しき振る舞いと呼ぶものは、まさに経済が良き振る舞いと呼ぶものの極致の表現である。経済的に良い振る舞いは、利益調整装置と競争原理の規律、そしてエージェンシー関係の締結によって支配されている。倫理的統治は、脱政治化された行為主体が個人で責任化することで、市場の強力な統治メカニズムを超越できるのだとわれわれに信じ込ませようとしてきた。「産業社会、普遍的競争、自由に自己の目的を追求する私益を［…］認め、受け入れるよう強いられ［…］同時にある特定の個人にたいし、事後的にこの社会の本質のあらわれを打ち消すことを望む［…］。なんと巨大な幻であることか」[189]。

経済的無責任化と倫理的責任化、具体的な習俗の崩壊と、抽象的な道徳化の呼びかけと、両者は矛盾する統一体を形成しながら両立する。二重性を否定するだけではじゅうぶんでない。この状況でどうしても問うべき問題はむしろ、どうやってこの矛盾をかき立て、道徳的ジレンマを政治的紛争に変換するかである。

第 VI 部

統治不能社会

第22章　民主主義の統治性の危機

これらの哲学者たちは［…］すべての動物のなかでもっとも統治が難しいのは人間だ、と考えた。[1]

ウォルター・バジョット

アイディアはあたらしいものではなかった。報告によれば、もう何年も「パーティーのカクテルのあわいを飛び交っていた」。[2]たいせつな君には話しておこうと思うのだが、この国は統治不能になったのだよ。だがネオコンの一連の知識人たちは一九七〇年代なかばから、反動派のあいだでは月並みなこの話題を理論化しようと決意を固めていた。

一九七五年、三極委員会は物議を醸す文書を刊行する。『民主主義の危機――民主主義の統治性についてのレポート』[3]である。こんにちではとくに『文明の衝突』で記憶されているサミュエル・ハンチントンが共著者のひとりである。

歴史的には民主主義はつねに「政治に積極的にかかわらない比較的おおきな周縁人口を含んで」[4]いたのだ、とこのテクストは指摘する。ギリシャの民主主義は奴隷、外国人と女性の排除を基礎としており、制限民主主義は貧民の排除を、アパルトヘイト民主主義は黒人の排除を、父権的民主主義は女性の排除を基礎としている。この隔離は「本質的に反民主主義」ではあったが、しかしそれでも「民主主義が効果的に機能することを可能にした」[5]とこのテクストは主張する。

さて、かつては「受動的ないし非組織的」だった「周縁的な社会集団」——黒人、ネイティヴ・アメリカン、メキシコ系アメリカ人、女性……——は完全な権利を持つ政治主体になろうという姿勢を示している。[6]「家庭でも大学でも、企業でも、規律は緩み、立場のちがいはあいまいになった。各集団はみずからに影響する決定に平等に、さらには平等以上の立場で参加する権利を主張した」。[7]

ハンチントンはこの「民主主義の爆発的拡大」を言祝ぐどころか、そこに「一九七〇年代の民主主義の統治性問題」[8]の源泉を見てとり、懸念する。「その役割を拡大し、権威を覆したいという要求のせいで、政治システムに過負荷がかかる」[9]ことが危険なのだ。この反動的思考は、ジャック・ランシエールが示したように「**民主主義的統治**の危機を生じさせるものは、**民主主義的な生活の向上**以外のなにものでもない」。[10]民主主義が過剰になれば、つまるところ民主主義を殺すのだ。

ハンチントンは結局のところ、民主主義はつねに爆発し続ける体制にすぎないという、政治哲学がギリシャ以来飽くことなく繰り返し続けてきた古典的なテーマを現代化したのだった。しかしながらかれにとっては、本質的に「統治不能」な統治形態としての民主主義一般を批判することよりも、状況の検討をもとに危機を脱出する戦略を展開するほうが重要な問題であった。[11]

文法的な表現が示すように、「**民主主義**の統治性」問題を喚起することは、そうした体制が体制下の主体を統治する能力というより、**体制自体の統治されうる能力**を問い直すことである。国家はみずからに影響を及ぼす危機によって麻痺させられるどころか、逆に活動増進の兆しを見せたのである。異議申し立てに応答するかたちで国家は介入し、規制し、惜しみなく金を出す。民主主義の統治性の危機が、後退というかたちではなく統治活動の拡大というかたちで姿をあらわすのだ。この分析によれば、統治不能になりつつあったのは統治現象それ自体である。

かつて人間は神へ訴えかけたものだったが、「いまや政府に訴えている」[12]とアンソニー・キングは一九七五年に表明した。人間は神たる政府にすべてを期待する。戦後に用いられたケインズ主義的諸政策は、「解決した以上の問題を作りだした」のであり、とくに人びとがみずからの権利について誇張された観念を抱き、あまりに平等を重くみるよう誘導したことがあげられる[13]。この状況であれば「組織されたマイノリティ」にとって、炎上を煽ることは容易である。ケインズ主義的国家と社会運動、これこそ、保守派の知識人にとって「リベラルな代表制民主主義にのしかかるふたつの慢性的脅威」[14]である。これらの影響が組み合わさると、「社会にたいする期待のインフレーション」、「要求のスパイラル」を増大させることになり、それが政治権力に抵抗不可能な圧力を行使することになる[15]。逆説的なのは、おなじ社会的扇動が、左派のある者たちにとっては統治されることを拒絶しているあらわれと理解され、同時期の右派にとっては無限に政治介入を要求するものとして解釈されたことである。

福祉国家がいかに譲歩を重ねようが、熱気は収まらない。逆に、あたらしい贈り物をするたびに、飽くことないデモス【古典ギリシャ語の〈民衆〉。ここでは民主主義の主体としての民衆を指す】の食欲を煽るばかりであるかのように事態は進行した。「過度の期待を生み出す」[16]ことは代表制民主主義に内在する危険だ、と『ファイナンシャル・タイムズ』

のサミュエル・ブリタンは書いている。さて、「要求量と統治能力のあいだの不均衡」がある以上、この期待は幻滅に変わらざるを得ない[17]。ここから悪循環が生じる。国家はみずからの活動を拡大することで権威の浸食に対抗しようとし、それが期待を高め、その期待が欲求不満に陥るとまたしても正当性を失うことになる。それをおなじやり方で埋め合わせようとするのだが、こうして政府活動が拡大するごとに国家の権威は弱体化する、という無限の循環が回りはじめる。

問題は政府があまりに「圧力団体」の要求に影響されやすいことだ、とひとは言う。しかし、政治指導者たちはこれほど受容的になってしまうのか？　ある者たちはそれを、代表制民主主義の機構そのものによってそうなるのだ、と立証しようと試みる。

一九四〇年にシュンペーターは民主主義を「民衆の票をかけた競争」[18]と描き、アンソニー・ダウンズは一九五〇年代に「民主主義の経済理論」[19]を定式化したが、それに倣うようにあらたな思潮「公共選択学派」は一九七〇年代、市場のパラダイムを政治分野に拡張することを提案した。「国家およびすべての公共経済の歯車に、この四〇年来市場経済の欠点や不具合を検証するのに用いられてきたものとおなじ技法を適用する」[20]ことがその論点である。かつて「立憲主義者」たちが企業を私的統治と理解していたのにたいし、公共選択の理論家たちはそれをひっくり返して、選挙制民主主義を政治市場の一種として分析することになる。

このプリズムをとおして見ると、選挙の立候補者は複数の政党が「統治装置の管理を賭けて定期的に選挙で競争する」[21]市場において、票を公約と交換する政治企業家として姿をあらわす。そして当然、「票を積みあげるもっとも単純な手段は、選挙民にかれらの望むものを与える、あるいはすくなくとも与えるような顔をすることである。選挙民の意見を無視する政治家は、北極でビキニを売る商人くらい珍しい」[22]。

政治家は「公共支出の削減を擁護するより、あらたな支出プログラムを提案するほうがかんたんに追加の票を積み上げられる」[23]のだから、「西欧民主主義において、国家支出の増大に賛成の政治協定はつねに［…］こうした支出の増大に反対しようと試みる納税者協定のどれよりも有効である」[24]。ひとたびこうしたプログラムが動き出せば、ラチェット効果【それまでの状態を維持しようと働く歯止め効果】が始動する。いかなる政府も票を失うリスクを冒さずに事態を後戻りさせることはできないだろう。

「公共選択」の理論家たちが説明するところでは、かれらには悪化する一方に思える福祉国家の肥大化は偶然の現象ではなく、選挙市場の機構の正常な結果である。ゆえに問題は影響されすぎる統治者たちの心理的な弱さのせいではなく、民主政体における統治人の根本的合理性である[25]。つまり皮肉なことに、この理論はみずからの社会陣営が抱えている可能性のある欠陥を予見しながら、すくなくとも当初はなんの解決策も提案しなかったのだ。

かれらが言うには、政治家は「よりちいさな政府を望むよう市民を教育」[26]すべきであったのにそうしなかった。選挙至上主義のエスカレートにより、不人気な演説をぶつよりも、つねによりおおきな社会国家を約束する方を好んだのだ。しかし、解決策を垣間見た、と信じた者たちもいた。このデマゴギーの対案となるのは、政治団体はひとたび選ばれるや、必然的に期待を裏切ることになる、ということではあるまいか？　その結果、「システム全体が不人気な政府から別の不人気な政府へと単純に揺れ動くことになる」[27]。それが政治交代の理論であった。双子のような二大政党のあいだを振り子のように行き来するわけである。救いはまさにこの幻滅の連続から訪れるのでは、とローズは推測する。「それぞれの政党が続けざまに選挙民を満足させるのに失敗する、そのことで、その失敗を幾度も目の当たりにしてきた政府にはあまりおおくのことを望まないよう選挙民を導く教育効果を持ちうるのではないか」[28]。政権交代、繰り返される欲求不満の経験、そういったことが幻滅した有権者たちを政治の健全なリアリズムへ転向させるかもしれない。

ジェームズ・ダグラスは反論する。たしかにそうかもしれないが、おなじように「振り子が揺れるたびにそのぶんだけ二大政党制全体が正当性を失っていく」[29]こともありうる。どこまで下降していくことになるのだろうか。底を打つまでに何回、政権交代が？　予言された崩壊が終わればなにが起きるというのか？　関心の喪失がおおきくなれば大規模な棄権につながる、と考える者もいる。それだけで済む可能性は低い、と考える者はほかにもいる。クラウス・オッフェは一九七九年に「こうして幻滅が積み重なると、その爆発力は二方向に炸裂してしまいかねない」と推理している。一方においては政治対決する両陣営の過激化が進んだことで「政党制の内部での分極化」が、他方においては「政党制と、議会外の手法で働きかける社会運動のあいだの分極化」[30]が、それに該当するものになろう。それらはいずれの場合でも大規模な政治的爆発を引き起こしかねない、化合可能な選択肢なのだ。

こうしたサイクルは「パリの一九六八年五月の出来事に類似した対立で頂点に達するか――それは体制を転覆するには至らなかったが、その権威の限界を指摘することになった――さもなくば一〇年ほど前にフランスで起こったようなクーデターに通じるか」[31]になるのでは、と想像する者もいる。つまるところ最終的には、もはやふたつの可能性しか残らないということだ。蜂起前夜の状況か、そして／あるいはボナパルティズム【ナポレオン三世に代表される、中産階級と貧困層のそれぞれに機会主義的に肩入れしてみずからの支持基盤とする独裁体制】か。安心しよう、というのも「ポジティヴな」シナリオでは「個々人は混乱から守ってくれる政府へと目を向けると予想される」のだから。それこそが危機を前にして、「強い政府」へ向かう道である。[32]

なんにせよ、問題が構造的であるならば、「民主制そのものに内在する力学」[33]に含まれているものならば、弥縫的な反撃策で満足できるわけもないことはたしかである。悪の根源と特定されたものを、なんらかの手段で攻撃しなければなるまい。

当時からブリタンは、「リベラルな民主制は内的矛盾に苦しむ」[34]ことを認識していた。この頃、「保守派の危機理論ルネサンス」に向けて活動していた右派の知識人たちは、それまでマルクス主義的なスタイルの専売特許であったボキャヴラリーまで駆使し始める。左派の側でも、こういった「新マルクス主義的アイディアを保守派の目的に利用しようという試み」を、対立陣営の理論的貧困さ、「イデオロギーの破綻」の症状、と解釈する者もいた。[35] クラウス・オッフェの読みはそこまで楽観的ではなかった。構造的危機の言説は陣営を移りつつある、とかれは指摘した。一九六〇年代末、「こんなことは続きはしない」と確信を持っていたのは左派だった。一〇年後、こうした感情がかき立てる闘争心を引き継いだのはかれらの敵対陣営だった。[36] かれらにとって危機理論を作り上げていくことは、よく練られた行動プログラムの定式化に欠くべからざる前提だったのである。

「ラクダは重い荷を背負うことのできる獣だ。しかし限度を超えれば一本の藁を載せただけで背中が折れてしまう」[37]。政治学者リチャード・ローズはこの寓話を「要求の過負荷」という観念を説明する際に利用した。ラクダの役を演じるのは国家だ。藁束やら干し草の束の役を演じるのは社会の要求である。[38]

おなじくダニエル・ベルも一九七四年に、いたるところから国家へと集まってくる泣き言のせいで支出の増大を余儀なくされ、財政危機を引き起こす予算の過負荷が生じる、と分析している。[39] ネオコンの知識人たちはこのテーゼをひとりの若いマルクス主義経済学者、ジェームズ・オコンナーから借用した。このときかれは『国家の財政危機』[40]を論じた大著を出版したばかりであった。

のちにかれが告白するところでは、この著作の主要な着想が訪れたのは、とある朝に新聞を開いたときのこと、一面で報じられている、見たところ多種多様な情報すべてがじつはおなじ論理に与している、と考えついたときだったという。「社会扶助反対運動、教員ストライキ、国から企業へのあらたな補助金、税を巡る論争。まさにこの瞬間、階級闘争は（部分的に）国家とその予算へと移動したのだと納得した」[41]。だれが税収に貢献しているのか？　どの程度の規模で？　公的支出はなにに充てられているのか？　こういった問いは多様な社会的利害の争いを引き起こし、階級闘争が税闘争に拡大されるのである。ベルは論じる。「階級闘争のあたらしい領野は税制論争である」[42]。ネオコンはオコンナーの中心的テーゼをかれらなりに考察しつつも、かれの推論の大部分をそぎ落とし、予算危機にたいする単純化された単因子による説明に切り詰めてしまった。双方ともに公共財政の危機の存在を認めていたにせよ、説明は分かれる。ネオコンにとってはなにより民主主義‐福祉国家の欠陥のせいである。新マルクス主義者の分析はより複雑だ。

かれらの論証によれば、問題は資本主義国家が「根本的かつしばしば矛盾する」ふたつの使命を果たさなければならないことである。蓄積機能（「私企業の資本蓄積を助ける」）と正当化（「システムにたいする大衆からの忠誠心を確保する」)[43]がそれにあたる。

公的介入はかならずしも私的経済活動に課された制約ではない。それどころかその発展を促進する重要な役割を演じていると、かれらはリベラルの経済教義に反論して修正を加える。インフラや運送・コミュニケーションのネットワーク、さらには保健や研究、教育にたいする「社会投資」支出を通じ、国家は資本蓄積の諸条件に決定的な役割を担っている。ただし、こうして維持され助成された民間蓄積は、反対運動を起こすような社会・環境コスト、さらには対抗してあらたな国家介入が必要になるような社会紛争を生むことになってしまう。国家がみずからの正当性、ならびに支配的な経済秩序への同意を維持したければ「経済成長の〈コスト〉をかぶるさまざまな要求に応えなければならない」[44]。ネオコンが切り貼りした紹介とは逆に、構造的な支出圧力は二重であり、第一極を安定化させたことで、その反作用によって第二極も安定化させなければならなくなるような弁証法的図式にそっている。

この構造的矛盾が恒久的なものなら、経済後退期にはその矛盾は激化する。ゆえに国家は、税源が縮小している以上、蓄積という責務を減じることなしにはもう正当性という責務に金を回すことはできない、あるいは逆も然り、という時期にこそ、このふたつの基本的任務を同時に保証し続けなければならない。サプライサイド政策という口実で、資本や最富裕層の資産と収入からの税収を削減する、と選択すればなおのこと、予算状況は急速に維持不可能なものになるだろう。

しかし、この「危機管理の危機」はより深い矛盾に根ざすものでもある。問題は、公共政策が「民間生産の機能不全の帰結の解決を担当しなければならないときでさえ、民間生産の優位を侵害する前提はもたない」[45]点にある。国家は自己破壊的傾向のある資本主義を絶えず救済しなければならないが、その傾向を決定した根本的な経済関係にはけっして手を触れることがない。あえて社会調整手段をとろうとするやいなや、利害のロジックではどうみてもそれが必要不可欠であっても、資本にとってはみずからの経済的自由に課された受け入れがたい制約と感じられるのである。ここにジレンマがある。国家は上流では蓄積の条件を保証し、同時に下流では蓄積によって損なわれたヘゲモニーを維持するための介入をしなければならない。国家が効果的に正当性行使の機能を果たそうとすればどうやっても資本からの即座の反対に見舞われるときでも、それは変わらないのだ。このため、資本主義社会は「つねに統治不能である」[46]とオッフェは結論づける。

こうした矛盾を緩和するために、危機理論のネオコン版では、つまり部分的かつデフォルメされた再利用版では、当初の表明されたものから立場はおおきく変えられている。ハンチントンはベルの肩を持って「マルクス主義者たちが誤って資本主義経済に帰したものは、実際には民主主義政治の帰結なのである」[47]と断言する。この考えでは、問題はもはや資本主義の経済機構ではなく、「民主主義の」政治機構である。「現代社会の諸困難は〔…〕市場経済の欠陥というよりはむしろ、われわれの政治制度の欠陥を暴露しているのである」[48]。

ゆえに、うわべでは自陣に取り込んだように思わせつつも、見かけの類似性にもかかわらず提起された問題は同一ではない。ネオコンたちの修正によれば、問題はいかに資本主義的関係に手をつけることなく国家の統治性を回復するのか、である。「民主主義の統治危機」は危機理論から切断された再定式化のことなのだ。

かれらにとって、すべての政治経済批判は原理的に排除されているため、この言説は必然的に統治理性批判へと矛先を向ける。ネオリベラル主義者たちは言う。統治性の危機は「民主的」決定という既存の形態や、「現在の集団的選択メカニズムの構造に内在する欠陥」に、そして「西洋民主主義が前時代的な政治技術に囚われている」という事実に由来するものだ。結果として、「われわれの時代の挑戦は経済的なものではなく［…］制度と政治の次元から発せられている。すなわち、**あらたな政治テクノロジーを想像すること**」[49]。予告されているのは統治技法における革命か、あるいはむしろ対抗革命か。ヘゲモニーの物質的基盤としての福祉国家、社会調整の方式としての公的介入、市民社会と国家との弁証法としての代表制民主主義。これらすべてが一から検討されなければならないことになろう。

栄光の三〇年の福祉国家はしばしば、高度の成長と低度の社会紛争とを同時に維持することを可能にした歴史的妥協と紹介される。一九七〇年代なかばになると、支配階級のあいだで事態がそのように受け止められることはまったくなくなった、あるいはもはやなくなった。安定をもたらす制度、闘争を封殺する手法として喧伝できるはずだったものが、はっきりと矛を逆しまに向けたのである。アンドレ・ゴルツは別の視点からこの検証をおこなっている。「福祉国家の創設者たちの予見とは逆に、社会保護と社会扶助は人民を資本主義社会と和解させはしなかった［…］。あらゆる領域に介入し、規制し、保護し調停することで国家は［…］矢面に立たされた。［…］社会レベルでの〈統治性の危機〉は企業レベルのそれと同様に、あるひとつのモデルが消滅したことをあきらかにした」[50]。社会国家が「それまでおこなったことがなかったほどに市場の機能を制限することでしか、規制と調停の権力を保持する」ことが期待できないという限界状況に達したのである。それは「ブルジョワジーとの対決を意味していた」[51]のだった。

ハンチントンもまたふたつの壮大なシナリオを構想していた。一方は「楽観的」なもので、「民主主義の開放性と多元性が、変わりゆく状況への対応を可能にし、こうして長期的なシステムの安定を保証するだろう」。他方は「悲観的」なもので、この場合統治性の危機は深まり、「システムの過負荷、そして最後には両極化と崩壊」[52]にいたるだろう。

七〇年代、右派の知識人は概して憂鬱そうだった[53]。危機は深刻だ。資本主義は敗北へ一直線だ。だからかれらの書き物にはしばしば黙示録的な雰囲気が漂っている。「リベラルな代表制民主主義は、時とともに急速に規模を増していく恐れのある内的な矛盾に苦しんでいる［…］。現在の徴候を見るに、いま成人に達している者は生きているうちにシステムの死に立ち会う可能性がある」[54]とブリタンは予言している。

左派はこう評している。「三極委員会の悲観主義は、かれら以外のあらゆるところに楽観主義を醸し出すことになろう。権力を保持しているグループが、いまそれを失いつつあると考えているのなら、それはかれら以外の全員がそれを勝ち得つつあるからにほかならない。かれらの世界が崩れ落ちるなら、それはわれわれの世界が築きあげられるということだ。かれらの恐怖はじつのところわれわれのチャンスの鏡映しの姿なのである」[55]。

保守派の喧伝した杞憂は、あるいは真の敗北主義でさえあったかもしれないが、しかしそれはむしろ挽回への飛躍の原動力となった。滑り坂を転げ落ちて破滅にいたるかもしれないと警告することは、歴史の運命を信じているという意味でも、政治活動は無益だと信じているという意味でもない。**条件付きの不可避性**という論法なのである。もしなにもしなければ、われわれを待ち受ける運命はかようなものになろうが、しかしそこから抜け出すために行動することはまだ可能なのだ。

ハンチントンは書いている。ひとつたしかなことは、「民主的政治の持続性を確保するためには〈見えざる手〉を」計算に入れてはいけない。手短に言えば、「自動的な自己修正という仮説とは逆に」[56]**介入**が必要になるはずなのだ。そうやって奮起しなければ、ここまでに認識された諸問題は「山積していき、まちがいなく政治秩序を破壊して終わる」[57]。

ダーレンドルフも同意する。もはや溶けたヒューズを一個一個取り替えている場合ではない。実際は「われわれに必要なのは、あたらしいヒューズのシステムなのだ」[58]。フリッツ・シャルプフも同様にこう述べる。「必要なのは福祉国家のメカニズムの特定の要素の部分的な修復や改良ではない。権力のあたらしい配置図である」。「半世紀前の自由放任型の資本主義から福祉国家型への変化」[59]にもなぞらえられる大規模な変化だ。しかし方向は反対である。うしろに向かっておおきく跳ぶのだから[60]。

第23章　チリでのハイエク

資本主義と民主主義は歴史的には同時に登場し、両者ともに哲学的リベラル主義によって正当化されたが、両者がセットであることの理論的ないし実践的必然性はなにもない。[61]

ダニエル・ベル

「大企業を襲う脅威は［…］われわれの政治的民主主義の形態と市場システムの根本的な摩擦に由来する。両システムが最終的には並び立てないことについては確信がある」[62]。一九七八年、ジェンセンとメックリングがここで主張したことは真面目に受け止めるべきだ。急進左派にとっては、資本主義を脱しないかぎり真の民主主義はありえないものだったし、また右派ではおおくの者が、なんらかの方法で「民主主義」を放り出さないかぎり資本主義に救いはないだろうとおおっぴらに考察するようになった。[63]

ハンチントンはこう書いている。「民主主義の病への唯一の治療薬はなによりまず民主主義である」と主張する者もいる。しかし現今の状況ではそれは「火に油を注ぐ」ことに等しい、とハンチントンは答える。政治システムが効率的に機能するためには被統治者たちに「いくらかの無気力と無関与を注入する」[64]

必要があるのだから、必要なのは逆に「民主主義におけるより高度の調整」[65]なのである。

民主主義はしたがって、調整によって完成される。しかしこの大々的な政治化の時代にどうやってその種の節度を課すというのか？　人口の一部を規約によって排除することはもう考えられるオプションではない以上、黒人や女性、その他のマイノリティが「自己限定する」必要がある。[66]かれらが**わきまえること**を学んでくれればいいのだが。[67]

しかし、それに頼りすぎるわけにはいかないことはもちろん百も承知だ。「ポスト産業社会において露呈しかねない緊張関係のために必要となるのはおそらく、より権威的で効率の良い政府決定のモデルだろう」とハンチントンは警告し、そして冷淡にこう付け加える。「ポスト産業時代の政治はポスト産業社会のもっとも暗い側面をあらわすものかもしれない」。[68]

当時、ある批評家が記したように、「民主主義の統治性についてのレポートの類を見ない露骨なトーンは、アメリカ社会のタブーを犯すものだ。あなたがたがどれほど民主主義を憎んでいようが、その一般向けの修辞表現を逸脱すべきではない。だからこそこのレポートは、三極委員会のなかでさえも真剣な論争を引き起こすことになったのだ」。もっとも「西洋知識人たちは、ほとんど存在しないも同然の過激な少数派だけがいまなお扱っているような仮説の世界を、全力を挙げて論じている」[69]のはいつものことではあるが。

一九七五年の京都での三極委員会会合でのハンチントンの発表のあとの議論で、ダーレンドルフはやんわりとかれの問題設定を批判した。政府の権威を再建すること、それには政治的のみならず経済的にも強い国家が含意されている、とハンチントンは示唆しているのではないか？　それは介入主義国家つまり統制国家のことか？　さて、「民主主義の争点のひとつは、人びとやグループが政府や政治組織の指示によって広範に規定される環境よりも、市場環境とでも呼びうるもののなかで活動することを認めるか、である」[70]と考えるほうがよくないだろうか？　論争の争点はハンチントンの喚起する権威主義的な方向転換の性質にかかわる。それは経済面ではリベラルなのか否か？

ダーレンドルフは別のテクストでも問題の座標を説明している。「(政府がじぶんで煽った期待に応えられるための絶対条件である）経済成長が行き詰まったその瞬間から、民主主義政府は深刻な厄介事に直面することになる。コンドラチェフの波【長期的な景気循環の波】のとば口に――つまり四半世紀の低成長すなわち経済衰退に――立っていると仮構すると、民主的な政策はもうなすすべを知らないだろう。この長い低迷期を生き延びるには権威主義の諸要素を導入するよりほかにない――つまるところハンチントンの結論もそういうことだ」[71]。というのも結局は、リチャード・ローズが皮肉っぽくコメントしたように、「大衆からの合意を失ってしまった体制でも実行力さえ保っていれば依然として、円滑な政策遂行のために強権による威嚇に頼ることが可能だ」[72]。

われわれにとってそのことは、ある意味で最初から多少なりと予告されていたことである。われわれは「統治不能」という言葉の来歴そのものに警戒心を抱いてもおかしくなかったはずだったのだ。政治理論に再導入される以前は、この語は警察用語で、とくに「少年警察」の文脈では「非犯罪的問題行動」を指すものだった。当局にとって未成年を「統治不能」と形容することは、違反や不正行為がない場合でさえ、頻繁な逸脱行動だけを理由に強制措置ないし矯正措置にしたがわせることが可能になる、ということだった[73]。指導階級がその臣民たちの統治不能性を嘆き、手に負えない悪ガキどもを警察の保護下に置くことを正当化するために用いられたカテゴリーを政治でも再利用するのであれば、かれらが同様の手続きに頼ることを予想して然るべきであろう。

一九七〇年代末、ニコス・プーランツァスは「政治的民主主義の諸制度の決定的な衰退、そして厳格で多岐にわたるいわゆる〈形式的〉自由全体の制限」と「国家による経済的・社会的生活領域全体の明確な専有」とをセットにするであろう、「権威的・社会的国家主義」[74]の到来を警戒していたものであった。この仮説はまさに当時のネオコン主義者たちが念頭に置いていたものに対応している。政治生活は権威主義的に服従させ、経済は技術官僚により統制させ、社会はネオコーポラティズム【労使協調を特徴とする労使関係モデル】的に包摂させる、これらを組み合わせた強い国家がそれである。

とはいえ、プーランツァスもハンチントンもその到来をはっきりと想定できなかったことがある。それがネオリベラル主義的転回である――かれらのために言っておくと、それは長いあいだ、いくつもの戦略オプションのひとつとして、綱領としてはダークホースとして姿を見せていたにすぎなかった。

そのころ進行していた再構成プロセスにおいては、権威主義的な政治形態が実際に登場することになる。しかしそれは、プーランツァスがすでにそれとセットになると考察していた経済・社会的国家主義とは分離されることになる。政治的には権威主義的、しかし経済的にはリベラルな国家であり、そして社会関係の運用については、コーポラティズム的服従という昔ながらの図式を、私的統治のより自律的な形態に置き換える。こうして描かれた奇妙な戦略的合成物――多様な側面を持つ権威主義的ネオリベラル主義のそれ――を把握するには、別の著者たちにもあたってみる必要がある。

一九八〇年に、二〇〇〇年の資本主義はどうなっているか想像してほしい、と依頼された経済学者ポール・サミュエルソンは、気がかりなシナリオを告げている。ありうる未来像を現時点で見定めようというなら、目を向けるべきはスカンディナビア諸国とその社会民主主義モデルでも、古いヨーロッパとその混合経済モデルでも、あるいはユーゴスラヴィアとその自主管理体制でもなく、ラテンアメリカ諸国だ、と示唆するのである。どうにも望ましくない兆しが予見されるはずだ。

そしてかれは「小噺」を、つまりパラダイムとなる物語として使うための悲しい「寓話」を語る。「将軍や提督が権力を握る。左翼の前任者たちを処刑し、反対派を追放し、反体制派の知識人を投獄し、組合を押さえ込み、マスコミをコントロールしていっさいの政治活動を抑圧する。しかし、この市場ファシズムのひとつのヴァリエーションにおいて、軍事指導者たちは経済とは距離を置く。計画経済はおこなわず、賄賂もとらない。経済は宗教的な狂信者に全面的に委ねるのだ。かれらの狂信する宗教、それは市場放任主義である。[…]こうして歴史の時計は逆に回りはじめる。市場は自由化され、マネーサプライは厳格に管理される。社会扶助の予算は打ち切られ、労働者はこき使われるか餓死する。[…]インフレは低下するか、あるいはゼロに近づく。[…]政治的自由は忘れ去られ、収入と消費、富の不平等は拡大していく傾向にある」。[75] このシナリオはじつは現実で――アルゼンチンやチリでのシナリオである――ある種の政治経済体制の実施に反応したものだった。サミュエルソンはそれをきっぱりと「ファシスト資本主義」[76]と形容している。ある粗暴な勢力が解放し、押しつけ、維持している資本主義のことだ。「〈シカゴボーイズ〉【後述のシカゴ大学出身の若手経済学者グループを指す】とチリの提督たち【ピノチェトをはじめとする反アジェンデ政権クーデターを起こした軍人グループを指す】が実在したからいいようなものの、さもなくばかれらを原型的人物像ということにして創作しなければならないところだった」[77]とは、かれのコメントである。

ピノチェトのクーデターから一ヵ月と経たない一九七三年一一月二日、情勢に通じた『ウォールストリート・ジャーナル』の論説委員はこの時点ですでに喜色満面だった。「サンティアゴでは〈シカゴ学派〉という名で知られる、シカゴ大学で学んだ数人のチリ人経済学者がまさに躍動しようとしている。われわれも学問的観点から多大な関心をもって注視する実験になるはずだ」[78]。

より実践的観点からは、アムネスティ・インターナショナルが数ヵ月後に、問題の経験についての暫定評価を発表している。「政治犯尋問においては拷問が日常的におこなわれている［…］。数万人以上の労働者が［…］政治的理由で職を失い、おおくはまずまちがいなく飢餓状態に追い詰められている」[79]。三年後の別の報告にはこうある。「政治犯に対する恣意的な拘留、処刑、組織的な拷問の使用と〈行方不明〉といった人権侵害が続いている［…］。一九七三年九月一一日以降、約一〇万人が逮捕・投獄され、五千人以上が処刑、数万人が政治的理由で亡命を余儀なくされた」[80]。

しかしだからといって、情勢に通じた西洋のネオリベラル主義の大物たちが揃いも揃ってチリに赴いては独裁体制を褒め称えるのをやめたかといえば、むろんそんなはずがない[81]。一九七五年五月、ピノチェトと面会したフリードマンはかれにたいし、その経済政策と「ショック療法」[82]については理解を示した。ハイエクはといえば、一九七七年に独裁者に招かれ、もうひとつのテーマ、つまり「制限された民主主義と代表制政府」について語っている。チリのメディアはそれをこう伝えた。「わが国の指導者は注意深く耳を傾け、この問題についてかれの記した資料を提供するよう依頼した」[83]。ヨーロッパに戻るとハイエクは秘書を通じてかれの「憲法案」草稿をピノチェトに送っている。このテクストは、とりわけ例外状態を正当化したものだった。[84]また、ロンドンの『タイムズ』では体制を誹謗中傷から擁護する記事を書いている。「チリはいま、ひどい誹謗中傷にさらされているが、わたしはチリで、ピノチェトのもとで個人の自由はアジェンデの頃よりずっと拡大した、という見解に同意しない人間を見たことがない」。[85]たしかにだれもいなかっただろう。公の場でそれに反対する意見をあえて支持できる人間は、たいへん都合よく**行方不明**になっていたのだから【ピノチェトの軍事独裁政権下ではアジェンデ左派政権の支持者をはじめとする左派は非公式に拉致・射殺・収容所送りにされ「行方不明」とされた】。

一九八一年四月の二度目の訪問時に、[86]ハイエクは『エル・メルキュリオ』で長いインタビューに応じている。「独裁制についてはどうお考えですか」と親ピノチェト派のジャーナリストが問う。良い質問だ。ご質問ありがとう。いささか論じてみよう。

ハイエク「さて、長期的な制度としては、独裁制にはまったく反対だ、と申し上げたい。しかし、独裁制が移行期に必要なシステムということはありえます。ある国にとって、ある時期に独裁権力のかたちをとることが必要なこともある。おわかりのように、独裁制はリベラルなかたちで統治することも可能です。おなじように、民主制がリベラル主義のまったく欠如したかたちで統治することもあり得る。個人的には、リベラルな独裁制のほうが、リベラル主義なき民主政府より好ましいですね［…］」。

サラス「ということは、移行期にはより強い、独裁的な政府をご提案なさることもあろうかと……」

ハイエク「［…］そうした状況では、現実的にはだれかがほとんど絶対的な権力を持つことは避けがたいでしょう。将来の絶対的権力を回避し制限する、まさにそのために用いるべきであろう絶対的権力です」。[87]

サミュエルソンがファシスト資本主義と非難していたものを、ハイエクは最小の悪として擁護する。

リベラル主義者にとって、こういう状況では独裁制は最悪の解決策だが、しかし社会主義を筆頭に、独裁制以外のすべての解決策よりはましなのである。時代はちがえど共和国派かフランコか【一九三〇年代のスペイン内戦を指す】を迫られたときとおなじように、アジェンデかピノチェトかの選択を迫られて迷う余地はない。しかし、永続すべき統治形態として受け入れているわけではない、と明言されてもいる。あくまで一時的な方策、移行期、つかの間の例外状態として受け入れるのだ。このブルジョワジーの独裁理論を信用するなら、それは新秩序をうちたて、務めが終われば自己解体するはずなのである。

リベラル派は移行期の独裁を擁護してみせるが、それは史的弁証法の曲芸というものだ。当時カルドア卿が概括したとおりである。「チリは秘密警察、収容キャンプその他であふれた独裁制であり、ストライキは排除され、組合内の労働者組織が禁止されている。〔…〕ハイエク教授の言葉を文字通り受け取るなら、なんらかのファシスト独裁が（マネタリズムと並んで）「自由社会」の必然的な前提条件と見なされねばなるまい」[88]。

この風刺は的を射ている。別にハイエクは思わぬ暴走をしてそんなことを言い切ってしまったわけではない、ということは念頭に置く必要がある。こういう立場は、数十年来かれが理論化してきたことと完璧な知的連続性を保っているのだから[89]。

しかしながら、「リベラルな過渡的独裁制」の擁護は、一般にかれの理論と受け止められているものとは折り合わない。しかし、もし一貫してかれが主張しているように、「政府の強制的役割の厳格な限定」[90]を求めることがリベラル主義の特徴とするなら、どうすればたとえ一時であってもリベラル主義と独裁制が両立すると主張できるのだろう？　だがそれが謎に思われるのはかれの哲学を表面的に解釈して満足しているからにすぎない。詳しく見れば矛盾は見せかけだけのものだからだ。

民主主義とはなにか？　純粋に道具的な概念化をおこなったハイエクにとって、それは「手続き規則」[91]、多数決にもとづく決定方法にすぎない。たんなるやり方であって、いかなる意味でも目的それ自体にはなりえない。この政治技術にも利点がある。とくに、国家元首の平和的移行には好都合なことだ。だが手をつけてはいけない原則ではない。自己決定という無条件の政治的権利のようななにかから必然的に帰結するものでないことはたしかだ。

絶対的価値、それは「自由」であって民主主義ではない。民主主義は一統治形態に過ぎず、逆に「自由」はむしろ生活形態として理解されてもよかろう[92]。たまたま両者が衝突したとしたら、議論の余地なく民主主義が自由に道を譲るべきなのだ。「自由を持たずに過ごすくらいならいっとき、繰り返しますが一時的に、民主主義を犠牲にするほうを選ぶでしょう」[93]。

しかし、パラドクスが好きなハイエクはさらに論を進め、「個人的自由」はしばしば「民主的政府よりも権威主義的体制下のほうで保たれている」[94]ものだと主張する。しかしピノチェトのもとでは政治的自由（被選挙権のみならず表現・集会結社の自由もなく、もちろんスト権もデモ権もなかった）も基本的な市民の自由（恣意的に逮捕・拘留・処刑されない権利）も保たれていなかった。ということは、かれがしたようにこの種の体制が「個人的自由」を守ることもあると主張するのは、それをまったくちがった意味で再定義することを前提にしている。だがこんなにも削減されてしまった自由の観念に、いったいどんな内実が残されているというのだろう？　それは所有権の自由な処分という意味での「経済的自由」のみだろう。「サッチャー氏は、自由な選択が行使されなければならないのは投票よりも市場においてである、と主張したが、つまり彼女は市場での選択は個人的自由にとって不可欠であり、投票の自由はそうでない、とだけ指摘したのだ。自由な選択は自制できる独裁制下なら存続しうるが、無制限の民主制の統治下ではそうはならない」[95]とハイエクも賛同している。これ以上の明快な立場はなかろう。経済的自由、それも所有的個人主義における経済的自由は譲れないが、政治的自由はオプションだ。さて、経済介入について「抑制的な態度を示す専制政府」ならあってもおかしくないが、「絶対権力を持つ民主政府がそういう態度を示すことは端的にありえない」[96]。

ハイエクの政治哲学は既存のカテゴリーを再検討し、適切な対立関係を配置し直す。こうした概念の再構成作業を通じて、逆説的な発言が定式化可能になる。民主主義は全体主義と告発されうるだろうし、おなじように独裁制はリベラルなものと喧伝されうるだろう。

リベラル主義と民主主義のちがいは「それらと対立するものを考えればよりはっきり見えてくる。リベラル主義の反対は全体主義だが、民主主義の反対は権威主義である」[97]。かれの図式では、主要な対立軸はリベラル主義（経済面では制約に縛られる政府を意味する）と全体主義（経済面では制約に縛られない政府を意味する）のあいだにおかれる。もうひとつ、第二の分割線では民主主義と権威主義が対置され、表の全体を横切って下位区分をつくっている。こうして暗黙のうちに、政治体制の四分割表が作られる。それは以下のように再構成される。

この政治体制表はカルテとしても機能する。つまり、ネオリベラル主義者にとって、政治の方向性を決め、選択をおこなう手法として機能するということだ。ピノチェト体制にたいするハイエクの支持が一貫したものであることは、これに照らし合わせるとはっきりする。この論理では、経済面で「制約に縛られる」統治形態ならなんであれ、それに対応する「制約に縛られない」形態よりも好まれることになる。「制約に縛られない統治形態のどれと比べても、制約に縛られない民主主義こそ最悪のものであろう」[98]ことを思えば、結論は当然である。アジェンデよりはピノチェトだ。

一九八一年、南アメリカの全体主義体制にたいする立場を問われたハイエクは、そんな体制は存在しないと反論している。全体主義と権威主義を混同してはいけない。ここ最近のラテンアメリカに存在した唯一の「全体主義政府」は「アジェンデ政権下のチリだった」[99]とかれは説明する。極端に言えば、それはまちがいなく「全体主義的民主主義」[100]なのだ。全体主義的？　だがどういう意味で？　リベラル主義や個人主義とはちがい「統一目標に向かって」、「社会全体やそのすべてのリソースを組織化しようとする」システムが「全体主義的」[101]である、とハイエクは答える。

アンドリュー・ギャンブルはそれをこう言い直している。「権威主義と全体主義の区別は、この文献で重要な役割を演じている。チリのような権威主義的体制は〈全体主義的〉に比べればずっと好ましいものと見なされるのだ［…］。政治的自由を行使して介入をおこなうことはあっても、経済的自由を行使して介入をおこなうことはないからである。組合は当然解散させられるか抑圧されるが、外国投資には制限がなく、

	リベラル主義	全体主義
民主主義	リベラル民主主義	全体主義的民主主義
権威主義	リベラル権威主義	全体主義的権威主義

表　ハイエクの政治体制類型

市民は所有や売買の自由をもつ」。ネオリベラル主義者にとって「政治的自由の解体はつねに残念なことではあるが［…］資本にとってははるかに深刻な、経済的自由の損失とは比べものにならないことは当然である」[102]。

ハイエクにとっては、「全体主義」に陥ることを回避したいのなら、リベラル民主主義から「制約に縛られない民主主義」へ、ひいては全体主義的民主主義へと抗いがたく滑り落ちていく傾向のある議会主義体制には、絶対に境界を設けるべきであった。ではどのようにことを進めるのか？ ひとつたしかなことがある。事態の推移が自然に起きることはなかろう。介入や計画、組織といった、リベラル主義がみずからに禁じているあらゆるものが必要になる。ゆえにハイエクは矛盾に陥る。社会構築主義にも政治決定論にも反対する自発的な自己生成の尊重という一般規則を口にしながら、みずからの見通しに背く現象にぶちあたると、かれは非介入とは正反対の対処法しか思いつかない。民主主義の制限という政治決定を押しつけることである。危機が迫っているなら、頼りにするのが例外状態と移行的独裁制であってもいいのだ。「つまるところ、将軍たちの軍事権力によってのみ可能になる民主主義もあるのだ」[103]というのがハイエクの結論である。そしてだいたいの場合、まさにこうなって終わる。

ハイエクは主張する。リベラル主義とは「社会問題における自己生成的ないし自発的秩序の発見」[104]にもとづいている。このあたらしい経済神学の公式ドグマが確約するのは、自由放任さえしてやれば市場はじぶんで調和のとれた秩序を生み出す力がある、というものだ[105]。(目的が支配する)目的支配秩序にたいし、(一般法則にもとづく)法則支配秩序が対置される。ハイエクはしかしながら、必要とあらば移行期独裁に与することをみずからに禁じたりはしなかった。経済生活への「意識的方向づけ」という政治的専制を回避するためなら、社会・政治生活への意識的抑圧という軍事警察的専制でも引き受ける腹づもりなのだ――ほんのわずかでも「リベラル」なところがそこに残っていさえすれば。

こうしたねじれは、経済的リベラル主義を構成する矛盾によって、より根本的に説明される。まず、そのドグマが主張するのとは反対に、市場の秩序は自発的に構成されることはない。それは絶えず制度化され、再生産されなければならない。自然な秩序としてわれわれに示されるものは実際には維持されなければならないものであり、それはポランニーが描いたように「中央による継続的・組織的・管理的介入主義」[106]という技巧なのだ。

この経済秩序は、自立構造ではないというにとどまらず、さらに根本的には、その根強いイメージとは裏腹に、分離した状態では存在することさえない。グラムシが強調するように、国家と市民社会・政治社会・経済社会とは、ほんとうにばらばらの領域を参照しているというよりは、おなじひとまとまりの実践を**方法論的に区別**したものである。「実際の現実では市民社会と国家は唯一にして同一なのだから、経済的リベラル主義もまた国家的な性格の「規則」であり、法や規制といった手段で導入され維持されている。自身の目的を意識した意思の行動であり、経済的事実の自発的・自動的な表現ではない。ということは、経済的リベラル主義とは政治プログラムであり、勝利の暁には国家の指導的人物に取って代わり、国家の経済プログラムそのものを改変することを、言い換えれば歳入の分配を改変することを自認しているのである」[107]。

この秩序は自己発生しないにしても、秩序自体の否定のほうはそれなりに自発的に生み出している。

あるいはマルクスが書いていたように、じぶんの墓掘人を生み出している。奇妙な読解かもしれないが、制約に縛られない民主主義から社会主義へといたる宿命的な傾向を論じたハイエクの警告的なテクストを、かのマルクスのテーゼをリベラルな言い回しでざっくりと言い直したもののように読むこともできよう。ただしハイエクにとっては、この矛盾は生産諸関係から内在的に把握されるのではなく、外的、寄生的、余分と見なされた現実——エイリアンと見なされる政治の闖入《ちんにゅう》のせいだとされる。

根本的には、この問題は危機理論の問題なのだ。ネオリベラル主義者にならって、資本主義は本質的には安定した自己調整的なものだと見なすなら、だれの目にもあきらかに資本主義を蝕んでいる変調と混乱は、資本主義以外のなにか別のもののせいにするしかない。危機は必然的に外部から生じたもので、「経済」にとって外的な政治化現象に起因するのでなければならない。「民主主義の統治危機」についての諸理論はこの否認の表現形である。資本主義の内的諸矛盾が抹消され、その出現が民主的な政策の介入の結果だと報告されてしまう以上、一般的な解決法は当然ハイエクが述べたように「民主主義を制約で縛る」ことになってしまうのだ。

第24章　権威主義的リベラル主義の諸々の出自

ゴドウィンに言わせれば統治は必要悪だそうだが、ならば最小限の統治のみが必要、それがかれの結論になる。だがそれは［…］まちがっている。領土の外では統治などまったく必要はない。だが領土のなかでは統治はかならず過剰になろう。統治が厳密に、正当な領土に限定されているとき、自由はすべてに勝るのかもしれないが、その領土内の統治が弱体であれば、自由に勝ち目はない。むしろ負ける。統治はその領土内ではつねに全能でなければならないのだ。[108]

バンジャマン・コンスタン

「制約に縛られない民主主義」は「全体主義国家」へと抗いがたく滑り落ちていくものである以上、境界線を定めてやる必要がある。それがすくなくとも一九四四年の『隷従への道』以降のハイエクの政治思想のライトモチーフであった。

だがこの「全体主義的民主主義」という逆説的なテーマはどこからあらわれたのか？　それはまず、反動的な思想のいささか古めかしい常套句の使い回しであり、近代に限ってみても反啓蒙思想にまでさかのぼる、民主主義への憎悪という長い伝統をもつクラシカルなモチーフの使い回しであった。ハイエクもそれを知らないわけではない。かれはこの問題について、フランツ・ノイマンのある著作を典拠にしている。そこにはこう書かれている。「フランス革命以降、民主主義は必然的に大衆の支配への道を開くと主張する、反リベラル・反民主主義の理論が広まった［…］。全体国家はこうして民主主義の必然的な帰結として姿をあらわす。ド・メストル、ボナール、ドノソ・コルテス、シュペングラー、オルテガ・イ・ガセットらはみなそれぞれのやり方でこの考えを繰り返し述べている」[109]。

ハイエクは断固たる姿勢でこの伝統に――まさしく「反リベラル」の伝統である――みずからを位置づけたが、そうした立場のいっけんしたところ一貫しない点を解消するような、ちいさなちがいを強調している。たしかに、かれにとっては歴史的に見て**ふたつ**のリベラル主義が存在する。ひとつはアングロサクソンの本物で、ハイエクの主張によればスミス、それにバークのそれである。もうひとつは大陸の偽物で、「現代の社会主義の祖となったヴォルテール、ルソー、コンドルセ、そしてフランス革命なるもの」[110]のそれを、かれはひどく憎んでいた。「リベラル民主主義と全体主義的民主主義」の対立は根底では「リベラル主義と社会主義の敵対関係」[111]の表現でしかない。

しかしハイエクにとって、この考えにはより手近で正確な典拠がある。「新興の民主主義的福祉国家は法治国家を切り崩すこととなった」というテーゼは、若い頃の読書経験から芽生えたものだ。「ワイマール期の法学論争を知っている者にとって、ハイエクの語ることの大部分は驚くほど独自性に乏しい。かれがなんどか記しているように、かれ自身の知性が社会性を持つようになったのは、あきらかにワイマール時代の論争の影響である。事実、かれの分析はおおくの面から見て、驚くほどカール・シュミットのそれと類似している」[112]とウィリアム・ショイアマンはコメントしている。

「カール・シュミットは全能の民主主義政府の弱点を明確に見抜いていた。ドイツの傑出した政治分析家だった――そしてそのあとは、私見では道徳的にも知的にもつねに悪い道にそれた――かれは、当時発展途上にあった政治形態の性格を、おそらく一九二〇年代にはだれよりもよく理解していたのだ」[113]とハイエクは『法と立法と自由』において記している。ハイエクは後年のシュミットの政治選択を非難しつつ、シュミットによる前ナチス期の民主主義批判についてはみずからの手で引き継いだ。

こうした統治形態をシュミットがどう特徴づけたかを知るためのキー・コンセプトは「全体国家」[114]である。シュミットがこの定式を導入した一九三〇年代初頭であれば、それはすぐにファシストの「全体主義国家」を連想させた。ムッソリーニとその徒党にとって「全体主義」という形容詞が肯定的に、自画自賛のために使われていることに留意しなければなるまい[115]。だがシュミットは、かれらしいやり方で言葉の意味を置き換える。当初かれは、この言葉の意味をずらして用い、軽蔑的に議会制民主主義にあてはめたのである。シュミットは印象論的な歴史学的テーゼのあらたな意味を提供し、ハイエクはそれを我がものとした。それはひとつの命題で示される。「リベラルな一九世紀の中立国家」は「全体国家」に変貌しつつある[116]。

全体とはいかなる意味においてか？　「生活領域すべてに」介入してくることである。福祉国家はそれまで公的な力の及ばなかった社会・経済問題の全体にまでじぶんの特権をひろげ、すべてを飲み込み、全体がその管轄領域となる。国家と社会が同一になる状況では「国家に関係する政治問題と社会問題、つまり非政治的問題とを区別することはもはや不可能だ」[117]とシュミットは書いている。すべてが政治的になるのであれば、国家は外部を持たない。

だが、なんのせいでこの現象が生じたのか？　シュミットはこう答える。「現代の全体国家、あるいはより正確に、人間のあり方すべての全面的な政治化という大義名分がみられるのは、民主主義においてである」[118]。国家が拡大しているのは、民主主義政府がつねに「利害関係者すべての要求に応える」[119]よう命じられているからである。国家が経済に介入するのは、社会が国家に介入するからである。社会の国家化は国家の「社会化」の結果でしかない。

さて逆説的にも、国家領域の拡大は力のあらわれではまったくない。「複数政党制国家が〈全体〉になるのは活力や権力によってではない、その弱さゆえにである」[120]。はじめに弱さありき。というのも、こうした国家はある意味で底辺から国家を掌握していく社会的利害関係によって振り回され、受動的に成長していくからだ。つぎにでてくるのも弱さだが、それは国家の領域が拡大するほど、その力は弱まるからである。この国家が全能に見えれば見えるほど、実際には無力になっていく。かつてのリヴァイアサンは失墜して、たんなる「社会の自己組織化」[121]となり、その超越性をいっさい失う。弱体化し変質するのである。

ハイエクのみならずシュンペーターも、シュミットによる民主主義分析を直接知っており、戦後にこのテーゼを受け継ぐこととなった。これらが、時を隔てて一九七〇年代にできあがっていった民主主義の統治性危機についての言説の、知的な母型のひとつになったのである。[122]

一九三二年一一月二三日、ヒトラーの権力掌握も間近な頃、カール・シュミットは経営者組織「長名連合」の招きで、ある講演会で話をしている。[123]　これを決定的な出来事と考えるジャン＝ピエール・フェイによれば、シュミットの言説はドイツの経営者がナチスという選択肢に賛同する決定的な役割を演じたという。[124]「強い国家と健全な経済」というタイトルがその構想を物語っている。[125]

このテクストでシュミットは、「全体国家」という観念のふたつのバージョンを区別している。かれはその一方を拒絶し、他方を強く望んだ。前者はわれわれがここまで論じてきたもので、「量的」全体国家にあたる。これは強い国家ではない。拡張により弱体化した国家だ。「この種の全体国家はあらゆる領域、ひとの暮らしのあらゆる局面に見境なしに拡張した国家です〔…〕。それが全体というのはたんに量的な意味において、あるいはたんなるおおきさの意味においてであって、強度や政治的エネルギーの意味ではありません」[126]。

しかし、この意味での全体国家とどう縁を切るのか？　シュミットは断言する。「唯一、きわめて強い国家のみがこのひどい混乱を断ち切ることができましょう」[127]。全体国家というゴルディアスの結び目を断つ解決策は、もうひとつの意味での全体国家である。かれは「量的全体国家」に「質的全体国家」を対置する。それは「ファシスト国家がみずからを〈stato totalitario【全体国家】〉と形容しているように、質とエネルギーの意味での全体」国家である。[128]強い国家は、軍事手段や大衆コミュニケーションのあたらしい道具を手始めに、近代技術の力のすべてをその手に集める。身体の抑圧と精神の操作に技術の粋を集めた、軍事－メディア国家、戦争とプロパガンダ国家である。「いまだかつてない権力を用いた」[129]動員により、この国家はもはや「内部に壊乱勢力が登場すること」[130]を許すことはないだろう。友と敵を区別することがあらたに可能になると、内部と戦うことも躊躇しなくなろうというものだ。

しかし、重要な問いがひとつ残っている。こういう国家と経済との関係はどのようになろう？ 答えはこうである。「唯一、強い国家のみが脱政治化を可能にするのです。運輸やラジオのようないくつかの問題は国家の管轄に属し、また国家によって管理されなければならず〔…〕ほかにも自律的な経済経営に属するものもありますが、それ以外のすべては自由経済の管轄に委ねられなければならない。全面的かつ有効な手段でそう布告することができるのは唯一、強い国家のみでありましょう」[131]。つまり、セクターは三つある。いくつかの戦略領域における公的独占、自由市場、そしてふたつのあいだにある、経営者会議所による経済的自主管理形態がそれにあたる。

シュミットはドイツの経営者の心をとらえ安心させたがっている。社会的・政治的な対立相手を黙らせることのできる強いプロパガンダ－抑圧国家を約束し、他方でこの巨大な力が企業と市場の一線を尊重して手を出さないことを保証する。経済問題の民間自己統治は論点とされず、逆に拡張され聖域化されたのである。

民主主義政治が国家と社会を混同するのに対し、「権威主義的全体」政治は両者を丁寧に区別する。前者が社会を政治化し、国家を「社会化する」のに対し、後者は社会を脱政治化し、国家を強化する。しかしそれはきちんと構想された国家と経済の厳密な線引きの枠内で行われる。階級闘争はこうして、国家のくびきのもとに置かれ、「経済」はふたたび栄えることができるだろう。強い国家、健全な経済である。

この構想にはしかしながら、古典的リベラル主義のドグマからの一連の変化があることを、シュミットも隠しはしない。

まず、かれがすでに『憲法の番人』で指摘していたように、「無条件の不干渉、絶対的な非介入というリベラルの古い原則」は時代遅れである[132]。大衆が動き、大政党が対決する状況では、狭義の「自由放任」に固執し、観客に徹して最良のものが（あるいは最低のものかもしれないが、それはそれぞれの立場の見方による）勝つのを待っているのは選択肢に入らない。評者によってはこの一節にたいしてそう解釈する者もいるかもしれないが、しかしそれとは逆に、シュミットはここでは国家権力は行政的に「経済」に介入すべきとは主張していない。政治的に階級闘争に介入すべき、と主張しているのである[133]。

さて、「痛みを伴う外科的介入が問題になりましょう。それはゆるやかな成長という意味で〈有機的〉にもたらされることがないであろうものです[134]」とかれは予見する。したがってまた、「脱政治化、つまり非国家的領域からの国家の撤退は［…］政治プロセスである[135]」という考え方を、「最小」国家ないし夜警国家以上のものを要求する責務を、受け入れなければならない。「このような再組織化を行うことのできる国家は、先ほど申しましたように、非常に強力である――脱政治化という行動は非常に強烈な政治行動なのです[136]」。

最後に、古典的リベラルの見方、つまり市民社会の原子論という見方では、国家が相対するのは個々の経済行為体のみであったかもしれないが、それは時代に追い越されている。国家が経済問題にたいする一連の指導的役割すべてから撤退すれば、別の審級があとを襲うにちがいない。国家と市場のあいだには、おおきな経営者団体による民間自己統治の支配する中間領域が介在することになるだろう[137]。

一九三二年、ドイツ経営者に向けたシュミットの講演に目を通した社会民主主義の法学者、ヘルマン・ヘラーの論点把握はあまりにも的確だった。亡命を選ぶわずか前（翌年スペインで客死する）、かれは短いテクストを残しており、これは同時代をもっとも的確に見通したテクストのひとつとして重要である。かれはこう分析する。われわれはここで、あらたな政治カテゴリーが作られたのを目の当たりにしている。それは概念の鬼子、「**権威主義的リベラル主義**」[138]というキメラである。

シュミットはそれまで「巧緻な否認」によって真の立場を隠してきたが、近年産業界を前に「その考えをもうすこしはっきり表現する」必要を感じたのだ、とヘラーは書いている。[139]「いままで、シュミットはその〈多元主義的〉性格を理由に、現状の国家は弱い国家だと述べている、とされていた」[140]。シュミットはいまやひとつの解決を見てとった。それは強い国家、権威主義的国家、「質的全体」国家である。

しかし、この強い国家とはどこまで強いというのか？　だれにたいして「権威主義的」というのか？　だれにたいしてはそうではないのか？　つまづきの石はその「経済秩序」との関係にある。「ことが経済問題となると、〈権威主義的〉国家はその権威を諦める。〈保守派〉とされているその代弁者たちは、もはやひとつのスローガンしか知らない。〈国家からの自由を経済に！〉」[141]。それは強くも弱くもある国家、一方には強く他方には弱い国家だ。社会的「再分配という民主主義的要求に対して」は強く出るが、「市場との関係では弱く出る」[142]とヴォルフガング・シュトレークはコメントしている。ヘラーはさらにこう続ける。というのも、このスローガンには「国家が大銀行や大産業、大規模農業開発への助成金政策を控えるという意味はまちがいなく含まれていない。むしろ社会政策の権威主義的な破壊を進めるという意味が含まれている」。「権威主義的」国家の徒党がなにより嫌うのは「福祉国家」[143]だとかれは記している。

一九三四年、おなじようにナチスから逃れた若いドイツ人哲学者が、フランクフルト学派の雑誌に「国家の全体主義的概念化における対リベラル主義闘争」[144]について論じた長大な論文を寄稿した。ヘラーが探り当てた概念的変化をかれのやり方で分析したのである。ヘルベルト・マルクーゼ、かれがそのひとである。ここでもまた、狙い撃ちにされたのはシュミットだった。

表面上は、「権威主義的全体国家」というシュミットのあたらしい哲学はリベラル主義と対立している。それは、どれだけ厳しいことを言っても言いすぎにはならないほど嫌われた教義である。しかし、マルクーゼは問う。この敵対関係のほんとうの中身はなんなのか。そのプログラムにかかわるやいなや、「権威主義的全体国家」の徒党は根本的な経済関係には手をつける気がないことがわかる。このあたらしい国家は、「決定的なやり方でその基盤を変えることはせずに社会を組織する」以上、「リベラル主義国家の自己変形にすぎない」[145]。

リベラル主義者たちは、ファシストの「全体国家」のそれとはまったく別の政治哲学を語っているかもしれないが、実際のおこないを見ればこの極端な選択肢に賛同する気構えの者もいる。マルクーゼはハイエクのメンターであるフォン・ミーゼスを標的とする。一九二七年、フォン・ミーゼスはこう書いていた。「リベラル主義のプログラムを簡潔に定式化せよと言われれば、それは生産手段の私有だ［…］。他のあらゆるリベラル主義からの要求はこの根本原則から由来する。［…］ファシズムや、その他の独裁に向かう同様の動きは、いまのところ西欧文明を救ったのである。ファシズムがそのことで得た功績は歴史に永遠に刻まれるだろう」[146]。

このふたつの流れのあいだにはまぎれもない哲学的対立があったにもかかわらず、ある決定的な点、つまり資本主義的経済関係の救済については一致を見ていた。マルクーゼはこう書いている。「したがって、権威主義的全体国家が〈世界観〉という戦場でリベラル主義にしかけていた戦いから撤退した理由も、なぜリベラル主義の基本的な社会構造を度外視したのかもわかる。その基本構造はおおくの面で好都合だったからである。［…］生産諸関係を支配する原則にはまったく手をつけなかった」[147]。

しかし、マルクーゼは当初の図式にたいし、思われているほど経済色の強くない含みをもたせてもいる。たしかに「リベラル主義国家から権威主義的全体国家への移行はおなじ社会秩序を基盤として果たされる」かもしれないが、しかしそれが実現してしまえば始まるのは実際の政治的変貌であって、たんなる「イデオロギー的順応」ではない。「権威主義的全体国家を［…］たんなるイデオロギー操作の結果」に矮小化してしまうことはおそらく道を誤らせる。「権威主義的国家と、それがプロパガンダ目的で惹起する考え方によって、そのもともとの政治形態を乗り越えて別の事態を目指す勢力が伸長する」[148]。

基本的な経済関係について最終レベルでは合意ができているといっても、両者すなわち経済的リベラル主義と権威主義的全体国家の教義とが同一ということにはならないし、両者のヴィジョンを分かつ隔たりがまがいもので、無視して構わない、ということにもならない。リベラル主義国家から権威主義的全体国家への過成長が可能だとしても、さらに、この現象が必然というわけではないが偶然でもないとしても、リベラル主義が本質的に隠れファシズムだとか、ファシズムはたんに、別のイデオロギー的手段によるリベラル主義経済の延長だと結論づけられるわけではない。ファシズム資本主義は、分類上では二義的な変化形をもつが同一のままの基体にひとつの属性を付け加えた、というだけのものではない。世界観ではあるが、世界観だけではない。マルクーゼが警告したように、登場してしまえば**別の世界**へ転換してしまうのだ。

一九四〇年代、連合国側が枢軸国勢力への軍事攻撃の呼称として「全体主義との戦い」という表現を用い始めたころ、まさにこの「西洋民主主義」の内部で、自国の政府を批判するためにこの表現を奪おうとする保守派の知識人たちがいた。かれらの目には、政府は無思慮にもみずからの内部に全体主義の萌芽を育むという過ちを犯しているよう映ったのである。

ハイエクの『隷従への道』(一九四四)、フォン・ミーゼスの『全能政府』(一九四四)[149]、シュンペーターの『資本主義・社会主義・民主主義』(一九四二)は同時期に、つぎのように要約されるであろうメッセージを通じて、代表制民主主義の諸悪を非難した。ほんとうに「全体主義」と戦いたいのであればあと一歩の努力を。なぜなら、全体主義はじつはその意に反してあなた自身の体からもにじみ出ているからだ、それは民主制システムと福祉国家につきものの暴走のなかに、運命として書き込まれているからだ。

ハイエクは説教する。ヴァイマール共和国では「善意の人びとこそが、社会主義的政策によってじぶんたちが嫌悪していたすべてを代表する勢力の素地を培ったのである。ファシズムとナチズムの勃興は、それ以前の社会主義的傾向に対する反動ではなく、そうした傾向の必然的な帰結であることを知っている者はほとんどいない」[150]。ここに推論の核心がある。福祉的-民主主義はファシズムへ向かって一直線に進む社会主義を育む。こうして、ムッソリーニはグラムシの必然的な帰結とされ、ヒットラーはヒットラーでローザ・ルクセンブルクの必然的な帰結にされるのだろう。この粗雑な連続主義を語ろうとすれば、当然のことながら実際の政治関係の否認という代償を払うことになる。ハイエクは一九二〇年代から三〇年代、「リベラル主義を国家社会主義の主要な敵と識別していた」著者たちを無駄に引用するが、アンドリュー・ギャンブルが指摘するように「ドイツの民主主義的社会主義が内在的に全体主義的であると証明すること」に失敗している。「それはナチズムと混じり合わなかったどころかその軍靴に踏み潰されたのだから」[151]。ヘラーとマルクーゼはそこを見誤らなかった。形成途上にあった体制を社会国家の過成長と解釈したりせず、逆にその否定、リベラル主義経済と最悪の部類の政治的権威主義の独自の総合にもとづいた反動、と理解したのである。

第二次世界大戦のさなか、ハイエクとその一党は民主主義の行き過ぎを批判し、福祉国家と手を切るよう呼びかける以上のことはなにも思いつかなかった。かくしてかれらは敗れた。かれらにとっておおきなダメージだったのは、戦後がケインズ主義に向かったことである。三〇年ほどの長きにわたって、かれらはほとんど砂漠で説教するような立場に追い込まれていた。

一九六〇年代末、社会と政治に突然の嵐が吹き荒れると、かれらは不安と同時に安堵も感じた。政治危機が深刻であれば、それはじぶんたちの正しさを立証するからである。不吉な予言者たちは鼻高々だった。だから言ったじゃないか。ほらこの通り。この危機にかれらは好機を見出した。大昔の診断が、そしてそれとともにかれらの「果敢な処方」が、ついに信憑性を獲得できそうなのである。

ハイエクは、「制約に縛られない民主主義」についてのナチス以前のシュミットの予見的分析を讃えはしたが、後年の政治選択には賛同していない、とつねづね説明していた[152]。その行動についても、その点についてはかれを信用しなければならない。ゆえにハイエクは、議会制民主主義の検討においてシュミットは的を射ていたが、「道徳的にも知的にもつねに悪い道にそれた」と評価していた。まるでその両者は関係がない、堕落したのは偶然だ、とでも言うようだ。だがそうなのか？　優れた状況分析にもかかわらずシュミットはそこからまちがった結論を引き出した、と言いたいのだろうか。だとすればまず、一貫性がないとかれを責めなければなるまい。しかし、これほど鋭敏な思想家が、分析と決断をかくも安易に切り離してしまうことがあろうか？　逆に、まちがった見方をしたがゆえに、そこから当然のように対応する結論を本気で引き出してしまった可能性だってある。しかし、論理よりもむしろ**意志**に力点を置けば、もうすこし柔軟に診断と治療に一体性があると認めさせることができる、まちがった解釈もでてくるかもしれない。はっきり言おう。犬を水に放り込みたい人間は、あの犬は暴れている、と言うものだ。民主主義という犬と、社会主義というその仔犬にもおなじやり方でいいはずだ。

　ハイエクはシュミットに向かって繰り返し非難を投げつけているが、にもかかわらず議会制民主主義の欠点一覧をあげるときには、依然かれととても近しい位置にいる。ハイエクがシュミットの分析から得たものは上っ面どころではない。概念枠は、問題視されることもなく受け継がれたのである。

　つまりハイエクによれば、シュミットは的を射ていた（民主主義は進行性の全体主義であることを見抜いていた）。たとえつねに「悪い道に」それたとしても、だ（ということは、とても良い道を歩いていたのにつまづいた、というようなものだ）。しかしおなじように的を射ていたハイエクはどうだろう。シュミットのメガネ越しに民主主義の統治問題を検証したかれは、どちらのほうに流れたのだろうか？　ポルトガルではサラザールが権力を掌握した。ハイエクは甘い言葉を添えて憲法草案をかれに送っている。将軍たちがアルゼンチンを抑圧したときは接触に赴いた。ピノチェトがチリを血に染めたときも、だ。南アフリカでボイコットが起きたとき、ハイエクは体制擁護のために筆をとった、等々[153]。まさに「社会主義的傾向にたいする反動で」独裁体制が君臨する、という歴史的状況に身を置いたときはつねに、あるいはほとんどいつも、ハイエクは体制に惜しみなくアドバイスを贈るために駆けつけているのだ。

フーコーの『生政治の誕生』についての有名な講義からは、国家の統治化プロセスが、そして古くからの主権枠組みが、市場の諸形態へと解体していくのだ、といったネオリベラル主義の見通しが取りあげられてきた。[154] たしかにそれもあるが、しかしあくまで一部でしかない。ネオリベラル主義の政治が国家権力とどう関係しているのか、そのあいまいさをよりしっかり把握するには、別の側面も研究しなければならない。ヴォルフガング・シュトレークがコメントしているように、「フーコーはさらにシュミットやヘラーにまでさかのぼるべきだった。そうすれば資本主義体制において国家権限が果たす経済的役割についてのリベラル主義的概念を形成し、そしていまも形成している思惟の基本的モチーフをそこに見出すことができたろうに。それは、一九八〇年代に出版されたマーガレット・サッチャー論のタイトルを借用すれば〈自由な経済〉のために〈強い国家〉が必要だ、という発想だ」。[155]

第25章　政治にご退位ねがう

つまるところ玉座とは何か？　金箔とビロードで覆われた四本の木片だ。[156]

ナポレオン

「民主主義の統治性の危機」の解決策になるのはなんだったのか？　選びうる選択肢のなかには、サミュエルソンが「悪魔の妙薬」[157]と呼んだものがあった。民主主義の大波に対抗する独裁権力がそれである。社会を脱政治化し、政治を軍事化すること。「国家安全ドクトリン」[158]という呼称のもとラテンアメリカで理論化された、国内の敵に対する全面的な予防戦争という戦略である。ハイエクが予見していたように、民主主義はどこでも可能なわけではないが[159]、しかし逆もまた真である。ピノチェトはどこの国にでも輸出できるわけではなかった。軍事独裁はネオリベラル主義秩序を確立する究極的に過激な手段であって、普遍的に一般化しうるモデルではない。ミルトン・フリードマンが力説するように、チリは「例外であって規則ではない」[160]。

ちがったかたちの「移行政府」もありえたことだろう。「民主主義を制約で縛る」ことは、けたたましい軍靴の音より静かな一歩で成し遂げることもできる。ところ変われば、サッチャーやレーガンくらいでも見事にやってのけたのだから。

ハイエクはその最後の著作で、「絶望に駆られてなんらかの独裁形態に訴える」のとはちがうかたちでシステムを救済できる「知的な救急箱を作る」ことを願っていた、と告白している。[161] 配慮は賞賛に値する。もっとも、ソフトなやり方を拒否するならわれわれには強硬手段しか選択肢を残さないことになるぞ、という隠れた脅迫をそこに読み取ることもできるのではあるが。

民主主義の統治性の危機を論じる言説に呼応して、ハイエクは一九七八年、「日に日に恐ろしいありさまになりつつある、急性統治疾患の流行は、制約に縛られない民主主義という現今のわれわれのシステムの予期せぬ結果である」[162] とさらに激しく主張した。ついでに言えば、カーター時代のアメリカ合州国、ジスカール・デスタン時代のフランス、アンドレオッティ時代のイタリアを「制約に縛られない民主主義」と形容したことは、ハイエクの民主主義概念の諸限界を雄弁に物語っているのだが、とりあえず話を戻そう。ハイエクはこう続ける。こうした傾向は「われわれが民主主義政府に与えた特殊な形態に内在するもので、［…］制度を根本から作りなおさないかぎり、その爆発的な増大を防ぐことはできないだろう」[163]。

かれはさらにこうも書いている。民主主義は「制約に縛られた民主主義、という形態でのみ自己を保持しうる。制約に縛られない民主主義は必然的に自壊する」[164]。自己破壊がその定めなら、いっそ先回りして、じぶんでそれを引き受けてしまおう。壊疽を予防するために切断するのだ。だが手術用具箱の中にはなにがあるのか？　どんな種類のメスか？　どういう脱民主化の技法があるのか[165]？

診断のつぎは手術である。もしほんとうに「政府が大衆の要求にたいしあまりに脆弱であるために危機が生じた」のだとしたら、「政府を〈隔離する〉、つまり問題をひとまとめにして民主主義的政策の手の届かないところに置くための諸手段を見つけなければならない」[166]。だいじなのは「政府そのものをコントロールする」[167]すべを知ることだ。社会からの要求というセイレーンの声が鳴り響くなか、いにしえの知恵を再利用して、船長を帆柱に縛り付けておくこと【ギリシャ神話では、オデュッセウスは誘惑するセイレーンの声に対抗するためにマストに自分を縛らせたと伝えられている】はできないものか？ そうすれば、統治性はついに再建されるだろう、と人びとは思ったのである。

このために、ハイエクはいくつかの手順を構想したが、そのすべては「**政治にご退位ねがう**」[168]というおなじプログラムの実現へ向かっている。たしかにこの定式によって、罷免権をもつものとしてのネオリベラル主義の戦略が語られるのである。

全般的な目標——政府権力が社会・経済面に操作を加える余地を激的に制限する——はあらゆる種類の体制に当てはまることだが、「民主主義において」それを実行するにはひとつ特別な難問がある。代表制の形態をあまりおおっぴらに捨てることなくこの目標を課す方法が、かつて見つかったことがあっただろうか？ 「一般にそれは不可能であると思われてきた」とハイエクも記している。だがかれ自身は良い策を見つけたと考えていた。「問題が解決不能に見えたのは、より古い理念を忘れてしまっていたからにほかならない。その理念によれば、統治機能を担う全権の権力は、古くからの慣習的規則によって制限されなければならないのだ」[169]。唯一の解決、それは憲法である。

かれはこう正当化する。「民主主義においてはどの体制にもまして、政府の行使しうる自由裁量権が厳格に制限される必要がある。ほかのどれにもまして、特殊な利害関係からの効果的な圧力に押し切られやすいからである」[170]。「議会多数派が実質的な制約に縛られることなく立法する力をもつ政治体制に特徴的な欠点」[171]を予防するには、アプリオリに政府権力の領域を制限し、基本法という大理石に刻まれた禁止事項によって、政府が「経済」というお花畑を踏み荒らすことを決定的に禁じることが助けになる。民主的決定があまりにおおきな自由をもつことにたいし、経済的決定については「憲法による制約で縛られた政府」モデルで対抗する。[172]かつてリベラル主義が偏愛したテーマが、政治法領域についてのかけひきを経て、経済的ネオリベラル主義によって受け継がれたのである。政治にご退位ねがう、それはしたがって、憲法によって経済を聖域化することで果たされる。憲法による解任、あるいは解任権の憲法化という逆説である。

ブキャナンも異口同音に指摘しているように、「自由」選挙の原則も、事前にそこから選ばれる統治者が決定できる領域を制限しておけば、当たり前に維持することが可能である。かれが本音を漏らしているように、重要なのは「異なった規則の**あいだ**（憲法政治）でなされる選択と、ある規則群の**内部**（一般政治）でなされる選択を区別することである」[173]。もし「一般政治が予算の均衡を保てない」場合でも、すべての希望が失われたわけではない。なぜなら均衡を保つよう政治に強制する上位規則を制定しておくことで、悪循環から抜け出させることは依然として可能だからである。この憲法戦略は、メタ政治学、政治選択の形成規則にかんする脱政治的介入として理解される。

広報という観点から見れば、ブキャナンの表明はハイエクのそれより慎重なことには注意すべきだ。一九八一年、チリのビニャ・デル・マールにある優雅な海浜リゾートに集まったモンペルラン協会のメンバーを前に、ブキャナンは力説する。こうして制約に縛られたのは「民主主義」ではまったくない、たんに「政府」なのだ、と。この微妙なちがい。[174]「もしそれでなにかを変えられたのだとしたら、選挙などとうの昔に廃止されていただろう」とユモリスト【ラブレーらに端を発する知的ユーモアによる風刺を行う作家群】は述べていたものだ。しかしついでに言えば、選挙にはなにも変える力がないと事前に保証されているのであれば、残しておいてもなんの問題もない。

ハイエクもその情報源の裏を隠そうとはしなかった。こうして「制約で縛られた民主主義」体制への移行が果たされるだろう、とかれは保証する。しかしそれはどういう意味においてか？　かれは「誤解を招かぬよう」こう説明する。立法府の活動は「一般的・抽象的な行動規則の採択に限定される」べきであろう。[175]一般的かつ抽象的という論点もまた一般的かつ抽象的である。だが、より詳細かつ具体的にはどういう意味なのか？

見たところは、この制約は存在しうる諸々の法の内容にはいっさい関知せず、**形式**のみに関知する。議会は以降、万人におなじように適用される**一般**法のみ採択できるのであり、もっぱら個別の社会集団にのみ適用される**特定**の措置は採択できなくなる。ハイエクの想像する憲法モデルの詳細に踏み込むことはここでは避けるが、追求されている効果ははるかに実質的なものだ。「ここで提案されたような憲法は、当然のことながら社会主義的な再分配措置をいっさい不可能にするだろう」[176]。そこまで行かないにせよ、「所得配分是正を目的とした市場介入はいっさい不可能になろう」[177]。法的な形式主義の背後で、突然、実際の社会的な制約内容が登場する。禁止区域内にはなにがあるのか？　看板にはでかでかとこう書かれている。新憲法により富の再分配は禁止、社会的不平等の「自然発生的」秩序への干渉は絶対に禁じられる。

これに対応する制度的戦略のキーポイントのひとつは、それが権力のさまざまなレベルで機能することである。古典的な領域主権の統一性を希薄化し、分裂させ、決定的に破綻させることだ。憲法による制限はより上位に、連邦レベルに移管されるが、国家装置の古くからの機能のおもな部分は脱中心化され、下位のレベルに移転させられる。「政府の公的な業務活動の大部分は、上位の立法権限が課した諸規則によって完全に限定された規制権限しか持たない地方・地域当局に優先的に移管されることになろう」[178]。このふたつの運動は補完的である。これらは、国家主権の古典的な形態を挟み撃ちにして、その主権を公共政策の「統治化」という別の布置に置き換える二重の帰属移行戦略の、逆向きのふたつのベクトルに相当している。欧州構築は、この戦略のさらに洗練された研究のための学習の場の一事例となった。一九三九年以来連邦システムの施行を想像していたハイエクはすでにそれを、超国家レベルにおいて経済によって政治を憲法化することで「権力と政府拡大の制限」をおこなう王道として紹介していたのである[179]。

憲法による制約というこれらのプロジェクトは、たしかに民主政治にご退位ねがうにたるだけの見通しを開いたのではあるが、実践上の問題は依然残っていた。どうやって「監視人に制約を課すのか？どうやってリヴァイアサンを縛るのか？」。ブキャナンに言わせれば、「われわれの時代の重要課題」はそれであった[180]。奇跡のように登場する独裁者がいるなら話は別だが、でなければこめかみに銃を押しつける以外のやり方で民主主義にどうやって鎖をかけるというのか？「制約に縛られない民主主義」がみずからを制約で縛る、と合理的に期待できたことなど、かつてあっただろうか？構造的に不可能であると何十年も非難してきたのはまさにそのことだったのではあるまいか。解決すべきあらたな謎である。

「公共選択」理論の分析を信じるなら、公的支出に前向きな政治プログラムは、すでに見てきたように「減税に前向きな協定よりも効果的」[181]と評される傾向にある。経済学者のアラン・メルツァーはそれでもなだめすかすようにこう言った。「このプロセスに回避不可能なものはなにもない。憲法による制約を通じて、政府の拡大を終わらせることも当然可能だろう」[182]。難点がそのまま手つかずであることを除けば、だが。というのも、選挙という場の力学は構造的に緊縮政策に敵対的であり、憲法によって緊縮政策を金科玉条にすることにもまた敵対的である。そのことは賭けてもよいほどだ。であるからには、策を弄する必要があろう。

「民主主義の進展状況が気に入らない保守派も、ファシスト的結論までその理屈を突きつめていくほどの気力はなかったため、強制に縛られる資本主義というかたちで、憲法で税制に制約をかけることに飛びついた」[183]とポール・サミュエルソンは一九八〇年に分析している。「この新理論の評価に手をつけようというなら、わざわざ赤道を越えた向こう側【軍事政権によってネオリベラル的政策理論が採用された南アメリカのこと】にまで行く必要はないだろう。[…]民主主義を信じられないなら、憲法に資本主義こそ国法でなければならぬと書けば済む話だ」[184]。サミュエルソンは一九八〇年のマサチューセッツで住民投票にかけられた、納税者の収入の二・五%を最大とする地方税の上限設定を企図する法案に触れている[185]。このあたらしい選挙戦術は、中産階級が税制にひそかな反抗を示すことに期待し、その反抗を激化させ、それを道具として公的支出に制約をかける強制的な規範を作ろうとするものだった。保守派陣営で口にされるようになったのはつぎのようなことだった。社会国家から利益を得ている大衆にその諸手当を諦めるよう予告する者たちよりも、社会国家の維持に有利な政策協定が優勢な傾向にあるならば、逆に装いをちょっとばかりあらたにする、つまり中産階級に減税を約束するプログラムならば、相手の立場を崩すあたらしい連携基盤となると期待できるのではあるまいか。

「予算均衡」と「赤字との戦い」というテーマについてのイデオロギー的な大攻勢が開始されたのはまさにこのときである。一九七七年のブキャナンとワグナーの『赤字の民主主義』には、現代の諸悪の根源は「ケインズ派による予算均衡の破壊」と書かれている[186]。国家は肥大し、赤字は深刻化、公的セクターは「文字通りコントロールを失った」[187]。「もはや予算を民主政治という海に漂流させておくことはできないのだから」制約的な「外部の、そして〈上位の〉規則」を、予算均衡の「不可侵性」を制度化すべきであろう[188]。

これが公式テーマソングだ。しかし、ネオリベラル主義者たちがちいさな集まりで歌っていたのはちがうメロディーである。一九八二年、アトランタ連邦準備銀行主催のカンファレンスでミルトン・フリードマンは秘密を漏らしている。「予算均衡は名案ですが、増税という犠牲を払ってはいけない。連邦支出が四億ドル、赤字が一億ドルのほうが、完璧な予算均衡のとれた七億ドルの支出よりも望ましいでしょう」[189]。つまり、われわれが繰り返し吹き込まれている話とは裏腹に、予算均衡はそれ自体としての価値はない。優先目標は国家予算の**削減**なのである。では目標が別なのになぜそう主張するのか。「予算均衡は重要ですが、それは経済的な理由ではなく、おもに政治的な理由です。予算均衡のおかげで、もし議会が支出増大を採決にかけた場合には増税も採決にかけることになる、と保証できるからです」[190]。だいじな選挙に縛られている議員たちはいやな顔をすることになるだろう。

つまり肝要なのは支出を食い止めることだ。ではこの目標が隠しているのはなんなのか？ 支出という問題の裏には別の問題がある、とフリードマンは謎解きをしてみせる。「税制、とくに社会保障や健康保険プログラムという時限爆弾」が問題であり、その背景には「民間企業にとっての義務的な支出というかたちをした隠れた課税」[191]がある。これが問題の核心である。国家予算の「負担増」が懸念されるのは、実際には資本の「負担増」にたいして反乱を企てているからである。資本もまた、税と社会保障の負担で確実に潰れそうなラクダなのである。[192]

しかし、フリードマンはここで手を緩めない。声高に取り沙汰される予算赤字は、仔細に見れば自陣営にとって天災ではなく天恵である。「議会において唯一有効な支出のブレーキとなっているのは赤字です。もちろん、予算均衡を強制し支出を制限する憲法改正のほうがはるかに好ましいことではありましょう。支出管理のために赤字を利用するのは代替策ですが、それでもないよりはましです」[193]。基本法に記された予算の鉄則（それが理想であろう）がないなら、債務をイデオロギー的なこけおどしに使って騒ぎ立てつつ、文無し政策を主導することにも効き目はあるはずだ。[194]

だが、あるあたらしい経済現象も生じつつあった。そしてこれが諸々のちがう見通しを開いてくれたのである。しだいに増大していく公的財政の危機を前に、一九七〇年代末、ある政治学者がこう記していた。「政府はいっそう民間市場の融資に依存しつつある」[195]。かれは警告した。「政府の民間金融市場への依存は［…］資本の利害を重視する保守的な経済政策を推進するようさらなる圧力をもたらすことになる」ことは理解しなければならない。「所得の再配分という平等主義的な政策を遂行することはしだいに難しくなる」[196]。

ここにも、政府の政策にたいするちがうかたちの制約のひとつの形態がみられるが、それはこれまで報告されてきたどれよりも効果的かもしれない。その形態は、軍事的でも憲法によるものでも選挙でもイデオロギー的なものでもない。主権的義務としての政策にたいする市場評価に財政的に依存しつつある公的決定のなかに、技術的に組み込まれているのだ。規範は違ったかたちで審級化される。カカシのような将校たちより控えめだが活動的な、別の行為主体がそこにいる。市場の独裁は、つまるところ将軍たちの独裁よりえらいのである。

「驚くべきことに、民主主義の統治性というテーマは知識人の流行から消えた。もはやそれが問われることはない、だれもその問題に興味を持たない」[197]。三極委員会のレポート発表後一〇年にならんとするころ、ベルナール・マナンはそう認めている。なぜか？「ある意味で、解決策が見つかったからだ」[198]。通貨調整の核心に位置づけられた「市場は、［…］きわめて効果的な権力の制約原則をもたらした。市場はさまざまな行為主体の捕捉を逃れた調整審級となったからである」。これが「統治性の危機にたいするグローバルな解決策である。すなわち、市場ルールだ」[199]。

ネオリベラル主義のおおきなイノベーションのひとつは、市場を政治技術として理解したことだとマナンは説明する。いまとなっては、たんに経済の自律的領域なるものの内側で「資源の最適配分を実現するものとして」理解するのではなく、「政治原則、つまり秩序と統治性の原則として」[200]理解するのだ。市場、それはもう、たんに政治が手をつけてはいけないもの、というだけではない。これからは政治が服従しなければいけないものでもある。統治政策にとって市場は、境界となる客体という立場から、政策行動を制約する主体の立場に移行したのである。

つまるところ解決策は、企業のマネージャたちの忠誠心を確保するためにすでに見出されていた、カタラルシーの公式に相当するものを、国家のマネージャたちに適用することだった。市場によって承認されるエージェンシー関係、それは休むことなくその投資機能を遂行すると同時に、そのエージェントたちがそれを望んでいなかったとしても、取締機能を行使するものである。つまり政府を統治可能化するオペレータとしての金融市場である。

とはいえ、例の「民主主義の統治性の危機」がもちこんだのは別にひとつだけではなく、ふたつの段階である。この政治形態が「社会の期待」にあまりにもろいことに加えてハンチントンに危機感を抱かせたのは、これらの期待そのもの、そしてその巨大すぎる動員と社会の広範すぎる政治化、つまり「民主主義の大波」であった。民主主義‐統治という問題のほかに、民主主義‐運動という問題もあったのだ。

さて、公的決定の多元的制約によってこの前者を規制することを目標としたが、後者は手つかずのまま、それがネオリベラル主義による封じ込め戦術だった。社会の闘争気運の波を静めるためには、それを支える力関係の諸条件を攻めるべき、と想定されたが、そのせいで紛争が起きてしまえば、この種の体制がやむなく依存し続けている最低限の合意まで崩壊させてしまうリスクもあった。ブリタンが嘆くように、問題は「リベラル主義的民主主義においては、政府がたとえば完全雇用の約束を断念すること、組合の独占的権力を効果的に制限すること、あるいは〈賃金政策〉を開始することなどを通じて強制力を持つグループと戦おうとしても、邪魔が入ってしまう」[201]。ローズもまた一連の攻勢手段を考えていたが、抵抗が強力である以上、それを達成する見込みについては悲観的に語っていた。最終的にかれは「自由選挙を中断するような手段のみが、実質的かつ即効的なかたちで政府への期待圧力を抑えることができる」[202]とまで言った。独裁権力に頼るという問題が、玄関から追い出されたあと、こうして窓から入ってきたのである。

船長はマストに縛り付けられつつあったが、セイレーンたちはあいかわらずそこにいる。空しく歌うことに疲れ果てて直接乗り込んでくるかもしれない。道を開くには銛《もり》でも打ち込んでやればよいのだが、しかし航海規則ではそうすることは絶対に禁じられており、あえてそのリスクを冒すにしても、反撃を予期しなければいけない。

一九七七年、OECDはインフレと成長率低下にかんするマクラッケン・レポートを発表した[203]。いまだケインズ主義周辺の名残を残したこの経済学者グループの推奨するところはあいかわらず雑多であったが、いくつかの箇所がことさら批評家の注意を引いた。その数頁では、専門家たちがまだ控えめにではあるが、通貨規律や公的支出削減、そして労働市場の流動化を推奨していた。こうしたあたらしい指針を、起こりうる方向転換のさきがけ、来たるべきネオリベラル主義で支配的な経済政策への転換の予告と解釈した者もいた。

このレポートの辛辣な要約で政治学者ロバート・コヘインは、経済プロジェクトの**政治的な実現可能性**についてかれが感じた疑問を投げかけている。その要約によれば、マクラッケン委員会は政府に対し

「大規模な公的支出により市民に短期的な優遇を与える誘惑に抵抗しつつ、経済に最大限の規律を行使する」[204]ことを助言している。コヘインが注釈するに、この立場は自由放任の最小国家のそれでもケインズ主義者たちによる福祉国家のそれでもない中間的なやり方、「規律訓練国家」であり、それはその社会政策を削減しつつ、経済の調整機能は保持するものだった。[205]

コヘインの評によれば、レポートの著者たちはナイーヴにも「民主主義的な規律国家は社会的な優遇措置を減らした、より厳格な経済制限を受け入れるよう市民を説得できるだろう」[206]し、他方で「社会において実質的な正当性」[207]を保持できるとも想像していたのである。コヘインはそこに強い疑念を抱いている。OECDの専門家たちが問題の所在をさほど理解しているようでなくとも、ほかの人間の目が見逃すわけがない。「急進派」つまり戦後「資本主義の危機についてのマルクス主義理論を拒絶するという意味で［…］現代の福祉国家」を突きつけられた者たちでさえ、現状の混乱からつぎのような結論を引き出したのではないか、とコヘインは報告する。「経済を指揮する立場にある者たちが、完全雇用と価格安定についての約束を取り消さなければならなくなるとすれば、資本主義の主要な弁明のひとつが揺さぶられることになる。こうなってしまえば、かれらの期待を幻滅させてきた政治・経済的協定へ賛同するか考え直そうと決意した労働者たちを、だれが非難できようか？」。[208]

コヘインはそういう言い回しを使っていないが、わたしが思うにここで点描されたのは統治性の危機のあたらしいヴァージョン、つまりこのモチーフをいま構想されつつある新種の政治経済体制に拡大したものである。これまでは、この危機は福祉国家的民主主義にのみ関係していた。国家の政治を維持不可能にしたのは、ケインズ主義と代表制民主主義というやっかいな組み合わせだ、と言われていたのである。しかしいま、前者抜きなら後者はどうなるのか？　慈善的に振る舞っていてさえ福祉国家の正当性が深刻な危機に瀕するにいたったというのなら、元栓から閉めてしまえばどうなるのか？　こう問うてみてもよかったろう。ポスト・ケインズ主義的民主主義は可能か？

「統治不能性の構造的諸条件」[209]なるものがあるとすると、左派から分析すればじつのところそれは、ネオコンやネオリベラル主義者が喜んで認めるよりもはるかに根の深い条件となろう。「資本主義は社会支出がもつ承認機能に頼るようになった。〈気に障る秘密〉つまり資本主義の矛盾とは、〈福祉国家とは共存できないのかもしれないが、もはやそれなしには存在できない〉ことである」[210]。ケインズ主義的「民主主義」は統治不能だと考えるなら、ネオリベラル主義的「民主主義」を試してみればいかがです？

マクラッケン・レポートの著者たちは問題を隠している、とコヘインは批判する。かれらの仮定では、「規律訓練国家」は原則として、あるいは信条として民主主義的であり、しかしこうした条件下ならばこのような形態が政治的に実現しうるだろう、と言えるような諸条件についてかれらは一秒たりと問い直したことがない。根本的には、「資本主義と民主主義は完璧に相互に両立可能であり続ける」と考えるナイーヴさを残しているのだ。それが根本的にはまったく自明ではないことを、コヘインはマルクスとシュンペーターを同時に引用して著者たちに指摘する。[211]

「規律訓練的民主主義」は「民主主義」であり続けることができるのか？　コヘインはそこを疑うが、絶対的な回答を出すことも拒絶する。状況しだいなのだ。「ドイツや日本、そしておそらくアメリカ合州国でも」、「社会の経済的活力と政治的安定のおかげで、たいしたアレルギー反応を起こすことなく、この種の経済的な薬を飲み干すことができる」からである。ＯＥＣＤに加盟する別の国々では、そこまでたしかではない。「利潤の増大と資本主義の保全のための犠牲を呼びかけても〔…〕あらたな多数派を形成するにたる輝きに満ちた合意の声があがるわけではない。フランスの社会主義者〔コヘインがその実態をご存じだったら……〕、イタリアの共産主義者、あるいはイギリスの組合活動家たちが〈利潤率向上の必要性の合意〉に易々と賛同するとは想像しがたい」。結論として「OECD域内全体で民主的にそうした国家が建設されることになる確率は低い」[212]。つまり、振り出しに戻ったのだ。いまだ不確かなネオリベラル主義への移行期において、どれほどまで独裁制の亡霊が徘徊していたかを見れば驚きを禁じ得ない。

しかしすくなくとも言説上は、一九八〇年代は「民主主義」が大勝利を収めた年代だった。一九八一年、ノーマン・ポドレッツは『ハーヴァード・ビジネス・レビュー』に「資本主義の新たな擁護者」と題した論考を載せている。かれは読者にこうアドヴァイスする。ビジネスマンはまず知的生活に関心を寄せ、「思想を真剣にとらえる」とよいだろう。というのも、それには非常におおきな政治的重要性があるからだ。このネオコンの分析家は告げる。さて、「伝統的な、資本主義にたいする敵対姿勢をひっくり返す最初の兆しは、こんにちでは知的コミュニティから登場している」[213]。とくにフランスがそうで、かの地では「ヌーヴォー・フィロゾーフ」が突如として「マルクス主義と手を切った」とかれは報告した[214]。「資本主義の美徳」を再発見した数多くの知識人たちはそれからというもの、根本的な政治的対立は「民主主義」を「全体主義」と対置するものだと考えている[215]。

こうした文章に目を通した、ネオコンの同僚であるダニエル・ベルは眉をひそめ、読者欄で反応する必要を感じたのだった。ポドレッツは「資本主義は自由と民主主義にふさわしい」というが「それは当を得ているだろうか？」かならずしもそうとは言えない。「まともな政治哲学者で、〈自由〉と〈民主主義〉を十把一絡げにする者はほとんどいない。事実、大半はむしろアレクシス・ド・トクヴィルのような一九世紀の理論家がそうしたように、自由と民主主義のあいだには内在的な緊張が存在し、そしてしばしば、デモスに由来する多数派の専制が自由を脅かす、と主張している」[216]。要するにこういう言い方でベルは、警戒を続けるほうがよい、そして「ヌーヴォー・フィロゾーフ」についてもかれらがフランス人である以上、その無駄話につきあって、反動政治まで含め諸々の根本的な政治原則を見失うことのないように、と述べているのである。

なんにせよ、支配的イデオロギーの内部ではあきらかに風向きが変わり始めていた。それ以前の時期、システムの擁護者は緊張関係、つまり資本主義と民主主義の両立不可能性を異口同音に指摘していたのに対し、あたらしい言説では一方を他方の名において称揚することで、あたかも同義語であるかのように両者を紹介し始めたのであった。

この転換はどう説明できるのか？ 昨日まで忌み嫌われていた民主主義を今日からは賛美するのだとしても、そこで賛美される民主主義は、こんにちであれば「ポスト民主主義」と形容されることもあるもの、つまり空虚な残りもの、実体なき形式だけである、という暗黙の厳しい条件がついていることは言うまでもない。しかしより根本的に言えばこの豹変は、言説上の変化がその兆しでもあればその手段にもなるような重要な変化を引き起こしつつあった、あるひとつのあたらしい政治戦略に組み込まれているもの、としてのみ理解される。

一九八六年、シャンタル・ムフはこう理論化している。「右派がネオリベラル主義的な批判の言葉で言い直そうと努めていた、一連の反国家的な反動の発端にあったのは、福祉国家の危機とそれにともなう大衆の不満であった。政治＝公共＝国家＝官僚制という等価の連鎖がこうして確立されたのである。これにより保守派は、じぶんたちの民主主義にたいする攻撃を、民主主義のための戦いに見せることができた。後者の民主主義は、国家がじぶんたちから取りあげた「権利」を「大衆」が取り戻すのだ、という視点から定義された」[217]。こうして「民主主義」という言葉は国家の集団主義に対置されたリベラルな個人主義の名として意味づけし直されたのだが、しかしそれに対応するデモスは「寛容社会」――当時熱心に取り組まれていた社会・人種・性・世代からの解放の別名――によりアイデンティティーの脅かされたエスノ【民族】として、新・伝統主義的なやり方で改めて定義された、あるいは想像されたのであった。保守的リベラルのポピュリズムという奇妙なイデオロギー結合体においては、個人主義と権威主義、企業家精神と伝統主義が不可分であった。経済的ネオリベラル主義はこうして政治に足を踏み入れ、性差別主義、同性愛嫌悪、人種主義の臭いをまき散らす一種の国家民主主義に加わった。この導火線のような矛盾に満ちた結合体のなかに、おそらく西洋のリベラル民主主義がいま抱える政治的病理のおもな出どころのひとつがある。

一九七九年、アンドリュー・ギャンブルはサッチャー主義のプログラムの特徴を指摘し、それをこういう定式で要約している。「自由な経済と強い国家」[218]。かれはこうしてカール・シュミットの演説のタイトルをほぼ一言一句そのままに再発見したのである。

権威主義的リベラル主義はたくさんの変遷を経ている。しかし、それが**多様**な変遷であることは力説しておこう。というのも、スチュアート・ホールが警戒を促しているように、ここにみられるのは「ファシズム」が政治の場に回帰したということでも、左派にとっての「おなじみの幽霊や亡霊の覚醒」でもなく、別の、特定の方法で把握すべきなにかの到来だったからである。だから誤った認識で反応しないようにしよう。「われわれが説明すべきは、〈権威主義的ポピュリズム〉へ向かう運動である――それは資本主義国家にとっては例外的な形態で、古典的なファシズムとは逆に、形式的な代表制度の大部分(だがすべてではない)には手をつけないが、同時にその周囲に能動的な大衆合意を形成することができた、そういう形態である」[219]とホールは説明している。

サッチャー主義は奇妙なほど混交的なイデオロギーの様相を呈している。つまり「リベラルかと思えば権威主義にもポピュリストにもエリート主義にも見えてくる」、「ニュー・ライト」のそれである。[220]それは、見かけの非一貫性を超えて「伝統的なリベラル主義的に自由経済を擁護し、伝統的な保守主義的に国家の権威を防衛する」[221]総合を果たすことで成立した。それはイデオロギーである以上に戦略であり、国家再展開の戦略であり、ほぼ完全にいくつかの領域からは撤退し、同時に他の領域に集中的に再投入するように設定されている。そのやり方も、非介入的でもあれば介入的でもあり、中央集権的でもあれば脱中心的でもある。しかし、あきらかに矛盾するこうした運動は、堅固に安定していた。国家がみずからを再強化しなければならないのは、みずからを巧みに弱体化するためなのだ。「公的支出プログラムや課税を削減し、公的サービスを民営化し[…]、介入・規制機関を廃止するためには、断固とした決定的な行動が必要である」。[222]

ただし、アラン・ヴォルフェがその欺瞞《ぎまん》を暴いているように、「〈支出〉と呼ばれる抽象物」の裏にはかならず「現実の人びとの現実の困窮」[223]がある。さて、そうした人びとが声を上げることもなく奪われたままになっているとはおよそ考えがたい。一九八〇年代初頭、ネオリベラル主義政府はそれを認識し対決に備えていた。

しかし勝利のためには、上から政治に歯止めをかけ、核心的な対決に断固たる姿勢を示すだけでは不十分であったろう。政治を無力化するためのより洗練された、微に入り細を穿つような戦術を整えておく必要もあったのだ。

第26章　民営化のミクロ政治学

端的に言えばすべては政治的であるが、しかしあらゆる政治はマクロ政治かつミクロ政治である。[224]

ドゥルーズ＝ガタリ

ミクロ権力はレベルの問題ではなく、セクションの問題でもない。視点の問題です。[225]

フーコー

一九七〇年代末、ネオリベラル主義のプログラム大綱が提示された。「自由世界」の指導的エリートは急速にそれに改宗し、それまでのケインズ主義的な主潮流とは縁を切った。万事はうまくいった。しかし、この絵面には一抹の影が残った。断絶構想が急進的であり、その結果に付随するものが社会的に有害である以上、それを実行すれば必然的に強力な対立に突きあたる。そんなことはわかりきっていた。「決まりきったやり方でこうした変更」を公布する計画を立てている政府は「[…]おおきな敵意に直面することになるだろう」[226]。知的にも政治的にも対決の準備を整え、「組合左派との避けようのない対決に勝つために必要な団結と政治的な核」[227]を再発見しなければならない。

より高いレベルでも、これを出発点として暗い戦略的思案が張り巡らされた。「そのあと再選される希望などいっさい捨て去って使命を達成する、人身御供となる政府が必要だ」と考える者もいれば「他方でごく単純に、再選される必要さえないような政府、という発想をもてあそぶ者もいた」[228]。これが代替案である。カミカゼ政府か、独裁政府か。あるいは、不人気を度外視し、重要な選挙を無駄にし、自党の政治的自殺を覚悟し、あらゆるコストを払って改革するつもりのある政治家を見つけるか、さもなくば代表制民主主義の通常の機能様式を制限ないし停止して場を一掃する、カエサル体制ないしボナパルティズムのたぐいの形態を確立するか。

既定路線を抜け出す第三の道がある、と想像した者もいた。マドセン・ピリはこう書いている。実際に「**ミクロ政治学**の中心的アイディアが導入されたのはこの舞台においてであった」[229]。どう見てもフーコーやドゥルーズ、ガタリについてなにも聞いたことなどなさそうなイギリスのネオリベラル主義者は、じぶんはあたらしい語を創造したのだ、とかたく信じ込んでいた。「ミクロ政治学」とは、「おおくの人びとが予言するような政治的代価を支払うことなく、政府が改革プログラムを開始すること」[230]を可能にする独自の方法の名前なのであった。

ピリは「セントアンドリュース・グループ」――メンバーがキャリアをスタートさせたスコットランドの大学の名――のリーダーのひとりであった[231]。かれの回顧によれば「われわれはじぶんたちが革命を起こそうとしていると知っていた。六〇年代末の雰囲気はそういうものだった。ロンドンでは大規模なデモが起こり、イギリスの大学は学生に占拠された。フランスではシャルル・ド・ゴール政権がストライキと異議申し立ての波に揺さぶられていた。しかし、われわれがセントアンドリュースで起こしていた革命は違った。かれらの神はマルクスやチェ・ゲバラ、ヘルベルト・マルクーゼだったが、われわれの神はフリードリヒ・ハイエクであり、カール・ポパーであり、ミルトン・フリードマンだった。[…]それだけのことだが、ただし、勝ったのはわれわれだ」[232]。イギリス保守党やレーガン政権の顧問を務めることになるこの思潮のメンバーが、こんにちなお非常に活発な、独自の政治戦術を整えたのである。

このネオリベラル主義的「ミクロ政治学」はどこを領域としているのか？ ピリはかなり難解な言い回しでそれをこう定義している。「諸個人が民間供給による代替策を好み選択する動機をもつ環境、および人びとが、その累積効果によって望ましい事態が生まれるような決断を個人的かつ自発的におこなう環境をつくりだす技法」[233]。

この定義のさまざまなポイントを取りあげよう。①ミクロ政治学は政治技法、政治技術である。②その目的は民営化である。③その対象は個人の選択であり、それを再教育することである。④そのおもな方法は言葉による説得でも力による強制でもなく、経済刺激のメカニズムによって選択状況を再構成する社会工学である。⑤その術策（アダム・スミスへのオマージュとして「見えざる操作」と名づけてもよいだろう）は、個人のミクロな選択によって、一括で提示されていればおそらく大部分の人間が選ばなかったであろう社会秩序が、気づかぬうちにひとつひとつ別々に確立されるように行動することにある。

政治技術用語によって公式化されたこのアプローチは、もうひとつの戦略、すなわち一九七〇年以降におおくが右派から展開され、本書でも先にパウエルの覚書から特徴的な事例を検討した、「思想闘争」という戦略とは対立している。[234] 蜂起対抗ドクトリンにインスパイアされたこの単純すぎるモデルによれば、自由企業システムにたいするイデオロギー的攻撃と分析されたものに対処する際の基本的任務は、「思想」領域で実践された大規模な反撃によって心と精神を奪い返すことだ、とされていた。床屋政談風のグラムシ主義によって解釈すると、ヘゲモニー闘争はプロパガンダ対抗をその任とする、とされてしまう。

セントアンドリュース・グループにとって、それはまちがった道だった。近年の経験が示すように、やっとの思いで多数派の人びと――なんにせよ選挙に勝つにじゅうぶんな程度――を説得しても、すでにそれは無益で、社会はあいかわらず抵抗を続け、改革は空回りするのだ。こうした「障害」を前に、まずは「教育」が必要だと連呼してもなんの役にもたたない。「思想闘争」のパルチザンたちは根本的な方法論のまちがいを犯しており、それは理論と実践の関係についてのまちがった着想に根ざしている。ひとたび脳みそを支配すれば行動もついてくる、と前提することで、イデオロギー的勝利を改革の前提条件であるかのように考えてしまうのだが、ここでかれらは深刻なまちがいを犯している。こういう観念論的・段階論的な図式にピリは異議を唱える。かれはそこに、知識人によくある幻想を嗅ぎつけた。かれらはその社会的地位もあって、「思想」に、そしてその主導者であるとされるじぶんたちに、ひそかに重要な役割を割り当てる傾向にある。「かれらにとっては、思想こそ最終的な決定要因であり、思想闘争に勝つことが事件の闘争に勝つことに等しい、と想定するのも当然である」。[235] しかし、それはあきらかにまちがっている。

勝ちたいなら関係を入れ替えなければならない、とかれは続け、おなかまにこうアドバイスする。理解したいなら、まずは眠くなりそうなハイエクを読むのをやめて、ちょっとチェ・ゲバラ、「ヒーロー」を、それからなにを措いてもレーニン、ほんものの「行動の人」を読んでみよう。ウラディミール・イリイチは道を指し示してくれたではないか。「イリイチはマルクス主義理論を**適用**しようとするのではなく、少数とはいえ覚悟を決めた揺るぎのない人間集団がいかに大国をコントロールすることができたのかを**実践経験から**発見したのである」[236]。敵から取りあげるべき教訓があるとすれば、それは「行動は理論に先立つ」[237]だ。取り返すべきは資本主義批判のあれやこれやのモチーフではなく、革命的**姿勢**である。反動政治において、ボルシェヴィキ・リベラル様式が妙なかたちで生まれたのである。

このネオリベラル主義の潮流の特殊なところは、実践体制にたいする繊細な配慮である。ピリはこう書いている（なお、かれはしばしばじぶんと友人を三人称で語ることがある）。「一九七〇年代、いくつかのグループは思想闘争ではなく、政治工学の問題に集中して取り組んだ。市場経済の旗を掲げ、お決まりのスローガンを叫ぶのではなく、政治のテクニックやメカニズムに［…］こまやかな関心を寄せたのである」[238]。こうした知識人たちは、じぶんたちは演説家や扇動者というより「ちゃんと動く機械を作製する」、「政治エンジニア」[239]だと考えていた。なすべきは人びとを説得することよりも、「選択状況を変えることで人びとの選択を変える」[240]技術的方法を見つけることだ。実践状況が変わればそれ以外の者もあとを追うはずだ。「ミクロ政治学の成功の大部分は、その状況を支持する諸々の思想が全面的に受け入れられるよりも前に達成されている。おおくの場合、こうした政治の成功が思想の勝利を導くのであって、逆ではない」[241]と、のちにかれは自賛している。

一九七〇年代末、こうした書き手たちは自問していた。保守政権は選挙には悠々と勝ち、「改革」の決意も堅い。にもかかわらず、すくなくとも口にしていたほどのことを達成できないのはなぜか[242]？　かれらにやる気がないわけでも、度胸がないわけでもない。客観的な理由がある。福祉国家の歯車そのものに組み込まれた「要求の過負荷」の対抗力学と衝突したからである。それも、対抗する有力な戦略の基礎さえろくにないままに。

鉈で切り落とすように不器用に公的支出をカットしようとすれば、そのたび確実に、関係する社会集団から反対の声が上がる。福祉国家が構造的に重点を置いている社会的**需要**を事前に押しとどめることもせずに、受益者たちがもらっている**給付**を廃止することで政府供給を削減しようとしたことがまちがいだったのだ。それでは鍋の蓋にのしかかって沸騰する湯を押さえようとするようなものではないか[243]。

この問題の解決策は、「民営化」へと向かっていく。一九八〇年代初頭はまだこの語は括弧付きで使われる新語だった。じつに示唆的なことに、ピリが一九八五年にアメリカ合州国で出版した著作『国家解体——民営化の理論と実践』[244]のカバーには、バールのようなものでワシントンの議事堂の丸屋根を壊そうとしている巨大な手が描かれている。

「政府機能の民間セクターへの移転」[245]と定義されたこの「予算カット戦略」は、以前のそれとは対照的に、今日明日にもサービスを消滅させたりはしない、別の提供者に移譲するのだ、というメリットを提示した。言うまでもなく、公務員組合は雇用と身分の保護を掲げて民営化に反対したのだが、代わりになにを失うことになるのかすぐには理解しない——事前に公共サービスの質が落ちる一方にしておけばますますそうなる——利用者は、採算割れ事業の廃止とだけ言っておけば、それほど派手に反応しないことに賭けたのだ。

たしかに民営化は予算カットの巧みなやり方だが、それだけだと思ったらまちがいだろう、とセントアンドリュースのネオリベラル主義者たちは付言する。なぜならその潜在能力は、さらなる期待をもたせるからだ。公共サービスの民営化は、デヴィッド・ハーヴェイが「剥奪による蓄積」[246]と形容する、あらたな独占サイクルの様相を示すようになったが、そのことからして当然、その背後には金銭的動機もあったことはたしかだ。しかしその推進者たちはそれとはちがった側面を――そちらもたしかに非常に重要なのだから、たんなる言い訳ではない――統治性という争点を重視した文字どおりの政治戦略として提示し、強調するほうを選んだ。

「サービスを政治の世界から解放して、純粋に経済的な世界に位置づける」[247]ことで、所有制度だけでなく統治様式にも変化が起きる。サービスが政界の論理に支配されると、そのコスト管理や拡大制限は非常に困難になるが、しかし「そのプログラムが民間セクターに移されると、自動的に市場規律にしたがうことになる」[248]。政府が苦労しながらみずからおこなおうとしたことを、競争規律なら機械的にやらせることができる。民営化は結果として、脱規制プロジェクトであると同時に**再規制**プロジェクトでもある。ある規制様式から他の様式へ。手順は異なるが、より激的な様式へ。「市場が経済活動に強いる規制は、人間が思いつき法により施行しうるどんな規制よりも上位にある」[249]からだ。

民営化を機に、要求の過負荷という問題も解消することが可能になった。「支出に前向きな政治的要求を欲求不満に陥らせるよりは、この要求を非政府セクターへと**逸らす**ほうがよい」[250]。福祉国家に向けられた「権利要求」を「金銭での交換関係へと方向づけし直し」[251]、「政治外領域、つまり市場へと」[252]矛先を転じさせる。それは「支出を後押しする水面下の政治力学」[253]を無力化するためである。

それまでの政治的権利要求を商業的要求に転じさせることで、予算的にだけでなく政治的にも、国家を公衆の圧力から解放することが期待できるようになった。「国家は、たとえば公的サービスの民営化などを通じて経済プロセスから撤退すればそのぶんだけ、国家の一般的責任にもとづいて危機に瀕した資本主義のもたらした負担を軽減せよ、という正当性行使を要求されないですむ」[254]。こうして一石二鳥の計算ができた。国家の財政危機と同時に、その正当性の危機も、つまり、双子の「民主主義の統治性危機」も解消できる。

社会学者ポール・スターはこう主張する。「民営化は社会における権利要求の根本的な再構成プロジェクトであると理解しなければならない」[255]。不平を抱えた利用者なら、公権力に目を向け声高に説明を求めるような状況でも、不満なクライアントは引っ越しすることしかできない。サービス提供を民営化することで、要求を非政治化し、ハーシュマンのカテゴリーにならえば「声を上げる」より「出ていく」のを選ぶよう仕向けるのだ。声を上げることで異議を唱えるより、足を使って出ていくことで票を投じるのである。

セントアンドリュースの民営化論者のひとり、スチュアート・バトラーは、一九八七年にかつての急進左派のスローガン「人民にパワーを」に「福祉の保守的ヴィジョン」[256]というサブタイトルをつけてじぶんの論文のひとつのタイトルに流用し、悦に入っていたことがある。これこそこの時代の象徴だろう。「一九六〇年代のスローガン――〈エンパワーメント〉を再利用して、その真の意味を示す」[257]。社会サービスに金を出すより、競争に開かれた市場で使われるよう受給者に引換証や「バウチャー」を配ることが、かれのお勧めだ。活動家の言うエンパワーメントは集団的・政治的な行動力の強化を目指していたが、ネオリベラルのエンパワーメントが狙っているのは逆に、行為者的性格を民営化と受給者の競争参加にもとづいた個人の「責任ある」消費者へと置き換えることだ。選択肢は与えるが、それはかれらが声を上げるのをやめさせるためだ。市場のエンパワーメント対政治のエンパワーメントである。[258]

一九八〇年代初頭、ネオリベラル主義者のなかには、保守派政権に対し「国家サービスを中絶させるべく鉗子を手に取る」よう奨励した者もいた。しかしそれは「真っ向から問題を取りあげ、すべての敵をまとめて向こうに回すことになる」[259] リスクを冒すことだ、とピリは批判する。部門によってはまとめて脱国営化することも考えられるとはいえ、それは「あまりに人目につきすぎるテクニック」[260] であり、ゆえに政治的にもリスクのあるものだ。一般には別のもっと目立たない、段階的な方法を用いるべきだ。ミクロ政治学がミクロであるゆえんはまず、すこしずつ進んでいくその行動様式である。こうしたアドヴァイスは保守陣営も含めひとを驚かせた。「公的セクターを即座に民間の代替策に置き換えようとするよりは、よりつつましく前進することだけを狙ったかのような」このミクロ政治学者たちのアプローチを、疑念を抱きながら受け止めた者もいた。だが、そこに野心の欠如や妥協あるいは姑息な政策を見てとるのは馬鹿げている。こうしたネオリベラル主義者たちは小心な改革者として振る舞うどころか、むしろ一貫して、長期的な社会変革のプロセスを革命家として構想しようと模索していたのである。

「ミクロ差分主義」[261] という看板でかれらが整理した諸々の手続き以上に、こうした哲学を描きだしているものはないだろう。そのなかには、メソッド一五「公共の独占を終わらせ競争を展開させるには」[262]

などもあり、この想定事例では「公的供給には手をつけず、近接する民間セクターでその代替策を展開する。［…］こうして有力な代替案を選べる状況を作る」[263]とされている。一気に脱国営化する必要はないのだ。国家はもちろん唯一の株主のままであっていい――ひとたび競争への序曲が始まれば、結局はおおむねおなじ結果にいたるプロセスが始動する。ピリは一九八〇年、まだ選出されたばかりのサッチャーによる都市間バス輸送の自由化の例を引用する――それはイギリス鉄道民営化の序曲であった[264]。

この手順の強みはつぎのようなものだ。ひとたび自由化が批准されてしまえば、消費者としてのミクロな選択により各個人自身が変化の原動力となる。「この種の民営化の魅力的な特徴は、サービス全体の民営化を目指して取っ組み合いをする必要もなく、公から民への漸進的な移行を可能にすることだ。［…］人びとは財布で投票し、民間サービスの展開の望ましいリズムをじぶんたちで決定するのである」[265]。こうして、「選択は諸個人が漸進的におこない、歳月とともに累積的にあたらしい現実が生まれる。もっともたしかな革命とは、人びとが時の流れとともにじぶん自身でおこなうものなのだ」[266]。

この民営化のミクロ政治学は、その作動のしかたこそまるで見栄えがしないとはいえ、やはり恐るべきものである。木を食い荒らすおなじ名前の昆虫を参考に、それを**カミキリムシの政治学**と呼んでいいかもしれない。木材のなかに潜んだ数多のちいさなアゴが休むことなく木組みを噛み砕いてくれるなら、梁を切り倒すのに斧はいらない。

この方法論によって、市場社会というグローバルなプロジェクトに賛同するよう全員を説得する必要はなくなった。各人がそれを到来させるよう活動するからである。事実、このレベルの問題を人びとに提起しないことこそ肝要なのだ。この社会では、それをひとまとめにして人びとに売りつけることはしない。細部だけを売るのだ。社会の選択という大問題は、選択社会における些細な諸問題に分解することで回避される。ミクロ政治学的理性の秘策はつぎの点に存する。すなわち、ミクロな選択においてひとはそれと知ることなく、直接の対象以外のなにかを決定してもいるのだ。つまり各人の意思は、その予期される帰結として最初からまとめて提示されていればおそらく選ぶこともなかったであろう社会を目の前に構築するのに貢献している。このミクロはつまり、ケチくさいという意味でもちいさいものなのだ。範囲を狭めよう。これからは狭い視野からのみ世界を見よう。あとになってから、おそらく多少の距離を置いてでなければ、全体像は考えまい。ひとつひとつ、取るに足らない諸関係が変化していくことになろう。そしてそれが延々と続けば、全体は認識不可能になるはずだ。

公共選択論の分析においては、福祉国家には公的支出にたいする「ラチェット効果」があると示唆されている。ひとたびある社会プログラムが承認されてしまえば、それをあとで見直すのが難しくなるだけでなく、新規受給者まで拡大していく傾向があった。民営化論者は「逆ラチェット」効果、「民間セクターのラチェット」を理論化している。これは「望んだ目標に到達して終了する一連の出来事の連鎖を作動させる」[267]には、民営化のプロセスを始動させるだけでじゅうぶん、という考え方である。この解決策のもっとも魅力的な側面は、政治的見地から見れば「その永続性である。一度しかおこなう必要がない」[268]。

だが話はよく聞こう。この種のプロセスを起動させるには、いくつかの法的な制限を飛び越えさせる必要がある。それには権力中枢での争いや、そのレベルで勝利しなければならないマクロ政治学的闘争が含まれる可能性もある。ゆえに、マクロ政治学では力による決着が排除されるどころか、逆にミクロな末端切りを始めるために必要とされることもしばしばである。しかし、それぞれのセクターでたった一度だけ強制がおこなわれればよいのだ、と請け合う者もいる。競争が始まれば、状況も変わる、等々。そのあとは、もはや運動を上から導く必要もない。自由放任しておくだけでよくなるだろう。あとはあなたやわたしのようなシロアリの出番である。

関連セクターにおいて、市場の解体エネルギーを解放する決定的な勝利をたった一度だけ収めればよいのだ、という歴史観、観念が、この種の争いにおけるネオリベラル主義の政府の頑固さを動機づけている。かれらはそれを闘争－ラチェットのようにとらえているのだ。

ネオリベラル主義の失われた環が見つかった、と主張されるようになったのはこういうわけである。ピリが述べるには、それまでネオリベラル主義の経済的方法論とその政治的承認のあいだには驚くべき乖離があった。「経済学者が、ミクロ経済要因こそ飛び抜けて重要だ、と認めても意味はなかった。その検証結果が政治のアリーナにまでひろがることがなかったからである。たとえば、ミクロ経済学研究にもとづいて〈国家産業に終止符を〉あるいは［…］〈公的保健サービスの廃止を〉と呼びかける分析を展開する経済学者を耳にする機会さえまれである」。かれらの隣では「こういったたぐいの話が政令のひとつにさえ結実したためしがない、と熟知している政治リーダーたちがいて、そんな助言は政治の現実から乖離している、と考えている」[269]。

行動様式を分析方法と調和させ、政治戦略をミクロ経済分析のレベルで考え直す、それこそが懸案だった。「ミクロ経済学が諸個人やグループの行動を経済市場にのせて考察する」のと同様に「ミクロ政治学は政治市場に関心を持つ」[270]。それはある意味で「公共選択学派」[271]の思考法の延長上にあった。ただし、もはや選挙市場の機能を**批判**するだけに飽き足らず、そこでなされる選択を**改変**する方法を探そうとしたのである。「一度政治市場の力学を理解すれば、そこで作用している諸力の向きを変える設定を導入することもできる。ミクロ政治学のやりたいことのすべてはそれだ」[272]。

しかし、「公共選択」分析が特定したおおきな障害は、依然行く手に横たわっている。福祉国家の「施し」に与っている者たち（かの「利害関係集団」のことだが、しかしよりひろく言えば公衆全般である）は施しを供給する側（公務員）と、その維持に向けて強力な連立を形成する。このため、敵となかまになるようたがいをそそのかしたであろうものを理解することが難しくなってしまう。

この挑戦に応じることが不可能に思えるとしたら、それは「じぶん自身の利害関係のために直接的に行動するようしむける」[273]方法を発見しなければならないからだろう、とピリは認める。「政治哲学の基本問題」[274]はかの有名なスピノザの問題、「なぜひとはそれが救済であるかのように隷従のために戦うのか？」[275]へと帰着する、とジル・ドゥルーズとフェリックス・ガタリも書いている。かれらによれば、答えは「欲望の機械装置」[276]の分析を通じ、「ミクロな機械技師」によってのみ遂行されうる責務を求めることにある、という。

ネオリベラル主義のミクロ政治学はそれと並行して、しかし逆向きに、よく似た問いを正反対の政治的狙いをもって立てている――もはや**なぜ**ではない。**いかにして**ひとを、それが救済であるかのように隷従のために戦わしめるのか？　かれらの答えは、『アンチ・オイディプス』の著者たちのそれと近親的に見えるような紛らわしい雰囲気さえ持っている。そのために、合理的選択のミクロ・エンジニアリングを展開すること。われわれの望むような行動をとらせるにはひとをどう誘導したらよいか？　かれらの強い欲望を抑圧するというより、むしろどうでもいいような選択を方向づけし直すことで誘導すればよいのだ。[277]

しかし、ことをどう進めるのか、さらに詳しくお願いしたい。ならば、と民営化論者たちは、利用できる戦術をリストアップしたマニュアルを執筆する。ピリは二二項目もの民営化の主要な方法とそのヴァリエーションを列挙している。古式ゆかしく戦争の術策を一覧にしたわけだ――だがついでに言えば、フロンティヌスの戦略論の第一条をなすもの、「計画を隠せ」[278]をじぶん自身に適用することは忘れている。

そのなかからひとつの方法を取りあげよう。民営化を成功裏に終わらせるには、つねに「喪失分と引き換えになにかを提供する」つまり「既存の利害関係グループを買収する」[279]。一九八三年、サッチャー政権はブリティッシュ・エアウェイズの民営化を計画した。二万人分のポスト、つまり従業員の三分の一が検討対象となった。この規模で解雇を決断すれば、激しい反対に直面するのは確実だ。ではどうするか？　「自発的退職の埋め合わせに、かれらに気前の良い条件を提示した」（二年分の給与に相当する小切手）[280]。つまり人びとを「システムにけりをつける一回かぎりの収入［…］と引き換えに［…］長期的な継続的収入を断念させる」[281]よう誘導できる、とピリはコメントしている。持続的利益を突き崩すために、即座の特典をちらつかせるのだ。

みなが騙されるわけではないが、それは構わない。従業員の一部が詐術にかかったというただそれだけの事実で、団結を崩せるのだ。こうすることで、敵の連立のキーポイントを「**買収**」できる。ブリティッシュ・エアウェイズの場合、組合組織が行使した法的訴えのために「売却日が数回遅れたので、従業員たちは交渉が早急に終結にいたらなければストライキを開始する、と脅しをかけた。他の企業でもよくあるように、労働者たちは民営化のパートナーとして組み込まれたのである」[282]。しかし、ピリもこう認めている。「すくなくとも、急速な民営化の見通しなしに、こうした改革のあれこれが成立したかは疑問である」[283]。鞭がなければ、ニンジンの風味もだいぶ落ちたように思えることはたしかだ。

この戦術はおおくの変化型をもっている。人びとからその未来を買うのではなく、新規参入者を犠牲にすれば長期間あなたの特典を維持できます、と約束するのでもよい。かくして、「既存の特別な利害関係が民間セクターへの移行を阻む力をもっているのなら、現時点での受給者に利益を与え続けながら未来像を変更する、というテクニックを使うのもよいだろう」[284]。**あなた**から取りあげられることはないはずの身分を擁護するためにあなたが動かなければならない理由はなんでしょうね？　個人的に関係ないことに気を病む理由はなんでしょうね？

「すでにシステム内にいる者の特典を保証しつつ、将来の参入を妨害する」という方法は、公務員の身分という顕著な事例のほかにもおおくの領域で応用された。家賃制限のケースを例にしよう。ロジックはいっしょである。不動産市場を一挙に規制緩和すれば、家賃上限の恩恵を受けている賃借人が反乱を起こすだろう。これとは別の、より慎重な手順では、既存の賃貸借契約をいじることは諦め、他方で新規の賃貸借契約の条項を変えることにする。「この方法は、漸進的ではあるが確実に公的管理下にある供給を削減し、すこしずつ民間市場部分を増大させるような連鎖反応を引き起こす。こうしておおきな問題もなく、公的セクターの削減不可能な構成要素と思われていたものを消滅させることになる」[285]。

このおなじ方法はまた、年金制度への攻撃を開始する際にも非常に有用であることがあきらかになるだろう。この時点まではまだ有効性を失っていなかった労働者の社会権をあまりに表だって攻撃して、反対派を刺激することにはなんの意味もなかった。改革案を通したいなら、「提案される変更点は約束済みの手当には適用されず、今世紀末までに年金受給年齢に達した者には影響しないと説明するよう、じゅうぶん配慮しよう」とピリは推奨する。かれのまとめによれば、「こうした提案はある意味で、段階的な新システム導入のために〈現役世代〉を〈買収する〉ことだ」[286]。われわれに将来世代を売ってくれ、みなさんは例外にするから。メッセージは以前と同様である。あなたは**個人的に**は影響を受けないのだから、どうしてそれがあなたと**政治的に**関係があることになるのか？　じぶん以外の人間のためになぜ戦うのか、かれらはあなたの子どもなのか孫なのか？　もうじぶんの鼻先より遠くは見ないようにすればいいかがだろう。結局どうでもいいではないか、約束しよう神に誓おう、あなた自身は逃げ切れるのだ。あとは野となれ山となれである。

ネオリベラル主義のミクロ政治学は、長期視点を考慮し、時間を使うことを知っている[287]。時には重要なポジションを奪取するため急襲突破を試みる必要があるかもしれないが、キャンペーン全体は電撃戦ではないし、それはありえない。戦略的計算はここでは数世代の規模で実行されている。事実、われわれはまだそのなかにいるのだ。これらの原則がテーマ化されてから数十年、そのアクチュアリティはいまだ驚くほどである。それはプロセスが完了していない印なのだ。ならばまだそれを脱線させる時間もある、わたしはそう言いたいのである。

このミクロ政治学は、その得意とする規模からしてミクロである。領域を分割し、「小規模実験の政治学」[288]を主導し、自由区域を作る……。ということは、ミクロ政治学の配備に統一性はないだろう。「ケースはそれぞれにちがい、どれにたいしても別々の政策が必要になる」[289]。かんたんに言うと、戦術の多様性である。脱中心化し、決定は可能なかぎり、多数の地域エージェントにばらばらのタイミングで委託する。力関係は回折させ、同期させないようにする。それは敵が群れをなすことのみならず、**時代の象徴**になることを妨げるためだ。

この分断戦術が扱うのは領域の細分化だけでなく、社会の細分化でもある。ミクロ政治学は「すべての敵とまとめて対決する」ことを避けるよう配慮し、「階級の分割」[290]戦略を処方する。「それぞれの立場に応じていくつかのグループに違った待遇を与えることで孤立させる」[291]のは、「相手の規模を縮小する」[292]ためだ。分割して統治する。例の賢いやり方の再利用だ。

ミクロ政治学者たちは「いくつかのグループを友好的に転じさせ、他のグループを足止めすることに相当な労力を」[293]払う。**メソッド一一**は「対抗グループを作れ」[294]である。たとえば保健システムを民営化するには、「民間医療を重視するグループ」に頼るよう助言される。こうした戦術は、その対象が「先見の明があり、目的を達するために効果的にシステムに圧力をかける方法を知っている［…］中産階級」[295]なだけに、なお有効である。別の事例として——とはいえ行為主体はおなじだが——教育をあげよう。少数派の両親——「選択手段をもつ者」[296]——だけがあえて子どもを私立にやるという「二重払い」[297]

ができる。二重とはどういうことか？　じぶんの子どもを私立学校に進学させ、その代価を直接に支払う。だが同時に納税というかたちで**他人の子どもたち**の公教育のために間接的に支払いを済ませてもいる。じぶんの子どもたちにこのサービスを受けさせることはやめたからだ。公的な教育サービスという戦線に対抗グループを作る素晴らしいチャンスがここに生じる。私立学校の生徒の両親を動員して、「かれらの」税が公的教育に投下されるのをやめさせるのだ。

　重要な指摘をひとつ。市場関係の政治力は、そう喧伝されることもある紛らわしいイメージとは逆に、たんに**自動的**な社会調整能力なるものにのみ立脚しているわけではないことを、ネオリベラル主義的ミクロ政治学の戦術家たちは熟知していた。市場関係が重要なのは、この関係を支える市場を擁護し強化するためにそのエネルギーを政治的に利用できるような社会的利害関係を生み出し、強化するからでもある。ネオリベラル主義のプロジェクトが勝利を収めるには、政治を経済化するだけではじゅうぶんではない。運動を支えることができる、そして市場の立場にもとづいて動員可能な社会政治グループを構成することができる、経済的な利害関係を政治化することも必要なのだ。それなくしては、大規模な社会的対決に際しネオリベラル主義のプログラムは、オリガルキー【寡頭制、とくに最近では寡占資本家集団を指す】以外の社会的基盤をすべて失いかねず、そうなれば必要不可欠な選挙市場での勝利も、ネオリベラル主義政権の長期の維持も叶わない。「公的支出に前向きな連立の後背を突く」[298]なら、政治的な対抗連立の形成が不可欠だ。政治を余すところなく市場のメカニズムに落とし込むことがだいじなのではない。市場の利害関係を活性化し、自由化プログラムの政治的支持グループ形成のための社会基盤として利用できるようにすることが重要なのである。

ネオリベラル主義のミクロ政治学の的の中心にあるのは「中産階級」である。一九八〇年代のアメリカの「ニュー・ライト」の政治戦略、つまりレーガンのそれは、この社会的土台の上に立てられていた。他の経済不況の時期とはちがい、スタグフレーションは平準化効果をもたらすどころか逆に「階級内差異化」[299]を強め、社会構造を階級間のみならず社会階級そのものの内部で二極化させる働きをしたことは、マイク・デイヴィスが証明したとおりだ。それは金持ちと文無しそれぞれの内部に亀裂を穿ち、中産階級最上位に経営者、自由業、新興企業家と利子生活者からなる好戦的な層を増殖させる結果をもたらした。「その結果生じた階級構造の分断は、ニュー・ライトお気に入りの、エゴイスティックな〈サヴァイヴァル主義〉を軸とした政治の再構成を促進した」[300]。マイク・デイヴィスは「白人労働者が被扶助者に対して抱くルサンチマン」[301]をかき立てることで、「マイノリティに不利な社会的再分配戦略」[302]をより促進するネオ・ポピュリズム、と描いている。

ネオリベラル主義は、イデオロギーとしてというよりは政治テクノロジーとして勝利を手にした。忘れさられた文化人類学者、アルセーヌ・デュモンは二〇世紀が始まったばかりのころ、「習俗を記述するエスノグラフィー」と「習俗をあるべき姿にする技術としてのエトノミー」[303]という概念上の区別を提案していたことがある。ネオリベラル主義のミクロ政治学はこの意味で政治的エトノミー、つまり自身の振る舞いや、他人といっしょにどう振る舞うかのやり方を変更させることを狙うテクノロジーとして登場した。このエトノミーの一般精神は、ここまで報告された諸々の例で露骨にあきらかになった。すなわち、ヘーゲルが人倫と呼んでいたもの、「習俗の道徳性」のもっとも基本的な形を解体することになっても、抜き差しならないおのれの傾向にしたがうよう各人を刺激することである。ネオリベラル主義のミクロ政治学は意識と行動に影響を及ぼそうと狙っている。思考能力や行動様式を根本的に変質させること、それは文化人類学レベルでおこなわれる。これが、われわれの直面しているものの根本である。それをあらゆる手段で見定めなければならない。

　とにもかくにもネオリベラル主義がひとを惹きつけてきたのは、個人の自律と社会の自己制御という二重の約束を掲げていたからである。それは、古めかしい監督制度や規律という名のコルセットを捨てて解放された主体、というイメージを映し出す。だが「じぶんの人生を起業するものならではの自律」に酔うことで、ひとは「それにふさわしい責任をもつ」[1]ことになる。指令とコントロールの垂直的ないかめしさを嫌い、官僚主義国家の干渉を嫌い、「市場経済のサイバネティクス的調整」を提供すること。そこでは利潤こそが「グローバル調整の超越的手段」として用いられ、「それによって、いっときある人びとが他人よりおおきな恩恵を受けることがあるにせよ、万人が恩恵を得る」……[2]。

「統治されない技法」をお探しなら、やはりハイエクとそのなかまたちに注目していただきたい。「個人の欲望のひろがりに干渉せず、すべてを管理・固定・抑圧しようとするより、すくなくとも一部を自由放任することこそより有効だ、という事実を念頭に置いた統治理性の形式」[3]が見出されるはずだ。

　この魅惑的な、ほとんど絶対自由主義的といっていいネオリベラルな統治性のヴィジョンはまやかしである。

「民主制の統治危機」を打破するために練られた戦略は、むしろ**権威主義的リベラル主義**へと集約されていく。その定義を明確にすべき時だろう。

政治科学では決まってそう述べられているように、権威だけで権威主義をじゅうぶんに特徴づけることができるわけではない。もちろんそのとおりだ。では、なにがそれを定義づけるのか。権力の濫用？「自由」が「権威」にいくばくか侵食されること？　そうかもしれない。しかしより深いところに別のなにかがあって、それがこのコンセプトの中核をなしている。政治的意志の**唯一の真の担い手**であると自負する権力は権威主義的である。権威主義的国家に同調する者は、「自律し、じぶん自身に責任をもち」[4]、議会と諸党派から独立しているからこそ「中立な」、主権の意志を褒めそやす。だが実際にしていることを見よう。自律しデモスから遊離した主権の意志は、政治的決断を下す際に、低い立場の者たちからの圧力に縛りをかけている。議会権力の弱体化や、社会運動の抑圧、組合の権利や報道の自由、法的保護等々の縮小は、主権による決定の自律的、垂直的プロセスそのものと生き写しなのである。

「強い国家」を奉じる者たちが、その力がカバーする範囲、つまり具体的にどこまでやるのか、ただ厳しい姿勢を見せつけるだけなのか、それとも反対派を組織的に抑圧することまでするのかなどについて、みなおなじように考えているとは限らない。しかし国家の権威はみずからを高めるべきであり、そのために「人民の意志」という圧力を削ぐのだ、という考えには合意していることだろう。

しかし逆説的にも、リベラルな傾向は、こういう考え方の第一の特徴にたいし、なにを措いても強化すべしとされたその権威を制限することまで踏み込んだ、第二の次元を重ね書きする。権威主義的リベラル国家は自己の領域では全能かもしれないが、その領域は厳しく制限されるのである。「介入主義」お断りが掲げられているため、政治決断の許される領域は現実には――ハイエクが隠そうともしなかったように――基本的に社会的不平等という次元には手をつけず、再分配政策は全面的に拒否する、といった制限に取り囲まれている。ヘラーが警告を発しているように、権威主義的リベラル主義は社会的非対称の権威主義なのである。すべてはだれがだれを相手にしているのかに左右される。強者が弱者を相手にしているのか、あるいは弱者が強者を相手にしているのか。

権威主義的リベラル主義を、リベラル独裁の極端な例と片付けるわけにはいかない。こうしたかたちで定義してみれば、権威主義的リベラル主義という考え方はつぎのような状況、すなわち、（**リベラル**な傾向を持つ）経済が政治決定を禁じた制限領域で、政治決定を掌握するためサバルタンたちが行使する圧力手段にたいし、（文字通りの**権威主義的**傾向をもつ）制限が課されるような状況すべてに適用される。ある種の経済プログラムと、ある種の統治スタイルのあいだにたまたま結びつきが生じる、ということではない。ここにみられるのは国家の介入できる領域の削減と、その制限された領域内での権威の強化とのあいだの、より根本的な機能的・戦略的連携であり、それらは相互に関連している。というのも、オルドリベラル主義の創設者の一人アレクサンダー・リュストウが書いていたように、国家の自己制限は「国家の独立と力の条件であり表現である」[5]からだ。なぜならこの自己制限によって、国家は「利害関係者集団」から距離を取ることができるからである。さもなくば、国家はこの利害関係に「捕まって」しまう。つまり、なるほど国家の自己制限は国家の自己強化のためであるとしても、シュミットが喚起したように、事前に政治的・警察的に強化されていなければ、やはり国家はこの切除手術を行うことはできない。この手術には関係するサバルタンの社会的利害と対決することもふくまれるからだ。

経済的にはリベラルではない権威主義的体制があってもいいだろう。だがネオリベラルな政治については、まず原則として第一段階の制限（政治を経済で制限する）に進み、そして戦略的必然性から——経営者と金利生活者だけでできた人民を想像するなら話は別だが——第二段階の制限（サバルタンの利害関係にかかわる政治デモを圧迫する）へと進むもの以外は、思い浮かべることさえ難しい。権威主義的リベラル主義とは矛盾した言い方ではないか、とはよく言われることだが、どちらかと言えばおなじ意味の言葉を重ねているだけではないか、と言うべきだろう。

しかし、ネオリベラル主義の権威主義的な次元は国家権力の領域をはみ出していく。ビジネス界がなんとしても守ろうとしているのは——それがかれらのいう政治を動かすという言葉の意味だ——私的領域の統治の自律性である。統治されることを望まない社会分子があるとしたら、これこそそれにあたる。しかし、自身を統治不能にするのは、他者をより巧妙に統治するためである。

ネオリベラル主義は、市場を統治不能に仕立て上げることで、みずからの地位を統治システムの一部にまで高めた。どうすれば経営者の振るまいが株式価値と連動するのかについては、すでに指摘がある。ますます金融市場にしたがわざるを得なくなった経営陣は、みずからの戦略の裁量の余地が制限されたことには気づいている。だが、かといって部下たちに行使する権威がある以上、かれらの権威が失われたわけではない。市場の規律強化は組織内の大小のリーダーの権力強化とセットである。

ネオリベラルな政治は、契約関係における雇用者の権限を強化することで規制撤廃、とくに労働法の規制撤廃をおこない、労働者の力関係を弱め、労働拒否権や裁量を縮小することで労働者の雇用を不安定なものにし、格差を助長し、これによって秩序全般を制圧するチャンスを増やすことで富の蓄積を容易にした。ここには、私的領域においてもより巧妙な権威主義をもちこむことが含まれている。経済的リベラル主義が権威主義的である、というのはそういう意味でもある。つまり国家だけでなく社会もまた権威的なのだ。

かつてはネオリベラル主義を、いわば「国家恐怖症」の表現と形容することもできたかもしれない。だが実際にはネオリベラル主義は国家権力にみごとに適応したのである。国家そのものは経済面においてリベラルであり続けるが、ネオリベラル主義は権威主義的な形態をとる、という意味もここにはある。

ではなぜ「恐怖症」なのか。エコロジー的な問いを例にするとそれがわかる。規制、そして資本にたいする規制コスト、さらには経営者の賞与が削減されることが懸念されるうえ、その背景として、社会運動、「民主運動」、そしてそこから発せられる要求への恐れがある。これらは資本主義的な生産組織化や、それを基礎づける、価値を最優先する考え方とは対立する傾向がある、と正しく理解されているからである。

一九七〇年代、あたらしい会社理論の再建を推進した経済学者たちは、同時期に企業の規律権力の限界を再検討したマネジメントのスペシャリストたちと同様、恐怖症の対象とは言わずとも懸念の対象とは言えるだろう、より明確な対象を念頭に置いていた。それは国家ではなく**自主管理**だったのである。

これは当時の急進左派にとっての大テーマであった。協同組合や労働者管理による工場占拠、さらにはユーゴスラヴィアの自主管理企業といったオルタナティヴな経験に着想を得て、期待のもてるあらたな路線、資本主義企業だけでなく国家の官僚主義にとっても可能なオルタナティヴが見出されたのである。

だれも憶えていないだろうが、「自由企業」の擁護者たちもまた、知的破綻を目の前にした情勢下で――すくなくともその当初――自主管理理論によりこまやかな関心を寄せていた。[6] ネオリベラル主義者たちは、同時期にコレット・マニーが喧伝したような、「協調における個人主義」は社会的にも歴史的にも「個人主義下の競争」より優先されることがあきらかになるかもしれない、という考えをそれなりに根拠のある仮説と見なし、それを否定するためにかなりの紙幅を費やしている。むべなるかなである。自主管理的な潮流のもつ反国家主義、内在性や自律、自己組織化の思想はネオリベラル主義者たちにも否定しがたい魅惑を放っていた。それは、経済における国家主義とは縁を切る試みであり、さらに管理主義的な国家と市場の疑似-調整を乗り越えるというプロジェクトでもある、という意味で自主管理だったのであり、ゆえにネオリベラル主義者たちにとってそれは、挑む価値のある相手と思われたのである。理論面での第一の敵はこのようなものだった。ここから、瀕死のケインズ主義よりもより根本的な将来の危険が登場しかねなかったからである。

一九七〇年代に準備された大反動は、福祉国家のオルタナティヴというよりは、福祉国家にたいする異議申し立てのオルタナティヴだった。オルタナティヴのオルタナティヴだったのである。ここから、こんにち再出発すべきスタート地点を知るためのよい手がかりが得られたかもしれない。すなわち、権威主義的リベラル主義に対抗し、自主管理を再開することである。

シュミット＝ハイエク主義の時代——訳者あとがきにかえて

現在の戦争とは、支配集団が自国民に対して仕掛けるものであり、戦争の目的は、領土の征服やその阻止ではなく、社会構造をそっくりそのまま保つことにある。従って、「戦争」という言葉自体が、誤解を招いてきた。継続化によって、戦争は存在しなくなったと言った方が正確かもしれない。

ジョージ・オーウェル

本書は Grégoire Chamayou, *La société ingouvernable : une généalogie du libéralisme autoritaire*, Fabrique, 2018 の邦訳書である。

同書はすでに英語版、ドイツ語版、ポルトガル語版など各国語への翻訳が進んでいる。また、日本ではシャマユーの主だった単著の翻訳が明石書店より進んでおり、すでに『人体実験の哲学：「卑しい体」がつくる医学、技術、権力の歴史』（加納由起子訳、明石書店、二〇一八）、『ドローンの哲学：遠隔テクノロジーと〈無人化〉する戦争』（渡名喜庸哲訳、明石書店、二〇一八）、『人間狩り：狩猟権力の歴史と哲学』（平田周、吉澤英樹、中山俊訳、明石書店、二〇二一）と、順調にその紹介が進んでいる。これらの著作は本書と同様、おなじく各国語への翻訳が進んでおり、こうした状況を鑑みれば、いまヨーロッパでもっとも関心を持たれている著者と言っても過言ではないだろう。

シャマユーは一九七六年生まれ、高等師範学校フォントゥネ・サン・クルー校を卒業、科学哲学者として著名なドミニク・ルクールのもとで博士論文を執筆、現在はパリ大学ナンテール校ほかで講義を担当している。一連の業績から伺えるところでは、科学哲学的手法をベースにしつつ、『人体実験の哲学』やカントの心身論関係の翻訳などに見られる医学史的関心、『ドローンの哲学』やクラウゼヴィッツの翻訳に見られる軍事技術の社会史的関心、そしてマルクスの翻訳や本書に見られるような資本主義への関心と、その領域を展開している模様である。気の早い向きでは、すでに「フーコーの再来」といった評価が口の端に上りつつあるようだが、その是非はさておき、それだけ衆目を集める存在になりつつあることは確かである。本書もすでに酒井隆史による紹介があり(1)、邦訳を待たれていた方も多いのではあるまいか。

1

本書のスタンスである「ノーベル賞受賞者の著作からビジネス書まで」について、すこし考えてみよう。まず、ネオリベラル主義の代表的な論者の見解に、ビジネス書や経済誌を通じて触れ、おおいに感銘を受けているあなたにとってはどうだろう？　たとえば先年、日本ではピーター・ドラッカーに影響された女子高生が野球部をマネジメントしたら、という設定で書かれた小説(2)がおおいに売れ、マンガにアニメに実写映画にと、さまざまな媒体で作品化された。だがかれがどういう歴史的文脈で発言したのかを、他の著者、とくにノーベル賞受賞者たちの著作と関連づけて理解することは、おなじ小説を読んだ同僚よりも一歩進んだ理解をあなたにもたらさないだろうか？　本書でドラッカーの出番はかならずしもおおくはないのだが、むしろかれの諸々の発言の背景を理解するためと思えばじゅうぶんにその目的は果たせるはずだ。くだんの女子高生だって、本書もあわせて読んでくれていれば、よりビターな大人のテイストあふれるマネジメントができたことはまちがいない、と自信をもってお勧めできる。

あるいは逆に、ネオリベラル主義のネガティヴな影響を被った層にとってはどうだろう？　この層にとって、ネオリベラル主義という語はあまりにキメラ的である。その定義のあいまいさをあげつらうだけで本が一冊書ける、と実演してみせたものとしては、たとえば稲葉振一郎『「新自由主義」の妖怪：資本主義史論の試み』(3)などが記憶に新しい。

結果として、われわれは日々この言葉の多義性に忙殺されている。たとえば大学・学校関係者を例にしよう。最近の「一〇兆円大学ファンド」に代表されるように、大学運営を市場の価値観へと同調させるよう強く迫る、市場の至上主義とも言うべき潮流に押される一方で、旧共産圏出身者から思わず郷愁の言葉が漏れ聞こえるほどの数値化、計画化とその報告作成に日々圧されてもいる（ハイエク風の陰謀論を唱えて良いなら、PDCAのPには計画という言葉が残っているのだからこれは社会主義の残渣《ざんさ》だ、これぞ隠れ社会主義者の陰謀にちがいないのだからぜひとも追放せねばならぬ、と唱えたいくらいである）。そしてこの計画経済的運営を「実質化」すべく学長および理事会に強権を与え、やりようによっては終身学長制をも可能にする独裁的なシステムが文科省のお墨付きのもと、当たり前のように導入されて久しい。

市場主義と独裁、そして計画主義の奇怪なキメラである。ジェリー・Z・ミュラー『測りすぎ：なぜパフォーマンス評価は失敗するのか？』[4]やマーク・フィッシャー『資本主義リアリズム』[5]など、ネオリベラル主義を実践的なレベルから検討した著作が、いずれも大学や学校での業務の経験に着想を得ているのも当然と言えば当然の成り行きである。このキメラの各部分をそれぞれネオリベ的と形容すれば矛盾を来すのも、これまた当然ではある。しかし、本書のスタンスは、その矛盾に巻き込まれた層にとっても、この多義性に明解な道筋を付けてくれるはずだ。

2

まず本書の解釈の基本線となるものを三つあげてみよう。

第一に、さまざまな定義の乱立するネオリベラル主義のなかから、仮に名付ければシュミット＝ハイエク主義とでも呼ぶべき路線を軸に据えることである。すなわち、権威主義とリベラル主義、一見すると水と油のようなこのふたつを重ねたようにも見えるこのタイトルは、じつは同語反復だ、そしてこのふたつを同語反復にするのがこの路線でのネオリベラル主義なのだ、という視点を措定することである。

これは、ナチズム勃興期のシュミットとヘラーの論争を出発点にしている。シャマユーは本書でも紹介されたこの重要な議論を、本書の出版後にみずから翻訳して一冊にまとめて出版しているほどである。[6]日本でも近年、おなじようにヘラーを出発点とするヴォルフガング・シュトレークの『資本主義はどう終わるのか』[7]が訳出されたが、同書でもこの視点をとることで、資本主義が民主主義と福祉国家を介して結びついていた時代がいかに儚い歴史的一局面に過ぎなかったのかが、説得力をもって論じられている。日本の読者なら、すでに一九八〇年代に柄谷行人がシュミットを踏まえつつ、自由主義と民主主義の根本的対立に言及していたことを想起するかもしれない。

さて、シュミット＝ハイエク主義を単純化すれば、それは程度の差はあれ原則的に、国家ないし社会が経済領域に介入すれば全体主義、そうしなければリベラル主義と見なす主義、ということになる。つまり、福祉や所得再配分といった政策は自動的に全体主義に属する。なぜならそれは労働力価格も含む自由で健全な競争にもとづいた価格設定の妨げとなるからである。したがって、ある権威主義的な政権、たとえばピノチェト政権のような軍事政権が強権をもって福祉や所得再配分を求める社会を圧殺してくれるなら、それはリベラル主義的政権なのだ。ハイエクにとって民主主義が権威主義より好まれるのは、端的に経済は手つかずにしてくれるありがたい賢人王がそうそう登場するわけではないからに過ぎない。とはいえハイエクも、軍事政権の将軍たちはみずからの役割を過渡的なものと自認して、時期が来れば権力をみずから民主政権に返上するのでは、と暗に想定する程度には楽観的だったようではある。

第二の基本線としてあげるべきは、ポランニーの「社会防衛」の視点である。シュミット＝ハイエク主義が導入されたのは、単純に経済が社会からの介入をはねつけるためだけではなく、社会の側にみずからの負担を外部化するために必要だからである。ここでは社会なるものが維持してきた世界は、所有的個人主義から離れた共有地に過ぎない。それゆえ、社会の外部化のためには、つねになんらかの形で相互扶助のシステムをもつ社会にたいし、ときにはその扶助のシステムにただ乗りし、ときにはその扶助のシステムを「既得権益」として排除し、所有的個人主義の枠内に回収する必要がある。シュミットの言葉を借りればそれは「奪取する」というかたちで遂行される。この奪取のベクトルは、リベラル主義のプリズムを通せば経済では競争に、思想では論争に分光されるのだが、最晩年のシュミットがニヒルに嗤《わら》うように、そうした見せかけの上品さの背後にある奪取を上回るような生産はない。自国民にしかけられた継続的な内戦が上品にウォッシングされた産物であっても、つまるところは奪取である。シャマユーが戦争のレトリックを重視し、そのミクロな実践を丹念に描くのもじゅうぶんな必要性があるのだ。

だがもちろん、社会もまたそれにたいして反撃を用意する。本書でもたびたび引用される『大転換』におけるポランニーが提示するこの外部化と防衛のシーソーゲームが、本書を貫くもうひとつの基本線である。

しかし、反撃策のつもりがいつの間にか経済の構成要素に取り込まれ、その一部として機能するようにしむけるための、さらなる再反撃も用意されている。このかけひきが、本書の第三の基本線であり、その最大の特徴というべきものだ。それはより歴史的なものと言ってよく、本書で紹介された表現を流用して、「ネオリベラル主義のミッシング・リンク」と言いたいほどである。

「ネオリベラル主義の精神史」では、この教義はリップマン・シンポジウムからオルドリベラル主義、そしてモンペルラン協会を経て、ハイエクやフリードマンらの影響のもとチリで、そしてサッチャー政権、レーガン政権で地歩をかためた、と説明されることがおおい。だが、ネオリベラル主義の「イデオロギー的なアウトライン」だけでは不十分だ、というのがシャマユーの主張である。

とりわけ企業組織論を中心に、官民さまざまなレベルでのネオリベラル主義と親和的な実践がおこなわれる。それらは、さまざまな意味で「統治不能」なもの、つまり経済に介入し野放図に肥大する国家を、市場原理にしたがわず治外法権のように価格メカニズムに抵抗する労働者を、どうあっても「再統治」するための、実践的な諸戦略である。そしてそれらが逆輸入されるかたちで政策決定の場に導入され、同時にこの再統治システム内での「自己統治」へも導入される。その経緯の、「実践的なアウトライン」を描くために、シャマユーはビジネス書からノウハウ本にいたる闘争の資料を参照する。それこそが、オルドリベラル主義とナチズムの関係のあと、戦後の福祉国家の影に隠れていたネオリベラル主義がついに一九七〇年代に復権するまでの空白、そして一介の経済理論だったものが政策に降りてくるまでの空白を結ぶリンクなのだ。

この方向の議論としては、たとえばデヴィッド・ハーヴェイ『新自由主義：その歴史的展開と現在』(8)のように、ネオリベラル主義のイデオローグたちのさかんな宣伝活動が「同意形成」に果たした役割を概括するものがないわけではない。とりわけ同書では、（先にも触れたような）民主運動と個人的自由の追求が相矛盾する可能性に左派が気づいていなかった可能性、そしてポストモダンの主体とネオリベラル主義の相性のよさなど、重要な指摘もなされている。また二〇一九年に出版されたニコラス・レマン『マイケル・ジェンセンとアメリカ中産階級の解体：エージェンシー理論の光と影』(9)では、本書でも重要な登場人物であるバーリやジェンセンの人となりの紹介もあわせて、エージェンシー理論が中産階級の解体にどう貢献したかがジャーナリスト視線で論じられており、本書とは補完的な意味で興味深いものである。

しかし、本書の記述の厚さは、それらの理論が多義性を含んでいたこと、つまりハーヴェイの指摘するようなポストモダン思想との見かけ上の類似を論難することに意味はない、理論はあくまで道具であって、その使い方によって左右のどちらに転んでもおかしくないものであったことを、いやというほど気づかせてくれる。そして最終的には、概念は生産するだけで満足すべきものではなく、確実に奪取せねばならないものなのだ、ということをわれわれは痛感することになる。

3

この三つの基本線に沿って、もうすこし情報を補足しておこう。

まず、第一の基本線についていくつかの背景を補足しよう。

カール・シュミットが自由主義と民主主義の対立を鋭く指摘してたことはつとに知られている。しかし、その意図は「ナチスのイデオローグ」のイメージに隠れてややもすると見落とされがちである。

本書でも言及される、リップマン・シンポジウムをまずスタート地点に選ぼう。一九三八年八月、ウォルター・リップマンの『よき社会』[10]の出版を機に、レーモン・アロン、ハイエク、フォン・ミーゼス、マイケル・ポランニー（カールの弟）、アレクサンダー・リュストウ、そしてジャック・リュエフらを集めて開かれたこのシンポジウムでは、リップマンの「計画経済」にたいする反感を軸に議論が進められた。ナチズムと社会主義（そしてニュー・ディール）はこの観点からは同根である。

しかし、それにたいして自然秩序に擬せられる自由主義的な市場経済を提起するのは意味がない。この擬自然秩序は国家の積極的な介入のもと、国家の定めた枠組みとしての法秩序のなかではじめて維持されるのである。とりわけ、独占による競争の機能不全は国家の介入によってのみ改善されるというリュストウの主張は、このあとドイツのオルドリベラル主義の基調となる。

もっともこのシンポジウムの議論では、国家による諸々の生活保障は価格メカニズムへの従属、および予算均衡の枠内では正当化されるものであるし、重要なのはこうした一連の原則の堅持であり、最大効用の追求ではない、とされている点には注意が必要である。このシンポジウム後も、リュエフの一連の関心の中心は「もっとも恵まれない人に最大限の厚生を提供すること」と「価格メカニズム」の両立だったのであり、だからこそ労働界、左派の側でも協力を模索していたのである。

他方、戦後にはオルドリベラル主義（秩序自由主義）へと引き継がれることになるドイツの「新自由主義 der neue Liberalismus」では、一九三〇年代においてはヘラーの指摘にあったように「国家の優位」と自由市場経済が結びついた体制が構想されていた。それは、「利害関係者」による価格メカニズムの破壊、という野放図な自由に対抗して、強制的画一化政策によって組織諸利害を解体することのできる強い国家による「自由の馴致」を掲げるものであった。本節の最初に触れたシュミットの議論は、この流れに棹さすものとして構想されたのである。いわゆる「指令経済」の印象、また強権的な収用のイメージとはほど遠い、再民営化、企業家精神と私的所有の尊重、そして国家のインセンティブによる生産効率性増進がその指針であり、そのために必要な健全な競争を担保するために簿記や価格基準の統一化が、そして決算公開義務や監査の強制、市場への企業情報の十分な伝達といった一連の透明化が推し進められていたのである。ナチス体制は、ハイエクらがさかんに売り込んだ「ニュー・ディール＝ナチズム＝社会主義」という等式とは裏腹に、リベラル主義的な全体国家として経済復興を果たしたのである。そしてそれを支えたのが「秩序だった」労働市場緩和による低賃金の維持、そして他方では大量の「ボランティア」の動員などだった。

だがその後の一九四七年、ハイエクらを中心に、一部のリップマン・シンポジウムの出席者、そしてロビンズやナイトや、フリードマンら英米系の論者を新たに迎えて発足したモンペルラン協会は、真っ先に労働組合の特権をすべて剥奪することを基調として掲げることになる。その後、英米系と仏独系の参加者の方向性の違いは鮮明化し、労働側との対話を軽視する前者がこの協会を乗っ取るように主導、後者の参加者が一九六〇年には「国家が善をなすことはあり得ず、民間企業が悪をなすことはありえないという善悪二元論」へと向かっていると嘆く状況に陥ることになる[11]。

では第二の基本線、つまりこうして圧殺される中間諸団体としての「社会」からの反撃、というポランニー的な路線はこの流れのなかにどのように位置づけられるのか。

すでにリップマン・シンポジウムの出席者たちは、ある種の弁証法的な思考、つまりかれらの構想するあたらしいリベラル主義が労働運動をも包摂しうるものだとイメージしていたし、実際に労働界もかれらとの協力を模索してもいた。リュエフはその新しいリベラル主義を「社会自由主義 libéralisme social」と呼ぶことさえ考えていた。

この自由主義者たちの妥協を引き出したのは労働運動の高まりであり、そしてなにより二度の大戦である。本書のかなりの部分を占める労働運動にたいする資本側の反撃は、そもそもが戦後の労働運動の高まりが背景にあることは言うまでもない。一九四六年のアメリカの大規模なストライキの実情を見ればそれはあきらかだろう。四九八五件のストライキが四六〇万の労働者、つまり労働者の一六・五％を動員し、それは「破局的な内戦」を思わせるものだったのである。[12]

とはいえ、これもまた資本によって「総動員」をかけられた犠牲者のための代価という側面、そして実戦経験豊富な大量の復員兵が暴動に参加したらどうなるか、という恐怖をも背景にしている。シャマユーが別の著書で書くように、[13]社会国家の一部は世界戦争の産物であり、政策決定は暗黙のうちにそのコストを補填《ほてん》するように立案される。そもそも事の発端からして福祉の導入と戦争動員は切り離せず、しかし戦後はそのおなじ「手段」がこんどは労働者の側から要求されたのだ。そしてこの社会の側からの要求は、倫理的マネジメント、そして企業の社会的責任といった一連の企業側のリアクションを引き出すことになる。

しかし、本書の最大の特色、その第三の基本線からこの第一、第二の基本線を見ると、事態はより複雑になる。シャマユーのここでの立場をやや抽象的な言い方で表現すればそれは、「概念の生産ではなく概念の奪取を」ということになるだろう。

たとえば福祉システムの変遷を粗くなぞってみよう。まず戦中・戦後の福祉システムは無から生じたものではなく、諸々の民間の組合、つまり自衛する社会の側から生まれたものを良く言えば統一、悪く言えば接収するかたちをとった。しかしそれが戦時・戦後に、労働者側の圧力で国家化された側面があることもまた事実である。さらに、戦後のアメリカではそれは「企業内組合」との連携によって達成される方向にむかう。だがその財源は（本書でもその皮肉が引用されるように）投資ファンドに流れ、そして投資ファンドの求める株主利益との同調が、当の出資者であるはずの組合員たちの首を絞めることになる。

福祉とはあくまでひとつの「手段」であり、その手段を用いてなにを達成するかについては、当事者それぞれの力関係で二転三転するものなのだ。たとえば、持ち家そして結婚と家族は、一九世紀の貧民対策の時点で、すでに本書第21章の論じる「責任化」の強力な手段だった。だがさらに二〇世紀中盤のアメリカにおいては、こうして成立した家族と持ち家は、消費信用そして抵当信用というかたちで経済金融化のひとつの拠点となる、つまり、再生産の拠点から消費の拠点へと転換されていく。そのことが、市民を政治の主体としての市民から、顧客、カスタマーとしての市民へと変化させることになる。

こうして用意された土壌をもとに、ニュー・パブリック・マネジメントという名のもとに行政の側から「市民」を「顧客」に変換し、その顧客の精査・要求に耐える組織改革が進んでいく。だが、結果として公共が覆うべき重要な領域、シュトレークの言葉を借りれば「政治財」(14)と呼ばれる、社会的連帯や配分の正義までも最終的には市場に委ねる以外の道筋が、そこに残されているのだろうか。

これがまさに、本書の第三の基本線である。福祉社会がみごとに換骨奪胎されたように、シャマユーの本書での記述は、ステークホルダー理論にせよ、企業の社会的責任にせよ、そこに見られる理論がつねに両義的、端的に言えば「どうにでも使われる」ものであることを前提に綱引きが繰り広げられることを、具体的な実例をつうじて描きだしていく。

たしかにシャマユーの言うとおり、第二次世界大戦後の福祉国家の成立から七〇年代のネオリベラル主義への転換までのあいだ、ハイエクらの立場は「砂漠で説教をする」ような不毛なものであり、それがいきなり浮上するわけもなかった。むしろそのあいだ、どこでなにと結びついていたのかを分析する、それが本書でのシャマユーの独自の努力であり、そのためにかれは当時の「ビジネス書」や経営マニュアルに至るまで目を通す。それが民間レベル・企業レベルで一定の有効性をもったがゆえに、七〇年代において浮上するチャンスをつかみ取ることができたのである。そのためにかれは、倫理的マネジメント主義から戦略的マネジメント主義、企業の社会的責任からエージェンシー理論といった経済誌でも取り沙汰されそうな「はやりの」理論の浮沈をつうじて、ネオリベラル主義が埋め込み型市場主義とでも呼ぶべきかたちで企業統治のなかに取り込まれ、それが一定のリアルとなって政府の政策へと取り込まれていく過程が描かれる。

だがその有効性のタネは明らかだ。それらは、ポランニーの言うような社会の側からの抵抗を支えることもできたであろう理論を、よりちいさなレベル、フーコーを援用しつつシャマユーが語る「じぶんの人生を企業するものならではの自律」のレベルでの抵抗こそ可能にするが、全体としてはみずからを市場の決定の中に埋め込む方向にのみ用いるよう導いていくことで発揮される、そんな有効性なのである。たとえば本書第21章の責任化論において紹介されたように、われわれはみずからの環境を良くしよう、それを企業や国に頼らずじぶんたちでなんとかしよう、という善意の努力の結果として、一方ではリサイクルシステム末端の無償労働者として、他方では拡大を続ける再生プラスチック市場の無償労働者としてシステムに包摂されている。それはロルドンの言葉をもじれば「非意志的隷属」であり(15)、また先述の池田浩士の一連のボランティア論がナチズム下のボランティアを検討する意味でもあろう。「やりがい詐欺」という卓抜な表現を持つ日本人には手に取るように理解できる流れのはずである。

4

この詐術を支えるひとつの武器は、中途半端で疑似的な功利主義である。

この功利主義の世界にいちばん近いものを、と言われたら、迂遠を承知であえて「時間の可逆性」の世界と言いたいほどである。物理学では、物理法則で時間の矢の向きをどちらに向けてもミクロな次元ではとくに問題が生じない、ということはよく知られている。量子レベルでの可逆性と、熱力学レベルの不可逆性と言ってもよい。「熱いコーヒーが冷めていくのも、あるいはフィルムを逆回しにしたように、冷たいコーヒーがひとりでに温まっていくのもおなじように可能だ」という比喩で聞いたことがある方も多いだろう。経済の領域でそれを思わせるのは本書でも引用されるように、スティーグラーがコースの定理を踏まえて「関係の対称性」と呼ぶものだ。それも、加害者と被害者の。

本書第20章で紹介されるコースの定理のネオリベラル主義的通俗化では、汚染する側が汚染する権利を買うのも、汚染される側が汚染されない権利を買うのも、動く金の流れを見ればおなじことだ、つまり「経済学的には中立」とされている。ここでは、マクロなレベルでは不可逆のはずの加害と被害の因果の矢は、ミクロな事象同様にどちらの向きに動いてもおなじことにされてしまう。その論拠を支えるのは帳簿に記載される「価値総額」の同一性であり、つまりはリップマン・シンポジウムの出席者が危惧した、「原則」の堅持というより功利主義的な追求に傾いた理論応用なのである。

だが、かれらが見ているのがほんとうに功利主義のいう「全体」なのかが問われなければならない。ネオリベラル主義の「外部化」は、社会がその共同体や家族にたいする愛の故に一定の努力を払って維持し続けてきたものを、まるで任意に収奪可能な自然の産物であるかのように扱うことで「全体」から外してしまう。「社会・環境コストは、当の社会や環境を商品化し共通尺度を求めなければ算出できない」からである。たとえば多国籍企業が展開するビジネスを有利に進めるはずの、進出先地域の治安のよさや労働者の質の高さ、充実したインフラはどう考えても公共物として地域住民の愛が支えてきたものなのだが、当の企業にとってはバナナ栽培に向いた気候なのでバナナが採れる、というときの気候程度の意味しか持たず、納税の義務まで含めその再生産にはおよそ貢献することがない場合もしばしばである。おなじように人材についても、教育はその受益者たる学生ひとりの人生を豊かにするだけなのだから公的支出に値する公共性はない、と主張する者まで現れる。そして必要とあらば、そのような「共有地」は無責任に放置されているのだから私有させ商品化させて責任を持って管理させなければと、ありもしない共有地の悲劇(16)を振り回して、「商品化」という名でソフィスティケイトされた奪取に励む。結果として、無理な栽培が続いた耕地が放棄されるように、その地域もまた疲弊して放棄される。「外部化」は、イデオロギーとしては「自然化」としてあらわれ、自然化されたものは収支から外される。それが詐術のコツなのである。

とはいえ、詐術はこれひとつではない。本書で言う「ミクロ政治学」がもうひとつの柱だ。つまり、部分的な民営化などを、「自由で公正な競争」を大義名分に導入する。それらはやがて行政全体にわたって統治機構の均質化、規格化を進める基点となり、その「透明化」はいまや、投資家目線での比較のための共通尺度に行政システムを大規模に載せるところまで進みつつある。こうして、自律、自己統治は市場の言語を介さなければ不可能な状態に陥ってしまう。これもまた、統治機構の奪取の形式のひとつである。

だがそれはむろんのことながら、行政に先立ってすでに「権力市場」（本書第7章）に情報開示すべく、企業統治を規格化した民間企業の後追いでもある。すでに八〇年代末から一連のＩＳＯ規格への適合と認証取得を求められてきた民間企業からすれば、昨日の自治体、今日の大学の苦境などなんでもないことだろうし、ニュー・パブリック・マネジメントの名のもとに統治改革を迫られた地方自治体の職員にとっても、市民を顧客に変えるよりは学生を顧客に変えるほうがよほど倫理的に問題がすくないだろうと大学を笑っていてもおかしくはない。

5

とはいえ、最後に本書の隠れた主題についても触れておかねばなるまい。

シャマユーが暗に匂わせているように、ネオリベラル主義の用いる武器としていくつかの概念は、いわゆるポストモダン思想と相性がよい。すでにコースが提起する「バター鉢に浮いたバターのかけら」など、むしろ時代に先駆けてポストモダン的な主体観である。ステークホルダー理論をドゥルーズ＝ガタリにならってアジャンスマン、動的編成と呼んでなにが悪いのか。ミクロ政治学にいたっては言うまでもない。

同様の指摘はハーヴェイにも見られることはすでに紹介したし、また本書でもたびたび引用されたボルタンスキー&シャペロは、かれらの『資本主義の新たな精神』が描いたのは、六八年の思想が誘引するネオリベラル主義的主体という図式ではと非難された、と述べている[17]。しかし、われわれはこう考えてみることもできる。ごく一部のビジネス界の論客のほうが偉大なポストモダン思想家に先んじて当該の概念を垣間見ていた、とまで言えば誇張し過ぎだ。似ているだけのものをおなじというのは粗雑だという指摘もごもっともである。だが、そうした類似の概念提起は、おなじ時代を表現する類似の方法であり、その概念をどう作動させるかで綱引きが行われ、そしてその争いに勝利したのがネオリベラル主義陣営なのではないか、という程度なら一考の余地がある、と。

ありていに言うと、たとえば「ミクロ政治学」は、その哲学的概念としての精緻さはさておいて、どれだけ粗雑でも実装においてはビジネス界のほうに一日の長があったとしたらどうだろう。そしてポストモダン思想の側においては、概念の「生産」が重視されすぎたのではないか[18]、概念というあくまで方法、つまり手段でしかないものを、ただしい方法を用いればただしい帰結を導くはず、と錯誤する傾向がなくはなかったか、と問うてみるのはどうだろう。たとえば、『帝国』以降のネグリ=ハートの努力──『アセンブリ』[19]をその最新の努力として──は、おそらく奪取された概念の再奪取の一手法の提案であることを忘れないようにしつつ読むのがもっとも有意義なのではあるまいか。

シャマユーのこの著作は、ノーベル賞受賞者からビジネス書や経済誌まで、というその構成によって、ネオリベラル主義がこうした「概念」をどのように実装したのか、どう奪取したのか、その流れを批判的に、しかし具体的に示してくれている。それゆえ、女子マネージャにドラッカーを読ませたい読者にも、あるいはポストモダン思想の最良の遺産が奪取されているのを指をくわえて見守りたくはない読者にも、それぞれ資するところがおおきいのである。

本書の訳出および本稿の執筆にあたっては、先行するシャマユーの三冊の著作の邦訳をおおいに参考にさせて頂いた。こころからの感謝を。また、明石書店の武居満彦、長尾勇仁両氏には、編集作業にあたっていろいろとご無理をお願いすることになった。末筆ながら謹んで感謝申し上げたい。

二〇二二年三月　信友　建志

（1）酒井隆史『完全版 自由論：現在性の系譜学』（河出書房新社、二〇一九）
（2）岩崎夏海『もし高校野球の女子マネージャーがドラッカーの『マネジメント』を読んだら』（ダイヤモンド社、二〇〇九）
（3）稲葉振一郎『「新自由主義」の妖怪：資本主義史論の試み』（亜紀書房、二〇一八）
（4）ジェリー・Z・ミュラー『測りすぎ：なぜパフォーマンス評価は失敗するのか？』（松本裕訳、みすず書房、二〇一九）
（5）マーク・フィッシャー『資本主義リアリズム』（セバスチャン・ブロイ、河南瑠莉訳、堀之内出版、二〇一八）
（6）Carl Schmitt, Hermann Heller, *Du libéralisme autoritaire*, Traduction, présentation et notes de Grégoire Chamayou, Paris, Zones, 2020.
（7）ヴォルフガング・シュトレーク『資本主義はどう終わるのか』（村澤真保呂ほか訳、河出書房新社、二〇一七）

(8) デヴィッド・ハーヴェイ『新自由主義：その歴史的展開と現在』（森田成也ほか訳、作品社、二〇〇七）

(9) ニコラス・レマン『マイケル・ジェンセンとアメリカ中産階級の解体：エージェンシー理論の光と影』（藪下史郎、川島睦保訳、日経BP、二〇二二）

(10) Walter Lippmann, *The good society*, Allen & Unwin, 1938.

(11) 本節のここまでの論述はほぼ権上康男編著『新自由主義と戦後資本主義』（日本経済評論社、二〇〇六）を中心に、権上康男と雨宮昭彦の一連の仕事、とくに雨宮昭彦ほか編著『管理された市場経済の生成：介入的自由主義の比較経済史』（日本経済評論社、二〇〇九）を参照したものである。またボランティアについては池田浩士『ボランティアとファシズム：自発性と社会貢献の近現代史』（人文書院、二〇一九）による。

(12) エリック・アリエズ、マウリツィオ・ラッツァラート『戦争と資本：統合された世界資本主義とグローバルな内戦』（杉村昌昭ほか訳、作品社）、二六〇頁

(13) グレゴワール・シャマユー『ドローンの哲学：遠隔テクノロジーと〈無人化〉する戦争』（渡名喜庸哲訳、明石書店、二〇一八）、二一一頁。

(14) ヴォルフガング・シュトレーク『資本主義はどう終わるのか』（村澤真保呂ほか訳、河出書房新社、二〇一七）、一五〇頁。

(15) フレデリック・ロルドン『なぜ私たちは、喜んで〝資本主義の奴隷〟になるのか？：新自由主義社会における欲望と隷属』（杉村昌昭訳、作品社、二〇一二）

(16) この語については第20章の注一四六を参照。

(17) リュック・ボルタンスキ、エヴ・シャペロ『資本の新たな精神』（三浦直希ほか訳、ナカニシヤ書店、二〇一三）xxvi頁

(18) ドゥルーズ＝ガタリと並べられているにもかかわらずガタリの研究がすっぽり抜け落ちる傾向はその症状にも思われる。この傾向をなんとかする手がかりを欲している方々には以下を。村澤真保呂・杉村昌昭・増田靖彦・清家竜介編『フェリックス・ガタリと現代世界』（ナカニシヤ書店、二〇二二）

(19) アントニオ・ネグリ、マイケル・ハート『アセンブリ：新たな民主主義の編成』（水嶋一憲ほか訳、岩波書店、二〇二二）

Class, Verso, Londres, 1999, p. 178.

300. *Ibid.*, p. 178.
301. *Ibid.*, p. 178.
302. *Ibid.*, p. 178.
303. Arsène Dumont, cité dans les *Bulletins et mémoires de la Société d'anthropologie de Paris*, Masson, Paris, 1902, p. 365.

結論

1. Jacques Donzelot, «Michel Foucault et l'intelligence du libéralisme», *Esprit*, n° 319, novembre 2005, pp. 60-81, p. 78.
2. Henri Lepage, *Demain le libéralisme, op. cit.*, p. 403.
3. ジャン=クロード・モノーはこうした言葉を用いて、フーコーが 1977 年から 1979 年にかけての講義で垣間見せた、ネオリベラル主義にたいする「無言の賛辞」を報告している。Cf. Jean-Claude Monod, «Qu'est-ce qu'une "crise de gouvernementalité" ?», *op. cit.*, p. 59.
4. Heinz O. Ziegler, *Autoritärer oder totaler Staat*, Mohr, Tübingen, 1932, p. 8.
5. Rüstow, "Freie Wirtschaft - Starker Staat. Die staatspolitischen Voraussetzungen des wirtschaftspolitischen Liberalismus", *op. cit.*, p. 68.
6. 具体例はひとつで済ませたいが、フランスにアメリカ流のネオリベラル主義を通俗化し輸入するのに重要な役割を果たしたアンリ・ルパージュは 1978 年、著書をまるまる 1 冊使って自主管理をぶった切っている。Cf. Henri Lepage, *Autogestion et capitalisme: réponses à l'anti-économie*, Masson, Paris, 1978.

270. *Ibid.*, p. 127. ピリーはこう付け加えている。「ミクロ経済があるように、〈ミクロ政治学〉もあるのだ」。
271. Cf. supra p. 207.
272. *Ibid.*, p. 255.
273. *Ibid.*, p. 121.
274. Gilles Deleuze, Félix Guattari, *L'Anti-Œdipe*, Minuit, Paris, 1972, p. 36.【ジル・ドゥルーズ, フェリックス・ガタリ『アンチ・オイディプス：資本主義と分裂症』宇野邦一訳、河出書房新社、2006、上巻 62 頁】
275. *Ibid.*, p. 342.
276. *Ibid.*, p. 404.
277. 戦略的原則はつぎのとおりである。「ミクロ政治学はミクロレベルまで下降するが、それは動機づけされた諸個人が決定権を持つレベルなら勝てる、と知っているからである」。Madsen Pirie, *Micropolitics, op. cit.*, p. 263.
278. Frontin, *Les Stratagemes*, Livre I, Panckoucke, Paris, 1848, p. 25.
279. Madsen Pirie, *Dismantling the State: The Theory and Practice of Privatization, op. cit.*, p. 65.
280. *Ibid.*, p. 185.
281. *Ibid.*, p. 123.
282. *Ibid.*, p. 185.
283. *Ibid.*, p. 185.
284. Madsen Pirie, *Dismantling the State: The Theory and Practice of Privatization, op. cit.*, p. 65.
285. *Ibid.*, p. 66.
286. *Ibid.*, p. 66.
287. ミクロ政治学は長期視点の根本的変化のプロセスに手をつける。「公的モデルの受給者の最後のひとりが退場するまで、おそらく一世代以上の時間がかかるだろうが、しかしそのあいだに、代替策の供給が増加し、力のある利害関係グループを形成する時間が稼げるだろう。国家サービスが最終的に廃止されるよりかなり前にそうなっているのではあるまいか」。こうしてあるひとつのモデルの消滅にこぎ着けることになるだろう。待つことを知るものがすべてを得るのである。Madsen Pirie, *Micropolitics, op. cit.*, p. 228.
288. *Ibid.*, p. 214.
289. *Ibid.*, p. 205.
290. *Ibid.*, p. 209.
291. *Ibid.*, p. 214.
292. *Ibid.*, p. 210.
293. *Ibid.*, p. 209.
294. Madsen Pirie, *Dismantling the State: The Theory and Practice of Privatization, op. cit.*, p. 69.
295. Madsen Pirie, *Micropolitics, op. cit.*, p. 208.
296. *Ibid.*, p. 147.
297. *Ibid.*, p. 145.
298. Stuart Butler, "Privatization: A Strategy to Cut the Budget", *op. cit.*, p. 330.
299. Mike Davis, *Prisoners of the American Dream: Politics and Economy in the History of the US Working*

252. *Ibid.*, p. 71.

253. Stuart Butler, "Privatization: A Strategy to Cut the Budget", *op. cit.*, p. 326.

254. Jürgen Habermas, *The New Conservatism: Cultural Criticism and the Historian's Debate*, MIT Press, Cambridge, 1989, p. 26.

255. Paul Starr, "The Meaning of Privatization", *Yale Law & Policy Review*, vol. 6, n° 1, 1988, pp. 6-41, p. 38.

256. Stuart M. Butler, "Power to the People: A Conservative Vision for Welfare", *Policy Review*, n° 40, printemps 1987, pp. 3-8.

257. *Ibid.*, p. 7.

258. バーバラ・クルックシャンクは自著でつぎのように考察している。左派のエンパワーメントと右派のエンパワーメントのあいだでは「問題と戦略は［…］同一である。人びとがみずからでみずからを統治するよう、政府介入を制限することだ」。Barbara Cruikshank, *The Will to Empower: Democratic Citizens and Other Subjects*, Cornell University Press, Ithaca, 1999, p. 70. しかしながら保守派はこの点については非常にあからさまだった。かれらにとって、エンパワーメントという考え方は左派のそれとはちがうもの、区別されるものであり、また区別されるべきものであった。なぜなら、それは正反対の目的のために用いられる別の戦術名だったからである。このテーマについては示唆的な小断がある。1990 年代のごく初期、ブッシュ政権の執行部内部では社会扶助システムの守旧派と抜本改革派の争いが起こり、この諍《いさか》いはエンパワーメントという言葉の使い方に集約されていったため、予算委員長のリチャード・ダーマンはこの語を用いることを禁じたほどだった。当事者のひとりはある電話のことを回想している。「送ってくるメモにはこうありました。エンパワーメントという言葉はもう使うな［…］。かれは言いました。きみたちは 1960 年代にこの言葉がどういう含みを持っていたか理解していないのかね。ですがもちろん、われわれは完璧に知っていました。こう言ってやりたかったですね。まさにそこが面白いんじゃないですか――左派からかれらの用語のひとつをかっぱらうのが、ってね。まあでも黙ってましたけど」。Cité par Jason Deparle, « How Jack Kemp Lost the War on Poverty », *New York Times*, 28 février 1993.

259. Madsen Pirie, *Micropolitics, op. cit.*, p. 209.

260. *Ibid.*, p. 206.

261. *Ibid.*, p. 209.

262. Madsen Pirie, *Dismantling the State: The Theory and Practice of Privatization, op. cit.*, p. 81.

263. Madsen Pirie, *Micropolitics, op. cit.*, p. 206.

264. Madsen Pirie, *Dismantling the State: The Theory and Practice of Privatization, op. cit.*, p. 82.

265. *Ibid.*, p. 82.

266. Madsen Pirie, *Micropolitics, op. cit.*, p. 209.

267. Madsen Pirie, *Dismantling the State: The Theory and Practice of Privatization, op. cit.*, p. 82.

268. *Ibid.*, p. 3.「ひとたびあるプログラムが国家セクター外で成功してしまえば、それはそのまま残る」ために、このことが「経済にたいする国家の関与を恒久的なかたちで全体的に削減する、逆ラチェット」効果を可能にするのである。

269. Madsen Pirie, *Micropolitics, op. cit.*, p. 126.

229. *Ibid.*, p. 279. 強調は引用者。

230. *Ibid.*, p. 284.

231. かれらの政治的・知的な道程をたどったキース・ディクソンはこう指摘している。「かれらの学生時代の、サッチャー主義の萌芽的な活動歴」は「アフリカ南部の人種主義体制擁護とイギリス（白人）アイデンティティーを守るための戦い」とセットであった。Keith Dixon, «Le "groupe de Saint Andrews". Aux origines du mouvement néolibéral britannique », in Jacques Guilhaumou, Jean-Louis Fournel, Jean-Pierre Potier (dir.), *Libertés et libéralismes: Formation et circulation des concepts*, ENS Éditions, 2015, pp. 407-421. http://books.openedition.org/enseditions/2528 Voir aussi Keith Dixon, *Les Évangélistes du marché : les intellectuels britanniques et le néo-libéralisme*, Raisons d'agir, Paris, 1998.

232. Madsen Pirie, « The St Andrews Revolution », *Progressus*, 1999, cité par Keith Dixon, « Le "groupe de Saint Andrews". Aux origines du mouvement néolibéral britannique », *op. cit.*

233. Madsen Pirie, *Dismantling the State: The Theory and Practice of Privatization*, National Center for Policy Analysis, Dallas, 1985, p. 29.

234. Voir supra ch. 10, p. 81.

235. Madsen Pirie, *Micropolitics, op. cit.*, p. 17.

236. *Ibid.*, p. 26.

237. *Ibid.*, p. 29.

238. *Ibid.*, p. 265.

239. *Ibid.*, p. 271.

240. *Ibid.*, p. 127.

241. *Ibid.*, p. 269.

242. 1974年、鉱山労働者組合に力勝負を挑んだ保守党首相エドワード・ヒースは、前倒し選挙をちらつかせるまで追い込まれ、そしてこの選挙に敗れた。不幸な保守党は（同じ年にニクソンも退陣を余儀なくされている）「〈大きな政府〉とは縁を切るべきだと説得をうけたが、それも無益であった。どうやって縮小策に手をつけたものかわからなかったからである」。かれらに欠けていたのはよい戦術だった。*Ibid.*, p. 50.

243. Cf. Stuart Butler, "Privatization: A Strategy to Cut the Budget", *Cato Journal*, vol. 5, n° 1, printemps/été 1985, pp. 325- 335, p. 326.

244. Madsen Pirie, *Dismantling the State: The Theory and Practice of Privatization, op. cit.*

245. Stuart Butler, "Privatization: A Strategy to Cut the Budget", *op. cit.*, p. 326.

246. Cf. David Harvey, *A Brief History of Neoliberalism*, Oxford University Press, Oxford, 2005, pp. 159 sq.【デヴィッド・ハーヴェイ『新自由主義：その歴史的展開と現在』森田成也ほか訳、作品社、2007、222頁以下】

247. Madsen Pirie, *Dismantling the State: The Theory and Practice of Privatization, op. cit.*, p. 24.

248. *Ibid.*, p. 3.

249. *Ibid.*, p. 4.

250. Stuart Butler, "Privatization: A Strategy to Cut the Budget", *op. cit.*, p. 330.

251. Claus Offe, ""Ungovernability": The Renaissance of Conservative Theories of Crisis", *op. cit.*, p. 69.

215. *Ibid.*, p. 104.

216. Daniel Bell, "Letter to the Editor", *Harvard Business Review*, vol. 59, n° 3, mai-juin 1981, pp. 60-61, p. 61.

217. Chantal Mouffe, «L'offensive du néo-conservatisme contre la démocratie », in Lizette Jalbert, Laurent Lepage (dir.), *Néo-conservatisme et restructuration de l'Etat. Canada - Etats-Unis - Angleterre*, Les Presses de l'Université du Québec, Montréal, 1986, pp. 35-47. http://classiques.uqac.ca/contemporains/mouffe_chantal/offensive_neo_ conservatrice/mouffe_offensive.pdf

218. Andrew Gamble, "The Free Economy and the Strong State", in Ralph Miliband, John Saville, *Socialist Register*, vol. 16, 1979, pp. 1-25. ギャンブルはシュミットのテクストを知らなかったと思われる。かれはこの定式をリュストウから借用している。Cf. supra note 125 p. 319. サッチャー自身も 1980 年にこう明言していた。「国家の活動はほとんどすべての生活局面に侵入しました。なかでも数十万の男女を雇用する巨大な国家独占に責任があります。国家がどのストライキにも、価格にも、公営企業に影響するどの契約にもかかわるとなると、人びとは、こちらも高い要求にさらされていますが、国家の伝統的かつ必要な役割以上に、こういったことがらを国家と関連づける傾向を持つようになりますが、これが問題です。その結果、国家の権威は賛美されるのではなく衰退していくのです。わが党では弱い国家を望んではいません。逆です。自由も秩序も保持するために必要なのは強い国家です」。Margaret Thatcher, "Airey Neave Memorial Lecture", 3 mars 1980, citée par Gilles Christoph, «Le libéralisme autoritaire de Friedrich Hayek: un exemple de bricolage idéologique? », in Françoise Odin et Christian Thuderoz (dir.), *Des mondes bricolés? Arts et sciences à l'épreuve de la notion de bricolage*, Presses polytechniques universitaires romandes, Lausanne, 2010, pp. 253-264, p. 259.

219. Stuart Hall, "The Great Moving Right Show", *Marxism Today*, janvier 1979, pp. 14-20, p. 15.

220. Andrew Gamble, *The Free Economy and the Strong State. The Politics of Thatcherism*, Macmillan Education, Londres, 1988, p. 28.【A. ギャンブル『自由経済と強い国家：サッチャリズムの政治学』小笠原欣幸訳、みすず書房、1990、49 頁】

221. *Ibid.*, p. 28.【前掲書 49 頁】

222. *Ibid.*, p. 32.【前掲書 54 頁】

223. Alan Wolfe, *The Limits of Legitimacy, op. cit.*, p. 342.

第 26 章　民営化のミクロ政治学

224. Gilles Deleuze, Félix Guattari, *Mille plateaux*, Minuit, Paris, 1980, p. 260.【ジル・ドゥルーズ，フェリックス・ガタリ『千のプラトー：資本主義と分裂症』宇野邦一ほか訳、河出書房新社、2010、中巻 160 頁】

225. Michel Foucault, *Naissance de la biopolitique, op. cit.*, p. 192.【フーコー『生政治の誕生』230 頁】

226. Madsen Pirie, *Micropolitics*, Wildwood House, Aldershot, 1988, p. 281.

227. Robert Moss, *The Collapse of Democracy*, Temple Smith, Londres, 1975, p. 257.

228. Madsen Pirie, *Micropolitics, op. cit.*, p. 279.

てきたということだ［…］。こうしてマネタリスト的規制は政治的な規制となり、はっきり分かる重要な変数を、なにかより複雑なものに置き換えるというおおきな利点をもたらす［…］。他方で、決定の場が民主主義の圧力とその働きをほぼ免れているところでは、この利点はさらに巨大になる」。*Ibid.*, p. 19. ゴルツはこうコメントする。「おなじ推論は企業の〈統治性の危機〉にも役立った［…］。ここでもまた、中央コンピュータという一目瞭然の権力を、脱中心化された自己組織形態に置き換えること、つまり相対的に自律性が高く、相互に調整し合うことで組織化コスト削減を可能にするサブユニットのネットワークを敷くことが喫緊に必要になったからである。このため、賃労働者の闘争意欲や組合の交渉力、つまりは労使協定、企業協約、社会権が生産関係に導入した〈剛性〉を粉砕することが緊急課題となった。ひとことで言えば、〈労働市場を〉それを歪めるものから〈解放する〉ことが必要だったのだ。スローガンは〈規制緩和する〉だった」。André Gorz, *Misères du présent, richesses du possible, op. cit.*, p. 26.

201. Samuel Brittan, "The Economic Contradictions of Democracy", *op. cit.*, p. 130.
202. Richard Rose, "Overloaded Government: The Problem Outlined", *op. cit.*, p. 15.
203. Paul McCracken et al., *Towards Full Employment and Price Stability: A Report to the OECD by a Group of Independent Experts.*, OCDE, Paris, 1977. このレポートの誕生と解釈については以下を参照。cf. Vincent Gayon, « Le keynésianisme international se débat. Sens de l'acceptable et tournant néolibéral à l'OCDE», *Annales. Histoire, Sciences Sociales,* vol. 72, n° 1, 2017, pp. 121-164.
204. Robert Kehoane, "Economics, Inflation and the Role of the State. Political Implications of the McCracken Report", *op. cit.*, p. 109.
205. *Ibid.*, p. 122.
206. *Ibid.*, p. 122.
207. *Ibid.*, p. 122.
208. *Ibid.*, p. 117.
209. Claus Offe, ""Ungovernability": The Renaissance of Conservative Theories of Crisis", *op. cit.*, p. 84.
210. Claus Offe, "Some Contradictions of the Modem Welfare State", in Claus Offe, *Contradictions of the Welfare State*, Hutchinson, Londres, 1984, pp. 147-161, p. 153. Voir aussi Thomas O. Hueglin, "The Politics of Fragmentation in an Age of Scarcity : A Synthetic View and Critical Analysis of Welfare State Crisis", *Canadian Journal of Political Science*, vol. 20, n° 2, juin 1987, pp. 235-264, p. 153.
211. Robert Kehoane, "Economics, Inflation and the Role of the State", *op. cit.*, p. 109 et 110.
212. *Ibid.*, p. 123.
213. かれが軽く触れているように「アメリカ合州国においては、そもそも私企業が存続したことからして、資本主義に親和的なこのあたらしいヴィジョンが、ついに伝統的な思想界の敵意を打ち払ったおかげだった」からこそ重要なのである。Norman Podhoretz, "The New Defenders of Capitalism", *Harvard Business Review*, vol. 59, n° 2, mars-avril 1981, pp. 96-106, p. 96.
214. *Ibid.*, p. 97.

Public Choice, vol. 31, automne 1977, pp. 147-150, p. 147.

188. James M. Buchanan, Richard E. Wagner, *Democracy in Deficit: The Political Legacy of Lord Keynes*, *op. cit.*, p. 147.【ブキャナン、ワグナー『赤字の民主主義』335 頁】

189. Milton Friedman, "Supply-Side Policies: Where Do We Go from Here?", in *Supply-Side Economics in the 1980s, Conference Proceedings - "Conference at the Atlanta Hilton, March 17-18, 1982"*, Quorum Books, 1982, Westport, pp. 53-54, p. 62

190. *Ibid.*, p. 62.

191. Milton Friedman "Why the Twin Deficits are a Blessing", *Wall Street Journal*, 14 décembre 1988.

192. Voir supra p. 209.

193. *Ibid.*, ペレルマンはこう付け加えている。「赤字を好意的に見ていたのはフリードマンひとりではない。ほかにも一線級の保守派経済学者、アラン・メルツァーが［…］意図的な赤字深刻化政策、つまり将来の政権があたらしい支出プログラムを採択することを妨げるための練りに練った戦術を、レーガン政権の成果に数えている」。Michael Perelman, *The Pathology of the U.S. Economy Revisited: The Intractable Contradictions of Economic Policy*, Palgrave, New York, 2002, p. 68. メルツァーはこう説明している。「巨額の赤字を垂れ流すことは、将来の政府支出を制限する有効な手段となり得る」。Allan H. Meltzer, "Economic Policies and Actions in the Reagan Administration", *Journal of Post Keynesian Economics*, vol. 10 n° 4, pp. 528-540, p. 538.

194. この「赤字政策」ないし「文無し政策」が狙ったのは、セバスティアン・ゲーが示したように「国家の徴税を制限する、ないし削減することであり、そのために予算赤字を深刻化することを意図して、どちらかと言えば資本所有者に影響するような課税額の上限設定、ないし減税をおこなう。言い換えれば、公共財政の危機につけ込む、ひいてはそれを引き起こすことである。［…］この戦略の目的は、アメリカの研究者が〈緊縮ムード〉つまりもうひとつの〈社会予算削減の恒常的手段〉と呼ぶものをつくりだすことにある。端的に言えば社会・財政改革対抗勢力に好都合なイデオロギー的・政治的諸条件を確立することにある」。Sébastien Guex, « La politique des caisses vides », *Actes de la recherche en sciences sociales*, vol. 146-147, mars 2003, pp. 51-61, p. 54.

195. Robert Kehoane, "Economics, Inflation and the Role of the State. Political Implications of the McCracken Report", *World Politics*, vol. 31, n° 1, octobre 1978, pp. 108-128, p. 120.

196. *Ibid.*, p. 121.

197. Bernard Manin, «Les deux libéralismes: marché ou contre-pouvoirs», *Intervention*, n° 9, mai-juillet 1984, pp. 10-24, p. 19.

198. *Ibid.*, p. 19.

199. Boaventura de Sousa Santos, "Beyond Neoliberal Governance : The World Social Forum as Subaltern Cosmopolitan Politics and Legality", in Boaventura de Sousa Santos, César A. Rodriguez-Garavito（dir.）, *Law and Globalization from Below: Towards a Cosmopolitan Legality*, Cambridge University Press, Cambridge, 2005, pp. 29-63, p. 34.

200. Bernard Manin, «Les deux libéralismes: marché ou contre- pouvoirs», *op. cit.*, p. 19. かれはこう付け加えている。「それは国際的拘束を大義名分に、ある種の不可視の政府が戻っ

173. James M. Buchanan, «Clarifying Confusion about the Balanced Budget Amendment», *National Tax Journal*, septembre 1995, vol. 48, n° 3, pp. 347- 355, pp. 349 sq.

174. James M. Buchanan, *Democracy: limited or unlimited*, 1981, Buchanan House Archives, p. 12, cité par Andrew Farrant, Vlad Tarko, "James M. Buchanan's 1981 visit to Chile : Knightian democrat or defender of the 'Devil's fix'?", *The Review of Austrian Economics*, janvier 2018, https://doi.org/10.1007/s11138-017- 0410-3, pp.1-20 p. 14 et 15.

175. Friedrich Hayek, «Die Entthronung der Politik», *op. cit.*, p. 218.

176. Friedrich Hayek, *Droit, législation et liberté, Volume 3, op. cit.*, p. 180.【ハイエク「法と立法と自由Ⅲ」208 頁】

177. いかなる憲法も実際には恒久不変ではない、と反論する向きもあるかもしれない。法の歴史には、撤回不可能だったはずが撤回された法が山積みである。しかし、この種の鎖を飛び越えさせることは不可能ではないにせよ、たんなる法律変更よりも多大なエネルギーを要求することはあきらかだ。ほかにも重要なのは、憲法に規定された制限を解放しようという政治的試みはなんであれ、法の番人とされる何者かによる合法的なクーデターの脅威が、おのれの頭上を舞っているのを目にすることになることである。

178. Friedrich Hayek, *Droit, législation et liberté, Volume 3, op. cit.*, p. 159.【ハイエク「法と立法と自由Ⅲ」184 頁】こうして「ほとんどのサービスは、住民を引きつけようと競い合う地方・地域の諸組織に移譲されうるし、またおそらく実際にそうなるだろう」。*Ibid.*, p. 124.【前掲書 146 頁】

179. Friedrich Hayek, "The Economic Conditions of Interstate Federalism", in Friedrich Hayek, *Individualism and Economic Order*, University of Chicago Press, Chicago,（1939）1948, p. 266.【ハイエク「個人主義と経済秩序」『ハイエク全集 I-3』嘉治元郎・嘉治佐代訳、春秋社、2008、549 頁】Cf. Cédric Durand «Introduction: qu'est-ce que l'Europe? », in Cédric Durand（dir.）, *En finir avec l'Europe*, La Fabrique, Paris, 2013, pp. 7-48, p. 28.

180. James M. Buchanan en 1973 dans *l'Atlantic Economic Journal*, cité par Andrew Farrant, Vlad Tarko, "James M. Buchanan's 1981 visit to Chile: Knightian democrat or defender of the "Devil's fix'?", *op. cit.*, p. 15.

181. Allan Meltzer, "The Decline of the Liberal Economy", *op. cit.*, p. 5. Voir supra page 208.

182. *Ibid.*, p. 9.

183. Paul Samuelson, "The World Economy at Century's End", in Shigeto Tsuru（dir.）, *Human Resources, Employment and Development, op. cit.*, p. 75.

184. Paul A. Samuelson, "The World Economy at Century's End", *Bulletin of the American Academy of Arts and Sciences*, vol. 34, n° 8, mai 1981, pp. 35-44, p. 44. このテクストは以前のものと同じタイトルを付されているが、内容は異なっている。

185. 「プロポジション 2 と 1/2」は 1980 年 11 月にマサチューセッツで投票にかけられたが、それに先行して、1978 年にカリフォルニアで非常によく似たプロポジション 13 が採択されている。

186. James M. Buchanan, Richard E. Wagner, *Democracy in Deficit: The Political Legacy of Lord Keynes*, Academic Press, New York, 1977, p. 131.【ジェームズ.M. ブキャナン、リチャード.E. ワグナー『赤字の民主主義：ケインズが遺したもの』大野一訳、日経 BP 社、2014、301 頁】

187. James M. Buchanan, Gordon Tullock, "The Expanding Public Sector: Wagner Squared",

159. ハイエクは 1978 年につぎのように書いている。「制約された民主主義はおそらくわれわれが知っている最良の統治形態であろうといっても、それがどこでも手に入る、という意味ではないし、平和を確保する最善の手段以上の至高の価値を持つというわけでもない［…］教条主義的民主主義者諸氏はどうみても、民主主義はいつ可能になるのかという問題をもっとも真剣に考えるべきだったろう」。Friedrich Hayek, "Freedom of Choice", *op. cit.*, p. 15.
160. 「チリはピノチェト将軍の指揮する軍事政権の祝福と支持のもとに自由市場政策を採用した、という事実は、ただ権威主義的な体制のみが成功裏に自由市場政策を施行できるのでは、という神話を生み出した。現実はまったくちがう。チリは例外であって、規則ではない」。Milton Friedman, "Free Markets and the Generals", *Newsweek*, 25 janvier 1982, p. 59. Voir aussi John Meadowcroft; William Ruger, "Hayek, Friedman, and Buchanan: On Public Life, Chile, and the Relationship between Liberty and Democracy", *Review of Political Economy*, vol. 26, n° 3, pp. 358-367, p. 365.
161. Friedrich Hayek, *Droit, législation et liberté, Volume 3, op. cit.,* p. 182.【ハイエク「法と立法と自由Ⅲ」210 頁】
162. Friedrich Hayek, "Die Entthronung der Politik", in Friedrich Hayek, *Grundsätze einer liberalen Gesellschaftsordnung, Aufsätze zur Politischen Philosophie und Theorie*, Mohr Siebeck, Tübingen, 2002, pp. 217-230, p. 217.
163. *Ibid.*, p. 217.
164. *Ibid.*, p. 226.
165. この考え方については以下を参照。Wendy Brown, *Undoing the Demos: Neoliberalism's Stealth Revolution, op. cit.*, p. 18【ブラウン『いかにして民主主義は失われていくのか』10 頁】; et Wendy Brown, "American Nightmare: Neoliberalism, Neoconservatism, and De-Democratization", *Political Theory*, vol. 34, n° 6, décembre 2006, pp. 690-714. Voir aussi Charles Tilly, *Democracy*, Cambridge University Press, Cambridge, 2007, pp. 58 sq.
166. Colin Crouch, "The State, Capital and Liberal Democracy", in Colin Crouch（dir.）, *State and Economy in Contemporary Capitalism*, Croom Helm, Londres, 1979, pp. 13-54, p. 15.
167. Richard Rose, *Challenge to Governance, Studies in Overloaded Politics, op. cit.,* p. 1.
168. Cf. Friedrich Hayek, «Die Entthronung der Politik», *op. cit.*; voir aussi Friedrich Hayek, *Droit, législation et liberté, Volume 3, op. cit.*, pp. 153 sq.【ハイエク「法と立法と自由Ⅲ」177 頁以下】
169. *Ibid.*, p. 154.【前掲書 178 頁】
170. *Ibid.*, p. 154.【前掲書 178 頁】
171. James D. Gwartney, Richard E. Wagner. "Public Choice and the Conduct of Representative Government", *op. cit.*, p. 4.
172. *Ibid.*, p. 4. フーコーはこうコメントしている。「制度刷新［…］それは経済に、ドイツの伝統では法治国家 Rechtsstaat と呼ばれ、イギリス人たちが法の支配 Rule of law と呼ぶものを適用することです。さて、オルドリベラル主義による分析が位置づけられることになるのはまさにここであって、経済的な競争理論の系譜にではない［…］。法理論の系譜に位置づけられることになるのです」。Michel Foucault, *Naissance de la biopolitique, op. cit.*, p. 173.【フーコー『生政治の誕生』207 頁】

がら、このオマージュに重要な補足をしているが、マルクーゼはそのことに触れていない。「その政策がさしあたりの救済となったことは確かだが、持続的な成功が約束できるわけではない。ファシズムは一時的なその場しのぎである。致命的な失敗の可能性以上の事態さえ予見される」。Ludwig von Mises, *Liberalismus*, Fischer, Jena, 1927, p. 45.

147. Herbert Marcuse, "Der Kampf gegen den Liberalismus in der totalitären Staatsauffassung", *op. cit.*, p. 166.【H. マルクーゼ『文化と社会（上）』35 頁】
148. *Ibid.*, p. 174.【H. マルクーゼ『文化と社会（上）』49 頁】
149. Ludwig von Mises, *Omnipotent Government: the Rise of the Total State and Total War*, Yale University Press, New Haven, 1944.
150. *The Condensed Version of The Road to Serfdom by F. A. Hayek as it Appeared in the April 1945 Edition of Reader's Digest*, The Institute of Economic Affairs, Londres, 1999, p. 31（この版のテクストに含まれる誤写は引用者が修正している）
151. Andrew Gamble, *Hayek : The Iron Cage of Liberty*, Westview Press, 1996, Boulder, pp. 88 sq.
152. 「事実、現代ドイツの諸々の論考のなかでもカール・シュミットのものこそつねにもっとも学識と洞察に富んだものであって、そのことはヒトラー体制下におけるかれの行動によって揺るがされることはない」。Friedrich Hayek, *The Constitution of Liberty, op. cit.*, p. 485, note 1.【ハイエク「自由の条件 II」『ハイエク全集 I-6』気賀健三・古賀勝次郎訳、春秋社、2007、224 頁】
153. Cf. Andrew Farrant, Edward McPhail, Sebastian Berger, "Preventing the "Abuses" of Democracy", *op. cit.*, p. 518 et p. 521.
154. Cf. Michel Foucault, *Naissance de la biopolitique, op. cit.*【フーコー『生政治の誕生』】しかしフーコー本人が、レプケのものも含むオルドリベラル主義者たちのテクストのなかに「利益を渇望する諸集団を超えて君臨する強い国家」というテーマがあることを見極めていた、と説明しておくべきであろう。*Ibid.*, p. 267.【フーコー『生政治の誕生』322 頁】
155. Wolfgang Streeck, "Heller, Schmitt and the Euro", *op. cit.*, p. 364.

第 25 章　政治にご退位ねがう

156. Cité par Pierre François Henry, *Histoire de Napoléon Buonaparte*, Michaud, Paris, 1823, p. 289.
157. Paul Samuelson, "The World Economy at Century's End", in Shigeto Tsuru（dir.）, *Human Resources, Employment and Development, op. cit.*, p. 75.
158. Cf. Joseph Comblin, *Le Pouvoir militaire en Amérique latine. L'idéologie de la Sécurité nationale*, Delarge, Paris, 1977. この教義では、「政治は［…］別の手段による戦争の継続である、というかたちでクラウゼヴィッツの定式の危険な逆転」がなされている、とコンブリンは分析している。*ibid.*,pp. 13-14. 最小限の規模だが類似の抑圧戦術は「西洋民主主義」においても活動家の運動にたいし展開されている。アメリカ合州国では、「対破壊者諜報活動」プログラムがそれである。Cf. Nelson Blackstock, *Cointelpro: the FBI's War on Political Freedom*, Pathfinder Books, New York,（1975）1988; Ward Churchill, Jim Vander Wall, *Agents of Repression: The FBI's Secret Wars Against the Black Panther Party and the American Indian Movement*, South End Press, Boston, 2002.

126. Carl Schmitt, "Starker Staat und gesunde Wirtschaft", *op. cit.*, p. 84.
127. *Ibid.*, p. 86.
128. *Ibid.*, p. 84.
129. *Ibid.*, p. 84.
130. *Ibid.*, p. 84. かれはつぎのように書いている。「現代の技術的手法は、かつての国家権力およびこの権力への抵抗という考え方が霞んでしまうような権力と影響力をもたらしました。こうした現代の権力手法を前にすれば、舗石とバリケードという素朴なイメージは児戯に等しい印象を与えます」。*Ibid.*, p. 83. 武力鎮圧に加え、プロパガンダも用いられる。「技術的手法の能力向上はしかしながらまた、新聞やその他の伝統的な世論形成手段によって達成し得たすべてを凌駕する影響力を大衆に行使する可能性も提供しています」。*Ibid.*, p. 83. シュミットが考えているのはラジオと映画、すなわち国家にとっては敵対勢力の手に委ねてはならない「大衆支配、大衆暗示、そして世論形成の手法」である。
131. *Ibid.*, p. 90.
132. Carl Schmitt, *Der Hüter der Verfassung*, *op. cit.*, p. 81.【シュミット『憲法の番人』117 頁】
133. Cf. Renato Cristi, "The Metaphysics of Constituent Power : Schmitt and the Genesis of Chile's 1980 Constitution", *Cardozo Law Review*, vol. 21, 2000, pp. 1749-1998, p. 1763, note 69.
134. Carl Schmitt, "Starker Staat und gesunde Wirtschaft", *op. cit.*, p. 86.
135. *Ibid.*, p. 87.
136. *Ibid.*, p. 90.「ハインツ・O・ツィーグラーが述べているように、脱政治化のために必要な操作を実施し、全体国家そのものから自由な生活領域・生活空間を取り戻すには、安定した権威が不可欠である」。Carl Schmitt, *Legalität und Legitimität*, *op. cit.*, p. 93.【シュミット『合法性と正当性』132 頁】ハイエクもツィーグラーの小著とならんでシュミットのこの一節を引用している。Cf. supra, note 114 p. 319.【ハイエク「自由の条件 I」227 頁】
137. *Ibid.*, p. 89 et 90.
138. Hermann Heller, "Autoritärer Liberalismus", *Die Neue Rundschau*, vol. 44, 1933, pp. 289-298.【ヘルマン・ヘラー「権威的自由主義?」『国家学の危機：議会制か独裁か』今井弘道ほか訳、風行社、1991 所収】
139. *Ibid.*, p. 295.【ヘラー『国家学の危機』200 頁】
140. *Ibid.*, p. 296.【ヘラー『国家学の危機』201 頁】
141. *Ibid.*, p. 295.【ヘラー『国家学の危機』200 頁】
142. Wolfgang Streeck, "Heller, Schmitt and the Euro", *European Law Journal*, vol. 21, n° 3, mai 2015, pp. 361-370, p. 362.
143. Hermann Heller, "Autoritärer Liberalismus", *op. cit.* p. 296.【ヘラー『国家学の危機』202 頁】
144. Herbert Marcuse, "Der Kampf gegen den Liberalismus in der totalitären Staatsauffassung", *Zeitschrift für Sozialforschung*, vol. 3, n° 2, Librairie Felix Alcan, Paris, 1934, pp. 161-195.【H. マルクーゼ『文化と社会（上）』田窪清秀ほか訳、せりか書房、1969、25-82 頁】
145. *Ibid.*, p. 195.【H. マルクーゼ『文化と社会（上）』なお版のちがいにより、該当箇所は未邦訳】
146. *Ibid.*, p. 166.【H. マルクーゼ『文化と社会（上）』34 頁】ハイエクのメンターはしかしな

113. Friedrich Hayek, *Droit, législation et liberté, Volume 3, op. cit.*, p. 226, note 11.【ハイエク「法と立法と自由Ⅲ」265 頁】

114. ハイエクは「民主主義は全体主義的権力を行使する可能性が大いにある」という考えについてハインツ・ツィーグラーも援用している。かれはこのテーマについてのシュミットのアイディアの源のひとつでもあった。Friedrich Hayek, *The Constitution of Liberty, op. cit.*, p. 442, note 1.【ハイエク「自由の条件Ⅰ」227 頁】Cf. Heinz O. Ziegler, *Autoritärer oder totaler Staat*, Mohr, Tübingen, 1932

115. Cf. Jean-Pierre Faye, *L'État total selon Carl Schmitt*, Germina, Paris, 2013, p. 9.

116. Carl Schmitt, *Der Hüter der Verfassung*, Duncker & Humblot, Berlin, 1931, p. 79.【カール・シュミット『憲法の番人』川北洋太郎訳、第一法規出版、1989、115 頁】。この一節は以下でもハイエクに引用されている。*The Road to Serfdom - the Definitive Edition, op. cit.*, p. 190, note 32.【ハイエク『隷属への道』349 頁】

117. Carl Schmitt, *Der Hüter der Verfassung, op. cit.*, p. 78.【シュミット『憲法の番人』114 頁】

118. Carl Schmitt, *Legalität und Legitimität*, Duncker & Humblot, Berlin, 1932, p. 93.【C. シュミット『合法性と正当性：〔付〕中性化と非政治化の時代』田中浩・原田武雄訳、未來社、1983、132 頁】

119. *Ibid.*, p. 96.【前掲書 136 頁】この一節は以下でもハイエクに引用されている。*Droit, législation et liberté, Volume 3, op. cit.*, p. 226, note 11.【ハイエク「法と立法と自由Ⅲ」265 頁】

120. Carl Schmitt, *Legalität und Legitimität, op. cit.*, p. 96.【シュミット『合法性と正当性』136 頁】

121. Carl Schmitt, *Der Hüter der Verfassung, op. cit.*, p. 79.【シュミット『憲法の番人』115 頁】

122. Cf. William E. Scheuerman, *Carl Schmitt : The End of Law Twentieth Century*, Rowman & Littlefield, Lanham, 1999, p. 85.

123. 「長名連合」はラインラントおよびウエストファーレンの共通の経済的利益保全のための同盟のあだ名である。

124. かれによればこれが「時代を襲った災厄のもっとも決定的な瞬間」であった。Jean-Pierre Faye, *L'Etat total selon Carl Schmitt, op. cit.*, p. 7.

125. Carl Schmitt, "Starker Staat und gesunde Wirtschaft. Ein Vortrag für Wirtschaftsführen", in *Volk und Reich Politische Monatshefte für das junge Deutschland*, 1933, tome 1, cahier 2, pp. 81-94.
シュミットはオルドリベラル主義の創始者のひとり、経済学者アレクサンダー・リュストウがその２ヵ月前におこなったある講演のタイトル「自由な経済、強い国家」を手直しして再利用している。リュストウはこの講演で、シュミットの全体国家批判に言及し、こう結論づけている。「あたらしいリベラル主義［…］は強い国家を望んでいます」。Alexander Rüstow, "Freie Wirtschaft - Starker Staat. Die staatspolitischen Voraussetzungen des wirtschaftspolitischen Liberalismus", in Franz Boese,（dir.）, *Deutschland und die Weltkrise*, Duncker & Humblot, Dresden, 1932, pp. 62-69, p. 69.
オルドリベラル主義における強い国家というテーマの歴史については以下も参照。Werner Bonefeld, "Authoritarian Liberalism: From Schmitt via Ordoliberalism to the Euro", *Critical Sociology*, vol. 43, n° 4-5, 2017, pp. 747-761, et Gilles Christoph, *Du nouveau libéralisme à l'anarcho-capitalisme: la trajectoire intellectuelle du néolibéralisme britannique*, thèse, Université Lyon 2, 2012, pp. 119 et pp. 129 sq.

p. 103.【ハイエク「自由の条件 I」『ハイエク全集 I-5』気賀健三・古賀勝次郎訳、春秋社、2007、150 頁】

98. Friedrich Hayek, "The Dangers to Personal Liberty", *op. cit.*, p. 15.

99. Hayek interviewé par le *Daily Journal* (Venezuela), 15 mai 1981, cité par Alan Ebenstein, *Friedrich Hayek: A Biography*, Palgrave, New York, 2001, p. 300.【ラニー・エーベンシュタイン『フリードリヒ・ハイエク』田総恵子訳、春秋社、2012、399 頁】

100. 「法の優位の伝統が民主的制度を抑制することをやめてしまえば、どこであろうとそうした制度は、〈全体主義的民主主義〉のみならず、最後には〈国民独裁〉に行き着くのである」。Friedrich Hayek, *Droit, législation et liberté, Volume 3, op. cit.*, p. 5.

101. Friedrich Hayek, *The Road to Serfdom - the Definitive Edition*, The University of Chicago Press, Chicago, p. 100.【F.A. ハイエク『隷属への道』西山千明訳、春秋社、2008、70 頁】

102. Andrew Gamble, "The Free Economy and the Strong State", in Ralph Miliband, John Saville (dir.), *Socialist Register*, vol. 16, 1979, pp. 1-25, p. 9.

103. Friedrich Hayek, "Freedom of Choice", op. cit., p. 15.

104. Friedrich Hayek, "The Principles of a Liberal Social Order", *op. cit.*, p. 602.

105. 「中央計画にたいする統制の欠如、干渉主義にたいする非干渉、従属にたいする調整」。ピーター・コスロフスキーが記しているように、古典派経済学は「神学的には理神論に、存在論的には事前調和モデルに対応している」。Peter Koslowski, *Ethics of Capitalism and Critique of Sociobiology, op. cit.*, p. 28.

106. Karl Polanyi, *La Grande Transformation, op. cit.*, p. 205.【ポラニー『大転換』254 頁】Cf. Philip Mirowski, "Postface", in Philip Mirowski and Dieter Plehwe (dir.), *The Road from Mont Pelerin : The Making of the Neoliberal Thought Collective*, Harvard University Press, Cambridge, 2009, pp. 417-456, p. 441.「自由市場」というレトリックにたいする批判としては以下も参照。Bernard E. Harcourt, *The Illusion of Free Markets*, Harvard University Press, Cambridge, 2011, pp. 240 sq.

107. Antonio Gramsci, *Cahiers de prison*, tome 3, cahiers 10 à 13, Gallimard, Paris, 1978, p. 386.

第 24 章　権威主義的リベラル主義の諸々の出自

108. Benjamin Constant, « De Godwin, et de ses ouvrages sur la justice politique » (1817), in *Mélanges de littérature et de politique*, tome I, Michel, Louvain, 1830, pp. 144-152, p. 149.

109. Franz L. Neumann, *The Democratic and the Authoritarian State : Essays in Political and Legal Theory*, The Free Press, New York, 1966, p. 211.【フランツ・ノイマン『民主主義と権威主義国家』内山秀夫ほか訳、河出書房新社、1977、277 頁】Et voir Friedrich Hayek, *The Constitution of Liberty, op. cit.*, p. 421, note 3.【ハイエク「自由の条件 I」195 頁】

110. Friedrich Hayek, "The Principles of a Liberal Social Order", *op. cit.*, p. 601.

111. Hans Kelsen, cité par Hayek, *The Constitution of Liberty, op. cit.*, p. 431, note 4.【ハイエク「自由の条件 I」209 頁】

112. William E. Scheuerman, "The Unholy Alliance of Carl Schmitt and Friedrich Hayek", *Constellations*, vol. 4, n° 2, octobre 1997, pp. 172-188, p. 178.

82. Cf. Naomi Klein, *The Shock Doctrine: The Rise of Disaster Capitalism*, Picador, New York, 2008, pp. 145 sq.【ナオミ・クライン『ショック・ドクトリン：惨事便乗型資本主義の正体を暴く』幾島幸子・村上由見子訳、岩波書店、2011、上巻 203 頁以下】Voir aussi John Meadowcroft, William Ruger, "Hayek, Friedman, and Buchanan: On Public Life, Chile, and the Relationship between Liberty and Democracy", *Review of Political Economy*, vol. 26, n° 3, 2014, p. 358-367, p. 363.

83. "Premio Nobel Friedrich von Hayek", El Mercurio, 8 novembre 1977, pp. 27-28. 27-28, cité par Andrew Farrant, Edward McPhail, Sebastian Berger, «Preventing the "Abuses" of Democracy: Hayek, the "Military Usurper" and Transitional Dictatorship in Chile? », *The American Journal of Economics and Sociology*, vol. 71, n° 3, juillet 2012, pp. 513-538, p. 520.

84. *Ibid.*, p. 525. このテクストは「憲法モデル」と題された章にあたる。Friedrich Hayek, *Droit, législation et liberté, Volume 3, L'ordre politique d'un peuple libre*, PUF, Paris, 1979, pp. 125-152.【ハイエク「法と立法と自由Ⅲ：自由人の政治的秩序」『ハイエク全集 I-10』渡部茂訳、春秋社、2008、148-176 頁】

85. Friedrich Hayek, "Freedom of choice", *Times*, 3 août 1978, p. 15.

86. ハイエクは独裁下のチリを 2 度訪問している。1977 年 11 月にはピノチェトと個人的に面談している。2 度目は 1981 年 4 月である。Cf. Bruce Caldwell, Leonidas Montes, "Friedrich Hayek and his visits to Chile", *The Review of Austrian Economics*, vol. 28, n° 3, septembre 2015, pp. 261-309.

87. Friedrich Hayek, interviewé par Renée Sallas, *El Mercurio*, 12 avril 1981, cité par Bruce Caldwell, Leonidas Montes, "Friedrich Hayek and his visits to Chile", *op. cit.*, p. 44 et 45.

88. Nicholas Kaldor, "Chicago boys in Chile", *Times*, 18 octobre 1978, p. 17.

89. Cf. Andrew Farrant, Edward McPhail, "Can a Dictator Turn a Constitution into a Can-opener? F.A. Hayek and the Alchemy of Transitional Dictatorship in Chile", *Review of Political Economy*, vol. 26, n° 3, 2014, pp. 331-348, pp. 332 sq.

90. Friedrich Hayek,"The Principles of a Liberal Social Order", *Il Politico*, vol. 31, n° 4, décembre 1966, pp. 601-618, p. 605.

91. 「民主主義にはわたしが〈衛生学〉と呼ぶ責務があります。つまり、政治プロセスが健全に運用されているか監視する責務です。それ自体が目的なのではありません。自由に奉仕することを目的とした手続き規則なのです。しかし、いかなる場合でも自由とおなじ地位をもつわけではありません」。Friedrich Hayek, interviewé par Lucia Santa Cruz, *El Mercurio*, 19 avril 1981, cité par p. Bruce Caldwell, Leonidas Montes, *op. cit.*, p. 47.

92. Renato Cristi, *El pensamiento politico de Jaime Guzmán: autoridad y libertad*, LOM Ediciones, Santiago, 2000, p. 11.

93. Friedrich Hayek, interviewé par Lucia Santa Cruz, *El Mercurio*, 19 avril 1981, *op. cit.*, p. 47.

94. Friedrich Hayek, "Freedom of choice", *op. cit.*, p. 15.

95. Friedrich Hayek, "The Dangers to Personal Liberty", *Times*, 11 juillet 1978, p. 15.

96. Friedrich Hayek, *Droit, législation et liberté, Volume 3, op. cit.*, p. 118.【ハイエク「法と立法と自由Ⅲ」140 頁】

97. Friedrich Hayek, *The Constitution of Liberty*, The University of Chicago Press, Chicago, 1978,

統治能力』205-210 頁所収、205 頁】

71. Ralf Dahrendorf, "Effectiveness and Legitimacy : On the 'Governability' of Democracies", *op. cit.*, p. 405.

72. Richard Rose, "Ungovernability: Is There Fire Behind the Smoke? », *Political Studies,* vol. 27, n° 3, 1979 pp. 351- 370, p. 355. かれはつぎのように付け加えている。「統治不能性についての文献［…］こういった論文も同様に、強制によってみずからの存続を確保する体制の見通しを過小評価する傾向にある。［…］この 10 年を通じた抗議活動やテロ活動の増加はとくに、反転覆的・反テロリスト的な強い措置を広範な大衆が支持していることを示唆している」。*Ibid.*, p. 369.

73. 「矯正不能、統治不能、そうした言葉を 1960 年代初頭の行政レポートで目にすることもあろうが、これらは［…］交換可能な用語である。［…］両親では管理できなくなった、しかしまだ法律違反は犯していない、という子どもは、このどちらかのカテゴリーに当てはめられる」。Richard A. Myren, Lynn D. Swanson, *Police Work with Children : Perspectives and Principles, Children's Bureau Publications*, n° 398, U.S. Government Printing Office, Washington, D.C., 1962, p. 69.

74. Nicos Poulantzas, *L'E'tat, le pouvoir, le socialisme*, PUF, Paris, 1978, p. 226.【ニコス・プーランツァス『国家・権力・社会主義』田中正人・柳内隆訳、ユニテ、1984、232 頁】。プーランツァスの概念を実り豊かにアップデートしたものとしては以下を参照。Christos Boukalas, «État d'exception ou étatisme autoritaire: Agamben, Poulantzas et la critique de l'antiterrorisme », *Revue Pe'riode*, http://revueperiode.net/etat-dexception-ou-etatisme-autoritaire-agamben-poulantzas-et-la-critique-de-lantiterrorisme/ Traduction de Christos Boukalas, « No Exceptions: Authoritarian Statism. Agamben, Poulantzas and Homeland Security », *Critical Studies on Terrorism*, vol. 7, n° 1, p. 112-130.

75. Paul Samuelson, "The World Economy at Century's End", in Shigeto Tsuru（dir.）, *Human Resources, Employment and Development*, vol.1, Macmillan, Londres, 1983, pp. 58-77, p. 75.

76. Paul A. Samuelson, "The World Economy at Century's End", *Bulletin of the American Academy of Arts and Sciences*, vol. 34, n° 8, mai 1981, pp. 35-44, p. 44.

77. *Ibid.*, p. 44.

78. "Review and Outlook", *The Wall Street Journal*, 2 novembre 1973.

79. Amnesty International, *Chile: An Amnesty International Report*, Amnesty International Publications, Londres, 1974, p. 7.

80. Amnesty International, *Disappeared Prisoners in Chile*, Amnesty International Publications, Londres 1977, p. 2.

81. モンペルラン協会が、ミルトン・フリードマン、ゴードン・タロック、ジェームズ・ブキャナン、そしてフリードリヒ・ハイエクらを筆頭に当地に集まりコロック【学術的討論を目的とする集まり】を開催したのが 1981 年 11 月のことであった。ハイエク自身、その訪問前には、かれにその訪問を思いとどまらせようとする、体制についての「大量の［…］資料」を受け取った、と述べている。そのいくつかはアムネスティ・インターナショナルからのものだった。Cf. Friedrich Hayek, "Internationaler Rufmord. Eine persönliche Stellungnahme", *Politische Studien, Sonderheft "Chile, ein schwieriger Weg"*, 1978, p-p. 44-45, p. 44.

48. Henri Lepage, *Demain le capitalisme, op. cit.*, p. 40.
49. *Ibid.*, p. 40.
50. André Gorz, *Misères du présent, richesses du possible*, Galilée, Paris, 1997, p. 26.
51. André Gorz, *Métamorphoses du travail : Quête du sens. Critique de la raison économique*, Galilée, Paris, 1988, p. 229.【アンドレ・ゴルツ『労働のメタモルフォーズ　働くことの意味を求めて：経済的理性批判』真下俊樹訳、緑風出版、1997、312 頁】
52. Samuel P. Huntington, «The Governability of Democracy One Year Later », *op. cit.*, p. 10.
53. ミシェル・フェエールが書いているように「メランコリーだからといって、直面している困難がつねにおなじとは限らない。そのことを思い出せば、なるほどメランコリーも攻守ところを変えることもある、と考えるようになる」。Michel Feher, *Le Temps des investis*, La Découverte, Paris, 2017, p. 10.
54. Samuel Brittan, "The Economic Contradictions of Democracy", *op. cit.*, p. 129.
55. Alan Wolfe, "Giving Up on Democracy", *op. cit.*, p. 563.
56. Samuel P. Huntington, « The Governability of Democracy One Year Later», *op. cit.*, p. 11.
57. Fritz W. Scharpf, "Public Organization and the Waning of the Welfare State : A Research Perspective", *European Journal of Political Research*, vol. 5, n° 4, janvier 1977, pp. 339-62, p. 345.
58. Ralf Dahrendorf, "Effectiveness and Legitimacy : On The 'Governability' of Democracies", *The Political Quarterly*, vol. 51, n° 4, 1980, pp. 393-410, p. 406.
59. Fritz W. Scharpf, *op. cit.*, p. 344.
60. Cf. Serge Halimi, *Le Grand Bond en arrière*, Fayard, Paris, 2006.

第 23 章　チリでのハイエク

61. Daniel Bell, *The Cultural Contradictions of Capitalism, op. cit.*, p. 12.【ベル『資本主義の文化的矛盾（上）』45 頁】
62. Michael C. Jensen, William H. Meckling, "Can the Corporation Survive?", *op. cit.*, p. 32.
63. Cf. Alan Wolfe, "Giving Up on Democracy", *op. cit.*, p. 558.
64. Samuel P. Huntington, "The United States", *op. cit.*, p. 114.【『民主主義の統治能力』67 頁】
65. *Ibid.*, p. 113.【前掲書 66 頁】
66. *Ibid.*, p. 114.【前掲書 67 頁】
67. ブリタンも同様にこう評価している。「リベラル民主主義はまだ救済される可能性もあろう、現代の平等主義がその優位を失えば、だが」。Samuel Brittan, "The Economic Contradictions of Democracy", *op. cit.*, p. 159.
68. Samuel P. Huntington, "Postindustrial Politics : How Benign Will It Be?", *Comparative Politics*, vol. 6, n° 2, janvier 1974, pp. 163-191, p. 166.
69. Alan Wolfe, "Giving Up on Democracy", *op. cit.*, p. 559.
70. Ralf Dahrendorf, "Excerpts of Remarks by Ralf Dahrendorf on The Governability Study", in Michel J. Crozier, Samuel p. Huntington, Joji Watanuki, *The Crisis of Democracy : Report on the Governability of Democracies to the Trilateral Commission*, New York University Press, New York, 1975, pp. 188-195, p. 188.【ダーレンドルフ「民主主義の柔軟性を」『民主主義の

ぶんたちの利益を求める恐れがあり、経済的に支配的な階級を犠牲にすることもある。国家の官僚主義にたいするネオリベラル主義的批判としては以下を参照。cf. William Niskanen, *Bureaucracy and Representative Government*, Aldine Atherton, Chicago, 1971.

26. Richard Rose, "Overloaded Government: The Problem Outlined", *European Studies Newsletter*, vol. 5, n° 3, 1975, pp. 13-18, p. 16.
27. James Douglas, "The Overloaded Crown", *op. cit.*, p. 487.
28. Richard Rose, "Overloaded Government", *op. cit.*, p. 16.
29. James Douglas, "The Overloaded Crown", *op. cit.*, p. 487.
30. Claus Offe, ""Ungovernability": The Renaissance of Conservative Theories of Crisis", *op. cit.*, p. 68.
31. Richard Rose, "Overloaded Government", *op. cit.*, p. 17.
32. *Ibid.*, p. 16.
33. Samuel P. Huntington, "The United States", *op. cit.*, p. 115.【『民主主義の統治能力』68 頁】
34. Samuel Brittan, "The Economic Contradictions of Democracy", *op. cit.*, p. 129.
35. Alan Wolfe, "Giving Up on Democracy : Capitalism Shows its Face", *The Nation*, 29 novembre 1975, pp. 557-563, p. 561.
36. Claus Offe, ""Ungovernability": The Renaissance of Conservative Theories of Crisis", *op. cit.,* p. 65.
37. Richard Rose, *Challenge to Governance, Studies in Overloaded Politics*, Sage, London, 1980, p. 6.
38. 「政府諸組織は過負荷状態であり、それもしだいに悪化している」、それは「政府活動を弱体化・混乱させる脅威」であり、「政治体制の破壊」につながりかねない滑り坂である。Richard Rose, "Overloaded Government: The Problem Outlined", *op. cit.*, p. 13
39. Daniel Bell, "The Public Household: On "Fiscal Sociology" and the Liberal Society", *The Public Interest*, n° 37, automne 1974, pp. 29-68, p. 40.
40. James O'Connor, *The Fiscal Crisis of the State*, St. Martin's Press, New York, 1973.【ジェイムズ・オコンナー『現代国家の財政危機』池上惇・横尾邦夫監訳、御茶の水書房、1981】Cf. Samuel p. Huntington, "The United States", *op. cit.*, p. 73.【ハンチントン『民主主義の統治能力』26 頁】
41. James O'Connor, *The Fiscal Crisis of the State*, Transaction Publishers, New Brunswick, 2009, p. 14.【オコンナー『現代国家の財政危機』、なお版のちがいにより該当箇所は未収録】
42. Daniel Bell, "The Public Household", *op. cit.*, p. 34.
43. Alan Wolfe, "Giving Up on Democracy", *op. cit.*, p. 560.
44. James O'Connor, *op. cit.*, p. 8.【オコンナー『現代国家の財政危機』13 頁】。端的に言えば「コストの社会化、そして利潤の私的領有が予算の危機を、あるいは歳出と歳入の〈構造的懸隔〉を作り出した」。*Ibid.*, p. 9.【前掲書 14 頁】
45. Claus Offe, "Crises of Crisis Management", in Claus Offe, *Contradictions of the Welfare State*, Hutchinson, Londres, 1984, pp. 35-64, p. 61.
46. Claus Offe, ""Ungovernability": The Renaissance of Conservative Theories of Crisis", *op. cit.*, p. 83.
47. Samuel P. Huntington, "The United States", *op. cit.*, p. 73.【『民主主義の統治能力』26 頁】

Democracy One Year Later», *Trialogue*, n° 10, 1976. pp. 10-11, p. 11. たしかにハンチントンは同僚のクロジエ（p. 11, 30 et 37）や綿貫（p. 119）とちがい、このレポートのなかで統治不能性という語を用いてはいない。

12. Anthony King, "Overload: Problems of Governing in the 1970s", *Political Studies*, vol. 23, n° 2-3, 1975, pp. 284-296, p. 288.
13. Anthony H. Birch, "Overload, Ungovernability and Delegitimation: The Theories and the British Case", *British Journal of Political Science*, vol. 14, n° 2, avril 1984, pp. 135-160, p. 136.
14. Samuel Brittan, "The Economic Contradictions of Democracy", *British Journal of Political Science*, vol. 5, n° 2, avril 1975, pp. 129-159, p. 129.
15. Cf. Joachim Heidorn, *Legitimität und Regierbarkeit: Studien zu den Legitimitätstheorien von Max Weber, Niklas Luhmann und Jürgen Habermas und der Unregierbarkeitsforschung*, Duncker and Humblot, Berlin, 1982, p. 214. Voir aussi Armin Schäfer, "Krisentheorien der Demokratie: Unregierbarkeit, Spätkapitalismus und Postdemokratie", *Der Moderne Staat. Zeitschrift für Public Policy, Recht und Management*, vol. 1, 2009, pp. 159-183, p. 162. ジャン・ルカはつぎのように要約している。「〈ケインズ主義的民主主義〉の本質は（公的な力の介入によって）〈経済を政治化し〉かつ政治を市場へ変貌させることで、階級闘争を制度化することにある。[…] そのあとに生じるのは福祉国家の逆説である。成功すればするだけ、持続的介入がより必要に、かつより困難になる [...]。展開すればするだけ、慣性もまた避けがたく増大する」。Jean Leca, «Conclusion. Perspectives démocratiques», in Jean Leca, Roberto Papini（dir.）, *Les démocraties sont-elles gouvernables?*, Economica, Paris, 1985, pp. 173-195, p. 182.
16. Samuel Brittan, "The Economic Contradictions of Democracy", *op. cit.*, p. 129.
17. Claus Offe, ""Ungovemability": The Renaissance of Conservative Theories of Crisis", in Claus Offe, *Contradictions of the Welfare State*, Hutchinson, Londres, 1984, pp. 65-88, p. 68
18. Joseph A. Schumpeter, *Capitalisme, socialisme, démocratie*, Payot, Paris, 1972, pp. 367 sq.【シュンペーター『資本主義、社会主義、民主主義』429 頁以降】
19. Cf Anthony Downs, "An Economic Theory of Political Action in a Democracy", *The Journal of Political Economy*, vol. 65, n° 2, avril 1957, pp. 135-150.
20. Henri Lepage, *Demain le capitalisme, op. cit.*, p. 176.
21. Anthony Downs, *op. cit.*, p. 137.「民主制下の諸政党は票を獲得するための手段としてのみ政治プログラムを作成する」および「政府はつねに、獲得できそうな票数を最大化するために行動する」という選挙の定理はここから生じている。
22. James D. Gwartney, Richard E. Wagner. "Public Choice and the Conduct of Representative Government", in James D. Gwartney, Richard E. Wagner（dir.）*Public Choice and Constitutional Economics*, JAI Press, Greenwich, 1988. 3-28, p. 9.
23. Allan Meltzer, "The Decline of the Liberal Economy", *Vie et sciences économiques*, n° 72, janvier 1977, pp. 1-7, p. 7.
24. Henri Lepage, *Demain le capitalisme, op. cit.*, p. 211.
25. バーリとミーンズによれば、マネージャが株主の利益を度外視してエゴイスティックな利益を合理的に追求しがちなのと同じように、世上に言われるとおり、官僚もつまるところはじ

3. Michel J. Crozier, Samuel P. Huntington, Joji Watanuki, *The Crisis of Democracy: Report on the Governability of Democracies to the Trilateral Commission*, New York University Press, New York, 1975.【サミュエル .P. ハンチントン、ミッシェル・クロジエ、綿貫譲治著; 日米欧委員会編『民主主義の統治能力(ガバナビリティ):その危機の検討』綿貫譲治監訳、サイマル出版会、1976】。三極委員会は銀行家デヴィッド・ロックフェラーと政治学者ズビグネフ・ブレジンスキーの肝いりで 1973 年に設立された私的な組織で、アメリカ合州国、西側の欧州そして日本の著名人が結集した。かれらは「先進国」への政治的な勧告を使命とする多国籍エリートであった。Cf. Holly Sklar (dir.), *Trilateralism: The Trilateral Commission and Elite Planning for World Management*, South End Press, Boston, 1980.
4. Samuel P. Huntington, "The United States", *Ibid.*, pp. 59-118, p. 114.【『民主主義の統治能力』67 頁】
5. *Ibid.*, p. 114.【前掲書 67 頁】
6. *Ibid.*, p. 61.【前掲書 15 頁】
7. *Ibid.*, p. 75.【前掲書 28 頁】
8. *Ibid.*, p. 76.【前掲書 30 頁】
9. *Ibid.*, p. 114.【前掲書 67 頁】
10. Jacques Rancière, *La Haine de la démocratie*, La Fabrique, Paris, 2005, p. 13.【ジャック・ランシエール『民主主義への憎悪』松葉祥一訳、インスクリプト、2008、14 頁】
『フランスの内戦』においてマルクスは、1848 年憲法で施行された(男性による)「普遍投票」の分析をいくつかの箇所で残しており、この分析はその慧眼さにおいて、後年の民主主義の統治性の危機をめぐる保守派の言説を凌駕している。「この憲法のおおきな矛盾は以下にある。この憲法によって社会的隷従が永続化されるはずの階級[…]が、この憲法によって普遍投票という手段で政治権力を保持するようになる。そしてこの憲法において昔からの社会的勢力が承認されている階級から、この力の政治的保証を奪う。その政治的支配は、ことあるごとに敵対階級が勝利を収めることを助ける、民主主義的諸条件へと押し込められる[…]。一方は政治的解放が社会的解放にまで続いていかないことを要求するが、他方は社会的復古が政治的復古まで戻らないことを求める」。Karl Marx, *Les luttes de classes en France*, Pauvert, Paris, 1965, p. 107.【マルクス「フランスにおける階級闘争」『マルクス=エンゲルス全集 7』、大月書店、1961、40 頁】。この種の体制がきわどい分水嶺上で維持されるとしたら、それには現存の諸勢力のそれぞれが相互に禁止事項を尊重する必要があろう。しかし、この禁止事項はどちらの側も支持しかねるものだ。被支配階級にとっては、その機会があっても政治解放運動を社会経済領域までは拡張するな、というものであるし、ブルジョワジーにとっては、とにかく真っ向から政治的復古を振りかざしてその完全な社会的優位の維持を固めるために巨大な経済力を使うな、ということだからだ。
11. 出版の 1 年後にかれはこう書いている。「われわれのレポートは、なにものも民主主義を救うことはできない、と見るような重苦しい悲観主義を決定的に放棄した。このレポートでは、なしえること、なすべきことの実践的示唆が示されている[…]。タイトルが示唆するように、民主主義の〈統治性〉とこの統治性の向上が配慮の対象であって、民主主義の統治不能性を無益に嘆くことではない」。Samuel P. Huntington, «The Governability of

Books, New York, 2015, pp. 143 sq.【ウェンディ・ブラウン『いかにして民主主義は失われていくのか：新自由主義の見えざる攻撃』中井亜佐子訳、みすず書房、2017、161 頁以下（あるいは pp. 131, 邦訳 147 頁以下のまちがいか?)】

178. パット・オマリーが指摘するように「リスクもまた特筆すべき変化を被った。社会保障を基礎づける技法だったものが、責任をもつようエンパワーメントし促進する国家に援助されつつ自己を統治する個々人が引き受けるべき責任になった」。Pat O'Malley, *Risk, Uncertainty and Government*, Routledge, New York, 2004, p. 57.

179. Thomas Schelling, «The Intimate Contest for Self- Command», in Thomas Schelling, *Choices and consequences, op. cit.*, pp. 57-82, p. 63.

180. *Ibid.*, p. 64.

181. Don Hazen, "The Hidden Life of Garbage: An interview with Heather Rogers.", AlterNet, 30 octobre 2005, https://www.alternet.org/story/27456/the_hidden_life_of_garbage Voir aussi Heather Rogers, *Gone Tomorrow: The Hidden Life of Garbage*, The New Press, New York, 2006, p. 25.

182. Bartow J. Elmore, "The American Beverage Industry and the Development of Curbside Recycling Programs, 1950-2000", *op. cit.*, p. 501.

183. *71 things you can do to stop pollution*, Keep America Beautiful, New York, 1971

184. サマンサ・マクブライドがちょっと翻訳しづらい「かけことば」で「busy-ness」【多事ネス】と呼んだもののことである。Samantha MacBride, *Recycling Reconsidered: The Present Failure and Future Promise of Environmental Action in the United States*, MIT Press, Boston, 2011, p. 6 et p. 220

185. Sur cette distinction, cf. Peter French, *Collective and Corporate Responsibility*, Columbia University Press, New York, 1984, p. 13.

186. Wendy Brown, *Undoing the Demos: Neoliberalism's Stealth Revolution, op. cit.*, p. 87.【ブラウン『いかにして民主主義は失われていくのか』96 頁】

187. Karl Marx, *La Question juive, Manuscrits de 1844 : économie politique et philosophie*, Éditions sociales, 1962, p. 104.【マルクス「1844 年の経済学・哲学手稿」『マルクス=エンゲルス全集 40』大月書店、1968、472 頁】

188. *Ibid.*, p. 104.【前掲書 472 頁】

189. Karl Marx, Friedrich Engels, *La Sainte Famille*, Éditions sociales, Paris, 1972, p. 148.【マルクス、エンゲルス「聖家族」『マルクス=エンゲルス全集 2』大月書店、1968、127 頁】

第VI部　統治不能社会

第 22 章　民主主義の統治性の危機

1. Walter Bagehot, *Physics and Politics*, New York, Appleton, 1883, p. 25.【ウォルター・バジョット『自然科學と政治學』大道安次郎譯、岩崎書店、1948、30 頁】

2. James Douglas, "The Overloaded Crown", *British Journal of Political Science*, vol. 6, n° 4, octobre 1976, pp. 483-505, p. 483.

186. スポット広告を演じた役者「アイアン・アイズ・コーディ」もまたある役割から別の役割へ、つまり罪責から感謝へと衣替えする。かれはセレモニーの衣装に身を包み、「キープ・アメリカ・ビューティフル」があらたな「緑の資本主義」にふさわしい人物に授与した「賞」を渡す役をたびたび引き受けた。ささやかな逸話だが、プライヴェートでも画面の中と同様にネイティヴ・アメリカンの衣装を着けてあちこちに現れたコーディは、じつはチェロキー族の末裔ではなく、イタリア系アメリカ人だった。Cf. Angela Aleiss, “Indian Heritage Lives On in Actor”, *Indian Country Today,* Oneida, 24 février 1997, p. 5.

163. “Meeting minutes from the State Association Conference, National Soft Drink Association, 10 Nov. 1970”, cité par Bartow J. Elmore, “The American Beverage Industry and the Development of Curbside Recycling Programs, 1950- 2000”, *Business History Review*, vol. 86, n° 3, automne 2012, pp. 477-501, p. 493.

164. *Ibid.*, p. 488.

165. 1969 年 1 月、サンタ・バーバラの海岸を原油の黒波が襲ったのち、活動家たちは「アース・デイ」、つまりエコロジー運動を動員する 1 日、というアイディアを発表した。第 1 回は 1970 年 4 月 22 日に挙行された。よりよい環境保護のための改革プロジェクトを支持する数百万のアメリカ人が通りを埋め尽くした。

166. J. Paul Austin, «Environmental Renewal or Oblivion - Quo Vadis?», *Congressional Record*, Vol. 116/10 (23 avril 1970 - 4 mai 1970), U.S. Government Printing Office, Washington, D.C., p. 12814.

167. *Ibid.*, p. 12814.

168. “Clean-up groups fronting for bottlers, critics say”, *The San Bernardino County Sun*, 29 août 1976, p. 3.

169. Paul Swatek, *The User's Guide to the Protection of the Environment*, Friends of the Earth/ Ballantine Book, New York, 1970, p. 128.

170. *CSA Super Markets*, vol. 46, janvier-juin 1970, p. 67.

171. Joe Greene Conley II, *Environmentalism Contained: A History of Corporate Responses to the New Environmentalism, op. cit.*, p. 98.

172. Richard L. Cheney, cité par Joe Greene Conley, *ibid.*, p. 98.

173. この曲の「違和感 uncanny」というサビは「変だ」と同時に「缶じゃない un-can-ny」も意味している。動画は以下。https://archive.org/details/dmbb01623 Et là : https://archive.org/details/dmbb01622

174. Cf. Joe Greene Conley, *Environmentalism Contained, op. cit.*, p. 96.

175. *Ibid.*, p. 96.

176. Bartow J. Elmore, “The American Beverage Industry and the Development of Curbside Recycling Programs, 1950-2000”, *op. cit.*, p. 478.

177. Ronen Shamir, “The Age of Responsibilization: On Market-Embedded Morality”, *Economy and Society*, vol. 37, n° 1, février 2008, pp. 1-19, p. 4. Voir aussi Nikolas Rose, “Inventiveness in Politics”, *Economy and Society,* vol. 28, n° 3, pp. 467-493 ; David Garland, *The Culture of Control : Crime and Social Order in Contemporary Society*, University of Chicago Press, Chicago, 2001, pp. 124 sq.; Wendy Brown, *Undoing the Demos: Neoliberalism's Stealth Revolution*, Zone

え方に信憑性を与えるためには、代案を無効化しておく必要がある。つまり、公共財の共同管理を失敗するはずのものとして描くことが必要なのだ。「共有地の悲劇」というテーマはここから発している。Cf. Garrett Hardin, « The Tragedy of the Commons», *Science*, vol. 162, n° 385, 13 décembre 1968, pp. 1243-1248.

147. Lauderdale, *Recherches sur la nature et l'origine de la richesse publique, et sur les moyens et les causes qui concourent à son accroissement*, Dentu, Paris, 1808.

148. Lauderdale, *Recherches sur la nature et l'origine de la richesse publique, op. cit.*, p. 25.

149. *Ibid.*, p. 27.

150. *Ibid.*, p. 28.

151. *Ibid.*, p. 36.

152. Friedrich Engels, *Esquisse d'une critique de l'économie politique*, Allia, Paris, (1844) 1998, p. 30.【エンゲルス「国民経済学批判大綱」『マルクス＝エンゲルス全集 1』大月書店、1968、553 頁】

153. Cf. John Bellamy Foster, Brett Clark, "The Paradox of Wealth: Capitalism and Ecological Destruction", *Monthly Review*, vol. 61, n° 6, 2009, pp. 1-18.

第 21 章　責任化する

154. Karl Marx, "Political Movements - Scarcity of Bread in Europe" (13 septembre 1853), in Marx, Engels, *Collected Works,* vol. 12, Progress Publishers, Moscou, 1979, pp. 301-308, p. 303 et 304.【マルクス「政治上の動き——ヨーロッパにおける穀物不足」『マルクス＝エンゲルス全集 9』大月書店、1964、299-307 頁、302-303 頁】

155. 動画は以下でご覧頂きたい。: https://www.youtube. com/watch?v=9Dmtkxm9yQY

156. この一節全体については以下を参照。cf. Joe Greene Conley II, *Environmentalism Contained: A History of Corporate Responses to the New Environmentalism, op. cit.*, p. 95.

157. Andrew Boardman Jaeger, "Forging Hegemony: How Recycling Became a Popular but Inadequate Response to Accumulating Waste", *Social Problems*, 2017, doi: 10.1093/socpro/spx001, pp. 1-21, p. 4.

158. "Report of the Vermont State Litter Commission to Governor Joseph B. Johnson" (1956) , cité par Andrew Boardman Jaeger, "Forging Hegemony: How Recycling Became a Popular but Inadequate Response to Accumulating Waste", *Social Problems,* avril 2017, pp. 1-21, p. 9 https://doi.org/10.1093/ socpro/spx001

159. Cf. Finis Dunaway, "The "Crying Indian" ad that fooled the environmental movement", *Chicago Tribune*, 21 novembre 2017.

160. 動画は以下でご覧頂きたい。https://archive.org/details/Heritage1963

161. "Continental Can Company, Beer in cans", *Hearst's International- Cosmopolitan*, août 1936, p. 103.

162. Harold G. Grasmick, Robert J. Bursik Jr, Karyl A. Kinsey, "Shame and Embarrassment as Deterrents to Noncompliance with the Law. The Case of an Antilittering Campaign", in Arnold p. Goldstein, *The Psychology of Vandalism*, Springer, New York, 1996, pp. 183-198, p.

133. デムゼッツが強調したように「取引コストの重要性についてのコースの所見ではなく、かれの言う外部性問題の〈民営化〉についての所見こそが、かれの仕事におおきな方法論的前進をもたらしたのである」。Harold Demsetz, "The core disagreement between Pigou, the profession, and Coase in the analyses of the externality question", *op. cit.*, p. 566.

134. *Ibid.*, p. 572.

135. このアイディアは1966年、スティグラーのマニュアルの第3版に登場した。George J. Stigler, *The Theory of Price*, New York, Macmillan, 1966, p. 113.【スティグラー『価格の理論』154頁】

136. Thomas D. Crocker, "The Structuring of Atmospheric Pollution Control Systems," in Harold Wolozin (dir.), *The Economics of Air Pollution: A Symposium*, Norton, New York, 1966, pp. 61-86.

137. John H. Dales, *Pollution, Property & Prices*, Toronto, 1968, p. 107.

138. Krystal L. Tribbett, *RECLAIMing Air, Redefining Democracy: A History of the Regional Clean Air Incentives Market, Environmental Justice, and Risk, 1960 - present*, thèse, University of California, San Diego, 2014, p. 51.

139. Cf. Hugh S. Gorman and Barry D. Solomon, "The Origins and Practice of Emissions Trading", *Journal of Policy History*, vol. 14, n° 3, 2002, pp. 293-320, p. 309.

140. Voir W. David Montgomery, "Markets in Licenses and Efficient Pollution Control Programs", *Journal of Economic Theory*, vol. 5, n° 3, 1972, pp. 395-418, p. 395 et Cédric Philibert, Julia Reinaud, *Emissions Trading: Taking Stock and Looking Forward. International Energy Agency*, Paris, 2004, p. 9.

141. K. William Kapp, "Environment and Technology: New Frontiers for the Social and Natural Sciences", *op. cit.*, p. 531.

142. K. William Kapp, *The Social Costs of the Business Enterprise (revised and extended edition), op. cit.*, p. 314.

143. K. William Kapp, "Environment and Technology: New Frontiers for the Social and Natural Sciences", *op. cit.*, p. 531.

144. 「支払同意を環境の質の量化・評価基準として用いることは、根本的な人間のニーズを[…]価格・給与・所得の構造に既存する不平等や歪みを反映した基準にもとづいて再解釈するという、やっかいな効果を引き起こす」とカップは論証している。K. William Kapp, *The Social Costs of the Business Enterprise (revised and extended edition), op. cit.*, p. 313. 不平等な権力のもとにある経済単位がコストを他に移転させることができるのなら「市場のコストと価格は程度の差はあれ恣意的なものと見なされざるを得ない」。言い換えれば、経済的不平等がある以上、支払能力と同意は「その源となる価格と収入の構造と同様に恣意的である」。K. William Kapp, "On the Nature and Significance of Social Costs", *Kyklos*, vol. 22, n° 2, 1969, pp. 334-47, p. 335.

145. K. William Kapp, "Environmental Disruption and Social Costs: Challenge to Economics", *op. cit.*, p. 81.

146. エコロジー領域にたいするこの反撃は、同時期に「コモン」にたいしてしかけられた付随的な理論的批判と緊密に関係している。私的所有のみが天然資源を救う、という考

Mouton, Paris, 1974, pp. 77-88, p. 84.

122. K. William Kapp, " Environment and Technology: New Frontiers for the Social and Natural Sciences", *op. cit.*, p. 531.

123. Karl William Kapp, *Social Costs, Economic Development, and Environmental Disruption*, University Press of America, Lanham, 1983, p. 2.

124. K. William Kapp, "Environment and Technology: New Frontiers for the Social and Natural Sciences", *op. cit.*, p. 530.

125. *Ibid.*, p. 529. 資本主義の「生産の実コストを社会化する」傾向は、物理・化学的な流れが、深刻な変調を来した惑星の環境に取り込まれていく物質的プロセスでもある。この意味でこの社会化は「自然化」でもある。

126. 「重要なのはたんにある特定の大気や水質の汚染の効果ではなく、さまざまな原因からもたらされる物理的・社会的効果である。そこには人間環境を規定する生活条件や労働条件の悪化、そして起きたダメージのひろがりも含まれる。端的に言えば、環境へのダメージと生活の質は[…]その全体から理解されなければならないのである」。*Ibid.*, p. 530. カップによれば、古典派経済理論はこうした相互依存の分析には適さない。「環境変動と社会的コストの問題によって、われわれは非商業的な、直接的な技術の影響に直面させられたのだった。それはその累積効果により、均衡にもとづいた慣習的な経済学の伝統的アプローチを時代遅れにしたのである」。K. William Kapp, "Environmental Disruption and Social Costs: Challenge to Economics", *op. cit.*, p. 83. この文脈では、個々の汚染物質と環境ダメージを一対一対応させるのは困難だ。それは分配的正義から見た推論（全体的な結果に責任があるとされうるのはだれか?）のみならず、双方向的交換という古典派経済学の図式にも影響する。この図式はこの点についておなじ根本的な認識論的限界を共有しているからだ。その限界とは、因果性の線形的な発想とセットになった行為者性の原子論的な発想である。この意味で、ネオリベラル主義者たちが、法的アプローチが不適切である、と言うのももっともであったが、かれらは正当な理由を示していたわけではない。法からのアプローチが不十分であるにしても、それはかれらが言うように汚染者と汚染被害者の立場が入れ替え可能で、責任問題とは無関係だからではない。むしろダメージの原因とその影響のあいだに非線形的増加傾向があるからである。この多重対象概念については以下を参照。Timothy Morton, *Hyperobjects: Philosophy and Ecology After the End of the World*, University of Minnesota Press, Minneapolis, 2013.

127. K. William Kapp, "Environmental Disruption and Social Costs: Challenge to Economics", *op. cit.,* p. 88.

128. Ronald H. Coase, "The Problem of Social Cost", *op. cit.* p. 27.

129. Henri Lepage, *Demain le capitalisme,* Le Livre de poche, Paris, 1978, p. 294.

130. *Ibid.*, p. 296.

131. George J. Stigler, *The Theory of Price*, Macmillan, New York, 1987, p. 120【p .113 の誤りか。G.J. スティグラー『価格の理論』南部鶴彦・辰巳憲一訳、有斐閣、1991、154 頁】

132. コース本人もある段落でついでに指摘しているように「問題解決は本質的に、機械を使い続けることが、医者の収入を減らした以上に菓子屋の収入を増加させたのかにかかっている」。Ronald H. Coase, "The Problem of Social Cost", *op. cit.* p. 9.

109. *Ibid.*, p. 86.

110. *Ibid.*, p. 86.

111. Cf. Franck H. Knight "Some Fallacies in the Interpretation of Social Cost", *The Quarterly Journal of Economics*, août 1924, vol. 38, n° 4, pp. 582-606.

112. Frank H. Knight, "Review : The Social Costs of Private Enterprise by K. William Kapp", *The Annals of the American Academy of Political and Social Science*, vol. 273, janvier 1951, pp. 233-234, p. 234.

113. *Ibid.*, p. 234.

114. Ronald H. Coase, "The Problem of Social Cost", *The Journal of Law & Economics*, vol. 3, octobre 1960, pp. 1-44, p. 1. ナイトとコースの関係については以下を参照。Sebastian Berger, "The Discourse on Social Costs: Kapp's 'Impossibility Thesis' Vs. Neoliberalism", in Paolo Ramazzotti, Pietro Frigato et Wolfram Elsner（dir.）, *Social Costs Today. Institutional analyses of the present crises*, Routledge, New York, 2012, pp. 96- 112, p. 103.

115. Ronald H. Coase, "The Problem of Social Cost", *op. cit.* p. 43.

116. Daniel R. Fischel, "The Corporate Governance Movement", *Vanderbilt Law Review*, vol. 35, n° 6, novembre 1982, pp. 1259-1292, p. 1270.

117. Harold Demsetz, "The Core Disagreement between Pigou, the Profession, and Coase in the Analyses of the Externality Question", *European Journal of Political Economy*, vol. 12, 1996, pp. 565-579, p. 566.

118. Ronald H. Coase, "The Problem of Social Cost", *op. cit.*, p. 2.

119. この思考様式にはただひとつの原則、たったひとつの基準原基しか存在しない。「有害効果の経済問題は要するにいかに生産価値を最大化するか、である」*Ibid.*, p. 15. 絶対的な決定基準は数字である。総額である。全体量のみで、その配分とは無関係である。だがなぜほかでもなくその基準でなければならないのか？　たとえば社会的ニーズを支えうる充足ではなく生産総価値が参照されるのか？　この点について、新古典派経済学は真の回答をもたらさず、それがじぶんたちの思考様式を構成するからこの基準を採用したと、堂々巡りを繰り返すばかりである。しかし、コースなる人物はこの問題を完全に無視するには繊細すぎた。論文の最後の最後で、かれはこの著作の最初からそこに鎮座していた巨象【だれもが認識しているがあえて触れない話題】について触れている。「経済学のこの部門の慣習に従い、この論文では市場を基準とした生産価値の比較に分析を限定している。しかしまちがいなく、経済問題を解決するためにさまざまな社会的取り決めから選んだものがより広い意味でも成り立つこと、そしてこれらの取り決めが生活の全領域においてもたらす全体的効果を考えることが望ましい。フランク・K・ナイトがしばしば強調したように、福祉の経済問題は最終的には美学と道徳の研究において解決されなければならない」。Ronald H. Coase, *op. cit.*, p. 43, et voir Franck H. Knight "Some Fallacies in the Interpretation of Social Cost", *op. cit.*, p. 161.

120. K. William Kapp, "Environment and Technology : New Frontiers for the Social and Natural Sciences", *Journal of Economic Issues*, vol. 11, n° 3, septembre 1977, pp. 527-540, p. 532.

121. K. William Kapp, "Environmental Disruption and Social Costs: Challenge to Economics", in *Environmental Policies and Development Planning in Contemporary China and Other Essays*,

352-353 頁】

95. K. William Kapp, *The Social Costs of the Business Enterprise*, Harvard University Press, Cambridge, 1950.

96. K. William Kapp, *The Social Costs of the Business Enterprise (revised and extended edition)*, Spokesman, Nottingham 1978, p. 29.

97. Werner Sombart, *Der Moderne Kapitalismus, Tome II, vol. 1, Das europäische Wirtschaftsleben im Zeitaiter des Frühkapitalismus*, Duncker & Humblot, Leipzig, (1917) 1919, p. 120.

98. Hector M. Robertson, *Aspects of the Rise of Economic Individualism*, Cambridge University Press, Cambridge, 1935, pp. 53 sq.

99. Cf. Jack Goody, *La Raison graphique. La domestication de la pensée sauvage*, Éditions de Minuit, Paris, 1979.【J. グディ『未開と文明』吉田禎吾訳、岩波書店、1986】

100. Carroll Quigley, "Our Ecological Crisis," *Current History*, vol. 59, n° 347, juillet 1970, pp. 3-12, p. 9.

101. Sur les rapports entre Kapp et Polanyi, voir Sebastian Berger, "Karl Polanyi's and Karl William Kapp's Substantive Economics: Important Insights from the Kapp—Polanyi Correspondence", *Review of Social Economy*, vol. 66, n° 3, septembre 2008, pp. 381-396.

102. K. William Kapp, *The Social Costs of the Business Enterprise (revised and extended edition), op. cit.*, p. 15.

103. この「社会的コスト」という考え方は、労働搾取と自然搾取を一般横領経済学のふたつの側面と理解するエコロジー社会学の中核にある。「企業コストが生産総コストの尺度にならないとすれば、競争コスト−価格計算は馬鹿げているというだけでなく、私企業がコストの一部を他人の肩に乗せる、制度化された補償以外のなにものでもないことになり、初期の社会主義者たちが人間による人間の搾取を語る際に念頭に置いていたことさえ凌駕する、大規模な横領の一形態を実践することを許すだろう」。K. William Kapp, *The Social Costs of the Business Enterprise (revised and extended edition), op. cit.*, p. 271.

104. Arthur Cecil Pigou, *The Economics of Welfare,* Macmillan, Londres, 1920.【A.C. ピグウ『ピグウ厚生経済学』気賀健三ほか訳、東洋経済新報社、1965】

105. より正確には、「民間の限界総生産」と「社会の限界総生産」の差異である。ピグーの説明によれば「一般に産業界は社会総生産には関心を持たず、ただかれらの操業による民間生産にのみ関心を抱く。[…] この二種類の限界総生産に差異があるとき、個人的利益は国民への分配を最大化する傾向はもたない」。Arthur Cecil Pigou, *The Economics of Welfare*, Macmillan, Londres, (1920) 1932, p. 172.【ピグウ『ピグウ厚生経済学』第二分冊 55 頁】「外部性はこんにちでは、完全普遍競争の最適方程式の除外例となる」。Ezra J. Mishan, "The Postwar Literature on Externalities : An Interpretative Essay", *Journal of Economic Literature*, vol. 9, n° 1, mars 1971, pp. 1-28, p. 1.

106. Arthur Cecil Pigou, *op. cit.*, p. 195.【ピグウ『ピグウ厚生経済学』83 頁】

107. *Ibid.*, p. 192.【前掲書 80 頁】

108. K. William Kapp, "Environmental Disruption : Challenge to Social Science", in K. William Kapp, *Environmental Policies and Development Planning in Contemporary China and Other Essays,* Mouton, Paris, 1974, pp. 57-76, p. 60.

と、ある批評家は指摘している。Cf. Daniel R. Fusfeld "Some notes on the opposition to regulation", *Journal of Post Keynesian Economics*, vol. 2, n° 3, printemps 1980, pp. 364-367, p. 365.

81. Mark Green, Norman Waitzman, *Business War on the Law : An Analysis of the Benefits of Federal Health/Safety Enforcement, op. cit.*, p. 188.

82. *Ibid.*, p. 188.

83. Jonathan Swift, «Modeste proposition pour empêcher les enfants des pauvres en Irlande d'être à charge à leurs parents ou à leur pays et pour les rendre utiles au public », in *Opuscules humoristiques*, Poulet-Malassis et de Broise, Paris, 1859, pp. 161-176, p. 166.【ジョナサン・スウィフト「慎ましき提案」『召使心得 他四篇:スウィフト諷刺論集』原田範行編訳、平凡社、2015、130 頁】

84. Cf. Ezra J. Mishan, "Evaluation of Life and Limb : A Theoretical Approach", *Journal of Political Economy*, vol. 79, n° 4, juillet/août 1971, pp. 687-705; Thomas C. Schelling, "The Life You Save May Be Your Own."（1968）, in *Choice and Consequence, Perspectives of an Errant Economist*, Harvard University Press, Cambridge, 1984, pp. 113-146. こうして、命の価値という底の見えない問題を、より抽象的な「生命の統計学的価値」に置き換えることで回避したのであった。その命はあなたのものかもしれないが、そうでないかもしれない。心胆を寒からしめるような次元は「大人数の死亡率のわずかな上昇というかたちで統計学的死を扱うときには消え去る」とシェリングは指摘している。*Ibid.*, p. 127.

85. Cf. Eric Tucker, "The Determination of Occupational Health and Safety Standards in Ontario 1860-1982: From Markets to Politics to...?", *McGill Law Journal*, vol. 29, n° 2, 1984, pp. 260-311, p. 304.

86. *Ibid.*, p. 298.

87. John G. U. Adams "... and How Much for Your Grandmother?", *Environment and Planning A*, vol. 6, n° 6, décembre 1974, pp. 619-626, p. 625.

88. Working Party on National Environmental Policies, *The Value of Statistical Life: A Meta-Analysis*（ENV/ EPOC/WPNEP（2010）9/FINAL）, OCDE, Paris, 2012 p. 14 http://www.oecd.org/officialdocuments/publicdisplaydocumentpdf/?cote=ENV/EPOC/WPNEP（2010）9/FINAL&doclanguage=en

89. *Use of Cost-Benefit Analysis by Regulatory Agencies, op. cit.*, p. 468.

90. *Ibid.*, p. 472.

91. *Ibid.*, p. 472.

92. *Ibid.*, p. 475.

第 20 章　政治的エコロジー批判

93. Jean Charles Léonard Simonde de Sismondi, *Nouveaux principes d'économie politique*, tome I, Delaunay, Paris, 1827, p. 92.【シスモンヂ『経済学新原理（上）』菅間正朔訳、日本評論社、1949、377 頁】

94. Karl Marx, *Le Capital, Livre I, op. cit.*, p. 200.【マルクス「資本論第 1 巻」『全集 23a』

18, n° 4, août 1975, pp. 43-51 p. 46.

65. *Ibid.*, p. 51.

66. *Ibid.*, p. 44.

67. Kim Phillips-Fein, *Invisible Hands, op. cit.,* p. 176.

68. Cf. François Cusset, *La Décennie : le grand cauchemar des années 1980*, La Découverte, Paris, 2006, p. 92.

69. Murray Weidenbaum, "The High Cost of Government Regulation", *op. cit.*, p. 51.

70. Cf. Steven Kelman, « Cost-Benefit Analysis. An Ethical Critique», *Regulation*, vol. 5, n° 1, janvier-février 1981, pp. 33-40.

71. *Ibid.*, p. 40.

72. Joe Greene Conley II, *Environmentalism Contained: A History of Corporate Responses to the New Environmentalism*, thèse, Princeton University, 2006, p. 170.

73. Bob Eckhardt, cité dans *Use of Cost-Benefit Analysis by Regulatory Agencies, op. cit.*, p. 104.

74. P. F. Infante, R. A. Rinsky, J. K. Wagoner, R. J. Young, "Leukaemia in benzene workers", *The Lancet*, vol. 310, n° 8028, 9 juillet 1977, pp. 76-78.

75. 「ある物質が、曝露のレベルにかかわらず発がん性があるとひとたび判断されれば、その物質のがんのリスクがゼロとされる閾値は存在しない」とする政策。当局の立場からは「基準は可能なかぎり高い保護レベルであり、関連産業を破綻に追い込むというのでもないかぎり、発がん物質の基準は曝露ゼロレベルに設定される」ことが要求される。"Supreme Court's Divided Benzene Decision Preserves Uncertainty Over Regulation of Environmental Carcinogens", *Environmental Law Reporter*, vol. 10, n° 6, juin 1980, pp. 10192-10198, p. 10193.

76. "American Petroleum Institute v. Occupational Safety and Health Administration", *Environmental Law Reporter*, vol. 8, 1978, pp. 20790-20798, p. 20794.

77. Murray L. Weidenbaum, "Benefit-Cost Analysis of Government Regulation", *op. cit.,* p. 353.

78. Anthony Mazzocchi, cité par Mark Green, Norman Waitzman, *Business War on the Law : An Analysis of the Benefits of Federal Health/Safety Enforcement*, The Corporate Accountability Research Group, Washington, D.C, 1979, reproduit dans *Use of Cost-Benefit Analysis by Regulatory Agencies. Joint hearings before the Subcommittee on Oversight and Investigations and the Subcommittee on Consumer Protection and Finance of the Committee on Interstate and Foreign Commerce, House of Representatives, Ninety-sixth Congress, first session, July 30, October 10, and 24, 1979*, U.S. Government Printing Office, Washington, D.C., 1980, pp. 141-316, p. 230.

79. Peter F. Infante, "Benzene: An Historical Perspective on the American and European Occupational Setting", in Paul Harremoes, et al. (dir.), *Late Lessons from Early Warnings: The Precautionary 1896-2000*, Earthscan, Londres, 2002, pp. 35-48, p. 40.【欧州環境庁編『レイト・レッスンズ：14の事例から学ぶ予防原則：欧州環境庁環境レポート2001』水野玲子・安間武・山室真澄訳、七つ森書館、2005、69-91頁】

80. 「ワイデンバウム教授は効率を大義名分に、規制プロセスに市場の諸基準を適用しようと望んでいる。規制の〈最適な〉レベルを決定するには、コストをベネフィットと綿密に計算・比較しなければならない。しかし、死んだ子どもの最適な人数をどう計算するというのか?」

50. Thomas R. Shepard, "The Disaster Lobby", Illinois Manufacturer's Association, Chicago, avril 1971, p. 1. Voir aussi Melvin J. Grayson, Thomas R. Shepard, *The Disaster Lobby: Prophets of Ecological Doom and Other Absurdities,* Follett Publishing Company, Chicago, 1973.
51. Thomas R. Shepard, "The Disaster Lobby", *op. cit.*, p. 2.
52. *Ibid.*, p. 3.
53. *Ibid.*, p. 6.
54. Murray L. Weidenbaum, "The New Wave of Government Regulation of Business", *Business and Society Review*, n° 15, automne 1975, pp. 81-86, p. 81.
55. *Ibid.*, p. 81. キム・ムーディはこう指摘している。「管理する自由」にもとづいたアメリカのマネジメント・イデオロギーは、特権擁護に非常に固執しており、政府の「干渉」にも企業内民主化の兆しにもおなじように対立しているが、その根源はアメリカ合州国における資本主義の特異な歴史にある。ヨーロッパ、つまり強い国家が大企業の誕生に先行した大陸とはちがい、アメリカ合州国では巨大企業の発展（鉄道会社から製鉄会社まで）が強い中央集権国家の発展に先行していたのである。Kim Moody, "Beating the Union: Union Avoidance in the US", op. cit., p. 145.「アメリカではヘゲモニーは工場から発する」とグラムシは書いていた。Antonio Gramsci, *Cahiers de prison*, tome V, cahiers 19 à 29, Gallimard, Paris, 1992, p. 183.
56. Weidenbaum, cité par Kim Phillips- Fein, *Invisible Hands, op. cit.*, p. 176.
57. Murray L. Weidenbaum, "The New Wave of Government Regulation of Business", *op. cit.*, p. 85.
58. Cf. Murray L. Weidenbaum, "The Changing Nature of Government Regulation of Business", *Journal of Post Keynesian Economics*, vol. 2, n° 3, printemps 1980, pp. 345-357, p. 354.
59. Voir Nicos Poulantzas (dir.), *La Crise de l'État,* PUF, Paris, 1976.
60. 「われわれが知っているようなかたちの企業の破壊」にまでいたることになる管理委譲プロセス。Michael C. Jensen, William H. Meckling, "Corporate governance and 'economic democracy': An attack on freedom", *op. cit.*, p. 5.
61. David Vogel, "The Power of Business in America: A Re-Appraisal", *op. cit.*, p. 36. Voir aussi Andrew Szasz, "The Reversal of Federal Policy toward Worker Safety and Health", *Science & Society*, vol. 50, n° 1, printemps 1986, pp. 25-51.
62. デヴィッド・フォーゲルが「アメリカ史において、政府規制問題を巡る戦いは当初、階級闘争の中核に位置していた。この戦いはビジネス界の利益全体を、労働者組織の多数派のような公益のための運動と対置したのである」と見なし得たのはこれが理由であった。David Vogel, « The Power of Business in America», *op. cit.*, p. 36.
63. 「隠れた売上税」を天引きする規制。Murray L. Weidenbaum, "Benefit-Cost Analysis of Government Regulation", in *Use of Cost-Benefit Analysis by Regulatory Agencies. Joint hearings before the Subcommittee on Oversight and Investigations and the Subcommittee on Consumer Protection and Finance of the Committee on Interstate and Foreign Commerce, House of Representatives, Ninety-sixth Congress, first session, July 30, October 10, and 24, 1979*, U.S. Government Printing Office, Washington, D.C., 1980, pp. 337-353, p. 351.
64. Murray Weidenbaum, "The High Cost of Government Regulation", *Business Horizons,* vol.

Below: Towards a Cosmopolitan Legality, Cambridge University Press, Cambridge, 2005, pp. 64-91, p. 77.

40. James K. Rowe, "Corporate Social Responsibility as Business Strategy", *op. cit.*, p. 155.
41. John Kline, John M. Kline, *International Codes and Multinational Business, op. cit.*, p. 161.
42. David Cameron, "Speech to Business in the Community", 10 mai 2006, reproduit par le *Financial Times* https://www.ft.com/content/5f394dcc-e04a-11da-9e82-0000779e2340
Voir Daniel Kinderman, "Free us Up so We can be Responsible!": The Co-evolution of Corporate Social Responsibility and Neo-liberalism in the UK, 1977-2010", *Socio-economic Review*, vol. 10, n° 1, 2012, pp. 29-57, p. 47.

第19章　コスト・ベネフィット

43. Friedrich Nietzsche, *Le Crépuscule des idoles*, Mercure de France, Paris, 1908, p. 117.【フリードリッヒ・ニーチェ「偶像の黄昏」『ニーチェ全集 14　偶像の黄昏；反キリスト者』原佑訳、筑摩書房、1994、29-30 頁】
44. Cf. Patrick J. Akard, *The Return of the Market: Corporate Mobilization and the Transformation of U.S. Economic Policy, 1974-1984*, thèse, University of Kansas, 1989, p. 35. Voir aussi David Vogel, "The Power of Business in America : A Re-Appraisal", *British Journal of Political Science*, vol. 13, n° 1, janvier 1983, pp. 19- 43, p. 23. この「規制圧力」を説明するために、しばしば消費者運動の決定的な役割が力説されてきた。事実そのとおりだが、しかしこの種の措置の最初のひとつは、職場での人種差別問題について公民権運動が、1964 年に雇用機会均等委員会の創設によってやっとの思いで獲得したものであることを忘れるべきではない。
45. Robert L. Bartley, "Business and the New Class", *op. cit.*, p. 58.
46. Cf., Michael Useem, *The Inner Circle : Large Corporation and the Rise of Business Political Activity in the U.S. and U.K.*, Oxford University Press, New York, 1984, p. 160【マイケル・ユシーム『インナー・サークル：世界を動かす陰のエリート群像』岩城博司・松井和夫監訳、東洋経済新報社、1986、269 頁】; David Vogel, *Fluctuating Fortunes: The Political Power of Business in America*, Basic Books, New York, 1989 p. 201; Alejandro Reuss, *Capitalist Crisis and Capitalist Reaction: The Profit Squeeze, the Business Roundtable, and the Capitalist Class Mobilization of the 1970s*, thèse, University of Massachusetts, Amherst, 2013, p. 70.
47. David Rockefeller, "The Role of Business in an Era of Growing Accountability", *op. cit.*, p. 47616.
48. 「もっとも深刻なハンディキャップは、ビジネス界がおのれの階級の利益を守るため団結することができないことだった。メイシーズはニュー・クラスとの競争に首を突っ込もうとは考えなかった。敵と言えばギンベルズと思っているからだ」。メイシーズとギンベルズはライヴァル関係にあるデパートチェーンであった。Robert L. Bartley, "Business and the New Class", *op. cit.*, p. 65.
49. Alejandro Reuss, *Capitalist Crisis and Capitalist Reaction, op. cit.*, p. 60. Voir aussi Patrick J. Akard, *The Return of the Market, op. cit.*, p. 13.

"soft law" », in Société française pour le droit international, *L'Élaboration du droit international public*, Pedone, Paris, 1975, pp. 132-148, p. 145.

22. *Ibid.*, p. 135.
23. Ignaz Seidl-Hohenveldern, «International Economic "Soft Law'», in *Recueil des cours de l'Académie de droit international*, vol. 163, Nijhoff, La Haye 1979, pp. 165-246, p. 194.
24. *Ibid.*, p. 195.
25. *Ibid.*, p. 197.
26. *Ibid.*, p. 197.
27. John Robinson, cité par James K. Rowe, "Corporate Social Responsibility as Business Strategy", in Ronnie D. Lipschutz, James K. Rowe, *Globalization, Governmentality and Global Politics*, Routledge, New York, pp. 122-160, p. 128 p. 128.
28. John M. Kline, *International Codes and Multinational Business: Setting Guidelines for International Business Operations,* Quorum Books, Westport, 1985, p. 46.
29. Ignaz Seidl-Hohenveldern, "International Economic "Soft Law'", *op. cit,* p. 197.
30. John Robinson, *Multinationals and Political Control,* Gower, Aldershot, 1983, p. 151.
31. Cité par Francesco Petrini, "Capital Hits the Road. Regulating Multinational Corporations During the Long 1970s" (draft version), Workshop, "Changes in Social Regulations - State, Economy, and Social Actors since the 1970s", Hans-Böckler-Stiftung, Düsseldorf, 8-9/6/2012, p. 6. http://www.academia.edu/1551027/Capital_hits_the_road_regulating_multinational_corporations_during_the_ long_1970s
32. John M. Kline, *International Codes and Multinational Business, op. cit.*, p. 29.
33. Francesco Petrini, "Capital Hits the Road. Regulating Multinational Corporations During the Long 1970s", in Knud Andresen, Stefan Müller (dir.), *Contesting Deregulation, op. cit.*, p. 4.
34. *The Multinationals: Their Function and Future, Report on the Sixth Meeting of Members of Congress and of The European Parliament, December 1974*, U.S. Government Printing Office, Washington, 1975, p. 124.
35. Raymond Vernon, « Future of the Multinational Enterprise » in Charles Kindleberger (dir.), *The International Corporation*, MIT Press, Cambridge, 1970, pp. 373-400, pp. 394 sq. 【C.P. キンドルバーガー編『多国籍企業：その理論と行動』藤原武平太・和田和訳、日本生産性本部、1971、387-413 頁、407 頁以降】
36. Ethics Resource Center, *A Quest for Excellence, Appendix, Final Report by The President's Blue Ribbon Commission on Defense Management*, Washington, juin 1986, p. 271.
37. Jacques Maisonrouge, cité par Edward Collins Bursk, Gene E. Bradley, *Top Management Report on Corporate Citizenship : Outstanding Examples Worldwide*, International Management and Development Institute, Washington, 1979, p. 124.
38. Prosper Weil, *Le Droit international en quête de son identité, recueil des cours de l'Académie de droit international*, vol. 237, 1992-6, Nijhoff, La Haye, 1996, p. 91.
39. César A. Rodriguez-Gravito, "Nike's Law : The Anti-Sweatshop Movement, Transnational Legal Mobilization, and the Struggle over International Labor Rights in the Americas", in Boaventura de Sousa Santos, César A. Rodriguez-Garavito (dir.), *Law and Globalization from*

During the Long 1970s", in Knud Andresen, Stefan Müller (dir.), *Contesting Deregulation: Debates, Practices and Developments in the West since the 1970s*, Berghahn Books, New York, 2017, pp. 185-198, p. 188.

5. Department of Economic and Social Affairs, *Summary of the Hearings Before the Group of Eminent Persons*, UN, New York, 1974, pp. 149-150. Cf. Khalil Hamdani, Lorraine Ruffing, *United Nations Centre on Transnational Corporations: Corporate Conduct and the Public Interest,* Routledge, New York, 2015, p. 80.
6. *Multinational Corporations, Hearings before the Subcommittee on International Trade of the Committee on Finance, United States Senate Ninety-Third Congress, First Session, February 26, 27, 28 ; and March 1 and 6*, U.S. Government Printing Office, Washington, D. C., 1973 p. 229.
7. Raymond Vernon, "The Multinational Enterprise: Power versus Sovereignty", *Foreign Affairs*, vol. 49, n° 4, juillet 1971, pp. 736-751, p. 743.
8. John F. Lyons, "Multinationals: Reaching the Outer Limits?", *Financial World*, 17 octobre 1973, p. 39.
9. これに対応する決議では、「各国家の天然資源にたいする十全かつ完全な主権」が明言され、そのあとふたつの行動綱領を作成し、外国からの投資に枠をはめることが計画されていた。ひとつは発展途上国への技術移転を促すことを目指すもので、もうひとつはとりわけ多国籍企業が「操業国の内政問題」に介入することや「人種差別体制や植民地経営に協力する」ことを禁ずるものだった。Cf. "General Assembly Declaration on the Establishment of a New International Economic Order", *The American Journal of International Law*, vol. 68, n° 4, octobre 1974, pp. 798-801, p. 799.
10. David Rockefeller, "Multinationals Under Siege : A Threat to the World Economy", in *Congressional Record, 94th Congress, 1st Session*, vol. 121, section 14, 6 juin 1975-13 juin 1975, Government Printing Office, Washington, D. C., pp. 18323-18326, p. 18323.
11. *Ibid.*, p. 18326.
12. Peter F. Drucker, "Multinationals and Developing Countries : Myths and Realities", *op. cit.* p. 133.
13. Roger A. Brooks, "Multinationals: First Victim of the UN War on Free Enterprise", *The Backgrounder*, The Heritage Foundation, Washington, D.C., 16 novembre 1982, p. 5.
14. *Ibid.*, p. 9.
15. Jeane J. Kirkpatrick, "Global Paternalism: The UN and the New International Regulatory Order", *Regulation*, vol. 7, n° 1, janvier/ février 1983, pp. 17-22, p. 21.
16. *Ibid.*, p. 18.
17. *Ibid.*, p. 22.
18. Paul Adler, *Planetary Citizens: U.S. NGOs and The Politics of International Development in the Late Twentieth Century,* thèse, Georgetown University, Washington, D.C., 2014, p. 126.
19. *Ibid.*, p. 126.
20. Rafael D. Pagan, "The Politicalization of Institutions: The Responsibilities of Multinational Corporations", *Vital Speeches of the Day*, vol. 50 n° 1, 15 octobre 1983, pp. 25-27, p. 25.
21. René-Jean Dupuy, «Droit déclaratoire et droit programmatoire de la coutume sauvage à la

実践的な橋渡しのためである」。Michael Power, "Corporate Responsibility and Risk Management", *op. cit.*, p. 152.

144. Ronald K. Mitchell, Bradley R. Agle, Donna J. Wood, "Toward a Theory of Stakeholder Identification and Salience", *op. cit.*, p. 877.

145. *Ibid.*, p. 878.

146. Subhabrata Bobby Banerjee "Corporate Citizenship, Social Responsibility and Sustainability: Corporate Colonialism for the New Millennium?", in Jan Jonker, Marco de Witte, *The Challenge of Organizing and Implementing Corporate Social Responsibility*, Palgrave Macmillan, New York, 2006, pp. 31-50, p. 41.

147. Ronald K. Mitchell, Bradley R. Agle, Donna J. Wood, "Toward a Theory of Stakeholder Identification and Salience", *op. cit.*, p. 880（強調は引用者）.

148. Malcolm X, *Le Pouvoir noir*, Maspero, Paris, 1966, p. 201.【ストークリー・カーマイケル、マルコム・X『ブラック・パワー』長田衛編訳、合同出版、1968、なお編集のちがいにより該当箇所は邦訳に含まれない】

149. R. Edward Freeman, David L. Reed, "Stockholders and Stakeholders", *op. cit.*, p. 96.

150. Conférence "Media & Stakeholder Relations: Hydraulic Fracturing Initiative 2011", Houston, 31 octobre - 1er novembre 2011. のちに停止することになるつぎのサイトで最初に公開された会議の録音をもとに、ここに引用した節を文字起こしした。http://www. media-stakeholder-relations-hydraulic-fracturing.com/
以下も参照。Steve Horn, "Fracking and Psychological Operations: Empire Comes Home", *Thruthout*, 8 mars 2012 https://truthout.org/articles/fracking-and-psychological-operations-empire-comes-home/, et Brendan DeMelle, "Gas Fracking Industry Using Military Psychological Warfare Tactics and Personnel In U.S. Communities", 11 septembre 2011, https://www.desmogblog.com/gas-fracking- industry-using-military-psychological-warfare-tactics-and-personnel-u-s-communities

151. Cf. Steve Horn, "Fracking and Psychological Operations : Empire Comes Home", *op. cit.*

第V部　新たな規制

第18章　ソフト・ロー

1. Georges Scelle, *Manuel de droit international public*, Domat- Montchrestien, Paris, 1948, p. 6.

2. Peter F. Drucker, "Multinationals and Developing Countries: Myths and Realities", *Foreign Affairs*, vol. 53, n° 1, octobre 1974, pp. 121-134, p. 133.

3. それゆえ、生産の国際化という問題に「公的−制度的」解決を構想し始めた者もいた。Cf. Kees van der Pijl, "The Sovereignty of Capital Impaired: Social Forces and Codes of Conduct for Multinational Corporations", in Henk Overbeek（dir.）, *Restructuring Hegemony in the Global Political Economy : The Rise of Transnational Neo-Liberalism in the 1980s*, Routledge, New York, 2002, pp. 28- 57, p. 31.

4. Cité par Francesco Petrini, "Capital Hits the Road. Regulating Multinational Corporations

終わる2000年代前半には、アメリカの大企業の社長に付与されたストックオプションの額は、平均でその給与の636%にのぼった。これこそ「マネジメント主義イデオロギーの終焉」であった。2001年、ハンスマンとクラークマンも同様に、株主標準モデルはその「イデオロギー的ヘゲモニー」の確立に成功した、と結論づけている。Ernie Englander, Allen Kaufman, "The End of Managerial Ideology: From Corporate Social Responsibility to Corporate Social Indifference", *Enterprise & Society*, vol. 5, n° 3, septembre 2004, pp. 404-450, p. 428; Henry Hansmann, Reinier Kraakman, "The End of History for Corporate Law", *Georgetown Law Journal*, vol. 89, n° 2, janvier 2001, p. 439, p. 468.

138. Norman Barry, "The Stakeholder Fallacy", Foundation for Economic Education, 2000, https://fee.org/articles/the-stakeholder-fallacy/

139. R. Edward Freeman et al. (dir.), *Stakeholder theory. the state of the art, op. cit.*, p. 54

140. Cf. R. Edward Freeman, David L. Reed, "Stockholders and Stakeholders", *op. cit.*, p. 91

141. こうして「組織内で人びとをマネジメントする」だけでなく「組織と他組織との関係をマネジメントする」必要を発見したのである。Jeffrey Pfeffer, "Beyond Management and the Worker : The Institutional Function of Management", *The Academy of Management Review*, vol. 1, n° 2, avril 1976, pp. 36-46, p. 36. しかし、マリーナ・ヴェルカーが示唆するように、より根本的に働いているのは内と外の区別そのものである。「境界という問題こそがまさに問題の核心にある。多種多様なステークホルダーが企業と社会の境界を実際に変えている」。当初、マネジメント側は侵入されたという感覚にとらわれる。外部グループが不意に出現し「企業はかつて例を見ないほど社会に〈汚染〉されつつある」。その反動で、企業は脅威の到来を見極めるようにならなければ、と気づかされることになる。「前もってこのステークホルダーが何者かを知ることが標準的な実戦任務だが、それには一企業ないし一プロジェクトが持ちうる境界についてよりひろい見方をすることが要求される」。第二の時期はしたがって拡張主義的で、ここで戦略的マネジメントは、監視・介入対象を会社の社会環境にまで拡大する。この拡張は「以前は外的であった関係を内部化する」運動と解釈することもできるが、しかしマネジメント権力の境界再構築は並行して別の諸様相を呈してもいた。「かつては内的だった関係を、生産プロセスのなかにまでサプライチェーンとクライアントのチェーンを形成することで外部化する」こともそこに含まれる。この「境界再構築は、外部であるものの内部化（顧客の要望、競合相手のベンチマークを取ること）と内部にあるものの外部化（価格や優先順位、スタンダードをサプライチェーン全体に転化すること）を同時に含意する」とヴェルカーはコメントしている。Marina Welker, *Enacting the Corporation: An American Mining Firm in Post-Authoritarian Indonesia*, University of California Press, Berkeley, 2014, p. 58. Voir aussi Michael Power, "Corporate Responsibility and Risk Management", in Richard V. Ericson, Aaron Doyle (dir.), *Risk and Morality*, University of Toronto Press, Toronto, 2003, pp. 145-164, pp. 152 sq.

142. William Van Dusen Wishard, "Corporate Response to a New Environment", *Law and Contemporary Problems*, vol. 41, n° 3, été 1977, pp. 222- 244, p. 239.

143. マイケル・パワーの説明するとおりである。「ステークホルダー概念が魅力的なのは、まさにそれが戦略的意義と倫理的意義という精神的に両立困難なものを融合したこと、またこの概念により可能になった、マネジメントの検討課題と企業の社会的責任のあいだの

Concepts, Evidence, and Implications", *The Academy of Management Review*, vol. 20, n° 1, janvier 1995, pp. 65-91, p. 66. Et cf. supra p. 100.

125. Carl Schmitt, *La Notion de politique, Flammarion*, Paris, 1992, p. 117.【C. シュミット『政治的なものの概念』田中浩・原田武雄訳、未來社、1970、91-92 頁】。この一節を指摘してくれたイヴァン・セグレに感謝を。

126. *Ibid.*, p. 117.【前掲書 91 頁】

127. *Ibid.*, p. 116.【前掲書 91 頁】

128. Thomas M. Jones, "Instrumental Stakeholder Theory : A Synthesis of Ethics and Economics", *The Academy of Management Review*, vol. 20, n° 2, avril, 1995, pp. 404-437, p. 407.

129. Max B. E. Clarkson, "A Risk Based Model of Stakeholder Theory", *Proceedings of the Second Toronto Conference on Stakeholder Theory*, University of Toronto, 1994, p. 5, cité par Ronald K. Mitchell, Bradley R. Agle, Donna J. Wood, "Toward a Theory of Stakeholder Identification and Salience: Defining the Principle of Who and What Really Counts", *The Academy of Management Review*, vol. 22, n° 4, 1997, pp. 853-886, p. 856.

130. Kenneth E. Goodpaster, "Business Ethics and Stakeholder Analysis", *Business Ethics Quarterly*, vol. 1, n° 1, janvier 1991, pp. 53-73, p. 63.

131. Evan, William M., R. Edward Freeman, "A Stakeholder Theory of the Modern Corporation: Kantian Capitalism", in Tom L. Beauchamp, Norman E. Bowie (dir.) *Ethical Theory and Business*, Englewood Cliffs, Prentice Hall, 1993, pp. 75-84. p. 82.【トム .L. ビーチャム、ノーマン .E. ボウイ『企業倫理学I：倫理的原理と企業の社会的責任』加藤尚武監訳、晃洋書房、2005、邦訳は版のちがいにより該当論文未収録】。Voir aussi Norman P. Barry, "The Stakeholder Concept of Corporate Control is Illogical and Impractical", *Independent Review*, vol. 6, n° 4, printemps 2002, pp. 541-554, p. 550

132. Cf. R. Edward Freeman et al. (dir.), *Stakeholder Theory: The State of the Art, op. cit.*, p. 268. このテーマ設定にたいする批判としては以下を参照。Paddy Ireland, «Corporate Governance, Stakeholding and the Company: Towards a Less Degenerate Capitalism?», *Journal of Law & Society*, vol. 23, n° 3, septembre 1996, pp. 287-320.

133. Michael C. Jensen, "Value Maximization, Stakeholder Theory, and the Corporate Objective Function", *Business Ethics Quarterly*, vol. 12, n° 2, avril 2002, pp. 235-256, p. 236.

134. *Ibid.*, p. 243.

135. Elaine Sternberg, "The Need for Realism in Business Ethics", *Reason Paper - A Journal of Interdisciplinary Normative Studies*, vol. 31, automne 2009, pp. 33-48, p. 40.

136. William Beaver, "Is the Stakeholder Model Dead?", *Business Horizons*, vol. 42 n° 3, mars/avril 1999, pp. 8-12, p. 8.

137. *Ibid.*, p. 11. 1980 年代なかばには、大企業の経営者たちは社会的責任というマネジメント主義の古いイデオロギーにしがみつく必要がなくなった、とイングランダーとカウフマンは指摘している。「あらたな世紀のマネージャは不偏不党のテクノクラートではなく、株主一派になるだろう［…］。マネージャたちがテクノクラート的なかつての見方を放棄するには、じぶんたちの利益に合致した株主イデオロギーを見つける必要があった。マネージャの報酬改革はかれらの利益とエージェンシー理論とを同調させたのである」。このプロセスの

Coalition", *The Journal of Politics*, vol. 24, n° 4, novembre 1962, pp. 662-678, p. 673, p. 663 et p. 672. イゴール・アンゾフは1965年につぎのようにコメントしている。「会社の目的はさまざまな〈当事者〉の紛争的な権利要求のバランスをとることから生じたはずである」。H. Igor Ansoff, *Corporate Strategy ; an Analytic Approach to Business Policy for Growth and Expansion*, McGraw-Hill, New York, 1965, p. 34.【H.I. アンゾフ『企業戦略論』広田寿亮訳、産業能率短期大学出版部、1969、43頁】。たしかに会社が「社会政治的紛争システム」あるいは多数のグループのさまざまな利害関係に引き裂かれた「政治的連立」と理解されるなら、組織の目的は事前に確立されているどころか、数多くの「実際の、あるいは潜在的な参加者」のあいだでの絶えざる交渉の対象である。Voir aussi Russell Lincoln Ackoff, *Redesigning the Future: a Systems Approach to Societal Problems*, Wiley, New York, 1974, p. 62 et.

110. Eric Rhenman, *Företagsdemokrati och företagsorganisation*, Norstedts, Stockholm, 1964. Traduction anglaise : Eric Rhenman, *Industrial Democracy and Industrial Management: A Critical Essay on the Possible Meanings and Implications of Industrial Democracy*, Tavistock, Londres, 1968, p. 25.

111. Göran Therborn "Herr Rhenmans omvälvning av vetenskapen", in Göran Therborn (dir.), *Ennyvänster*, Rabén & Sjögren, Stockholm, 1966, pp. 169-179, p. 169.

112. William R. Dill, "Public Participation in Corporate Planning : Strategic Management in a Kibitzer's World", *Long Range Planning*, vol. 8, n° 1, février 1975, pp. 57-63, p. 58.

113. フリーマンはこのように敵対関係を強調してコメントしている。「ディルは戦略的マネジメントの一般枠組みとしてのステークホルダー概念の利用の素地を作った」。R. Edward Freeman, *Strategic Management: A Stakeholder Approach, op. cit.*, p. 39.

114. Russell Lincoln Ackoff, *Redesigning the Future, op. cit.*, p. 18.

115. William R. Dill, *op. cit.*, p. 63.

116. R. Edward Freeman, *Strategic Management: A Stakeholder Approach, op. cit.* フリーマンは1970年代末にウォートン・スクールであらたに実施された「ステークホルダー・プロジェクト」にかかわった。このプロジェクトの表向きの目的は「混乱した環境下において、経営者が企業戦略を策定・実施することを可能にするマネジメント理論の展開」であった。R. Edward Freeman, David L. Reed, "Stockholders and Stakeholders: A New Perspective on Corporate Governance", *California Management Review*, vol. 25, n° 3, printemps 1983, pp. 88-106, p. 91.

117. Ram Charan, R. Edward Freeman, "Planning for the Business Environment of the 1980s", *Journal of Business Strategy*, vol. 1, n° 2, 1980, pp. 9-19, pp. 11 sq.

118. *Ibid.*, p. 10.

119. R. Edward Freeman, *Strategic Management : A Stakeholder Approach, op. cit.*, p. 5.

120. *Ibid.*, p. 5.

121. *Ibid.*, p. 12.

122. *Ibid.*, p. 24.

123. *Ibid.*, p. 25.

124. Thomas Donaldson, Lee E. Preston, "The Stakeholder Theory of the Corporation :

93. S. Prakash Sethi, *Multinational Corporations and the Impact of Public Advocacy on Corporate Strategy, op. cit.*, p. 373.
94. *Ibid.*, p. 376.
95. *Ibid.*, p. 376.
96. Arion N. Pattakos, "Growth in Activist Groups : How Can Business Cope?", *op. cit.*, p. 98.
97. Cf. Margaret A. Stroup, "Environmental Scanning at Monsanto", *Planning Review*, vol. 16, n° 4, juillet/août 1988, pp. 24-27.
98. Christopher Palmer, "Business and Environmentalists: A Peace Proposal", *Washington Post*, 8 août 1982.
99. Louis Fernandez, "Business Isn't Perfect Either", *Washington Post*, 14 septembre 1982.
100. 同時代の例としては以下を参照。Macdonald Stainsby, Dru Oja Jay, *Offsetting Resistance: The effects of foundation funding and corporate fronts from the Great Bear Rainforest to the Athabasca River*, http://www. offsettingresistance.ca/
101. Douglas L. Sanders, *Issues Management and the Participation of Large Corporations in the Public Policy Process, op. cit.*, p. 170.
102. Fernandez, cité par Stephen E. Littlejohn, "Competition and Cooperation", *op cit.*, p. 122.
103. *Ibid.*, p. 113.
104. S. Prakasah Sethi, "Dimensions of Corporate Social Performance, An Analytical Framework", *California Management Review*, vol. 17, n° 3, printemps 1975, pp. 58-64, p. 60.
105. Douglas L. Sanders, *Issues Management and the Participation of Large Corporations in the Public Policy Process, op. cit.*, p. 307.

第17章　ステークホルダー

106. «Curiosités de l'Angleterre», *L'Illustration*, vol. 15, n° 367, 9 mars 1850, pp. 151-154, p. 153.
107. この語は派生的に「権利や占有に疑義の出された所有物を委託するために複数の人間から選ばれた第三者」あるいは「他者から権利要求の出された金銭ないしその他の所有物を保持する人物」を指す。"Stakeholder", in John Bouvier, *A Law Dictionary*, vol. 2, Johnson, Philadelphia, 1843, p. 524.
108. Robert F. Stewart, J. Knight Allen, J. Morse Cavender, *The strategic plan, Research Report n° 168*, Long Range Planning Service, Stanford Research Institute, Menlo Park, avril 1963. Cité par R. Edward Freeman, *Strategic Management: A Stakeholder Approach*, Pitman, Boston, 1984, p. 31 et p. 49. Voir aussi R. Edward Freeman, Jeffrey S. Harrison, Andrew C. Wicks, Bidhan Parmar, Simone de Colle（dir.）, *Stakeholder theory. the state of the art*, Cambridge University Press, Cambridge, 2010, p. 47.
109. リチャード・サイアートとジェームズ・マーチからも、1960年代初頭に「参加者」理論が提案されていた。「会社には［…］投資家（株主）、供給者、顧客、政府関係者、その他さまざまなタイプの被雇用者［…］といった潜在的な参加者の集団が存在する」。さらに加えて「金融アナリスト、商業会議所、政党や組合」のような「実際の参加者、あるいは潜在的な参加者」もいる。James G. March, "The Business Firm as a Political

Charles Vrtis, *Corporate Responsibility in Developing Countries, op. cit.*, p. 33. 問題のない時期から前もって同盟を形成していれば、その同盟は確固たるものになり、嵐の時にも企業を守ってくれるだろう。こうしておけば、危機に直面した際に「手綱を放せる」ような戦略資源を蓄えておくことになる。S. Prakash Sethi, "A Strategic Framework for Dealing with the Schism between Business and Academe", *op. cit.*, p. 375. ゆえに重要なのは、信憑性、信頼性、高評価を予防的に積み上げておくことである。姿形のない資源がクッションとなって、発生しうる衝撃を緩和し、「変化の要求に抵抗する」ことが可能になるのだ。*Ibid.*, p. 376. ネスレ・ボイコットのケースでは、代用母乳論争は医学界に端を発したものだったので、最優先の失地回復もまさにその医学界だった。かくしてパガンは、「サポート工作」戦略を実行したのである。これは研究者からの良い評価を確保するため、かれらに財政援助をつぎこむ、というものだった。Cf. Jean Claude Buffle, *Dossier N comme Nestlé, op. cit.*, p. 269.

90. Voir Naomi Oreskes, Erik M. Conway, *Merchants of Doubt : How a Handful of Scientists Obscured the Truth on Issues from Tobacco Smoke to Global Warming*, Bloomsbury Press, New York, 2010.【ナオミ・オレスケス、エリック .M. コンウェイ『世界を騙しつづける科学者たち』福岡洋一訳、楽工社、2011】

91. たとえばパガンもこう書いていた。「一方的な実態規定を許してしまえば、南アフリカにとどまることを決定した企業は急速に正当性を失いかねない」。Rafael Pagan, "Framing the Public Agenda", *op. cit.*, p. 179.

92. Peter Ludlow, "The Real War on Reality", *New York Times*, 14 juin 2013: https://opinionator.blogs.nytimes. com/2013/06/14/the-real-war-on-reality/
真理の世界に投入されたこうした「心理作戦」の内容をよりよく把握するには、たとえばジャック・モンゴヴェンが、グリーンピースのキャンペーンに直面した塩素産業団体に宛てた覚書に記していたことが参考になる。「活動家たちは［…］中毒物質にたいするより厳格な規制を促すために、子どもたちを守る必要を前面に打ち出している。この戦術はきわめて有効だ。というのもそれは、子ども、つまりか弱い集団を守るという訴えにおのずと敏感になる、大衆の心に触れるからである」。さて、「だいたいどんな物質であれ、胎児の発達段階まで含め赤ん坊や子どもの耐性は、成人一般に比べて当然はるかに低い」ものなのだから「〈子どもに特有のニーズを考慮した健康基準にもとづいた環境政策〉は最大曝露の基準を最低限に設定することになる」。この脅威にどう立ち向かうのか? モンゴヴェンが推奨するのはなかでも「国中の小児科医団体向けに、有名な医師のパネルディスカッション・プログラムを実施し、そこでは一方では健康リスク要因としての、他方では医薬品の重要構成要素としての塩素のデータの検証をお願いし、こうして *Journal of the American Medical Association* に、疾病治療における塩素化学の役割を扱う、ピア・レビューを受けた論文が出るよう促す」ことである。さらにかれはこうも付け加える。さらに必要なのは「科学界や医学界において、穏健なエコロジスト・グループの言う予防原則の信頼性を落とすような手立てをとることだ」。Mongoven, cité par Sheldon Hampton et John Stauber, *Trust Us, We're Experts!*, Putnam, New York, 2001, pp. 146 sq. et p. 135.【ジョン・スタウバー、シェルドン・ランプトン『リスキー・ビジネス』栗原百代訳、角川書店、2002、208 頁以降、194 頁】

た「南アフリカ同盟」（COSA）が設立され、南アフリカに進出していた多国籍企業から100以上の資金援助を集めた。そのなかにはモービル石油、ジョンソン・エンド・ジョンソン、カルテックス社も含まれる。19世紀の経営者はスト破りの組合をでっち上げたが、20世紀のそれはNGOになったのだ。Voir Ronen Shamir, "The De-Radicalization of Corporate Social Responsibility", *Critical Sociology*, vol. 30, n° 3, 2004, pp. 669-690, p. 671.

75. Robert L. Heath, "A Rhetorical Approach to Issues Management", in Carl Botan, Vincent Hazleton（dir.）, *Public relations theory*, vol. 2, Lawrence Erlbaum Associates, New York, 2006, pp. 499-522, p. 61.

76. Robert L. Heath, "Issues Management", in Robert L. Heath（dir.）, *Encyclopedia of public relations*, vol. 1, Sage Publications, Thousand Oaks, 2005, pp. 460-463, p. 461.

第16章　問題解決マネジメント

77. André Gorz, *Misère du présent, richesse du possible*, Galilée, Paris, 1997, p. 29.

78. Cité par Arion Pattakos, "Growth in Activist Groups: How Can Business Cope?", *op. cit.*, p. 98.

79. S. Prakash Sethi, "Corporate Political Activism", *California Management Review*, printemps 1982, vol. 24, n° 3, pp. 32-42, p. 32.

80. W. Howard Chase, *Issue Management: Origins of the Future, op. cit.*, p. 13.

81. Barrie L. Jones, W. Howard Chase, "Managing Public Policy Issues", *Public Relations Review*, vol. 5, n° 2, 1979, pp. 3-23, p. 7.

82. Cité par Barrie Jones et Howard Chase, "Managing Public Policy Issues", *op. cit.*, p. 9.

83. この著者たちはそのことに触れていないが、援用されているマネジメントの理論家は以下である。Sethi S. Prakash Sethi, *Business and society: dimensions of conflict and cooperation*, Lexington Books, Lexington, 1987, p. 344.

84. S. Prakash Sethi, *Multinational Corporations and the Impact of Public Advocacy on Corporate Strategy, op. cit.*, p. 373.

85. Richard E Crable, Steven L. Vibbert, "Managing Issues and Influencing Public Policy", *Public Relations Review*, vol. 11, n° 2, été 1985, pp. 3-16, p. 10.

86. *Ibid.*, p. 10.

87. Douglas L. Sanders, *Issues Management and the Participation of Large Corporations in the Public Policy Process, op. cit.*, p. 26.

88. S. Prakash Sethi, *Multinational Corporations and the Impact of Public Advocacy on Corporate Strategy, op. cit.*, p. 334.

89. S. Prakash Sethi, "A Strategic Framework for Dealing with the Schism between Business and Academe", in S. Prakash Sethi, Cecilia M. Falbe（dir.）, *Business and Society: Dimensions of Conflict and Cooperation*, Lexington Books, Lexington, 1987, pp. 331-352, p. 333. より一般的には、「全体の戦略のキーポイントは、［…］政府、大学、宗教組織やメディアとの同盟を形成することだ。企業は恒常的関係の基盤を事前に提供しているわけでもないのに、危機に陥ったときにはかれらに目をつけて、その援助や助言を請うてばかりではないか」。

このゲームに参加した修正主義的なNGOが望んでいたのは、選ぶ側選ばれる側の関係を逆転させることだった。モンゴヴェンはこう述べている。「NGOが状況をひっくりかえそうとするなら、問題の存在を認めることができるという意味で〈現実主義的〉な企業にたいし、エコロジー的に優れた行動をとっているという証明書を授与すればよい。有名な企業であればなおよい（コカ・コーラ、ナイキ、デル……）。取引にのった企業はそこから力や栄誉——高評価のことだ——を得るし、理想的に言えば利益も出せる。しかしこのことには、懸案にたいする「企業側の」立場に亀裂を入れるという効果もある。大企業がその存在を認めているときに問題の存在を否定することは非常に難しくなる。グループにひびが入ってしまえば［…］単純な否定論は無理筋になる。議論の対象はもはや問題があるのか否かではなく、それを解決するふさわしい方法である」。

69. Rafael Pagan, "Carrying the Fight to the Critics of Multinational Capitalism", *op. cit.*, p. 590.

70. 「ロビー活動の概念——イギリス議会での請願活動に由来する古い意味でのそれ——を手直しして、グループや組織にたいする仕事にそれを応用してみたのだった」。要点は「社会における消費者団体その他の組織を、ロビー活動を受けわれわれの立場に説得されるにちがいない完全な諸実体であると見なすことだった」。Jack Mongoven cité par Douglas Johnson, *Notes on a Discussion, op. cit.*, p. 1.

71. 「影響力のあるグループや批評家たちを厳選して、コンセンサスを目指す〈対話〉へ参加するように、あるいは〈パートナーシップ〉を締結するよう招くことであり［…］同時に、参加しないグループを、対立のための対立を望んでいるどうしようもない〈急進派〉と貶める」ことが要点であった。Judith Richter, *International Regulation of Transnational Corporations: The Infant Food Debate, op. cit.*, p. 126.

72. Judith Richter, *Dialogue or Engineering of Consent?, op. cit.*, p. 15.

73. 「正当性の強い根拠となる諸々のシンボルや価値観、ないし制度と同一視される」ことからなるプロセスである。John Dowling, Jeffrey Pfeffer, "Organizational Legitimacy: Social Values and Organizational Behavior", *The Pacific Sociological Review*, vol. 18, n° 1, janvier 1975, pp. 122-136, p. 127.

74. Douglas L. Sanders, *Issues Management and the Participation of Large Corporations in the Public Policy Process, op. cit.*, p. 326. モンゴヴェンの推奨するところでは「企業にとって、活動家の圧力に反撃するよい手段は、じぶんたちの活動家を動員することである。たとえば、DNA組換え技術利用［…］に反対する活動家のキャンペーンにさらされた製薬会社があるとしよう。ガンと戦うアメリカの団体を巻き込んだらどうだろう？　ガンの犠牲者に関係当局へ証言させればじゅうぶんである。〈あと五年生きることだけがわたしの願いです、そのあいだに治療薬が見つかるでしょうから〉。じぶんたちの側にも、対立陣営が得ている支持基盤と釣り合うだけの動機を与えられる人びとがいるのだ」。Jack Mongoven, cité par Ronald Bailey, "Greenbusters", *Chief Executive*, n° 60, 1990, pp. 37-39, p. 39.
また、自身の「支持者」つまりお手製の「対立者」も人為的に形成することができる。英語でいうところのastroturf［人工芝］戦術である。Cf. John Stauber, Sheldon Rampton, Mark Dowie, *Toxic Sludge is Good for You : Lies, Damn Lies, and the Public Relations Industry*, Common Courage Press, Monroe, 1995, p. 89. この手順の一例を挙げよう。1987年、南アフリカボイコットにたいするアメリカ各教会の指示を弱めるため、パガンの捏造し

全集 11　善悪の彼岸；道徳の系譜』信太正三訳、筑摩書房、1993、409 頁】

54. S. Prakash Sethi, *Multinational Corporations and the Impact of Public Advocacy on Corporate Strategy, op. cit.*, p. 226.

55. Jean-Claude Buffle, *Dossier N comme Nestlé, op. cit.*, p. 310.

56. Jack Mongoven cité par Douglas Johnson, *Notes on a Discussion, op. cit.*, p. 1.

57. W. Howard Chase, *Issue management: Origins of the Future*, Issue Action Publication, Stamford, 1984, p. 105.

58. *Ibid.*, p. 105.

59. Stephen E. Littlejohn, "Competition and Cooperation: New Trends in Issue Identification and Management, *California Management Review*, vol. 29, n° 1, automne 1986, pp. 109-123, p. 114.

60. S. Prakash Sethi, *Multinational Corporations and the Impact of Public Advocacy on Corporate Strategy, op. cit.*, p. 374.

61. Henry G. Ciocca, "The Nestlé Boycott as a Corporate Learning Experience, Speech presented to the Institute of Food Technologists, Northeast Section, March 18, 1980", cité par Charles Vrtis, *Corporate Responsibility in Developing Countries, op. cit.*, p. 34. みずからの大義を擁護するためにセレブからの支持を前面に出すことも避けるべきであろう――チョッカはジェーン・フォンダやヴァネッサ・レッドグレイヴに言及している。かかわろうと決めたのなら、スターたちはつねに「公人としての立場を説得に用いる**前に**、対話や建設的な代案を提案するよう努力」しなければならない。

62. Douglas L. Sanders, *Issues Management and the Participation of Large Corporations in the Public Policy Process*, thèse, Claremont Graduate University, Claremont, 1998, p. 5.

63. Bryan V. Knapp, "The Biggest Business in the World", *op. cit.*, p. 205.「私的な紛争が公的な場に移されるとすれば」とシャットシュナイダーは指摘する。それは一般には私的な利害関係が優先されないようにするため、あるいは全体への説明要求によりバランスを保つためであるが、「もっとも力の強い特定の利害関係が私的な解決を望むのは、結論を指示することができるからだ」。Elmer E. Schattschneider, *The Semi-Sovereign People*, Holt, Rinehart and Winston, New York（1960）1964, p. 40.

64. Montesquieu, *De l'esprit des lois*, livre I, Garnier, Paris,（1748）1962, p. 62.【モンテスキュー『法の精神』井上堯裕訳、中央公論新社、2016、75 頁】

65. Pagan International, *Shell U.S. South Africa Strategy, Prepared for The Shell Oil Company*, Washington, D. C., [1987], section "Religious group strategy", p. 3. この資料はジュネーヴでの世界司教会議のアーカイヴに保存されていた。

66. *Ibid.*, p. 2.

67. Judith Richter, *International Regulation of Transnational Corporations: The Infant Food Debate*, thèse, Amsterdam School of Communication Research, Amsterdam, 2001, p. 135.

68. Bart Montgoven, "Re: CLIMATE - Canadian group condemns TckTckTck, Hopenhagen as greenwasher, fraud; accuses allies GP, NRDC, Oxfam, etc.", email du 13 janvier 2010, https://wikileaks.org/gifiles/docs/40/409761_re-climate-canadian-group-condemns-tcktcktck-hopenhagen-as.html

原注は 456c のあやまりか】

42. マネジメントの社会的責任を論じたこの共著の序文で、バーネイズはこう書いていた。「この著作が［…］敵から身を守りつつ前進し続けるという喫緊の必要性に取り組んでいるわれわれの民主主義社会において、いま必要なものがなんなのか理解できない人びとの社会的な視野の狭さに終止符を打つことを期待する」――もちろん共産主義とその亜流のことだ。Edward L. Bernays, « Foreword », in Stuart Chase（dir.）, *The Social Responsibility of Management*, New York University, School of Commerce, Accounts, and Finance, New York, 1950, pp. 5-7. Voir aussi Edward Bernays, *Propaganda*, Zones/La Découverte, Paris, 2007.【エドワード・バーネイズ『プロパガンダ［新版］』中田安彦訳、成甲書房、2010】

43. Priscilla Murphy, "The Limits of Symmetry: A Game Theory Approach to Symmetric and Asymmetric Public Relations", in Larissa A. Grunig, James E. Grunig（dir.）, *Public Relations Research Annual*, vol. 3, n° 1-4, Routledge, New York, 1991, pp. 115-131, p. 119.

44. Voir Shannon A. Bowen, Brad L. Rawlins «Corporate Moral Conscience», in Robert L. Heath（dir.）, *Encyclopedia of public relations*, vol. 1, Sage Publications, Thousand Oaks, 2005, pp. 205-210, p. 207. Et pour une perspective critique : Judith Richter, *Dialogue or Engineering of Consent? Opportunities and Risks of talking to Industry*, International Baby Food Action Network - Geneva Infant Feeding Association, Genève, 2002, p. 2.

45. Michael L. Kent, Maureen Taylor, "Building Dialogic Relationships through the World Wide Web", *Public Relations Review*, vol. 24, n° 3, automne 1998, pp. 321-334, p. 322.

46. Cf. Urša Golob, Klement Podnar, "Corporate Social Responsibility Communication and Dialogue", in Øyvind Ihlen, Jennifer L. Bartlett, Steve May, *The Handbook of Communication and Corporate Social Responsibility*, Wiley- Blackwell, Oxford, 2011, pp. 231-252, p. 236.

47. 「PR 活動における対話は、組織とそのステークホルダーのあいだの倫理的コミュニケーションの一局面と見なしうる。これは対称的対話という考え方に関連づけられる」。Urša Golob, Klement Podnar, "Corporate Social Responsibility Communication and Dialogue", *op. cit.*, p. 236.

48. ロン・ピアソンは「倫理的な PR の中心的コンセプトは対話である」とハーバーマスを参照しつつ書いている。Cf. Ron Pearson, "Business Ethics as Communication Ethics: Public Relations Practice and the Idea of Dialogue", in Carl H. Botan, Vincent Hazleton（dir.）, *Public Relations Theory*, Routledge, New York, 1989, pp. 111-135, p. 122.

49. Ron Pearson, "Beyond Ethical Relativism in Public Relations: Coorientation, Rules, and the Idea of Communication Symmetry", in James E. Grunig, Larissa A. Grunig, *Public Relations Research Annual, vol. 1*, Routledge, New York, 1989, p. 67-86, p. 71.

50. Urša Golob, Klement Podnar, "Corporate Social Responsibility Communication and Dialogue", *op. cit.*, p. 236.

51. Shannon A. Bowen, Brad L. Rawlins, «Corporate Moral Conscience», *op. cit.* p. 207.

52. Urša Golob, Klement Podnar, «Corporate Social Responsibility Communication and Dialogue», *op. cit.*, p. 233（強調は引用者）.

53. F. Nietzsche, *Le Cas Wagner*, Arvensa Éditions, Paris, 2015, p. 362.【フリードリッヒ・ニーチェ「ヴァーグナーの場合」が指示されているが、「道徳の系譜」のあやまりか。『ニーチェク・モンゴヴェンの発言からも透けて見える。「教会組織の強みも弱みも、まずなによりかれらが良心を持っていること、ひとたび真実を知ってしまえば組織にしたがって行動する圧力が非常に強まることにある。これは政治的な対立者の場合とはちがう。かれらは非常によく真実を知っており、そのことを気にしない、なぜなら良心の圧力のかかり方がちがうからだ。宗教組織は、集団としてはそう行動するのが正しいように行動することを強いられている、という印象をわれわれは持っていた。それは政治的には利点がない場合でもそうだし、またその行動が自制というかたちをとることもある。倫理的なことをすると真剣に思っているからこそ、かれらがわれわれにとって最大の希望になったのだ」。Cité par S. Prakash Sethi, *Multinational Corporations and the Impact of Public Advocacy on Corporate Strategy, op. cit.*, p. 229.

30. Ronald A. Duchin, "Take an Activist Apart and What Do You Have?", *CALF News Cattle Feeder*, juin 1991, pp. 8-9, 14 et 18, p. 8. 元国防総省の長官補佐だったデューチンは、自身も軍人として養成されている。かれはアメリカ軍のデルタフォースの初期メンバーのひとりであった。
31. *Ibid.*, p. 9.
32. オポチュニストの典型例がジェレミー・リフキンだとデューチンは言う。かれは無益に「大人になってからの人生を企業、資本主義、あるいは現状一般との戦いに明け暮れた」が、急進派ではない。「一朝ことあるときは、すぐにも方針を鞍替えする腹づもりだ」。*Ibid.*, p. 9.
33. *Ibid.*, p. 14.
34. *Ibid.*, p. 14.
35. *Ibid.*, p. 14.
36. *Ibid.*, p. 14.
37. *Ibid.*, p. 14.
38. 20 年後、謄写版から PowerPoint に体裁が変わったとはいえ、おなじレシピが依然として驚くほど高値で企業に売りつけられている。ハッカーのジェレミー・ハモンドによって「リークされた」ストラトフォー社の大部の資料のなかには、2010 年にジャックの息子、バート・モンゴヴァンがオイルサンド採掘現場への抗議運動に直面したサンコー社のために行ったプレゼンテーションが含まれていた。かれが使ったのはおなじ図式である。色のついた円で理想家、急進派、現実主義者、日和見主義者を囲って分断しているのが見て取れる。この種の分析――父親の教義の単純なリサイクル――で、息子のほうのモンゴヴェンは会社から 1 万 5000 ドルを受け取っている。Cf. Stratfor, «Oil sands market campaigns»: https://wikileaks.org/gifiles/attach/33/33714_Suncor%20 Presentation-1210.pdf
39. Rafael D. Pagan, "Framing the Public Agenda: The Age of New Activism", *Vital Speeches of the Day*, vol. 55, n° 6, 1er janvier 1989, pp. 177-180, p.180.
40. Jean-Claude Buffle, *Dossier N comme Nestlé, op. cit.*, p. 334.

第 15 章　支配的対話の産物

41. Platon, *Gorgias* (456b), in *Œuvres complètes*, trad. Luc Brisson, Flammarion, Paris, 2008, p. 427.【プラトン「ゴルギアス」『プラトン全集 9』加来彰俊訳、岩波書店、1974、34 頁。

op. cit., p. 371.

18. Rafael D. Pagan, *The Future of Public Relations and the Heed for Creative Understanding of the World Around Us, Presented at the 35th PRSA National Conference San Francisco Hilton, November 8, 1982*, Nestlé Coordination Center for Nutrition, Washington, D.C., 1982, p. 3.

19. 「われわれが戦っているのは政治闘争である」。さて「活動家たちは政治の闘技場においてわれわれより良い仕事をしている。かれらは世界のルサンチマンを結集し、それをわれわれにたいする戦いへと動員したのである」。ゆえに最初の仕事は「政治的に考え行動することを学び［…］政治目的を確立することである。また政治技術を磨き、専門性を高めること。さらにもっとも重要な点だが、世界の民衆の願いを結集することである」。Rafael D. Pagan, "Carrying the Fight to the Critics of Multinational Capitalism: Think and Act Politically.", *Vital Speeches of the Day*, vol. 48, n° 19, 15 juillet 1982, pp. 589-591, p. 589.

20. Arion N. Pattakos, "Growth in Activist Groups: How Can Business Cope?", *Long Range Planning*, vol. 22, n° 3, juin 1989, pp. 98-104, p. 103.

21. Douglas Johnson, *Notes on a Discussion with Jack Mangoven (sic) Vice-President, Nestle Coordination for Nutrition, October 8 & 9, 1985 Sao Paulo, Brasil*, Action for Corporate Accountability Records Collection, Box 25, Minnesota Historical Society. Voir aussi Bryan V. Knapp, "The Biggest Business in the World", *op. cit.*, p. 168.

22. *Ibid.*, p. 3.

23. Jack Mongoven, cité par S. Prakash Sethi, *Multinational Corporations and the Impact of Public Advocacy on Corporate Strategy, op. cit.*, p. 225.

24. *Ibid.*, p. 225.

25. Jack Mongoven, cité par Douglas Johnson, *Notes on a Discussion, op. cit.*, p. 10.

26. Cf. Judith Richter, *Holding Corporations Accountable, op. cit.*, p. 196.

27. Jack Mongoven, cité par Douglas Johnson, *Notes on a Discussion, op. cit.*, p. 2.

28. Jean-Claude Buffle, *Dossier N comme Nestlé, op. cit.*, p. 280.

29. パガンにしてみれば、1982年の敵の世界はふたつに割れていた。一方には「狂信的な活動家リーダー」他方には「きちんとした人びと」である。「われわれの基本的な目的は存続である。第二の目的は狂信的な活動家リーダーから圧倒的多数派であるそのなかま、誠実な人びとを分離することである［…］そのためには、活動家から宗教組織との連携により得られた精神的権威を奪う必要がある」。Rafael D. Pagan, « Carrying the Fight to the Critics of Multinational Capitalism: Think And Act Politically. », *op. cit.*, p. 590. かれの同僚、チャニング・リッグスはもうすこし穏やかに事態を表現したが、二分法は同じである。「われわれを批判する者たちは異なる2グループに分類される。第一グループ――良心的批判者――は第三世界の赤ん坊の健康を心から心配している［…］批判者の第二グループには、なにより政治目的に関与していると自認している活動家がいる」（Channing W. Riggs, *Discours devant la Society of Consumer Affairs Professionals Toronto, Canada, 3 octobre 1985*, p. 2, in Tobacco Institute Records ; RPCI Tobacco Institute and Council for Tobacco Research Records. https://www. industrydocumentslibrary.ucsf.edu/tobacco/docs/kqjb0047）. この信用失墜を狙う二分法にはまた、役にたつ愚か者理論【それと知らずに悪事に荷担させられている善意のひと】も含まれている。このことはつぎのジャッ

6. *Nestlé tötet Babys: Ursachen und Folgen der Verbreitung künstlicher Säuglingsnahrung in der Dritten Welt*, Arbeitsgruppe Dritte Welt, Bern, 1974.
7. 1977 年、INFACT（Infant Formula Action Committee）が結成され、ボイコットを呼びかけた。
8. Bryan V. Knapp, *"The Biggest Business in the World" : The Nestlé Boycott and the Global Development of Infants, Nations and Economies,1968-1988*, thèse, Brown University, Providence, Rhode Island, 2015, p. 251.
9. かれらの最初の反応は驚くほど素人っぽいものだった。ここではその一例にとどめよう。1978 年、ワシントンでかれにたいする公聴会を開いた上院委員会を前に、ネスレのある幹部はこう表明した。――オズワルド・バラリン「このボイコットの表向きの目的はスイスのネスレ本社に圧力をかけ、第三世界の乳児向けの人工乳の商業化という、いわゆる批判すべき活動を止めさせることですが、アメリカ・ネスレ社の連絡によれば、実際には自由世界の経済システムに対する間接的攻撃なのです。この運動の前哨戦にいるのは世界的な教会組織で、かれらの公言している目的は自由企業システムの基礎を崩すことにあるのです」。――ケネディ上院議員「まじめに言いますと、それはないでしょう……（笑いと拍手）」。Cité par Jean-Claude Buffle, *Dossier N comme Nestlé, op. cit.*, p. 90.
10. *Ibid.*, p. 264.
11. Richard L. Barovick. « Activism on a Global Scale», *Public Relations Journal*, vol. 38, juin 1982, p. 29-31, p. 29.
12. Jean-Claude Buffle, *Dossier N comme Nestlé, op. cit.*, p. 257.
13. S. Prakash Sethi, *Multinational Corporations and the Impact of Public Advocacy on Corporate Strategy; Nestle and the Infant Formula Controversy*, Kluwer Academic Publishers, New York, 1994, p. 220.
14. とくにキャッスル&クック社と仕事をしたことで、パガンは「第三世界諸国での投資・活動を企てる多国籍企業が直面する紛争」管理のスペシャリストになった。"Rafael D. Pagan,67, adviser to 5 presidents", *The Washington Times*, 5 mai 1993, p. B6.
15. パガンは「ネスレ栄養調整センター」を設立する。同センターは「タバコ協会」とオフィスを共有していた。公的には、センターはアメリカ合州国におけるネスレの「栄養活動」の調整をしていたのだが、パガンはむしろ「危機マネジメント・タスクフォース」ないし「政治的脅威の早期警告・分析能力システム」と説明していた。Judith Richter, *Holding Corporations Accountable: Corporate Conduct, International Codes and Citizen Action*, Palgrave Macmillan, New York, 2001, p. 148. Voir aussi : Steve Horn, "Divide and Conquer: Unpacking Stratfor's Rise to Power; Part 1: The birth of the private intelligence firm's strategies for winning on the PR battlefield— for the highest bidder". https://www.mintpressnews.com/divide-and-conquer-unpacking-stratfors-rise-to-power/165933/
16. 「パガン・インターナショナル」は 1985 年に創設された。ラファエル・パガンのほかに、ジャック・モンゴヴェン（元シカゴ・トリビューンのジャーナリストで共和党選挙戦略顧問）やアリオン・パッタコス（元国防総省分析官だが、特記すべきはクーデター派であり、大佐グループの軍事独裁体制下のギリシャで内相に就任したスティリアノス・パッタコスのいとこであり、その大ファンであったことだろう）らが働いていた。1990 年に破産。
17. S. Prakash Sethi, *Multinational Corporations and the Impact of Public Advocacy on Corporate Strategy,*

の機能こそが分析的に区別される、と認めることが、「ある会社の諸決定の管理がかならずしも株主だけのものではないと理解する第一歩」となるのである。株主とマネージャは両者ともに固有の役割をもっているが、それは所有とは無関係に規定されている。一方は投資リスクを担い、他方は経営責任を負う。Cf. Eugene F. Fama, "Agency Problems and the Theory of the Firm", *op. cit.*, p. 290.

199. Edward Cox, cité par Paddy Ireland, "Limited liability, shareholder rights and the problem of corporate irresponsibility", *Cambridge Journal of Economics*, vol. 34, 2010, pp. 837-856, p. 844.
200. Adolf A. Berle, "Modern Functions of the Corporate System", *Columbia Law Review*, vol. 62, n° 3, mars 1962, pp. 433-449, p. 446.
201. Eugene F. Fama and Michael C. Jensen, "Separation of Ownership and Control", *The Journal of Law & Economics*, vol. 26, n° 2, juin 1983, pp. 301-325, p. 303.
202. Olivier Weinstein, "Firm, Property and Governance", *op. cit.*, p. 44.
203. Cf. Neil Fligstein, "The Social Construction of Efficiency", in Mary Zey (dir.), *Decision-Making. Alternatives to Rational Choice Model*, Sage Newbury Park, 1992, pp. 351-76.
204. Irving Kristol, "Horatio Alger and Profits", in Irving Kristol, *Two Cheers for Capitalism, op. cit.*, pp. 79-84, p. 79.
205. *Ibid.*, p. 80.
206. Irving Kristol, «"When Virtue Loses All Her Loveliness" - Some Reflections on Capitalism and "The Free Society"», *The Public Interest*, n° 21, 1970, pp. 3-15, p. 9.
207. John McClaughry, "Milton Friedman Responds", *op. cit.*, p. 16.
208. *Ibid.*, p. 6.
209. Irving Kristol, "The Corporation and the Dinosaur", in Irving Kristol, *Two cheers for capitalism, op. cit.*, pp. 69-78, p. 69.
210. *Ibid.*, p. 71.

第Ⅳ部　異議申立者たちの世界

第 14 章　企業の活動家対抗策

1. 1er mars 1977, RTS, émission « en direct avec». http://www.rts.ch/archives/tv/information/en-direct-avec/3755258-un-debat-tres-vif.html
2. D.J. Kirchhoff, "Corporate Missionary: Those Who Believe in Capitalism Must Fight Back", *Barrons*, n° 59, 19 février 1979, p. 3.
3. Mike Muller, *The Baby Killer*, War on Want, Londres, 1974.
4. Charles Vrtis, *Corporate Responsibility in Developing Countries: Focus on the Nestle Infant Formula Case*, thèse, Ball state University, Muncie, 1981, p. 17. これを告発した医師のデリック・ジェリフは「商原性栄養不良【商業を原因とする栄養不良】」について語っている。Cf. Derrick B. Jelliffe, «Commerciogenic Malnutrition?», *Nutrition Reviews*, vol. 30, n° 9, septembre 1972, pp. 199-205.
5. Jean-Claude Buffle, *Dossier N comme Nestlé*, Alain Moreau, Paris, 1986, p. 30.

民が自分の選んだリーダーの権威に服従する協定」(Robert Derathé, *Jean-Jacques Rousseau et la science politique de son temps*, Vrin, p. 210【R.ドラテ『ルソーとその時代の政治学』西嶋法友訳、九州大学出版会、1986、194 頁】) がある。われらが経済学者たちはここで会社のために、ふたつの契機を作動させているのである。まず生産チームをつくりだす主体間の水平な協業、協力があり、ついでそれが権威のある、そしてその監視に服する第三者に垂直的に従属する。これもまた非常に古典的だが、ここでのテーゼは根本的に、純粋な協力は不可能で長持ちしない、というものだ。権力を垂直的に着想するものならだれであれ、協力は服従なしにはもたない、服従なしに長続きする団結はないことを根本的な前提としている。会社は垂直的権威関係とは別のものだ、と考えようとしているにもかかわらず、逆説的にもアルキアンとデムゼッツは、主権契約論理論を再構成した図式にそってそれを考える以上のことを思いついていない。さらに不都合なことに、かれらの会社理論はいくつかの面で「新ホッブズ主義」とさえ形容されうるものだ。というのも、その基礎になっている前提は、そのせいで当初の平等性が持続不可能になり、全員が上から目線の警察装置に服従を迫られる、ここでは怠け者として描かれた原初の「背任行為」だからである。Cf. Samuel Bowles, “The Production Process in a Competitive Economy: Walrasian, Neo-Hobbesian, and Marxian Models”, *The American Economic Review*, vol. 75, n° 1, mars 1985, pp. 16- 36, p. 16. ゆえにかれらはまったく逆のことを証明している。企業の諸関係と市場の諸関係の同質性を確立したと思い込みつつも、うっかり非妥協的な主権理論の型を会社に当てはめてしまったのである。誤解はこうしてできあがった。

195. Cf. Henri Lepage, *Demain le libéralisme, op. cit.*, p. 357.

196. Karl Marx, *Le Capital. Livre III, op. cit.*, p. 426.【マルクス「資本論第 3 巻 」『全集 25a』484 頁】

197. *Ibid.*, p. 424.【前掲書 482 頁】マルクスはこの関係を説明するために政治支配に言及している。「これはあらゆる点に政府の監視と介入が及ぶ独裁国家の組織を思い出させる。それは、どんな政府でもそうであるように公的懸案を管理するためでもあれば、あるいは人民とそれを統治するものとの敵対関係から生じた特殊な役割を実行するためでもある」。この政治戦略的次元はもちろん、さまざまな技術的側面をもつ唯一の管理機能ではない。マルクスが説明したのは、資本主義的な管理の正当化はふつう、この第一の面を省略して、インチキにも第二の面へ還元してしまうことにもとづいている、ということだった。経済学者が「資本主義的生産様式を考察するとき、かれは集団労働のプロセスの本質に由来する指示機能を資本主義的性格によって規定された、つまりこのプロセスとは相容れない指示機能と同一視している」(Karl Marx, *Le Capital, Livre I, op. cit.*, p. 374.【マルクス「資本論第 1 巻」『全集 23a』436 頁】)。アルキアンとデムゼッツの場合も同様である。かれらは矛盾を個人/集団問題 (ごまかしという問題) に矮小化している。この問題はあきらかにイデオロギー的役割を持っているが、しかし社会的敵対関係を考えることを不可能にしたことで、かれらの理論を薄弱にしている。だが当時そうであったように、懸案の紛争が激化したときこそそれを考えることが緊急の責務になるのだ。

198. このように再定式化すれば、所有と管理の機能の「分離」がおおきな危機である、とするバーリとミーンズの中心的な公準からは解放される。逆に、株式保有者は所有者ではない、また所有と管理の機能ではなく「残余的なリスク補填」と「決定のマネジメント」

184. Cf. Olivier Weinstein, "Firm, Property and Governance: From Berle and Means to the Agency Theory, and Beyond", *Accounting, Economics, and Law*, vol. 2, n° 2, Article 2, 2012, p. 39.

185. Eugene F. Fama, "Agency Problems and the Theory of the Firm", *op. cit.*, p. 291.

186. Olivier Weinstein, *op. cit.*, p. 39. かれの結論によれば「論理的には、〈契約の束〉としての会社という着想は、現実問題としてマネージャをさまざまな行為主体本人のエージェントと見なすことにつながるはずだったのではあるまいか」(p. 43.)

187. Henri Lepage, *Demain le libéralisme, op. cit.*, p. 351.

188. Armen A. Alchian, Harold Demsetz, « Production, Information Costs, and Economic Organization », *op. cit.*, p. 781.

189. *Ibid.*, p. 782.

190. *Ibid.*, p. 782.

191. 利得のおおきさはチームのもたらした利潤総額に依存するため、効果的な規律を施すことには利点がある。「モニターはごまかしを減らすことで残余分を獲得できるのだから」なおさらである。*Ibid.*, p. 782. たがいに連結したふたつの規律訓練メカニズムがある。監視者／チームの関係での第一のレベルでは、ヒエラルキー的な監視という古典的な原則がある。監視官当人に関係する第二のレベルでは、利益分配による自己訓練のプロセスがある。

192. 「いわゆる残余分には、チームメンバーを規律訓練しごまかしを減らすよう、契約条項や個々のメンバーの動機づけを修正する効力がある」。*Ibid.*, p. 782.

193. N. Scott Arnold, *The Philosophy and Economics of Market Socialism: A Critical Study*, Oxford University Press, New York, 1994, p. 190.

194. Armen A. Alchian, Harold Demsetz, «Production, Information Costs, and Economic Organization», *op. cit.*, p. 785. アルキアンとデムゼッツのテクストには、権威理論を構築したにもかかわらずそれを絶えず否定し続ける、というパラドクスがみられる。だがしかしそのイントロダクションにおいて企業内の特殊な権力関係の存在を疑問視したのもつかの間、かれらは「警察的手段」にはっきり言及し、「怠け者」を狩り出すためのヒエラルキー的監視下に置かれたものとして会社を描くことで、この権力関係を改めて導入している。この突飛な振る舞いは、かれらがふたつの考えを混同していることを物語っている。第一のそれは「市場で手に入るものより上位の規律訓練作用」は企業内には存在しない、というものだ（権力の同質性テーゼ）。第二のそれは、企業内で行使される権威は正当化される、というものだ（正当性テーゼ、ないし経営権力の必要性テーゼ）。かれらはじぶんたちが提示していると思っているものを誤解している。かれらは経営者の権威の正当性理論を構築しているのに、じぶんたちは特殊な権力としてはそんな権威は存在していないと証明しているのだと主張しているのである。

この混同は、かれらが用いる正当性のプロセスを考察するといっそう問題含みであることがあきらかになる。アルキアンとデムゼッツは実際には自身の方法で、17 世紀の社会契約哲学が提示したものと近い**服従契約**の理論を再度つくりだしたのだ。プーフェンドルフにとって、まず市民がたがいを結びつける最初の契約、協力契約ないし pactum unionis があり、それから第二の契約として服従契約ないし pactum subjectionis、すなわち「市危険もある。対照的に、株主が降りたいと思ったときも、単純にじぶんの金を取り戻すことはできない。株主に必要なのはじぶんからそれを買い戻す人間を見つけることであり、しかしゲームは続いている。会社の資本については、ある株主が「辞める」こと自体は中立的だ。つまり、株主の権利は他人の手に移るが、出資該当額が株主の手元に取り戻されることはなく、また**取り戻すことはできない**。たしかに、発起時の出資者のそれぞれは個人的に出資金の所有者**だった**かもしれないが、それ以降、それらはまとめて会社に帰属し、いかなる株主もその該当額を取り戻すことはもはやできない。制限されたのである。

第二の特徴は**実体保護**である。株主は有限責任原則により会社の負債から保護され、会社もまた株主の負債から保護されている。債権者救済のために会社の資産を空にしようとすることはできない。ただし、それは会社を株主の負債から守るだけでなく、間接的にそれぞれの株主も他の株主のもとで起こりうる債務不履行から守られることは明記しておこう。

株式形態は、かつては生産手段の私有に紐付けられていた責任とリスクを人為的に制限するという効果を持ち、ふたつの補完的なベクトルにしたがっている。第一に、有限責任により、企業から株主へ「遡及する」可能性もあったであろうリスクが軽減される。第二に、会社実体の保護と資産の制限により、株主から企業へ「波及する」可能性もあったであろうリスクが軽減される。

こうした3つの利点により、「資本増強のおおきな可能性と、破産にたいする強い保護を組み合わせる」ことができる。Cf. David Ciepley, "Neither Persons nor Associations. Against Constitutional Rights for Corporations", *Journal of Law and Courts*, vol. 1, n° 2, automne 2013, pp. 221-245, pp. 226 sq.; Lynn A. Stout, "On the Nature of Corporations", *University of Illinois Law Review*, vol. 2005, n° 1, 2004 pp. 253-267; Margaret M. Blair, "Locking In Capital: What Corporate Law Achieved for Business Organizers in the Nineteenth Century", *UCLA Law Review*, vol. 51, n° 2, 2003, pp. 387-455.; Henry Hansmann, Reinier Kraakman, Richard Squire, "Law and the Rise of the Firm", *Harvard Law Review*, vol. 119, n° 5, 2006, pp. 1333-1403; Jean-Philippe Robé, "The Legal Structure of the Firm," *Accounting, Economics, and Law*, vol 1, n° 1, Article 5, 2011.

177. Cf. Paddy Ireland, "Defending the Rentier", *op. cit.*, p. 170
178. Daniel Bell, "The Coming of Post-Industrial Society", *Business & Society Review/Innovation*, n° 5, printemps 1973, pp. 5-23, p. 20.
179. Eugene F. Fama, "Agency Problems and the Theory of the Firm", *op. cit.*, p. 290.
180. *Ibid.*, p. 289.「この株主所有の否定は、契約の束という着想に絶対に不可欠なものである。というのも、企業が株主の所有物であるなら、ごく単純にそれは契約の束ではありえなかったはずだからだ」とアイゼンバーグは指摘している。Melvin A. Eisenberg, "The Conception that the Corporation is a Nexus of Contracts, and the Dual Nature of the Firm", *op. cit.*, p. 825.
181. Eugene F. Fama, "Agency Problems and the Theory of the Firm", *op. cit.*, p. 290
182. Voir supra p. 62.
183. *Ibid.*, p. 290.

pp. 11-25, p. 14. Voir aussi John Blundell, *Waging the War of Ideas : Why There Are No Shortcuts*, The Heritage Foundation Lecture Series, n° 254, The Heritage Foundation, Washington, D.C., 1989, p. 6.

第 13 章　警察的な会社理論

168. Irving Kristol, "On Corporate Capitalism in America", *op. cit.*, p. 125.

169. Robert Hessen, "A New Concept of Corporations: A Contractual and Private Property Model", Hastings Law Journal, vol. 30, mai 1979, pp. 1327-1350, p. 1330. Pour une argumentation voisine, voir Roger Pilon, "Corporations and Rights: On Treating Corporate People Justly", *Georgia Law Review*, vol. 13, n° 4, été 1979, pp. 1245-1370.

170. David Ciepley, "Beyond Public and Private: Toward a Political Theory of the Corporation", *The American Political Science Review*, vol. 107, n° 1, février 2013, pp. 139-158, p. 146.

171. Lynn A. Stout, *The Shareholder Value Myth: How Putting Shareholders First Harms Investors, Corporations, and the public*, Berett-Koehler, San Francisco, 2012, p. 37. かれらはもはや資産所有者――まちがいなく会社そのものの所有者でもある人物――ではなく株式所有者、たんなる「剰余価値の一部を受領する権利を与える所有資格」であり、それは「正確に言えば資本でも資本の一部でもない」。Karl Marx, *Le Capital. Livre III*, op. cit., p. 514.【マルクス「資本論第 3 巻」『全集 25a』585 頁】

172. ストウトはこう説明している。「株主は残余請求権者でありうる――完全に取締役会の裁量に委ねられた――さまざまなグループのひとつにすぎない［…］。企業がうまくいっているときは、取締役会はよりおおきな配当を株主に出すと決定するかもしれない。しかしそれに加えて、あるいはその代わりに、賃上げや被雇用者の雇用確保、あるいは経営陣のプライヴェートジェットの購入を決定することもありうる［…］。会社自体も自身の残余請求権者であり、問題の残余をどうするか決定するのも取締役会である」。Lynn A. Stout, *The Shareholder Value Myth, op. cit.*, p. 41. Voir aussi Jean-Philippe Robé, «À qui appartiennent les entreprises ? », *Le Débat*, n° 155, 2009, pp. 32-36.

173. *Ibid.*, p. 33.

174. Benjamin Coriat, Olivier Weinstein, « Les théories de la firme entre "contrats" et "compétences". Une revue critique des développements contemporains», *Revue d'économie industrielle*, n° 129-130, 2010, pp. 57-86, p. 71. Voir aussi, Paddy Ireland, "Defending the Rentier", *op. cit.*, p. 147.

175. Lynn Stout, "The Mythical Benefits of Shareholder Control", *Virginia Law Review*, vol. 93, 2007, pp. 789-809, p. 804.

176. 歴史的に言えば、会社はまずパートナーシップ、出資者たちのアソシエーションとして理解された。会社に先行したパートナー形態と比較すれば、株式会社の諸特性がもっともよく現れる。**有限責任**に加え、非常に有利なふたつのおおきな特徴がある。
第一の特徴は、「株式の制限」である。パートナーシップでは、どの出資者も「実際に何パーセントか持っており、パートナーシップを抜ける際には会社株式からじぶんの持ち分を引き上げる」。パートナーが引退すればそれは直接的に資本に影響を及ぼし、解散の

160. Michael C. Jensen, "Organization Theory and Methodology", *op. cit.*, p. 331

161. *Ibid.*, p. 327.

162. Michael C. Jensen, William H. Meckling, "Reflections on the Corporation as a Social Invention", p. 86.

163. John Dewey, "The Historic Background of Corporate Legal Personality", *Yale Law Journal*, vol. 35, n° 6, 1926, pp. 655-673, p. 673. 会社の存在論という問題を扱った際、デューイは偽りの問題にけりをつけるべく、「人」という語を単純な類義語「権利と義務の所有単位」と見なすことを提案したことがある。「なんであれこの種の単位は人ということになろう[…]一般的な言説や心理学、哲学あるいは道徳でこの〈人〉という語が指し示しているものは、誇張したたとえを用いれば、ワインが〈辛口〉と言われているのだから、そのワインには辛口の固体の特質があるのだ、あるワインはこうした特質をもっていないから〈辛口〉ではないだろう、と主張するくらい的外れである」(*ibid.*, p. 656)「権利と義務の所有単位」と理解された最小限の人格性カテゴリーをある実体に適用しても、人間一個人の諸属性をそこに余分に割り振ったことにはならない。逆もまた然りで、このカテゴリーを適用したからといって、その実体が対応する人類学的特徴を有していることが要求されるわけではない。この着想によれば、人格を非生物対象ないし集団的存在に割り当てることを妨げるものはなにもない。デューイにとって、問題はそれができるかどうかではなく(たんなる仮構としてそう取り決めることは可能である)、それがどんな効果を持つか、であった。能力という問題が排除されるわけではないが——ある身体が、小石が、企業がなにをなし得るかを問うのはつねにだいじである——しかし、かれは問題をずらす。ジェンセンは、組織は人間一個人ではないという理由で社会的義務を組織に割り振ることを、教条的に、アプリオリに禁じているが、プラグマティストのやり方は逆に、その効果はどのようでありうるかを問うために、そうした割り振りのもつ可能性を検証することからスタートする。このアプローチでは、「企業の社会的責任」の批判的検証はジェンセンのおこなったものとはことなった進め方でなされる。そうした割り振りは存在論的に不可能であると主張するのではなく(じつはそうではない)、それが意図し、もたらすのはどんな効果なのかを問うのである。では政治的にはそれらの「生産的な」効果はなんなのか? それを仇敵のように考える経済学者たちはおそらく、予期せぬ同盟者がそこにいたことに気づいて驚くことになろう。この問題はあらためて論じる。

164. Michael C. Jensen et William H. Meckling, "A Theory of the Firm", *op. cit.*, p. 311.

165. Frank H. Easterbrook, Daniel R. Fischel, "The corporate contract", *Columbia Law Review*, vol. 89, n° 7, novembre 1989, pp. 1416-1448, p. 1446.

166. 「実質的に生活全般を支配している巨大組織の得た優位性は[…]これらの組織の権力が正当であると強制する、つまりこの権力によって影響される者たちは、それを正当かつ適切と認めることが強制される」。Edwin M. Epstein, James Willard Hurst, "The Historical Enigma of Corporate Legitimacy", *California Law Review*, vol. 60, n° 6, novembre 1972, pp. 1701-1718, p. 1702.

167. John Blundell, "Introduction: Hayek, Fisher and The Road to Serfdom", in Friedrich Hayek, *The Road to Serfdom. The Condensed Version of The Road to Serfdom by F. A. Hayek as it Appeared in the April 1945 edition of Reader's Digest*, The Institute of Economic Affairs, Londres, 1999

305-360. Cf. E. Han Kim, Adair Morse, and Luigi Zingales, "What Has Mattered to Economics Since 1970", *The Journal of Economic Perspectives*, vol. 20, n° 4, automne 2006, pp. 189-202, p. 192.

145. Michael C. Jensen et William H. Meckling, "A Theory of the Firm", *op. cit.*, p. 311.

146. *Ibid.*, p. 310, note 1.

147. Michael C. Jensen, "Organization Theory and Methodology", *op. cit.*, p. 328. ラテン語の nexusという語は絆、交錯、結び目を意味する。会社はかくして**契約の交錯**として理解される。しかしローマ法の語彙では、この言葉はある種の義務をより特定して示すものだった。すなわち、債務者の自由を債権者への抵当に入れる義務である。弁済不能になれば債務者は債権者の囚人になる。nexus はそこから広がって、隷従関係をも示す語になった。あたらしい会社理論の理論家たちはこの含意を見落としている。つまり、かれらの定義は**契約による監獄ないし隷従としての会社**、とも訳して問題がないのである。

148. Michael C. Jensen et William H. Meckling, "A Theory of the Firm", *op. cit.*, p. 310.

149. David Ciepley, "Beyond Public and Private : Toward a Political Theory of the Corporation", *The American Political Science Review*, vol. 107, n° 1, février 2013, pp. 139-158, p. 140.

150. Cf. Paddy Ireland, "Defending the Rentier: Corporate Theory and the Reprivatization of the Public Company", in John Parkinson, Andrew Gamble, Gavin Kelly（dir.）, *The Political Economy of the Company,* Hart, Oxford, 2000, pp. 141- 173, p. 163.

151. Michael C. Jensen, "Organization Theory and Methodology", op. cit., p. 330 - Jensen cite ici Alfred Whitehead, Bertrand Russell, *Principia Mathematica to *56*（1910）, Cambridge University Press, Cambridge, 1997, p. 12.

152. Michael C. Jensen, "Organization Theory and Methodology", *op. cit.*, p. 326.

153. Michael C. Jensen et William H. Meckling, "A Theory of the Firm", *op. cit.*, p. 311.

154. Frank H. Easterbrook, Daniel R. Fischel, *The Economic Structure of Corporate Law*, Harvard University Press, Cambridge,（1991）1996, p. 12.

155. Michael C. Jensen, *Foundations of Organizational Strategy*, Harvard University Press, Cambridge,（1998）2001, p. 125.

156. Melvin A. Eisenberg, "The Conception that the Corporation is a Nexus of Contracts, and the Dual Nature of the Firm", *The Journal of Corporation Law*, vol. 24, n° 4, pp. 819-836, p. 830.

157. これらの用語はしばしばまちがって類義語のようにとらえられているが、その差は甚大である。ジャン=フィリップ・ロベが指摘するように、会社の身分は「企業に対する法的サポート」の役割を果たすもので、「企業が〈機能し〉、〈存続する〉こと（株式所有権、納入業者・販売業者・顧客などとの過去の契約から発生する権利）を可能にする法的名義人は、技術的には会社である」。会社 société は法的身分の名であり、企業 entreprise は**社会経済組織**を示す。つまり「市場で財やサービスを製造販売する組織」である。Jean-Philippe Robé, «L'entreprise en droit», in *Droit et société*, n° 29, 1995, pp. 117-136, pp. 122 sq.

158. Michael C. Jensen et William H. Meckling, "A Theory of the Firm", *op. cit.*, p. 310.

159. Gerald F. Davis, *Managed by the Markets, op. cit.*, p. 60.

フレッド .D. チャンドラー Jr.『経営者の時代：アメリカ産業における近代企業の成立』鳥羽欽一郎・小林袈裟治訳、東洋経済新報社、1979】。Voir aussi Oliver E. Williamson, "Visible and Invisible Governance", *The American Economic Review*, vol. 84, n° 2, mai 1994, pp. 323-326, p. 324.

137. 英語では «master and servant» である。Ronald Coase, "The Nature of the Firm", *op. cit.*, p. 403.

138. Samuel Bowles, Herbert Gintis, "The Power of Capital : On the Inadequacy of the Conception of the Capitalist Economy as "Private»", *Philosophical Forum*, vol. 14, n° 3-4, printemps/été 1983, pp. 225-245, p. 228.

139. Armen A. Alchian et Harold Demsetz, "Production, Information Costs, and Economic Organization", *The American Economic Review*, vol. 62, n° 5, décembre 1972, pp. 777-795, p. 777.

140. *Ibid.*, p. 777.

141. おおくの理由から論拠は雑多であるが、おもなものとしてはつぎのようになる。雑貨屋が売るのは本人とは切り離された**モノ**であるが、賃金労働者が売るのは「本人を、しかも切り売り」であり､そして「買った人間のもの」になってしまうその人生の時間である。(Karl Marx, *Travail salarié et capital*, Éditions en langues étrangères, Pékin, (1849) 1966, p. 19) . そして権力関係という点ではこれがおおきなちがいをもたらす。乾物屋が「一キロのコーヒーを売るとき、雑貨屋は自分の所有物の一部分を疎外して、コーヒーを使っておこなおうと考えていたことをする権限を他人に譲渡する。労働者がその労働力を売るとき、労働者はその人生の一部を疎外して、そのときやろうと思っていたことをやる権限を他人に譲渡する。労働力の交換には、直接的なかたちで人間関係が含まれている。資本家が金と引き換えに獲得した**行動権限**とは、**だれかにたいする権限である**」とジュリオ・パレルモは説明している。ゆえに結果として､この種の交換には特定の権威関係は含まれない､とするのはまちがっている。労働契約は、単純にそれが契約であるがために、じぶん自身にたいしだれか他人が権限をもつことを排除しない。まったく正反対だとさえ言える。なぜなら、この権力関係はこのような場合、取引、つまり**服従**契約の対象そのものの一部をなすからである。すなわち、雇用者はわたしに一定の制限と期間内でかれの求めることをわたしにさせる可能性をわたしから買ったのである。われらが著者たちはこの点を否定している。Cf. Giulio Palermo, «The Ontology of Economic Power in Capitalism: Mainstream Economics and Marx », *Cambridge Journal of Economics*, vol. 31, n° 4, 2007, pp. 539-561, p. 551. Voir aussi David A. Ciepley, "Authority in the Firm (And the Attempt to Theorize It Away) ", *Critical Review*, vol. 16, n° 1, janvier 2004, pp. 81-115.

142. Margaret Thatcher, "Interview for Woman's Own ("no such thing as society"), September 23, 1987", *Speeches, interviews & other statements*, Margaret Thatcher Foundation. http://www.margaretthatcher.org/document/106689.

143. Michael C. Jensen, "Organization Theory and Methodology", *The Accounting Review*, vol. 58, n° 2, avril 1983, pp. 319- 339, p. 319.

144. Michael C. Jensen et William H. Meckling, "A Theory of the Firm : Managerial Behavior, Agency Costs and Ownership Structure", *Journal of Financial Economics*, vol. 3, n° 4, 1976, pp.

119. Iu. A. Zamoshkin, A. Iu. Mel'vil", "Neoliberalism and "the New Conservatism" in the USA", *Soviet Studies in Philosophy*, vol. 16, n° 2, 1977, pp. 3-24, p. 17.

120. Stuart Hall, "The Great Moving Right Show", *Marxism Today*, janvier 1979, pp. 14-20, p. 15.

121. Henry G. Manne, "Controlling Giant Corporations", *op. cit.*, p. 691.

122. *Ibid.*, p. 691.

123. Henry G. Manne, "Review : In Defense of the Corporation by Robert Hessen", *op. cit.*, p. 1649.

124. Michael C. Jensen, William H. Meckling, "Can the Corporation Survive?", *Financial Analysts Journal*, vol. 34, n° 1, janvier/février 1978, pp. 31-37, p. 31.

125. *Ibid.*, p. 32.

126. *Ibid.*, p. 36.

127. *Ibid.*, p. 37.

128. Michael C. Jensen, William H. Meckling, "Corporate Governance and "Economic Democracy': An Attack on Freedom", in C. J. Huizenga（dir.）*Corporate governance: A Definite Exploration of the Issues*, Harvard Business School NOM Unit Working Paper n° 1983, Cambridge, http://papers.ssrn. com/abstract=321521, pp. 1-23, p. 2.

129. Michael C. Jensen, William H. Meckling, " Reflections on the Corporation as a Social Invention", in Robert Hessen（dir.）, *Controlling the Giant Corporation: A Symposium*, Center for Research in Government Policy and Business, Graduate School of Management, University of Rochester, Rochester, 1982, pp. 82-95, p. 86.

130. *Ibid.*, p. 86.

131. Ronald Coase, "The Nature of the Firm", *Economica*, New Series, vol. 4, n° 16, novembre 1937, pp. 386-405, p. 388. コースはこの図を以下から用いている。Dennis Holme Robertson, *The Control of Industry*, Harcourt, Brace and company, New York, 1923, p. 84.【ロバートスン『産業統制論』井上貞藏・大森英治郎共譯、同文館、1930、109-110 頁】

132. Ronald Coase, *op. cit.*, p. 387. マルクス本人は、経営者の企業内の権威とその外部の市場との関係のあいだに、逆向きの相互関係があると設定していた。「近代の工場内部では、分業は企業家の権威のもとに綿密に統制されているのにたいし、近代社会には労働の分配については自由競争以外にいかなる統制も権威ももたない。［…］社会内において権威が分業を取り仕切ることがすくないほど、工場内で分業が発展する、さらにそれは唯一の権威にのみしたがうようになる、という一般規則さえ立てられそうである。かくして、工場内の権威と社会内の権威は分業については反比例する」。Karl Marx, *Misère de la philosophie*, Giard, Paris, 1896, p. 188.【マルクス「哲学の貧困」『マルクス=エンゲルス全集 4』大月書店、1968、156 頁】

133. Ronald Coase, "The Nature of the Firm", *op. cit.*, p. 390.

134. Ronald Coase, "The Problem of Social Cost", *Journal of Law and Economics*, vol. 3, octobre 1960, pp. 1-44, p. 15.

135. Ronald Coase, "The Nature of the Firm", *op. cit.*, p. 392.

136. Cf. Alfred D. Chandler, *The Visible Hand: The Managerial Revolution in American Business*, Harvard University Press, Cambridge, 1977, p. 6 et p. 515, la note 3 au sujet de Coase.【アル

111. Henry G. Manne, "The Paradox of Corporate Responsibility", in *A Look at Business in 1990: A Summary. White House Conference on the Industrial World Ahead*, U.S. Governement. Printing Office, Washington, 1972 pp. 95-98, p. 96. マネジメント主義者とネオリベラル主義者は、立場のちがいにもかかわらず、基本的な目的については合意している。社会・環境問題についてはできるかぎり公的規制を回避することである。両者の相違は実践面の問題で、根本的にはつぎの点だけが関係している。RSEは政府規制を払いのけるのか、それとも増殖させるのか？　マネジメント主義者にとっては、マネジメントの社会的責任を前面に立てることは有効な予防措置に見えている。バーリが弁護するように、マネジメントは「社会的衝撃の波の最前線の消波堤かのように」反応している。手をこまねいていれば「政府が介入を余儀なくされるほどの衝撃になろう。マンネ教授がこの選択肢をより望ましいものと考えているかどうかは疑問である」。Adolf A. Berle, "Modern Functions of the Corporate System", *Columbia Law Review*, vol. 62, n° 3, mars 1962, pp. 433-449, p. 443.

112. Milton Friedman, "A Friedman doctrine : The Social Responsibility of Business is to Increase its Profits", *op. cit.*, p. 17.

113. ビジネスマンは「分裂した性格」をもっているとフリードマンは述べている。短期的利益については慧眼だが、よりひろい、「ビジネス一般の存続」条件という問題を考えるときには、だいたいにおいて近視眼であることを露呈する。個々の企業はそれぞれが個別に身を守ろうとして、集団としては全体の利益を損なう言説を広めている。「ビジネスマンはしばしば自殺衝動に駆られている」。ここでかれらの抱えている問題は、端的に社会学者なら集団行動の問題と呼ぶだろうし、経済学者なら公共財の問題と呼ぶだろうものだ。囚人のジレンマのつぎは社長のジレンマというわけである。マンネの理論では、悲劇は根本的には「資本主義の保全は公共財だが、利潤の最大化を目指す企業なら絶対にそんな保全に投資するものはないだろう、ということだ。というのも、そんな投資の利益はじぶんたち以外がもっていくからである」。ここに断絶がある。個別の利益の追求はそれそのものとしては、その追求を可能にしているシステムの保全を保証しない。競争的市場の論理をそのままにしておけば、当初の目的に反して自身の存在条件を破壊するよう作用しかねない。Cf. Milton Friedman, "A Friedman Doctrine: The Social Responsibility of Business is to Increase its Profits", op. cit., p. 17, et Henry G. Manne, "The Limits and Rationale of Corporate Altruism: An Individualistic Model", *Virginia Law Review*, vol. 59, n° 4, avril 1973, pp. 708-722, p. 710.

114. Jeffrey St. John, "Memo to GM : Why Not Fight Back?", *op. cit.,* p. 1.

115. Henry G. Manne, "The Myth of Corporate Responsibility", *op. cit.*, p. 533.

第12章　企業は存在しない

116. Lee Loevinger, "The Corporation as a Power Nexus", *The Antitrust Bulletin*, vol. 6, 1961, pp. 345-359, p. 357

117. Louis Quicherat, Amédée Daveluy, *Dictionnaire Latin-Français*, Hachette, Paris, 1871, p. 753.

118. Irving Kristol,"On Corporate Capitalism in America", *The Public Interest*, n°41, automne 1975, pp. 124-141, p. 138.

から生じたものだとしても、フリードマンはそのことでかれらを批判できまい。とはいえ「このような詐欺すれすれの戦術を嫌う」者たちに、個人として敬意を払うことに問題はない。Milton Friedman, «A Friedman Doctrine: The Social Responsibility of Business is to Increase its Profits », *op. cit.*, p. 17.

103. 1974年、経営者組織「米国カンファレンスボード」のおこなった質的調査を読めば、この不安に苛まれていた者たちもさぞかし安堵することができただろう。一連のアンケートを通じて、アンケート調査者は当時のアメリカの経営者の精神状態を調査した。そこから浮かび上がったのはつぎのようなことであった。とくに企業のリーダーたちは、全方向からの敵意に恐れを抱き、利潤を動機とすることにたいする攻撃を「個人的な侮辱としてだけでなく、アメリカ合州国に自由と繁栄をもたらした制度そのものに迫る脅威として」受け止めていたのではあるが、おおくはおおっぴらに「企業の〈社会的責任〉なる考えを小馬鹿にし、それを社会学者の空想から出てきただけのくだらない概念と考え、環境保護や採用のやり方の変更、職場の民主化などの真剣な取り組みはほとんどすべて非難していた」。マイケル・ユシームはさらにこう付け加えている。「もっとも驚くべき」要素は、「かれらが民主主義システムにたいし、おしなべて疑念を持っていたことである。[…] じぶんたちの組織の独裁的な効率性にほれ込んでいたために、行政を、とくに世論のきまぐれにしたがう政治システムに内在すると見なされたその無気力さと非合理性を、ひたすら軽蔑していた。[…] ここには、「資本主義的階級独裁主義」の規模が相当なものになったことがあらわれている」。Michael Useem, "Review", *op. cit.*, p. 593.

104. Pierre Jurieu, *Justification de la morale des reformez contre les accusations de Mr. Arnaud*, tome I, La Haye, Arnout Leers, 1685, p. 127.

105. John McClaughry, "Milton Friedman Responds", *op. cit.*, p. 8.

106. Phillip I. Blumberg, "The Politicalization of the Corporation", *Boston University Law Review*, vol. 26, 1971, pp. 1551-1587, p. 1555.

107. Theodore Levitt, *op. cit.*, p. 41.

108. *Ibid.*, p. 49.

109. Friedrich Hayek, "The Corporation in a Democratic Society : In Whose Interest Ought It and Will It Be Run?", in Melvin Anshen, George Leland Bach (dir.), *Management and Corporations 1985*, McGraw Hill, New York, 1960, pp. 99-117, p. 116.【ハイエク「民主主義社会における企業——だれの利益のため?」『ハイエク全集 II-6』小浪充・森田雅憲・楠美佐子訳、春秋社、2009、154頁】。ベン・ルイスも同様に述べている。「来たるべき時代には、良心的かつ集団的な政府管理権力の増大を目の当たりにすることになろう」。ではそれを待ちながらなにをなすべきか? 「社会的責任の陶酔的な影響力」にどっぷり漬かった大企業は「政府が火蓋を切るのを誘っているかのように[…]、太ったアヒルのようにぼんやり突っ立った、手軽で美味しい獲物になっている。先方がこのお招きを受け入れるのもすぐだろう」。Ben W. Lewis, "Power Blocs and the Operation of Economic Forces. Economics by Admonition", *The American Economic Review*, vol. 49, n° 2, mai 1959, pp. 384-398, p. 397.

110. Henry G. Manne, "The Social Responsibility of Regulated Utilities", *Wisconsin Law Review*, n° 4, 1972, pp. 995-1009. p. 995.

して言い返す能力があることも指摘すべきである。エヴ・シャピロが仮説を立てたように、2000年代初頭以降確認された「RSE［企業の社会的責任］にたいする企業の熱意」は「資本主義がエコロジー的批判を真剣に受け止めてその批判を取り込むあらたなサイクルに入った」兆しを見せている。Cf. Eve Chiapello, «Le capitalisme et ses critiques», 4e congrès RIODD, Lille, juin 2009, https://www.researchgate.net/publication/228592489. しかし、これは取り込みのループにおけるさらに長いエピソードのなかの最新のそれにすぎない。アメリカ合州国では、最近どころか20世紀初頭には、マネジメント主義のイデオロギーとして社会的責任にかんする言説が登場していたのである。1960年代末に始まった改良主義的な積極行動論が論争的な目的でこの語彙で武装したのは、その続きにすぎない。このプロセスはもともとあった批判的モチーフを「換骨奪胎」したものではない。むしろ逆である。改良主義的な批判を介したマネジメントの弁明であり、この批判自体がマネジメントによって取りあげられ、再解釈されたものである。取り込みがなされたにせよ、それはあらたな意味づけをめぐる闘争全体につきものの行きつ戻りつのなかで見出され、取りあげられたのである。「取り込みのループ」という考え方については以下を参照。cf. Luc Boltanski, Ève Chiapello, *Le Nouvel Esprit du capitalisme*, Gallimard, Paris, 1999, p. 565.【リュック・ボルタンスキー、エヴ・シャペロ『資本主義の新たな精神』三浦直希ほか訳、ナカニシヤ出版、2013、上巻178頁】

90. Cf. David Vogel, *Lobbying the Corporation, op. cit.*, p. 74.
91. Cité par Donald E. Schwartz," Towards New Corporate Goals: Co-Existence with Society", *Georgetown Law Journal*, vol. 60, 1971, pp. 57-109, p. 62.
92. General Motors, "GM's Record of Progress in Automotive Safety, Air Pollution Control Mass Transit, Plant Safety and Social Welfare", 1970, p. 5.
93. Jeffrey St. John, "Memo to GM : Why Not Fight Back?", *Wall Street Journal*, 31 mai 1971, p. 1.
94. James M. Roche "Address", *op. cit.*, p. 13416.
95. *Ibid.*, p. 13418.
96. *Ibid.*, p. 13417.
97. *Ibid.*, p. 13418.
98. Lettre de Frederick West, P.-D.G. de Bethlehem Steel Corporation au Sénateur Philip A. Hart, 16 juillet 1974, cité par S. Prakash Sethi "Business and the News Media : The Paradox of Informed Misunderstanding", *California Management Review*, vol. 19, n° 3, 1977, pp. 52-62, p. 53.
99. 1984年12月3日夜、ボパールのユニオンカーバイド・インディアの工場爆発により大気中に放出されたイソシアン酸メチルの有毒ガス雲が襲来、これにより数千人が就寝中に死亡した。Slogans cités par Russell B. Stevenson, "The Corporation as a Political Institution", *Hofstra Law Review*, vol. 8, n° 1, 1979, pp. 39-62, p. 59.
100. John McClaughry, "Milton Friedman Responds: A Business and Society Review Interview", *Business and Society Review*, n° 1, printemps 1972, pp. 5-16, p. 8.
101. Milton Friedman, "A Friedman Doctrine: The Social Responsibility of Business is to Increase its Profits", *op. cit.*, p. 17.
102. John McClaughry, "Milton Friedman Responds", *op. cit.*, p. 8. この偽善が当人の利害関係

77. Robert H. Malott, "Corporate Support of Education: Some Strings Attached", *Harvard Business Review*, 56, n° 4, 1978, pp. 133-138, p. 137.

78. William E. Simon, Time for Truth, Berkley Publishing Group, New York, 1979, p. 247.【W.E. サイモン『アメリカの甦る日』松尾弌之訳、世界日報社、1980、274-275 頁】

79. Cf. James K. Rowe, "CSR as business strategy", in Ronnie D. Lipschutz, James K. Rowe (dir.), *Globalization, Governmentality and Global Politics: Regulation for the Rest of Us?*, Routledge, New York, 2005, pp. 130-170, p. 139.

80. Lewis Powell, *Attack on American Free Enterprise System, op. cit.*, p. 8.

81. Irving Kristol, "On corporate philanthropy", *op. cit.*, pp. 134, sq.

82. その使命は「このイデオロギー的独占状況を問い直すこと、つまり名前のついていない、定式化されていない諸問題を提起し、足りないコンテクストを提示し、まったくちがう価値観と目的の集合を公のアジェンダに載せること」であろう。William E. Simon, *Time for Truth, op. cit.*, p. 250.【サイモン『アメリカの甦る日』277 頁】

83. *Ibid.*, p. 245. たとえ大手メディアが「理論的にはその存続のための利潤や企業システムの依存先である諸々の会社に握られ管理されている」にしても「ニュー・クラスは、われわれの論説委員やテレビのジャーナリストに直接アプローチできる」。Thomas Murphy, cité par Patrick J. Akard, *The return of the market: Corporate mobilization and the transformation of U.S. economic policy, 1974-1984*, thèse, University of Kansas, 1989, p. 74 ; Lewis Powell, *Attack on American Free Enterprise System, op. cit.*, p. 4.

84. William E. Simon, Time for Truth, op. cit., p. 249.【サイモン『アメリカの甦る日』277 頁】

85. Arthur Shenfield, *op. cit.*, p. 32. パウエルさえもこう残念がっている。「ビジネスマンは、システムを批判している［…］こういう扇動家たちとゲリラ戦を戦う訓練も受けていなければ、装備も与えられていない。企業の経営者の伝統的な役割は経営して、生産して、販売して、雇用を創出して、利潤を出すことだったのだ」(Lewis Powell, *Attack on American Free Enterprise System, op. cit.*, p. 8) しかし、かれらにもあたらしい役割を引き受けることを学んでもらわねばならなくなるだろう。イデオロギー的反撃のその先、政治的反撃である。さてそのためには、「ビジネス界の側でも、労働界が長年学んできた教訓を引き出さねばならない［…］つまり政治権力を獲得する必要がある、こうした権力は営々と培われねばならない、必要とあらば首尾一貫した決定により攻撃的にそれを用いねばならない、という教訓だ」。*Ibid.*, p. 25.

第 11 章　どう反応するか？

86. Antonio Gramsci, *Cahiers de prison*, tome III, cahiers 10 à 13, *op. cit.*, p. 400.

87. David Rockefeller, "The Role of Business in an Era of Growing Accountability", *op. cit.*, p. 47615.

88. *Ibid.*, pp. 47615 sq.

89. リュック・ボルタンスキーとエヴ・シャペロは資本主義の批判を取り込み懐柔する能力を力説している。この傾向は事実だが、そのプロセスは一方通行ではない。異議申し立て側にもおなじように、良かれ悪しかれ資本主義の正当化の諸言説を奪ってそれをアレンジ第二に、ヘゲモニーは他の諸国民がある国民へ「自発的に与えた」ものである。強制というより同意を与えられた立場なのだ。しかし、この関係がなんらかの社会契約論の一ヴァージョンを導くことはない。もともとの諸権利は譲渡ないし疎外されることはなく、第三者的実体、あらたな政治体を構成するような協定もない。第三に、ヘゲモニーは民族政治学的な偉大さとでも呼べそうなもの、つまり共同の指揮を執る役割を与えられることになる者が証明した優越性を基礎にして付与される。その性格、習俗、行動によって立証される威信を示さなければならないのである。第四に、その同意は**行動**にもとづいて示される、ないし撤回される。同盟参加につながるのは行為や反応の仕方である。行為の失敗がその撤回を招く。それはあまりに狭い意味で「イデオロギー的−象徴的」ないし「イデオロギー的−言説的」な解釈とは対立する。

この章でわたしが提示した資料群はこの種の還元をおこなう傾向、つまり現在進行形の危機をたんなるイデオロギー的影響の喪失として扱う傾向があり、それがそれらの理論的・実践的限界となっている。

このように古典的な意味へ迂回することで、グラムシの着想をあきらかにすることができる。かれが書くには、ヘゲモニーの危機が生じるのは、「基本的に支配的な集団が生活に刻み込んだ指針、あるいは支配集団が生産様式におけるその立場から得ていた威信（と信頼）により歴史的に発生した合意事項にたいし、人民の大部分からの〈自発的〉同意が」支配集団の手ではもはや確保できなくなったときである（Antonio Gramsci, *Cahiers de prison*, tome III, Gallimard, Paris, 1983, p. 315）. 支配階級の権力は危機に瀕する。依然として経済的・制度的には支配的かもしれないが、しかしその立場は、もはやかれらにヘゲモニーを与えた威信によって高められることはない。ヘゲモニーの危機、それは全権力を喪失することではなく、その諸々の次元のひとつ、合意を保証する民族−政治的な次元の喪失である。グラムシにとって、「支配階級のヘゲモニーの危機」はたとえば戦争のようなおおきな政治的企図のひとつが失敗した際や、大衆が「政治的に受動的な姿勢から突如としてなんらかの能動的態度に転じ、その混沌とした総体のなかから革命を構成する諸々の要求を示す」（*ibid.*, p. 400）ときに生じる。1960年代末、ふたつの要因が結合した。ヴェトナム戦争の政治的−軍事的失敗と、おおくの人びとにとって生成しつつある革命と見なされ経験された、政治的・文化的な異議申し立ての強まる局面がそれである。

71. William J. Baroody, "The Corporate Role in the Decade Ahead", 20 octobre 1972, cité par Kim Phillips-Fein, *Invisible Hands, op cit.*, p. 166.
72. Irving Kristol, "On Corporate Philanthropy", in *Two Cheers for Capitalism, op. cit.*, pp. 131-135, p. 132.
73. Lewis Powell, *Attack on American Free Enterprise System, op. cit.*, p. 15.
74. *Ibid.*, p. 3.
75. Dave Packard, "Corporate Support of the Private Universities", University Club, New York, 17 Octobre, 1973. https://history.keysight.com/tag/1973
76. 「ビジネスマンや企業には、見識や態度を評価できない諸組織に金を出す義理などない。〈学問の自由〉を口実に［…］反対を主張するなど馬鹿馬鹿しい」とかれは付け加えている。Irving Kristol, "On corporate philanthropy", *op. cit.*, p. 133.

"Foreword", in Arthur Shenfield, *The Ideological War Against Western Society, op. cit.*, p. 2. フリードマンはシェンフィールドの「繊細かつ透徹した分析」を称揚している。この凡庸でうんざりするような試論には、まちがいなく「繊細かつ透徹した」分析がいくつか含まれているが、たとえば南アフリカを論じた 17 頁以降では「アパルトヘイトの原則は恥ずべきものでも、言葉の悪い意味での人種主義でもない」（原文ママ）とある。

56. Lionel Trilling, *Beyond Culture: Essays on Literature and Learning*, Viking Press, New York, 1965, pp. xiii sq.

57. Norman Podhoretz, "Between Nixon and the New Politics", *Commentary,* vol. 54, n° 3, septembre 1972, pp. 4-8, p. 5.

58. Irving Kristol, "Business and "The New Class"", in *Two Cheers for Capitalism*, Mentor, New York,（1975）1979, pp. 23-28, p. 27.

59. *Ibid.*, p. 26.

60. Arthur Shenfield, *The Ideological War Against Western Society, op. cit.*, pp. 26 sq.

61. Robert L. Bartley, "Business and the New Class", in B. Bruce-Briggs（dir.）, *The New Class?*, Transaction Books, New Brunswick, 1979, pp. 57-66, p. 58.

62. *Ibid.*, p. 58.

63. Irving Kristol, "Business and "The New Class"", *op. cit.*, p. 26.

64. William J. Baroody, "Toward intellectual competition", in *NAM Reports*, vol. 18, National Association of Manufacturers, Washington, D.C., 1973, n.p.

65. Leonard Silk, "Ethics in Government", *The American Economic Review*, février 1977, vol. 67, n° 1, pp. 316-320, p. 319.

66. Leonard Solomon Silk, David Vogel, *Ethics and Profits : The Crisis of Confidence in American Business*, Simon and Schuster, New York, 1976, p. 71.【レオナルド・シルク、デビット・フォーゲル『トップの本音：利潤と社会責任のジレンマ』並木信義監訳、日本経済新聞社、1978、64 頁】

67. Lewis Powell, *Attack on American Free Enterprise System, op. cit.*, p. 10.

68. *Ibid.*, p. 7.

69. Daniel Bell, *The Cultural Contradictions of Capitalism*, Basic Books, New York, 1978, p. 77.【ダニエル・ベル『資本主義の文化的矛盾』林雄二郎訳、講談社、1976、上巻 173 頁。なお該当箇所の邦訳は大幅な改変がある】

70. ヘゲモニーは古い概念である。それは「ギリシャにおいては、同盟を組んだ諸国民が、ある市民たちの示した賢慮や勇気、戦上手などを理由に自発的に同盟国のひとつに与えた政治的な優越性を指す名称であった。その後、こうした国民は共同案件に関する企図いっさいに最上位の指揮権を付与された」。*Dictionnaire de la conversation et de la lecture*, tome X, Didot, Paris, 1861, p. 785. ゆえに古典的な意味では、ヘゲモニーは第一に共同案件の戦略的指揮権を指す。この概念は、連立した諸国の関係にのみ適用される。つまり外政の概念であり、都市国家の民や島国家の民がたがいを結ぶ政治的同盟関係を考えるためのものである。グラムシのようにこのヘゲモニー概念を内政関係や一社会内の階級関係に適用することは、それらの関係を都市の群れのイメージで考えさせ、内政と階級関係に、ある意味で地政学的な角度からアプローチするよう誘導することになる。

のもともとの特徴、すなわち、「権力システム、ないし〈私的政府〉――つまり〈公的〉政府の上位とは言わないまでも比較可能な権力」という意味でのビジネス界に直接挑むという特徴が、おおくの場合無視されてしまう。David Vogel, *Kindred Strangers : The Uneasy Relationship Between Politics and Business in America*, Princeton University Press, Princeton, 1996, p. 15. これによって生じた事態は、「大学人たちが［…］理論的に確証してきたことを、政治的アクターたちが実践で実現し［...］はじめる、つまり企業が公的政府同様に扱われなければならなくなった」ことだった。David Vogel, "The Corporation as Government : Challenges & Dilemmas", *Polity*, vol. 8, n° 1, automne 1975, pp. 5-37, p. 16.

42. Philip W. Moore, «Corporate Social Reform : An Activist's Viewpoint », *California Management Review*, vol. 15, n° 4, été 1973, pp. 90-96, p. 90.
43. Cf. David Vogel, *Lobbying the Corporation, op. cit.*, p. 3.
44. ネイスが書いているように「おそらくエコロジー運動や消費者運動の成功が、ビジネス界からある種のしっぺ返しを引き起こすことも予想できていただろう。しかし、資本主義の政治的動員の規模は前代未聞だった」。Ted Nace, *Gangs of America : The Rise of Corporate Power and the Disabling of Democracy*, Berrett-Koehler, San Francisco, 2003, p. 138.

第 10 章　観念の闘争

45. Karl Polanyi, *La Grande Transformation, op. cit.*, p. 211.【ポラニー『大転換』267 頁】
46. Lewis Powell, *Confidential Memorandum. Attack on American Free Enterprise System*（Typescript）, 23 août 1971, p. 1. http://law2.wlu. edu/deptimages/Powell%20Archives/PowellMemorandumTypescript.pdf
47. Lewis Powell, *Political Warfare*, 30 juin 1970. http://law2.wlu.edu/deptimages/powell%20archives/PowellWriting- PoliticalWarfareJune301970.pdf
48. Lewis Powell, *Attack on American Free Enterprise System, op. cit.*, p. 2.
49. *Ibid.*, p. 6.
50. *Ibid.*, p. 7.
51. David Rockefeller, "The Role of Business in an Era of Growing Accountability", reproduit dans *Congressional Record*, Vol. 117/ 36, 13 décembre 1971-17 décembre 1971, U.S. Government Printing Office, 1972, pp. 47615-47616, p. 47615.
52. James M. Roche, "An Address", reproduit dans *Congressional Record*, Vol. 117/ 10, 28 avril 1971 - 5 mai 1971, U.S. Government Printing Office, 1972 pp. 13416 -13419, p. 13417.
53. Michael Useem, "Review", *Contemporary Sociology*, vol. 6, n° 5, septembre 1977, pp. 592-593, p. 592.
54. Lewis Powell, *Attack on American Free Enterprise System, op. cit.*, p. 13.
55. Arthur Shenfield, *The Ideological War Against Western Society*, Rockford College, 1970, p. 4. ミルトン・フリードマンは、このあとかれのあとを継いでモンペルラン協会の会長となる同僚のシェンフィールドの小著のために筆をとった序文で、こう釘を刺している。「われわれの自由社会の基盤が、共産主義者やその他の陰謀家からのみならず、言葉に酔って右往左往する個人からも強烈な攻撃にさらされていることは自明である」。Milton Friedman,

Stories Press, New York, 2009, pp. 314-321, p. 316.

19. Terry H. Anderson, "The Movement and the Business", *op. cit.*, p. 182.
20. *Ibid.*, p.182.
21. David Vogel, *Lobbying the Corporation: Citizen Challenges to Business Authority*, Basic Books, New York, 1978, p. 55.
22. Staughton Lynd, «Attack War Contractors Meetings », *Guardian*（Etats-Unis）, 29 novembre 1969, reproduit dans Henry C. Egerton, *Handling Protest at Annual Meetings*, Conference Board, New York, 1971, p. 5.
23. Eric Norden, "Interview: Saul Alinsky; À Candid Conversation with the Feisty Radical Organizer", *Playboy*, vol. 19, n° 3, mars 1972, pp. 59 sq.
24. *Ibid.* あらゆる手段を用いて闘争に実践的かつ創造的にアプローチすることを支持していたアリンスキーにとって、委任状戦術は一時しのぎの策のひとつでしかなく、かれの言う「大衆資本主義の嘘」に同意するつもりは微塵もなかった。「持てる者たちにたいする戦いの基本戦術は、大衆政治における柔術にある。［…］ 持たざる者たちはかっちりしたやり方で対抗するのではなく、敵の力が上回っていることじたいが敵の失敗を招くような、計算された巧妙な仕方で退却するのである。たとえば持てる者たちが責任や道徳性、権利や法の番人たちにみずからを誇示するのなら、かれらが自分自身の〈コード〉や道徳的規則の高潔さに適っているか示すよう挑発することも、いつでも可能だからだ。［…］ こうしてかれらの律法の石板を奪いとり、その石板の上で死ぬまで叩き続けることもできる」。Saul Alinsky, *Rules for Radicals: A Pragmatic Primer for Realistic Radicals*, Vintage, New York,（1971）1989, p. 152.
25. Lynn Taylor, "Protest Plagues Annual Meetings", *Chicago Tribune*, 4 janvier 1971, p. 75.
26. National Action/Research on the Military-Industrial Complex.
27. Martha Westover, *Movement Guide to Stockholders Meetings*, NARMIC, Philadelphia, s.d.（1970）.
28. Henry C. Egerton, *Handling Protest at Annual Meetings, op. cit.*, p. 2.
29. *Ibid.*, p. 22.
30. *Ibid.*, p. 17.
31. *Ibid.*, p. 18.
32. *Ibid.*, p. 3.
33. *Ibid.*, p. 20.
34. *Ibid.*, p. 23.
35. Robert J. Cole, ""Keep Your Cool", Dow Advises Targets of Antiwar Protesters", *New York Times*, 4 juin 1970, p. 59.
36. *Ibid.,* p. 59.
37. Henry C. Egerton, *Handling Protest at Annual Meetings, op. cit.*, p. 27.
38. *Ibid.*, p. 31.
39. *Ibid.*, p. 28.
40. David T. Bazelon, "The Scarcity Makers", *op. cit.*, p. 294.
41. デヴィッド・フォーゲルが記すように、政治諸科学は「政治を政府と同一視することでモノとして扱う」やっかいな傾向がある。このため、1960 年代アメリカ合州国の「運動」

第Ⅲ部　自由企業への攻撃

第９章　私的統治の拠点

1. Arthur Fisher Bentley, *The Process of Government: A Study of Social Pressures*, University of Chicago Press, Chicago, 1908, p. 268.【A.F. ベントリー『統治過程論：社会圧力の研究』喜多靖郎・上林良一訳、法律文化社、1994、334 頁】
2. Beardsley Ruml, "Corporate Management as a Locus of Power", *Chicago-Kent Law Review*, vol. 29, n° 3, juin 1951, pp. 228-246.
3. *Ibid.*, p. 228.
4. *Ibid.*, p. 229.
5. *Ibid.*, p. 229.
6. *Ibid.*, p. 229.
7. *Ibid.*, p. 234.
8. *Ibid.*, p. 233.
9. Thomas Hobbes, *Leviathan*, Touchstone, New York, (1651) 2008, p. 259【ホッブズ『リヴァイアサンⅡ』永井道雄ほか訳、中央公論新社、2009、94 頁】; William Blackstone, *Commentaries on the Laws of England*, vol. 1, The University of Chicago Press, Chicago, (1765) 1979, p. 456.
10. Carl Kaysen, "The Corporation: How Much Power? What Scope?", in Edward Mason (dir.), *The Corporation in Modern Society, op. cit.*, pp. 85-105, p. 91.
11. ケイゼンが指摘するように、事実マネジメントは「会社全体のセンスのクリエイター、あるいはスタイリッシュなリーダー」としておおきな権力を行使している。つまり、「物質財の概念を通じた直接的効果のみならず、同時に大衆メディア――まさしく〈スタイルの学習の場〉である――で伝わる言葉選びや思想のスタイルへの間接的かつ繊細な効果」を介したセンスへの影響である。*Ibid.*, p. 101.
12. Beardsley Ruml, "Corporate Management as a Locus of Power", *op. cit.*, p. 246.
13. *Ibid.*, p. 246.
14. Morrell Heald, *The Social Responsibilities of Business, op. cit.,* p. 296.
15. Eugene V. Rostow, "To Whom and for What Ends is Corporate Management Responsible?", in Edward Mason (dir.), *op. cit.*, pp. 46-71, p. 59.
16. Terry H. Anderson, "The Movement and the Business", in David R. Farber, *The Sixties: From Memory to History*, University of North Carolina Press, Chapel Hill, 1994, pp. 175-205, p. 181.
17. F.C. Peterson, "Letter to Midland Location Employees", August 3, 1966 Folder Youth and Student Protest / Dow Chemical Demonstrations, Labadie Special Collections, University of Michigan. http://michiganintheworld.history.lsa.umich.edu/antivietnamwar/files/original/03654a751b 016b11e6a0226ea6ea92e4.pdf Voir aussi Saul Friedman, "This Napalm Business," in Robert Heilbroner (dir.), *In the Name of Profit.* : Double-day, New York, 1972, pp. 128-153.【ロバート・ハイルブローナーほか『利潤追求の名の下に：企業モラルと社会的責任』太田哲夫訳、日本経済新聞社、1973、163-192 頁】
18. Howard Zinn, "Dow Shalt Not Kill" (1967), in Howard Zinn, *The Zinn Reader*, Seven

慎吾訳、春秋社、2008、107 頁】

151. *Ibid*., p. 108.【前掲書 152 頁】

152. Friedrich Hayek, *Law, Legislation and Liberty*, vol. 2, op. cit., p. 185.【前掲書 250 頁】。ハイエクは「普遍的行動規則」のノモスと「統治のために人びとないし部局にのみ適用される規則」のテシスとを区別する。Friedrich Hayek, "The Confusion of language in Political Thought", in *New Studies in Philosophy and Politics, Economics and the History of Ideas*, Routledge & Kegan Paul, Londres, 1978, pp. 71-97, p. 77.【ハイエク「政治思想における用語の混乱」『ハイエク全集 II-5』田総恵子訳、春秋社、2009、201-234 頁、207-208 頁】

153. Peter Koslowski, *Ethics of Capitalism and Critique of Sociobiology*, Springer, Berlin,（1982）1996, p. 28. Et voir Friedrich Hayek, "The Confusion of language in Political Thought", *op. cit*., p. 90.【ハイエク「政治思想における用語の混乱」222 頁】

154. 「価格が真理への特権的なアクセスを提供する」と述べられている。Cf. Gerald F. Davis, *Managed by the Markets*, op. cit., p. 41.

155. Cf. Henry G. Manne, "Mergers and the Market for Corporate Control", *op. cit*., p. 112.

156. Eugene F. Fama, "Agency Problems and the Theory of the Firm", *Journal of Political Economy*, vol. 88, n° 2, avril 1980, pp. 288-307, p. 292. 著者たちが考えているのは市場**なるもの**によるものではなく、**諸々の**市場による複合的な規律訓練効果である。唯一にして全能の神がいるのはここでいう「市場**なるもの**」のどこかではなく、複数の組み合わさった市場なのである。マンネの理論はこのように、資本市場の競争と経営者の雇用市場の競争を結びつける。このふたつの市場の交錯に、さらに第 3 の投票市場が組み合わさることが、マネジメント行動に対する規律訓練効果を説明するのである。ファーマもマンネのあとをうけて喚起しているように、「マネージャを規律訓練するという責務は、マネージャの労働市場によって会社の内外で同時に実効化されるのであり、外部監視手段一式がその助けとなる［…］また最終手段として規律訓練の務めを果たす外部からの権力把握の市場のおかげでもある」。*Ibid*., p. 295.

157. Henri Lepage, *Demain le libéralisme*, Le Livre de poche, Paris, 1980, p. 380.

158. Frank H. Easterbrook, "Managers' Discretion and Investors' Welfare: Theories and Evidence", *Delaware Journal of Corporate Law*, vol. 9, 1984, pp. 540-571, p. 556. マンネの指摘によれば「企業の所有者は巨大な権力と管理を行使しているが、それはバーリの望んだようなやり方ではない、つまり政治的なやり方ではない」。Henry G. Manne, "Controlling Giant Corporations", *Vital Speeches of the Day*, vol. 47, n° 22, 1981 pp. 690-694, p. 693.

159. イデオロギーとファンタスマゴリーの区別については以下を参照。cf. Marc Berdet, *Fantasmagories du capital: l'invention de la ville-marchandise*, Zones / La Découverte, Paris, 2013, pp. 19 sq.

160. デイヴィスの説明するように、「金融をテクノロジーとして」つまり人間の相互作用を制限する**制度編成**の構築としての統治という仕事だと理解しなければならない。Cf. Gerald F. Davis, *Managed by the Markets, op. cit*., p. 45.

集 25a』560-561 頁】

139. フーリエはむしろ「産業封建制」について語っていた。これは経済学者の「ソフトコマース」の実際の帰着先となる、隠された運命である。Cf. Charles Fourier, *Publication des manuscrits de Fourier*, Librairie Phalanstérienne, Paris, 1851, p. 312.

140. Karl Marx, «The French Crédit Mobilier», *New-York Daily Tribune*, 24 juin 1856, in Karl Marx, Frederich Engels, *Collected Works*, Volume 15, Lawrence & Wishart, Londres, 1975, p. 21.【マルクス「フランスのクレディ・モビリエ」『マルクス=エンゲルス全集 12』大月書店、1964、34 頁】

第８章　カタラルシー

141. Karl Marx, *Manuscrits de 1844. Économie politique et philosophie*, Éditions sociales, Paris, 1972, p. 22.【「1844 年の経済学・哲学手稿」『マルクス=エンゲルス全集 40』大月書店、1968、403 頁】

142. 1980 年代初頭の米国証券取引委員会委員長ジョン・シャッドが指摘したように、「敵対的公開買付は競争力のないマネジメントにたいする規律訓練となるという理論は部分的に正しい［…］規律訓練効果とは逆に、「買収される」恐れが増すことは［…］長期的利益を犠牲にして研究開発投資を削減・延期する誘因となる」。John S.R. Shad, "The Leveraging of America. New York Financial Writers. Sheraton Center. New York City. June 7, 1984", in *News*, Securities and Exchange Commission, Washington, D.C., 1984, p. 4. Voir aussi Richard M. Abrams, *America Transformed: Sixty Years of Revolutionary Change, 1941-2001*, Cambridge University Press, Cambridge, 2006, p. 107.

143. Andrei Shleifer, Robert W. Vishny, "A Survey of Corporate Governance", *Journal of Finance*, vol. 52, n° 2, 1997, pp. 737-783., p. 738.

144. Gerald F. Davis, *Managed by the Markets*, op. cit., p. 20.

145. *Ibid.*, p. 50.

146. Cf. James N. Rosenau et Ernst-Otto Czempiel（dir.）, *Governance without Government: Order and Change in World Politics*, Cambridge University Press, Cambridge, 1992.

147. たしかに「現代の大企業にとって、所有と管理の分離のおかげで、市場の制約という通常の図式より多少なりともよぶんに自由が与えられると考える」のは夢想にすぎよう。Henry G. Manne,"Corporate Responsibility, Business Motivation, and Reality", *The Annals of the American Academy of Political and Social Science*, vol. 343, septembre 1962, pp. 55-64, p. 61.

148. Henry G. Manne, "Current Views on the Modern Corporation", *University of Detroit Law Journal*, vol. 38, 1961, pp. 559-588, p. 586.

149. ハイエクは、かれには不適切に思えた政治経済学の定式を「カタラクシー」ないし「交換科学」へと置き換えるべく、19 世紀初頭にリチャード・ウェイトリーが提案した言葉をあらためて用いたのであった。Cf. Richard Whately, *Introductory Lectures on Political Economy*, B. Fellowes, Londres, 1832, p. 6.

150. Friedrich Hayek, *Law, Legislation and Liberty, vol. 2, The Mirage of Social Justice*, Routledge & Kegan, Londres, 1976, p. 107.【ハイエク「社会正義の幻想」『ハイエク全集 I-9 』篠塚

121. Henry G. Manne, "Review : In Defense of the Corporation by Robert Hessen", *University of Miami Law Review*, vol. 33, 1979, pp. 1649-1655, p. 1654.

122. Paddy Ireland, "Property and Contract in Contemporary Corporate Theory", *Legal Studies*, vol. 23, 2003, pp. 453-509, p. 482.

123. Paul p. Harbrecht, "A New Power Elite?", *Challenge*, vol. 8, n° 6, mars 1960, pp. 55-60, p. 59.

124. Peter Drucker, *The Unseen Revolution: How Pension Fund Socialism Came to America*, Harper & Row, New York, 1976, p. 1.【P.F. ドラッカー『見えざる革命:来たるべき高齢化社会の衝撃』佐々木実智男・上田惇生訳、ダイヤモンド社、1976、2 頁】この転換の批判的な歴史については以下も参照。Michael A. McCarthy, "Turning Labor into Capital. Pension Funds and the Corporate Control of Finance", *Politics and Society*, vol. 42 n° 4, 2014, pp. 455-487.

125. Paul p. Harbrecht, "A New Power Elite?", *op. cit.*, p. 59.

126. *Ibid.*, p. 59.

127. Henry G. Manne, "The "Higher Criticism" of the Modern Corporation", *Columbia Law Review*, vol. 62, n° 3, mars 1962, pp. 399-432, p. 420.

128. Oliver E. Williamson, "Corporate Governance", *op. cit.*, p. 1220.

129. Robert J. Larner, *Separation of Ownership and Control and Its Implications for the Behavior of the Firm*, thèse, University of Wisconsin, Madison, 1968, p. 114. Voir aussi Robert J. Larner, "Ownership and Control in the 200 Largest Nonfinancial Corporations, 1929 and 1963", *The American Economic Review*, vol. 56, n° 4, septembre 1966, pp. 777-787.

130. Voir Neil Fligstein, T*he Architecture of Markets: An Economic Sociology of Twenty-First-Century capitalist societies*, Princeton University Press, Princeton, 2002, p. 156.

131. Gerald F. Davis, *Managed by the Markets: How Finance Re-Shaped America*, Oxford University Press, 2009, p. 21.

132. *Ibid.*, p. 50.

133. 1980 年代の脱組合化のさまざまな要因の分析としては以下を参照。Kim Moody, « Beating the Union: Union Avoidance in the US» in Gregor Gall, Tony Dundon (dir.), *Global Anti-Unionism: Nature, Dynamics, Trajectories and Outcomes*, Palgrave Macmillan, Londres, 2013, pp. 143-162.

134. 「組合が年金管理に失敗したことが金融化の鍵のひとつだった」とマッカーシーは示唆している。Michael A. McCarthy, "Turning Labor into Capital", *op. cit.*, p. 457.

135. Karl Marx, *Le Capital. Livre III. Le procès d'ensemble de la production capitaliste, Tome I*, V. Giard et E. Brière, Paris, (1894) 1901, p. 427.【マルクス「資本論第 3 巻」『マルクス=エンゲルス全集　25a』大月書店、1968、486 頁】

136. Karl Marx, Friedrich Engels, *Das Kapital, III, Werke, vol. 25*, Dietz Verlag, Berlin, (1894) 1964, p. 452.【マルクス「資本論第 3 巻」『全集 25a』556-557 頁】

137. Karl Marx, Friedrich Engels, lettre du 2 avril 1858, in *Werke*, Dietz Verlag, Berlin, vol. 29, 1978, p. 312.【マルクス「書簡集」『マルクス=エンゲルス全集 29』大月書店、1973、246 頁】

138. Karl Marx, Friedrich Engels, *Das Kapital*, III, *op. cit.*, p. 456.【マルクス「資本論第 3 巻」『全

で任務を果たすとどうやって保証できるのか?」。しかしそれは、ご機嫌とりの質問であろうが不快極まりない質問であろうが、だいたいにおいて「経済に無知な者向けの学校の授業での長話」にすぎない。「企業の経営者や超富裕層はふたつの別々のグループでもなければ、完全に分離してもいない。むしろかれらは所有や特権という資本主義世界では非常に緊密に絡み合っている」。Charles Wright Mills, *The Power Elite*, Oxford University Press, Oxford, p. 118.【C. ライト・ミルズ『パワー・エリート』鵜飼信成・綿貫譲治訳、筑摩書房、2020、191 頁】

102. Robin Marris, *The Economic Theory of "Managerial" Capitalism,* Free Press of Glencoe, Glencoe, 1964, p. 46.
103. *Ibid.*, p. 68.
104. *Ibid.*, p. 72.
105. *Ibid.*, p. 73.
106. Michael C. Jensen et William H. Meckling, "Theory of the Firm: Managerial Behavior, Agency Costs and Ownership Structure", *Journal of Financial Economics*, vol. 3, 1976, pp. 305-360, p. 353.
107. Frank H. Easterbrook et Daniel R. Fischel, "The Corporate Contract", *Columbia Law Review*, vol. 89, 1989, pp. 1416-1448, p. 1418.
108. Frédéric Lordon, *Capitalisme, désir et servitude*, La Fabrique, Paris, 2010, p. 54.【フレデリック・ロルドン『なぜ私たちは、喜んで "資本主義の奴隷" になるのか？: 新自由主義社会における欲望と隷属』杉村昌昭訳、作品社、2012、68 頁】
109. Voir Gordon Tullock, "The New Theory of Corporations", *op. cit.*, p. 288.
110. *Ibid.*, p. 302.
111. Michael C. Jensen, "Takeovers: Folklore and Science", *Harvard Business Review*, vol. 62, n° 6, novembre-décembre 1984, pp. 109-121, p. 110.
112. Henry G. Manne, "Mergers and the Market for Corporate Control", *The Journal of Political Economy*, vol. 73, n° 2, avril 1965, pp. 110-120.
113. Henri Lepage, *Pourquoi la propriété*, Hachette, Paris, 1985, p. 185.
114. Henry G. Manne, "Mergers and the Market for Corporate Control", *op. cit.* p. 112.
115. *Ibid.*, p. 113.
116. Gordon Tullock, "The New Theory of Corporations", *op. cit.*, p. 300.
117. Michael C. Jensen, "Takeovers: Folklore and Science", *op. cit.*, p. 110.
118. Armen A. Alchian et Harold Demsetz, "Production, Information Costs, and Economic Organization", *The American Economic Review*, vol. 62, n° 5, décembre 1972, pp. 777-795, p. 788.
119. Henry G. Manne, "The Myth of Corporate Responsibility —Or— Will the Real Ralph Nader Please Stand Up", *The Business Lawyer*, vol. 26, n° 2, novembre 1970, pp. 533-539, p. 535. しかしこういった市場のメカニズムを用いた説明では、企業が導入した組織革新や管理の容易な部局・部門構造への移行が軽視される、とウィリアムソンは指摘している。Cf. Oliver Williamson, "Corporate Governance", *Yale Law Journal,* vol. 93, 1984, pp. 1197-1230, pp. 1224 sq.
120. Henry G. Manne, "Mergers and the Market for Corporate Control", *op. cit.*, p. 112.

90. Bayless Manning, "Review : The American Stockholder by J. A. Livingston", *The Yale Law Journal*, vol. 67, n° 8, juillet 1958, pp. 1477-1496, p. 1488.

91. Gordon Tullock, "The New Theory of Corporations", in Erich Streissler (dir.), *Roads to Freedom : Essays in Honour of Friedrich von Hayek*, Routledge, New York, (1969) 2003, pp. 287-307, pp. 295 sq. タロックはこれらの議論をもとに「一度も企業の一般論理を書いたことはない」かれの友人マンネの理論をここで紹介している。

92. *Ibid.*, p. 295.

93. 金融経済学者と親ビジネス派の歴史家は、権力の問題を「エージェンシーの問題」と片付けて排除し、こうしてバーリとミーンズの著作をばっさり刈り込んだヴァージョンに簡略化してしまった。Cf. Kenneth Lipartito, Yumiko Morii, "Rethinking the Separation of Ownership from Management in American History", *Seattle University Law Review*, vol. 33, n° 4, 2010, pp. 1025-1063.

94. Barry M. Mitnick, "The Theory of Agency : The Policing "Paradox" and Regulatory Behavior", *Public Choice*, vol. 24, hiver 1975, pp. 27-42, p. 27.

95. Armen A. Alchian, "The Basis of Some Recent Advances in the Theory of Management of the Firm", *The Journal of Industrial Economics*, vol. 14, n° 1, novembre 1965, pp. 30-41, p. 35. Voir aussi Eirik G. Furubotn et Svetozar Pejovich, "Property Rights and Economic Theory : A Survey of Recent Literature", *Journal of Economic Literature*, vol. 10, n° 4, décembre 1972, pp. 1137-1162, p. 1149.

96. Bayless Manning, "Corporate Power and Individual Freedom : Some General Analysis and Particular Reservations", *Northwestern University Law Review*, vol. 55 1960, pp. 38-53, p. 41.

97. *Ibid.*, p. 42.

98. *Ibid.*, p. 42.

99. Harold Demsetz, "The Theory of the Firm Revisited", *Journal of Law, Economics, & Organization*, vol. 4, n° 1, printemps 1988, pp. 141-161, p. 151.

100. Michel Agliettta, Antoine Rébérioux, *Dérives du capitalisme financier,* Albin Michel, Paris, 2004, p. 47.

101. Paul M. Sweezy, "The Illusion of the "Managerial Revolution»", *Science & Society*, vol. 6, n° 1, hiver 1942, pp. 1-23, p. 5. より一般的には「マネージャが主体的にある価値観に賛同するという意味で、直接的に〈利潤というモビール〉に駆り立てられているのかはともかく」かれらは市場経済において客観的にはそれにしたがうよう強いられている、とツァイトリンは指摘する。Maurice Zeitlin, *op. cit.*, p. 1097. 社会学者チャールズ・ライト・ミルズは 1956 年に出版された古典的著作『パワー・エリート』において、マネジメント主義的な言説を「混乱した観念の奇妙な寄せ集め」とかたづけている。大企業の経営幹部は「台所に鎮座する冷蔵庫、ガレージの自動車のみならず、こんにちアメリカ人を差し迫った危機から守っている航空機や爆弾にも責任がある、と主張される」。しかしひとはこうした権力のある人物たちに、わざわざデリケートな質問を発するのである。「かれらの権力はなににもとづいたものか? ［…］経営者たちが膨大な経済利益の代理人だというなら、かれらが正義の心たのは不幸であった。だが部分的にではあれ、その美点が実りをもたらす程度には［…］適用されたのは幸福なことであった。ジャン=ポール・サルトルが述べたように、われわれは植民者の武器をかれらへの反撃のために用いることを選んだのである」。Léopold Sédar Senghor, *Liberté: Négritude et humanisme*, Seuil, Paris, 1964, p. 399.

75. Peter Drucker, *The New Society, op. cit.*, p. 282.【前掲書 321 頁】

76. Milton Friedman, cité dans "Three Major Factors in Business Management: Leadership, Decisionmaking, and Social Responsibility. Summary by Walter A. Diehm", in *Social Science Reporter : Eighth Social Science Seminar*, San Francisco, 19 mars 1958, p. 4.

77. Milton Friedman, *Capitalism and Freedom*, University of Chicago Press, Chicago, 1962, p. 134.【ミルトン・フリードマン『資本主義と自由』村井章子訳、日経 BP 社、2008、250 頁】

78. フリードマンはこの議論を有名な討論であらためて取りあげている。Milton Friedman, "A Friedman Doctrine: The Social Responsibility of Business is to Increase its Profits", *New York Times*, 13 septembre 1970, p. 17.

79. *Ibid.*, p. 17.

80. Geoffrey Ostergaard, "Approaches to Industrial Democracy", *Anarchy. A Journal of Anarchist Ideas*, n° 2, avril 1961, pp. 36-46, p. 44 .

81. David W. Ewing, *Freedom Inside the Organization: Bringing Civil Liberties to the Workplace*, McGraw-Hill, New York, 1978, p. 3.

82. "Cooperative Economics: An Interview with Jaroslav Vanek", *New Renaissance Magazine*, http://www.ru.org/index.php/economics/357-cooperative-economics-an- interview-with-jaroslav-vanek

83. Karl Marx, *Le Capital, Livre I*, PUF, Paris, (1867) 1993, p. 476.【マルクス「資本論第 1 巻」『マルクス=エンゲルス全集 23a』大月書店、1968、556 頁】

84. Cf. Robert Dahl, "On Removing Certain Impediments to Democracy in the United States", *Political Science Quarterly*, vol. 92, n° 1, printemps 1977, pp. 1-20.

85. Michael Walzer, *Spheres of Justice : A Defense of Pluralism and Equality*, Basic Books, New York, 1983, p. 296.【マイケル・ウォルツァー『正義の領分：多元性と平等の擁護』山口晃訳、而立書房、1999、447 頁】

86. *Ibid.*, p. 301.【前掲書 454 頁】

87. *Ibid.*, p. 298.【前掲書 450 頁】。Voir aussi Carole Pateman, *Participation and Democratic Theory*, Cambridge University Press, Cambridge, 1970【キャロル・ペイトマン『参加と民主主義理論』寄本勝美訳、早稲田大学出版部、1977】; Iris Marion Young, "Self-determination as Principle of Justice", *The Philosophical Forum*, vol. 11, n° 1, automne 1979, pp. 30-46; Samuel Bowles, Herbert Gintis, "A Political and Economic Case for Economic Democracy", *Economics and Philosophy*, vol. 9, n° 1, 1993, pp. 75-100. さらにこれらの議論の総合として以下を参照。cf. Nien-hê Hsieh, "Survey Article : Justice in Production", *Journal of Political Philosophy*, vol. 16, n° 1, 2008, pp. 72-100.

88. Edward S. Mason, "The Apologetics of 'Managerialism'", *op. cit.*, p. 6.

89. Theodore Levitt, "The Dangers of Social Responsibility", *Harvard Business Review*, vol. 36, n° 5, 1958, pp. 41-50, p. 43.

そって企業を再構築し」、「民間の寡頭制」を再組織化し、共和制を導入することを提案している。このための法的手段はすでに存在している。「企業憲章」がそれである。これは国家が、企業創立の許される諸条件を陳述するというものである（Earl Latham, "The Commonwealth of the Corporation", *Northwestern University Law Review*, vol. 55, 1960, pp. 25-37, p. 26. Et p. 33）。ただの書式になってしまったものにふたたび力を与え、定式化し直し、企業統治改革への圧力をかける諸事項で肉付けしてやればじゅうぶんであろう。イールズはむしろ自己立憲プロセスに傾いており、ここでは会社は自身の基本法典を自身に与えるものとされている。「企業の立憲主義を作り上げるよい討議の場は［…］企業自身である」（Richard Eells, *The Meaning of Modern Business: An Introduction to the Philosophy of Large Corporate Enterprise,* Columbia University Press, New York, 1960, p. 324.【R. イールズ『ビジネスの未来像：協和的企業の構想』企業制度研究会訳、雄松堂書店、1974、385 頁】）。ヘルドはつぎのようにコメントしている。「かれの提案する代替案は、企業がみずからの立憲主義的原則を自己制定するイニシアティヴをじぶんでとる、というものだった。しかし、それはマネジメントの正当性という問題を完全に答えのないまま残している」（Morrell Heald, *The Social Responsibilities of Business: Company and Community, 1900-1960*（1970）, Transaction Publishers, Londres, 1988, p. 296.）難問は跳ね返っていくばかりである。責任ある良心を培う能力が疑問視されているこのマネジメント独裁が、なぜまた**じぶんの法を制定する**ことにかんしてはより信頼できるというのか?

68. Richard Eells, Clarence Walton, *Conceptual Foundations of Business: An Outline of the Major Ideas Sustaining Business Enterprise in the Western World*, Irwin, Homewood, 1961, p. 381.
69. *The Power of the Democratic Idea. Sixth Report of the Rockefeller Brothers Fund Special Studies Project*, Double-day, Garden City, 1960, p. 59.【米国大使館文化交換局編『民主主義思想の力』米国大使館文化交換局、1960、114 頁】
70. David T. Bazelon, "The Scarcity Makers", *op. cit.,* p. 297.
71. Morrell Heald, The Social Responsibilities of Business, *op. cit.*, p. 307. Voir aussi Thomas C. Cochran, "Business and the Democratic Tradition", *Harvard Business Review*, mars-avril 1956, vol. 34, n° 2, p. 39. アンドリュー・ハッカーはこんな比喩を用いている。「アザラシに新鮮な魚を与えて欲求を満たしてやっているからといって、動物園の警備員がアザラシの代理人になるわけではない。レクリエーション活動について助言してやったからといって、監獄の看守が囚人の代理人になるわけでもない。同様に、企業コミュニティに内部で民主制が敷かれているわけなどまるでない」。Andrew Hacker, *Politics and the Corporation; An Occasional Paper on the Role of the Corporation in the Free Society*, Fund for the Republic, New York, 1958, p. 11.
72. Peter Drucker, *The New Society. The Anatomy of the Industrial Order*, Harper, New York, 1950, p. 104.【P.F. ドラッカー『新しい社会と新しい経営』現代経営研究会訳、ダイヤモンド社、1957、120 頁】
73. *Ibid.,* p. 104.【前掲書 121 頁】
74. *Ibid.*, p. 104.【前掲書 121 頁】。ドラッカーがネグリチュードの思想家のように警鐘を鳴らす奇妙な瞬間である。フランスの植民地化を彩った 1789 年の「不滅の原則」について、サンゴールはこう書いた。「この原則が一片の偽善もなく完全に適用されることがなかっ

58. この種の論考では、主権者ないし将来の主権者に向けて、理想的専制君主の精神的資質が披露されたものであった。二重の美化を施すことで、それが自分自身であってもおかしくない投影像に心惹かれた専制君主が、その像にみずからを似せるよう決意することが期待されたのである。伝統的にはこの種の文献の創設者のひとりとされるセネカは「寛恕について」をネロに宛てて書いている。この著作は「御身の前に置かれた鏡のかわりとなり、それが御身にいかな崇高な喜びをもたらすことになるのかを理解させて」くれることが期待された。大失敗である。ご存じのように、寛容への傾向などほとんどない皇帝は、哲学者に自裁を要求したのであった。Cf. Sénèque, *Œuvres complètes,* tome I, Hachette, Paris, 1860, p. 281.【セネカ「寛恕について」『セネカ哲学全集 2：倫理論集II』兼利琢也・大西英文訳、岩波書店、2006、105 頁】

59. Adolf Berle, *The 20th Century Capitalist Revolution*, Harcourt, Brace, New York, 1954, p. 178.【A.A. バーリ『二十世紀資本主義革命』桜井信行訳、東洋経済新報社、1956、154 頁】

60. *Ibid.*, p. 67.【前掲書 55-56 頁】

61. この被保証人をいかにも弱々しいと判断する者にたいし、バーリはこう答えている。精神の力を信じるべきだ。「神父が警官を怖じ気づかせるのを見たことがあろう［…］哲学者が政治家を黙らせるのもよくあることだ。われわれが生み出してしまったフランケンシュタインの怪物たちに匹敵する精神的・知的なリーダーシップのもたらすものを信頼するにふさわしい歴史的理由があるのだ」。*ibid.*, p. 187.【前掲書 162 頁】

62. *Ibid.*, p. 180.【前掲書 155 頁】

63. William W. Bratton, Michael L. Wachter, "Shareholder Primacy's Corporatist Origins: Adolf Berle and the Modern Corporation", *Journal of Corporation Law*, vol. 34, 2008, pp. 99-152, p.131. アール・レイサムはこう書いている。「擬人化された企業には、知性と意思、人格そのほか諸々の人間的属性が与えられており、企業の力の行き過ぎを食い止めコントロールし、善意に満ちた新体制を確立する働きを持つであろう良心を発達させていくことになる、と想定されていた。フロイトや聖アウグスティヌスへの最大の賛辞である。あたらしい〈神の国〉以外のなにものでもない。しかし、政治からの教訓があるとすると、権力は権力以外によっては歯止めをかけることもコントロールすることもできず、ひとがみずから手を下すまではそれが自動的に達成されることもない。［…］企業の法的な権限に歯止めをかけコントロールするというのなら、このコントロールは企業の構造そのものに設計から組み込まれていなければならず、たんに外からそれを適用するのでも、内部のヒエラルキーの主観的な傾向に託されるのでもじゅうぶんではない」。Earl Latham, «The Body Politic of the Corporation », in Edward S. Mason（dir.）, *The Corporation in Modern Society*, Atheneum, New York,（1959）1972, pp. 218-236, p. 228.

64. Arthur S. Miller, "The Corporation as a Private Government in the World Community", *Virginia Law Review*, vol. 46, décembre 1960, pp. 1539-1572, p. 1569.

65. Richard Eells, *The Government of Corporations*, The Free Press of Glencoe, Glencoe, 1962, p. 16. 強調は引用者。

66. Richard Eells, *The Government of Corporations, op. cit.*, p. 20.

67. *Ibid.*, p. 17. 1960 年代初頭、政治学者アール・レイサムも同様に「公的政府のイメージに

53. Daniel Bell, *The End of Ideology, on the Exhaustion of Political Ideas in the Fifties*, Collier Books, New York, 1962, p. 44.

54. Ralf Dahrendorf, *op. cit.*, p. 47.【ダーレンドルフ『産業社会における階級および階級闘争』65 頁】。所有と管理の分離というテーゼを政治的に立てることによって、所有を考慮に入れつつ管理という問題を設定することが可能になったのであった。資本家は死んだ、もはや解決すべきはどこでも官僚制の件だけだ。非常に早い時期から労働党が手がけていたような、ヨーロッパ社会民主主義のプログラムのアップデートにおいて、この再定式化の証拠を見出すことができる。イギリスでは、マネジメント主義的な所有と管理の分離テーゼは「あきらかに、さらなる国有化の波に対抗する啓蒙的説得法となりつつある。大企業がみずからを「社会化」する方向に流れているなら、なぜ政府がわざわざ国有化しなければならないのか?」とメイソンが 1958 年に指摘している。(Edward S. Mason, «The Apologetics of "Managerialism"», *op. cit.*, p. 4). 1957 年、イギリスの労働者政党の指導部が、自党右派グループの勝利を認めたプラットフォームを公表した。この資料が拠りどころとしたのはマルクスやラスキン、ベルンシュタインでさえなく、アドルフ・バーリとピーター・ドラッカーだった。労働党の「改良主義的変貌」を設計したアンソニー・クロスランドはマニフェストとなる著作でその方針を立てていた。「管理という問題においては、所有はその重要性をしだいに失いつつある[…]。第一に、労働者の疎外は、〈資本家〉所有であろうが〈集団的〉所有であろうが避けがたい事実であり、第二に〈資本家〉所有はしだいに実効的管理を手放しつつあるからだ」(Anthony Crosland, The Future of Socialism, Cape, Londres, 1956, p. 70)。結果的に、社会的専有という古くさい考えは忘れられることになった。アメリカの経済学者ロストウはことを見誤らなかった。当時のかれの喜びの声によると「イギリスでは社会主義者たちはマネージャたちがすでに資本主義を社会化した、ゆえに生産手段の公有というやっかいな手続きを回避できる、と語っている」(cité par Hal Draper, "Neo-Corporatists and Neo-Reformers", *op. cit.*, p. 106)。これが資本主義の自己超越というマネジメント主義的テーマの政治的な相関物であり、ドレイパーはそれを批判した。「公有は資本主義を社会主義へと導く段階的改革には必要ではなくなった。なぜなら資本主義はみずからを別のかたちに社会化しつつあるからだ。企業内でおこなわれている、責任あるマネージャに有利な権力移譲が意味するのは、私有形態がもはやわれわれの目的と両立し得ないということだ。このあらたな企業形態の社会化は、段階的な進展を踏みつつ必然的に続いていくことになろう。われわれのプログラムでは、公有はお蔵入りにされる。なぜなら企業のこのあたらしい集団主義の展開が独力で、これまで社会主義運動がみずからの責務と自認していたものを達成しつつあるからだ」。社会主義への道はこの図式では「資本主義世界の官僚主義的集団化」のプロセスにほかならない、とドレイパーは結論する。*Ibid.*, p. 105-106.

55. Daniel Bell, "The Coming of Post-Industrial Society", *Business Society Review/Innovation*, printemps 1973, n° 5, pp. 5-23, p. 23.

56. Michel Foucault, *Sécurité, territoire, population*, Gallimard/Seuil, Paris, 2004, p. 98.【p. 99 のあやまりか。フーコー『安全・領土・人口』、118 頁】

57. Michel Foucault, *Naissance de la biopolitique: Cours au Collège de France (1978-1979)*, Gallimard/Seuil, Paris, 2004, p. 253.【フーコー『生政治の誕生』303 頁】

39. Howard R. Bowen, *Social Responsibilities of the Businessman*, University of Iowa Press, (1953) 2013, p. 17.【ハワード .R. ボーエン『ビジネスマンの社会的責任』日本経済新聞社訳、日本経済新聞社、1960、35 頁】
40. *Ibid.*, p. 50.【前掲書 75 頁】
41. Hal Draper, "Neo-Corporatists and Neo-Reformers", *New Politics*, n° 1, automne 1961, pp. 87-106, p. 91.
42. Sanford Lakoff, "Private Government in a Managed Society" (1969) , in Sanford Lakoff, (dir.) , *Private Government : Introductory Readings*, Scott, Foresman, Glenview, 1973, pp. 218-242, p. 237.
43. 「前任者たちが独裁的な企業家であったのに対し、マネージャたちは仲裁者になった」。Sanford Lakoff, *op. cit.*, p. 237. マネージャ・モデルは以降、「自身が取り組んでいると称している公益を、独立の立場で決定することができる」レフェリーとして振る舞うことになる。Roberta Romano, "Metapolitics and Corporate Law Reform", *Stanford Law Review*, vol. 36, n° 4, 1984, pp. 923- 1016, p. 938.
44. Howard R. Bowen, *Social Responsibilities of the Businessman, op. cit.*, p. 49.【ボーエン『ビジネスマンの社会的責任』75 頁】
45. Philip Selznick, *Leadership in Administration : A Sociological Interpretation*, Harper & Row, New York, 1957, p. 4.【P. セルズニック『組織とリーダーシップ』北野利信訳、ダイヤモンド社、1975】1956 年に出版されたあらたな「アメリカ合州国におけるビジネス教条」についての研究はこう結論づけている。「マネージャたちは、所有者の代理人としての役割以上に重要で自律的な役割を与えられている、と自認している。それは政治家の役割であり、企業に依存するグループ間の媒介となり、正当な権利要求を満足させ、組織の連続性を保持する、という役割である」。Francis X. Sutton et al., *The American Business Creed*, Harvard University Press, Cambridge, 1956, p. 57.【フランシス .X. サットンほか『アメリカの経営理念』高田馨・長浜穆良訳、日本生産性本部、1968、40-41 頁】。
46. David T. Bazelon, "The Scarcity Makers", *op. cit.*, p. 304.
47. Cité par Maurice Zeitlin, "Corporate Ownership and Control : The Large Corporation and the Capitalist Class", *American Journal of Sociology*, vol. 79, n° 5, mars 1974, pp. 1073-1119, p. 1074. 以下の書誌情報はツァイトリンの引用による。
48. John Kenneth Galbraith, *The New Industrial State*, Houghton-Mifflin, Boston, 1971, p. 19.【ジョン .K. ガルブレイス『新しい産業国家』斎藤精一郎訳、講談社、1984、上巻 15 頁】
49. Ralf Dahrendorf, *Class and Class Conflict in Industrial Society*, Stanford University Press, Stanford, 1959, p. 46.【R. ダーレンドルフ『産業社会における階級および階級闘争』富永健一訳、ダイヤモンド社、1964、63 頁】
50. David Riesman, et al., *The Lonely Crowd ; a Study of the Changing American Character*, Yale University Press, New Haven, p. 236.【デイヴィッド・リースマン『孤独な群衆』加藤秀俊訳、みすず書房、1964、199 頁】
51. Berle paraphrasé par Maurice Zeitlin, *op. cit.*, p. 1076.
52. Carl Kaysen, "The Social Significance of the Modern Corporation", *The American Economic Review*, vol. 47, n° 2, mai 1957, pp. 311-319, p. 312.

う古典的な動機の制度的基盤を否定する」。Edward S. Mason, "The Apologetics of 'Managerialism'", *The Journal of Business*, vol. 31, n° 1, janvier 1958, pp. 1-11, p. 6.

28. Richard Sedric Fox Eells, *The Government of Corporations*, Free Press of Glencoe, Glencoe, 1962, p. 16.

第６章　倫理的マネジメント主義

29. Wilbur Hugh Ferry, *The Corporation and the Economy*, Center for the Study of Democratic Institutions, Santa Barbara, 1959, p. 9.

30. Karl Marx, "British Commerce and Finance", The New-York Daily Tribune, n° 5445, 4 octobre 1858 , in Karl Marx, Friedrich Engels, *Collected Works*, vol. 16（1858-60）, Lawrence & Wishart, Londres, 1980, pp. 33-36, p. 36.【マルクス「イギリスの商業と金融」『マルクス＝エンゲルス全集 12』大月書店、1964、542-546 頁、546 頁】

31. Charles Fourier, *Théorie des quatre mouvements, Œuvres complètes*, tome I, Librairie sociétaire, Paris, 1846, p. 189.【シャルル・フーリエ『四運動の理論』巖谷國士訳、現代思潮新社、2002、上巻 306-307 頁】

32. Charles Périn, *Le Patron, ses devoirs, sa fonction, ses responsabilités*, Desclée de Brouwer, Paris, 1886, p. 49.

33. マクファーソンが近代リベラル理論の矛盾について、ちがう文脈で書いたこともこれにあてはまる。この理論は「所有的個人主義の公準から政治的義務についての有効な理論を演繹することを可能にする必要条件が与えられていない歴史的時点においても、その諸公準を使い続けざるを得ない」。Crawford Brough Macpherson, *The Political Theory of Possessive Individualism*, Oxford University Press, Oxford, 1962, p. 275.【C.B. マクファーソン『所有的個人主義の政治理論』藤野渉ほか訳、合同出版、1980、308 頁】

34. Adolf A. Berle, Gardiner C. Means, *The Modern Corporation and Private Property, op. cit.*, p. 312.【バーリ、ミーンズ『現代株式会社と私有財産』334 頁】

35. *Ibid.*, p. 312.【前掲書 334 頁】

36. Edwin Merrick Dodd, "For Whom Corporate Managers Are Trustees : A Note", *Harvard Law Review*, vol. 45, n° 7, mai 1932, pp. 1145-1163. 症状的なことにドッドは、当時の企業の経営者、ゼネラル・エレクトリックの社長オーウェン・ヤングの談話から論文のタイトルを借用している。

37. Lewis Brown, P.-D.G. de Johns-Manville Corporation, cité par Edwin G. Nourse, "From the point of view of the economist", in Stuart Chase（dir.）, *The social responsibility of management*, New York University, School of Commerce, Accounts, and Finance, New York, 1950. pp. 47-67, p. 53. 1951 年に『フォーチュン』の編集者たちの編纂した選集『永久革命』（原文ママ）には「経営者たるもの、社会全体にたいし責任がある」と書かれている。Russell Wheeler Davenport（dir.）, U.S.A. *The Permanent Revolution*, Prentice-Hall, New York, 1951, p. 79.

38. T. H. Robinson, "Attitudes patronales", in *Bénéfices sociaux et initiative privée*, Les Presses universitaires Laval Québec, 1959, pp. 65-82, p. 72.

な官僚主義、ファシストの統制経済、ニューディールの介入主義は、かれの目には同一現象の 3 つのヴァージョンをあらわすものだった。

16. Adolf A. Berle, Gardiner C. Means, *The Modern Corporation and Private Property, op. cit.*, p. 8.【バーリ、ミーンズ『現代株式会社と私有財産』9 頁】
17. 富裕層は「その貪欲さとエゴイズムにもかかわらず［…］そしておのれの利益のみを追求し、無益で飽くことを知らぬ欲望を満たすことだけを目指して幾千人もの労働力を雇用しているとはいえ［…］かれらがじぶんたちのためになした労働の産物を末端の貧乏人と分割している。見えざる手が、この大地がその住民ひとりひとりに等しく分け与えられたのならば生じるであろう生活必需品の等しき流通に協力するよう強いているかのようである。かくしてその意図もないままに、それと知ることもなく富は社会の利益に資するのである」。*Adam Smith, Théorie des sentiments moraux*, Guillaumin, Paris, 1860, p. 212.【アダム・スミス『道徳感情論』水田洋訳、岩波書店、2003、下巻 24 頁】
18. Adolf A. Berle, Gardiner C. Means, *The Modern Corporation and Private Property, op. cit.*, p. 9.【バーリ、ミーンズ『現代株式会社と私有財産』9 頁】
19. *Ibid.*, p. 304.【前掲書 325 頁】
20. *Ibid.*, p. 304.【前掲書 325 頁】
21. *Ibid.*, p. 9.【前掲書 10 頁】
22. 「じぶん自身の金というより他人の金の管財人であるようなこの種の会社の経営者たちに、ある会社の出資者たちがじぶんの資金運用の際に向けるような、厳密で入念な注意を期待できることなどほとんどない。ある特殊な富豪の経理係のように、こまかい注意は雇い主の名誉にそぐわない、と考えがちなのだ。そしてかれらはじつに安易に注意を怠ってしまう。だからこそ会社のビジネス管理では、程度の差はあれつねに怠慢と散財が蔓延するのである」。Adam Smith, *Recherches sur la nature et les causes de la richesse des nations*, tome 3, Guillaumin, Paris, 1859, p. 89.【アダム・スミス『国富論』第 3 巻 429 頁】。Voir aussi Adolf A. Berle, Gardiner C. Means, *The Modern Corporation and Private Property, op. cit.*, p. 115.【バーリ、ミーンズ『現代株式会社と私有財産』109 頁】
23. Joseph Schumpeter, *Capitalisme, socialisme et démocratie, op. cit.*, p. 218.【シュンペーター『資本主義、社会主義、民主主義』246 頁】
24. Adolf A. Berle, Gardiner C. Means, *The Modern Corporation and Private Property, op. cit.*, p. 115.【バーリ、ミーンズ『現代株式会社と私有財産』109 頁】
25. Henry G. Manne, "Current Views on the Modern Corporation", *University of Detroit Law Journal*, vol. 38, 1961, pp. 559-588, p. 560.
26. Adolf A. Berle, Gardiner C. Means, *The Modern Corporation and Private Property, op. cit.*, p. 302.【バーリ、ミーンズ『現代株式会社と私有財産』324 頁】
27. 「所有という基本単位が破裂してしまえば、産業財の所有者は利潤追求によって効果的にその財を使用するよう導かれる、という昔ながらの前提の基礎が崩れてしまう。それは結果的に、産業企業における個人のイニシアティヴの基本原則も疑問視することにつながる。産業を動かす原動力を、そして近代企業を導いていると思われる、あるいは導くことになる目的意識さえ再検証するように強いられるだろう」。*Ibid.*, p. 9. その検証は「企業の行動の現実的な描写としての利潤の最大化仮説を疑わせるのみならず、利潤とい

4. 以下で説明されている。Robert Hessen, "The Modern Corporation and Private Property : A Reappraisal", *Journal of Law and Economics*, vol. 26, n° 2, 1983, pp. 273-89, p. 273. Voir John Kenneth Galbraith, "Books review : Berle and Means, The Modern Corporation Private Property", *Antitrust Bulletin*, vol. 13, n° 4, p. 1527.
5. Adolf A. Berle, "Modern Functions of the Corporate System", *Columbia Law Review*, vol. 62, n° 3, mars 1962, pp. 433-449, p. 434.
6. Robert Hessen, "The Modern Corporation and Private Property : A Reappraisal", *op. cit.*, p. 280.
7. Adolf A. Berle, Gardiner C. Means, *The Modern Corporation and Private Property*, Routledge, New York, 2017, p. 64.【バーリ、ミーンズ『現代株式会社と私有財産』64 頁】
8. Thorstein Veblen, *Absentee Ownership: Business Enterprise in Recent Times-The Case of America*, Routledge, New York,（1923）2017, p. 66.【ヴェブレン『アメリカ資本主義批判』橋本勝彦訳、白揚社、1940、66 頁】
9. Adolf A. Berle, Gardiner C. Means, *The Modern Corporation and Private Property*, *op. cit.*, p. 8.【バーリ、ミーンズ『現代株式会社と私有財産』9 頁】
10. *Ibid.*, p. 65.【前掲書 65 頁】
11. *Ibid.*, p. 113.【前掲書 103 頁】
12. *Ibid.*, p. 6.【前掲書 7 頁】
13. Walther Rathenau, *In Days to Come*, G. Allen & Unwin Limited, 1921, p. 121, cité par Berle & Means, *ibid.*, p. 309.
14. James Burnham, *The Managerial Revolution*, John Day, New York, 1941.【ジェームズ・バーナム『経営者革命』武山泰雄訳、東洋経済新報社、1965】。「マネジメント主義」という新語はバーナムの著作の書評に最初に登場したように思われる。バーナム本人はこの語を使っておらず、「マネジメント社会」という言い方を好んでいた。Cf. H. S. Person, "Capitalism, Socialism and Managerialism", *Southern Economic Journal*, vol. 8, n° 2, 1941, pp. 238-243.
15. オーウェルはここで、かれ自身は賛同していなかったテーゼに反応したのだ、ということは明記しておく。George Orwell, "Second Thoughts on James Burnham"（1946）, in *The Complete Works of George Orwell*, vol. 18, Secker & Warburg, Londres, 1986, pp. 268-284, p. 269.【ジョージ・オーウェル『オーウェル評論集 2：水晶の精神』川端康雄編、岡崎康一ほか訳、平凡社、1995、220-260 頁、220 頁】。*La Bureaucratisation du monde*（1939）でのリッツィのテーゼを取りあげたバーナムは、バーリとミーンズの述べた所有と管理の分離をふたつの**管理様式**の乖離として再解釈している。経営者は指導役割に専念するかぎりで第一の意味において管理をしている。これは「アクセス管理」と呼ばれている。しかし株主は利潤配当のいちばん美味しい部分を手に入れるかぎりで、つねに第二の意味で管理している。これは「配分管理」と呼ばれる。だが、バーナムによればこういう状況は長くはもたない。「アクセス管理は決定的であり、それがひとたび確立されれば、配分における優先的扱いの管理もいっしょに持ち去ってしまう。あたらしい支配階級に有利になるよう所有がはっきり切り替わることになるのだ」。James Burnham, *The Managerial Revolution, op. cit.*, p. 59.【バーナム『経営者革命』100 頁】このプロセスは、かれの言葉を信じればすでに広範に開始されており、多国籍的・体制横断的である。スターリン的

135. Cité par Robert A. Georgine, "Statement", *op. cit.*, p. 423.

136. *Ibid.*, p. 421.

137. こうした談話を収集したのはジャーナリストのナンシー・シュティーフェルである。彼女はテープレコーダーを持って、ジャクソン・ルイス・シュニッツァー&クルップマン弁護士事務所が組合結成対抗戦術について開いた会議に潜入した。Citée par James Farmer, *The hired guns of deuninonsation, Keynote Address by James Farmer Public Sector Labor Law Conference Spokane. Washington March 10. 1979,* reproduit dans *Pressures in today's workplace: oversight hearings before the Subcommittee on Labor- Management Relations of the Committee on Education and Labor, House of Representatives, Ninety-sixth Congress, first session, hearings in Washington, D.C. on October 16, 17 and 18, 1979*, vol. 2, U.S. Government printing office, Washington, 1979, pp. 269-280., p. 274.

138. Cité par Robert A. Georgine, "Statement", *op. cit.*, p. 433.

139. *Ibid.*, p. 415.

140. Alfred T. DeMaria, *How Management Wins Union Organizing Campaigns*, Executive Enterprises Publications, New York, 1980, p. 15.

141. *Ibid.*, p. 209.

142. *Ibid.*, p. 95.

143. *Ibid.*, p. 96.

144. *Ibid.*, p. 153.

145. *Ibid.*, p. 126.

146. *Ibid.*, p. 130.

147. *Ibid.*, p. 148.

148. Cité par Robert A. Georgine, "Statement", *op. cit.*, p. 408

149. Martin Jay Levitt, *Confessions of a Union Buster*, Crown Publishers, New York, 1993, p. 1.【マーティン・ジェイ・レビット、テリー・コンロウ『ユニオン・バスター：米国労務コンサルタントの告白』渡辺勉・横山好夫訳、緑風出版、2000、14 頁】

150. Robert A. Georgine, "Statement", *op. cit.*, p. 408.

151. Citée par Georgine, *ibid.*, p. 414.

第II部　マネジメント革命

第 5 章　神学的危機

1. Joseph Schumpeter, *Capitalisme, socialisme et démocratie*, Payot, Paris, 1979, p. 197.【ヨーゼフ・シュムペーター『資本主義、社会主義、民主主義』新装版、中山伊知郎ほか訳、東洋経済新報社、1995、221 頁】

2. David T. Bazelon, "The Scarcity Makers", *Commentary*, XXXIV, octobre 1962, pp. 293-304, p. 293.

3. Adolf A. Berle, Gardiner C. Means, *The Modern Corporation and Private Property*, Macmillan, Londres, 1932.【A.A. バーリ、G.C. ミーンズ『現代株式会社と私有財産』森杲訳、北海道大学出版会、2014】

120. Cf. Richard Armstrong, "Labor 1970: Angry, Aggressive, Acquisitive", *op. cit.*, p. 38.

121. Cf. Thomas Byrne Edsall, *The New Politics of Inequality*, Norton, New York, 1984, p. 155.

122. Douglas Fraser, "Letter of resignation from the Labor-Management Advisory Committee", 19 juillet 1978, cité par Samuel Bowles, David M. Gordon, Thomas E. Weisskopf, *After the Waste Land: Democratic Economics for the Year 2000*, Routledge, New York, 2015（1990）, p. 30. コーヴェイのコメントによれば、フレイザーはほとんど無意識的に、先に触れた示唆に富んだ解釈を漏らしているという。かれの言を信じればそれは、労働者の力というより資本の戦術的・一時的な寛容さに頼ったものだった。Cf. Jefferson Cowie, *Stayin' Alive, op. cit.*, p. 297.

123. A. H. Raskin, "Big Labor Strives to Break Out of Its Rut", *Fortune*, 27 août 1979, cité par Jefferson Cowie, *ibid.*, p. 298. 資本と労働の「休戦」は相対的な経済繁栄の制度的枠組みをもたらすが、この繁栄「それ自体が、労働者が自身の利害関係のために戦えるような、ゆえに休戦を破棄するような経済的文脈をもたらす矛盾がある」とマイケル・ネイプルスは説明している。Michele I. Naples, "The Unraveling of the Union-Capital Truce and the U.S. Industrial Productivity Crisis", *Review of Radical Political Economics*, vol. 18, n° 1&2, 1986, pp. 110-131, p. 116.

124. Cf. Fritz Machlup, "Monopolistic Wage Determination as a Part of the General Problem of Monopoly", in *Wage Determination and the Economics of Liberalism*, Chamber of Commerce of the United States, Washington, D.C., 1947.

125. Henry C. Simons, "Reflections on Syndicalism", *Journal of Political Economy*, vol. 52, n° 1, mars 1944, pp. 1-25, p. 5.

126. Cité par Yves Steiner, "The Neoliberals Confront the Trade Unions", in Philip Mirowski and Dieter Plehwe（dir.）, *The Road from Mont Pelerin : The Making of the Neoliberal Thought Collective*, Harvard University Press, Cambridge, 2009, p. 190.

127. Gilbert Burck, "Union Power and the New Inflation", *op. cit.*, p. 65.

128. John Davenport, "How to Curb Union Power", *Fortune*, vol. 84, n° 1, juillet 1971, pp. 53-54, p. 52.

129. Voir John Logan, "Employer Opposition in the US: Anti-Union Campaigning from the 1950s", in Gregor Gall, Tony Dundon（dir.）, *Global Anti-Unionism*, Palgrave Macmillan, Londres, 2013, pp. 21-38.

130. Cité par Robert A. Georgine, "Statement of Robert A. Georgine. President of the Building and Construction Trades Department, AFL-CIO", in *Pressures in today's workplace: oversight hearings before the Subcommittee on Labor-Management Relations of the Committee on Education and Labor, House of Representatives, Ninety-sixth Congress, first session, hearings in Washington, D.C. on October 16, 17 and 18, 1979*, vol. 1, U.S. Government printing office, Washington, 1979, pp. 408-435, pp. 411 sq. ここではさまざまなテキストから集めた逸話を再構成している。

131. *Ibid.*, p. 412.

132. *Ibid.*, p. 412.

133. *Ibid.*, p. 412.

134. Cité par Robert A. Georgine, "Statement", *op. cit.*, p. 419.

103. *Ibid.*, p. 113.【ガルブレイス『ゆたかな社会：決定版』153 頁】
104. Gilbert Burck, "Union Power and the New Inflation", *Fortune*, février 1971, pp. 65-70, p. 65.
105. Stephen Marglin, "Catching Flies with Honey", *op. cit.*, p. 284-285.
106. John Lippert, "Fleetwood Wildcat", *Radical America*, vol. 11 n° 5, 1977, pp. 7-38, p. 36. アメリカ合州国では 1969 年に 3.5%であった失業率が、1975 年には 8.5%に達している。
107. この社会·経済不安の訴えは、警察·刑務所による不安喚起政策、貧民に課された「鞭による規律訓練」であることは付け加えておかなければならない。慈善的国家の衰退と、刑罰国家の展開の二重の作用については、ロイク・ヴァカンが「国家の貧困を犯罪化する国家的政策」として描いている。Loïc Wacquant, *Punir les pauvres. Le nouveau gouvernement de l'insécurité sociale*, Agone, Marseille, 2004, p. 79. Voir aussi Frances Fox Piven, Richard A. Cloward, *Regulating the Poor : The Functions of Public Welfare*, Vintage, New York, 1993 ; Samuel Bowles, David M. Gordon, Thomas E. Weisskopf, *After the Waste Land : Democratic Economics for the Year 2000*, Routledge, New York,（1990）2015; Geert Dhondt, *The relationship between mass incarceration and crime in the neoliberal period in the United States*, thèse, University of Massachusetts Amherst, 2012.

第４章　組合との戦い

108. *Adam Smith, Recherches sur la nature et les causes de la richesse des nations*, tome I, Guillaumin, Paris, 1843, p. 169.【アダム・スミス『国富論』杉山忠平訳、岩波書店、2000-2001、第 1 巻 226 頁】
109. "The U.S. Can't Afford What Labor Wants: New Union Militancy Could Skyrocket Wages and Trigger Runaway Inflation", *Business Week*, 11 avril 1970, p. 105.
110. *Ibid.*, p. 107.
111. Gilbert Burck, "Union Power and the New Inflation", *op. cit.*, p. 65.
112. *Ibid.*, p. 41.「ブルーカラーは［…］雇用主に不満、〈システム〉に憤り、ブラック・パワーの革命の訴えに感じ入る」と付け加えられている。*Ibid.*, p. 37.
113. Richard Armstrong, "Labor 1970: Angry, Aggressive, Acquisitive", *op. cit.*, p. 37.
114. *Ibid.*, p. 41.
115. Cité par Armstrong, *ibid.*, p. 41.
116. Murray J. Gart, «Labor's Rebellious Rank and File», *Fortune*, novembre 1966, cité par Aaron Brenner, "Rank-and-File Rebellion, 1967-1976", *op. cit.*, p. 26.
117. かれは経済と政治の過度に厳密な二分法を嫌い、「生産の政治学」を理論化しようと試みた。「〈内部国家〉という定式は、企業レベルで生産における諸関係および生産諸関係にまつわる闘争を組織・変容・抑圧しようとする制度全体を関連している」。Michael Burawoy, *Manufacturing Consent : Changes in the Labor Process Under Monopoly Capitalism*, The University of Chicago Press, Chicago, 1979, p. 110.
118. *Ibid.*, p. 109.
119. Voir Michael Burawoy, «Manufacturing Consent revisited», *La Nouvelle Revue du travail*［en ligne］, n° 1, 2012, http://journals.openedition.org/nrt/143

98. 1980年代初頭、ヴァイスコップ、ボウルズ、ゴードンのマルクス主義経済学者トリオが**撤退コスト**という考え方を提案した。これは賃金労働者が解雇ないし辞職した場合に逸失することが予想されうる生活水準の一部として定義される。「労働者にとって雇用喪失のコストが上がれば、職場で協調的な姿勢を示す機会も増える。逆に雇用喪失のコストが下がれば、生産性向上のための雇用者側の努力に応えることもすくなくなる」。Thomas E. Weisskopf, Samuel Bowles, and David M. Gordon, "Hearts and Minds : A Social Model of U.S. Productivity Growth", *Brookings Papers on Economic Activity*, n ° 2, 1983, pp. 381-441, p. 387. かれらの計算が示すところでは、雇用喪失のコストは1960年代に上昇したのち、1970年代初頭には低下する。低失業率、実質賃金上昇、社会保障は諸々のファクターとならんで撤退コストを低下させ、解雇関連のリスクを緩和させ、労働者により有利な社会的な力関係を成立させた。かれらは記している。「保守派は労働市場での規律訓練強化をぶつけることで労働強化再建を提案した（組合への急襲を付け加えてもいいだろう）」。Thomas E. Weisskopf et alii, *op. cit.*, p. 438. 主流派の経済学者のなかには、このテーゼを逆方向から評価し、新マルクス主義の功績に数えている者もいる。「最近の挑発的論文で［…］ヴァイスコップ、ボウルズ、ゴードンは［…］アメリカ合州国の生産性低下を説明するために失業手当の存在を指摘した」。George Akerlof, Janet Yellen, "Introduction", in George Akerlof, Janet Yellen（dir.）, *Efficiency Wage Models of the Labor Market*, Cambridge University Press, Cambridge, 1986, p. 5. カール・シャピロとジョセフ・スティグリッツは当時、「労働者の規律訓練手段としての均衡失業」についておなじ内容を論じている。かれらの推論の前提は、「ある労働者を解雇する脅しを規律訓練手段」として扱い、「生産性低減の大部分は労働喪失コストの低下に帰することができる」と考察することだった。Carl Shapiro, Joseph E. Stiglitz, "Equilibrium Unemployment as a Worker Discipline Device", *The American Economic Review*, vol. 74, n ° 3, juin 1984, pp. 433-444, p. 434.

99. George Gilder, *Wealth and Poverty*, Basic Books, 1981, p. 69,【ジョージ・ギルダー『富と貧困：供給重視の経済学』斎藤精一郎訳、日本放送出版協会、1981、107-108頁】et Kim Phillips-Fein, *Invisible Hands, op. cit.*, p. 178.

100. Joseph Townsend, *A Dissertation on the Poor Laws, op. cit.*, p. 23.

101. 「自発的労働者」の存在条件の形成には、「最終局面は飢えという〈自然の処罰〉を適用することで達成される。それを発動するには、各人が餓死に瀕していることを放置できない有機的社会を流動化する必要がある」とカール・ポランニーはコメントしている。さらに付け加えて「白人が最初に黒人世界に貢献したのは、本質的に、飢餓という罰を知らしめたことにあった。こんにちでもなお、遠い国々でときに白人がおこなっていること、つまり労働要素を抽出するために社会構造を解体することは、18世紀におなじ目的で白人人口に対し行ったことである」。Karl Polanyi, *La Grande Transformation. Aux origines politiques et économiques de notre temps*, Gallimard, Paris, 2009（1944）, p. 236 et 237.【カール・ポラニー『［新訳］大転換：市場社会の形成と崩壊』野口建彦・栖原学訳、東洋経済新報社、2009、297頁、298頁】

102. John Kenneth Galbraith, *L'Ere de l'opulence*, Calmann-Lévy, Paris, 1967（1959）, p. 98.【ガルブレイス『ゆたかな社会：決定版』鈴木哲太郎訳、岩波書店、2006、136頁】

DeKalb, 2010.

86. *Ibid.*, p. 141.

87. Cf. Aaron Brenner, "Rank-and-File Rebellion, 1967-1976", *op. cit.*, p. 32.

88. "Adam Smith", *Supermoney, op. cit.*, p. 276.【アダム・スミス『スーパーマネー』273 頁】。とはいえ、ネオリベラル主義者のあいだでもインフレの決定要因については意見が割れていることは明記しておこう。フリードマン一派は「インフレの直接原因——新規発行された貨幣の経済投入」のみを取りあげ、他方でハイエク一派は「通貨創造プロセスに因果論的影響を行使する組合の能力」を主張する。Cf. Gilles Christoph, *Du nouveau libéralisme à l'anarcho-capitalisme : la trajectoire intellectuelle du néolibéralisme britannique*, thèse, Université Lyon 2, 2012, p. 368.

89. 1975 年、ラドフォード・バディとジェームズ・クロッティは『ウォールストリート・ジャーナル』の議論を伝えるかたちでつぎのように記している。「利潤の減退は労働者が資本家にしかけて勝利を収めた階級闘争の結果だとわれわれは考える」。Raford Boddy, James Crotty, "Class Conflict and Macro-Policy : The Political Business Cycle", *Review of Radical Political Economics*, vol. 7, n° 1, 1975, pp. 1-19, p. 1. かれらのテーゼはおなじ系統に属する著者たちからも即座に、その単一原因論的な性格を批判された。Cf. Howard Sherman, "Class Conflict and Macro-Policy: A Comment", *Review of Radical Political Economics*, vol. 8, n° 2, été 1976, pp. 55-60.

90. Christian Parenti, *Lockdown America : Police and Prisons in the Age of Crisis*, Verso, New York, 1999, p. 37. Voir Robert Brenner, *The Economics of Global Turbulence*, Verso, Londres, 2006 ; Harry Magdoff, Paul Sweezy, *The Deepening Crisis of U.S. Capitalism*, Monthly Review Press, Londres, 1981【P.M. スウィージー、H. マグドフ『アメリカ資本主義の危機』伊藤誠訳、ティビーエス・ブリタニカ、1982】; et surtout: John Bellamy Foster,"Marx, Kalecki and socialist strategy", *Monthly Review*, vol. 64, n° 11, avril 2013, pp. 1-14.

91. Cité par Aaron Brenner, "Rank-and- File Rebellion, 1967-1976", *op. cit.*, p. 65. おなじく『ライフ・マガジン』が 1972 年に「失業への恐怖も、それとともに、きつい労働はそれ自体美徳であるという考え方も、ほとんど消滅しつつある」と報告している。*Life Magazine*, 1er septembre 1972, p. 38.

92. "The U.S. Can't Afford What Labor Wants", *Business Week*, 11 avril 1970, p. 106. Cité par Kim Phillips-Fein, *Invisible Hands : The Businessmen's Crusade Against the New Deal*, Norton, New York, 2010, p. 156.

93. "Adam Smith", *Supermoney, op. cit.*, p. 275.【アダム・スミス『スーパーマネー』273 頁】

94. Michael Perelman, *The Pathology of the U.S. Economy Revisited : The Intractable Contradictions of Economic Policy*, Palgrave, New York, 2002, p. 40. Voir aussi Alan S. Blinder, *Economic Policy and the Great Stagflation*, Academic Press, New York, 1981, pp. 107 sq.

95. ニクソン政権で「生計費委員会」委員長を務めたアーノルド・ウェーバーによる。*Business Week*, 27 avril 1974, cité par Michael Perelman, *The Pathology of the U.S. Economy* Revisited, *op. cit.*, p. 41.

96. Richard Armstrong, "Labor 1970: Angry, Aggressive, Acquisitive", *op. cit.*, p. 40.

97. Horst Brand, du bureau of Labor Statistics, cité par Armstrong, *ibid.*, p. 40.

70. Bill Watson, "Counter-Planning on the Shop Floor", *op. cit.*, p. 84.
71. *Ibid.*, p. 84.
72. "Stonewalling plant democracy", *Business Week*, 28 mars 1977, pp. 78-82, p. 78.
73. Michel Bosquet, «Les patrons découvrent "l'usine-bagne" », *op. cit.*, p. 64.
74. Stephen A. Marglin, "Catching Flies with Honey : An Inquiry into Management Initiatives to Humanize Work."（1979）, in William H. Lazonick（dir.）, *American Corporate Economy: Critical Perspectives on Business and Management*, vol. 3, Routledge, New York, 2002, pp. 280-293, p. 289.

第３章　治安の悪化

75. Joseph Townsend, *A Dissertation on the Poor Laws*, by a Well-Wisher to Mankind, University of California Press, Berkeley, 1971（1786）.
76. Judson Gooding, "Blue-Collar Blues on the Assembly Line", *op. cit.*, p. 66
77. "Adam Smith", *Supermoney*, Random House, New York, 1972, p. 274.「〈犠牲のコンセンサス〉は崩壊しつつある。〈家族のためにこれをやる、子どもがじぶんより良い生活を送れるよう、がんばって働く〉とつぶやいてひとりで背負い込むなど論外である」。*ibid.*, p. 280.【アダム・スミス『スーパーマネー：現代資本主義を操るもの』吉村久夫・石塚雅彦訳、日本経済新聞社、1974、272 頁、273 頁】
78. *Ibid.*, p. 275.【アダム・スミス『スーパーマネー』272 頁】
79. Judson Gooding, "Blue-Collar Blues on the Assembly Line", *op. cit.*, p. 66
80. Malcolm Denise, cité par Weller, *The Lordstown Struggle and the Real Crisis in Production, op. cit.*, p. 4. 強調は引用者による。1970 年代の賃金労働者はつぎのようだったとかれはまとめている。「①以前よりは職を失う不安を感じていない［…］。②以前ほど質の低下した、ないしは居心地の悪化した状況を我慢するつもりがない。③以前ほど組立レーンの［…］画一化されたリズムを受け入れる気がない。④以前ほど規則に合わせたり上位権限者にしたがうつもりがない」。Malcolm L. Denise, "Remarks by Malcolm L. Denise, Vice President, Labor Relations, Ford Motor Company at Ford Management Conference, The Greenbrier, White Sulphur Springs, November 10, 1969", pp. 5-6, cité par B.J. Widick, "Work in Auto Plants : Then and Now", in B.J. Widick（éd）, *Auto Work and its Discontents*, Johns Hopkins University Press, Baltimore, 1976, pp. 1-17, p. 10.
81. Saul Rosenzweig, "A General Outline of Frustration", *Character & Personality*, vol. 7, n° 2, décembre 1938, pp. 151-160, p. 154.
82. *Ibid.*, p. 154.
83. Earl Bramblett, cité par Judson Gooding, "Blue-Collar Blues on the Assembly Line", *op. cit.*, p. 65.
84. Cf. Gérard Duménil, Dominique Lévy, *Crise et sortie de crise, Ordre et désordres néolibéraux*, PUF, Paris, 2000, pp. 32 sq.
85. こうした謳い文句の作り方は以下で詳細に研究されている。John David Truty, *Ideas in disguise: fortune's articulation of productivity 1969-1972*, thèse, Northern Illinois University,

Sociology, vol. 23, n° 1, février 1989, pp. 119-124, p. 122.

63. James O'Toole, *Work in America,op. cit.*, p. 16 et p. 23.【オトゥール編『労働にあすはあるか』37-38 頁、49 頁】。「人的資源管理」が約束したのは以下のようなことだった。「主要な天然資源、つまり労働力の能力」をよりいっそう搾取することである。Richard E. Walton, "How to Counter Alienation in the Plant", *op. cit.*, p. 81.

64. こうした「参加」により、従属的立場にある者が自分たちに影響を及ぼす諸決定にある程度の影響力を行使することができるようになった。トップマネジメントが「引き続き企業を指揮し、巨額の金融取引を司る」にしても、である。James O'Toole, *Work in America, op. cit.*, p. 85.【オトゥール編『労働にあすはあるか』111 頁】

65. Richard E. Walton, "How to Counter Alienation in the Plant", *op. cit.*, p. 74.

66. James O'Toole, *Work in America, op. cit.*, p. 84.【オトゥール編『労働にあすはあるか』110 頁】。ウォルトンも同様にこのモデルは「経済優先」だと結論している。Cf. Richard E. Walton, "Work Innovations at Topeka: After Six Years", *Journal of Applied Behavioral Science*, Vol. 13, n° 3, 1977, pp. 422-431, p. 423. Voir aussi Richard E. Walton, «Explaining Why Success Didn't Take», *Organizational Dynamics*, vol. 3, n° 3, hiver 1975, pp. 3-22.

67. Cf. William S. Paul, Keith B. Robertson et Frederick Herzberg, "Job Enrichment Pays Off", *Harvard Business Review*, mars-avril 1969, pp. 61-78.「仕事の拡大ないし充実が経験されたところでは、結果はほぼつねに議論の余地のない証拠を出している。それは、[…] 工場での独裁を終わらせ〈産業民主主義〉を導入することは、資本そのものの利害関係の枠内でも可能だ、と立証するのだろうか? [...] こういうかたちで問題を提起してもあまり意味はない。試験管内の実験という意味で管理された実験がおこなわれたが、この種の手続きにより労働者の不服従を懐柔できたという例はない。逆に(フィアットではそうだったように)闘争が自律組織というかたちをとるにまでいたったところでは 、経営陣はそれを崩すためにあらゆる手立てを用いた。あらゆる改革の意味がそうであるように、あたらしい、非独裁的な組織形態の意味はつまるところ、その導入を取り仕切った力関係しだいなのである。企業主側の主導で抵抗を骨抜きにするために静かに制度化されたなら、それは資本家にとって割に合うものであろうし、またそのヘゲモニーを固めるものであろう。労働者の組織した活動が熱意をもって押しつけたものであれば、企業主側の権威には妥協しない。労働過程の〈民主化〉のあいまいさはつまり、あらゆる改革のあいまいさに等しい。上から制度化されたのであれば、それは労働者の抵抗を改良主義的に懐柔するものだろう。力勝負で下から押しつけたものであれば、資本の支配システムにひとつの裂け目を入れるだろう」。André Gorz, «Le despotisme d'usine et ses lendemains », in *Critique de la division du travail*, Seuil, Paris, 1973, pp. 91-102, pp. 99 sq.

68. John Storey, *Managerial Prerogative and the Question of Control*, Routledge & Kegan, Londres, 1983, p. 138. この好循環で「労働における生活の質向上(および疎外の緩和)と生産性向上を同時におこなう」と約束されることになる。Richard E. Walton, "How to Counter Alienation in the Plant", op. cit., p. 70.

69. ここでは、一部のマネジメント改革の**理論家たち**の立場と、一般のマネジメント**実践者たち**のそれとをじゅうぶんに区別しておく必要がある。後者は一般に、じぶんの特権を易々と妥協する腹づもりなどない。

だった」。ただし自明のことだが「生産性、言い換えれば労働時間単位の生産は、労働者が不満のすえに騒ぎを起こすことで、その後は低減する」。John Zerzan, *Un conflit décisif : les organisations syndicales combattent la révolte contre le travail*, Echanges, (s.l.), 1975, p. 22.

58. *Ibid.*, p. 14. Voir aussi Harold Wilensky, "The problem of work alienation", in Frank Baker, Peter J. McEwan, Alan Sheldon, *Industrial Organizations and Health*, Tavostock Publications, New York, 1969, pp. 550- 570, p. 556.

59. しかしながら明記しておくと、ここで問題になったのは労働における疎外の最低限の定義であった。ここではいっけんマルクス的な考え方が引き継がれているが、そのもっとも問題含みの様相はひそかに削除されている。若きマルクスにとって、賃金の疎外は他律状況、つまり外部の意思の指令にしたがうという事実によってのみ特徴づけられるのではなく、じぶんの活動がみずからの手を逃れて究極的には他者の所有物へと客体化されることをその最後に労働者が知ることになる、剥奪プロセスによっても特徴づけられる。この様相、つまり専有化の様相は、1970年代初頭にこのコンセプトをもとにマネージャが再解釈したものからは姿を消す。このように意味を限定したことで、用いられた問題設定の政治的限界も設定されることとなった。というのも、労働者の疎外という問題を、それを条件づける所有関係の疎外へと拡張することが定義上禁じられたからである。とはいえ、こうした知的な装備を与えられたため、疎外は「ピラミッド型・官僚主義型のマネジメント形態とテイラー主義的なテクノロジーに内在」する、と認めることもできた。しかし、ただいくつかのヒエラルキー的なマネジメントの使い古された形態を捨てるだけで、賃金搾取をまるで俎上に載せずとも問題を解決できる、と主張することもここから可能になったのである。

60. Richard E. Walton, "Quality of Working Life: What is it?", *Sloan Management Review*, vol. 15, n° 1, automne 1973, pp. 11-21, p. 13.

61. Alfred J. Marrow, "Management by Participation", in Eugene L. Cass, Frederick G. Zimmer (dir.), *Man and Work in Society*, Van Nostrand Reinhold, New York, 1975, pp. 33-48, p. 35. 1950年代末から、労働心理学者ダグラス・マクレガーは「もっぱら人間行動の外的コントロールのみにもとづいた」マネジメント理論Xに対し「自己コントロールと自己指針に依拠する」理論Yを対置している。Douglas McGregor, "The Human Side of Enterprise" (1957), in Harold J. Leavitt, and Louis R. Pondy, David M. Boje, Readings in *Managerial Psychology*, University of Chicago press, Chicago, 1989, pp. 314-324, p. 322.

62. Richard E. Walton, "From Control to Commitment in the Workplace", *Harvard Business Review*, mars-avril 1985, pp. 77-84, p. 79. パラダイム変化をむやみに宣言したがるおおくの評論家は、こうした宣言を実際の断絶の印、ある権力様式から他のそれへの移行と解釈した。つまり、「直接コントロール」から「自律的責任意識」へ、である。だがこうして図式の大変動というかたちで推論を進め、管理の新形態**なるもの**を、あるいは一時代を終えたなにかに代わるあらたな戦略的特効薬を探究した結果、ジョン・ストーレーが示したように、マネジメントは「唯一の管理様式に完全に従属しているわけではない」という事実を無視してしまう。マネジメントの技術史の「一元論的」アプローチが主張するのとは反対に、多様な管理手段が残存し共存するのであって、その様式は循環し変動するものである。Cf. John Storey, "The Means of Management Control: A Reply to Friedman",

1989、81 頁】

49. "Who Wants to Work? Boredom on the Job", *Newsweek Magazine*, 26 mars 1973.

50. 当時アメリカの社会科学から提示されたモデルのなかでも、ジェームズ.C. デーヴィスの有名な「J カーブ」があげられる。反逆ないし革命は長期の経済・社会の成長期のあとに突然失速が起きた際に生まれる可能性がもっとも高いとされる。この図式では、反抗の要因になるのは貧窮そのものではなく、相対的に繁栄していた時期に生じた主観的な期待にたいし、実際の満足が突然期待以下のレベルに落ちこんでそれにそぐわなくなったことであるとされる。Cf. James C. Davies, "Toward a Theory of Revolution", *American Sociological Review*, vol. 27, n° 1, 1962, pp. 5-19. テッド・ロバート・ガーも、この社会経済学的な反抗理論の一ヴァリエーションを提案している。その基礎になったのは「相対的剥奪」概念である。これはひとびとがその権利を持っていると考えている諸々の「価値」を獲得し保持する力と、期待とのあいだに感じられる差として定義される。「欲求不満」はこうして「攻撃性」そして社会的暴力に転化する傾向がある。Cf. Ted Robert Gurr, *Why Men Rebel*, Princeton University Press, Princeton, 1970. 政治科学においては、ヴァルター・コルピが力関係の諸条件を主張することでこのモデルを批判した。「相対的剥奪」はそれ自体ではなにも説明しない。力の差異がより弱小なアクターに有利に傾かないかぎり、おおっぴらな紛争へと局面を展開させる傾向はない。こうしたアクターたちはじぶんたちの「力の源」が増強されたぶんだけ闘争にも適応できるのである。Cf. Walter Korpi, « Conflict, Power and Relative Deprivation », *American Political Science Review*, vol. 68, n°4, 1974, pp. 1569-1578. これらの理論やより洗練された仮説の定式化については以下も参照。Edward Shorter, Charles Tilly, *Strikes in France 1830-1968*, Cambridge University Press, Cambridge, 1974, pp. 337 sq.

51. Richard E. Walton, "How to Counter Alienation in the Plant", *op. cit.*, p. 71.

52. *Ibid.*

53. *Ibid.*

54. James O'Toole, *Work in America. Report of a Special Task Force to the Secretary of Health, Education, and Welfare*, Special Task Force on Work in America, Department of Health, Education, and Welfare, Washington, D.C., décembre 1972, p. 19.【J. オトゥール編『労働にあすはあるか : " 疎外 " からの解放』岡井紀道訳、日本経済新聞社、1975、43 頁】「異議申し立てのような別のかたちをとるものと同様に、サボタージュ行為は変化しつつある被雇用者の姿勢と、変わらないままの組織のあいだの紛争が公然化したものである。被雇用者が雇用主に期待するものと、組織がかれらに提供する用意のあるものとには隔たりがある」。*Ibid.*, p. xi.【前掲書、なお該当箇所は収録されていない】

55. Cf. *Worker Alienation, Hearings Before the Subcommittee of Employment, Manpower, and the Poverty of the Committee on Labor and Public Welfare, U.S. Senate, 192nd Cong.*, Government Printing Office, Washington D.C., 1972.

56. Leland M. Wooton, Jim L. Tarter, Richard W. Hansen, "Toward a productivity audit", *Academy of Academy of Management Proceedings*, 1975, pp. 327-329, p. 327.

57. James O'Toole, *Work in America, op. cit.*, p. 16.「ゼネラル・モーターズの計算では、ローズタウンの個々の労働者が毎時 0.5 秒よぶんに働けば、会社は年に 100 万ドル節約できるの

Lordstown Struggle and the Real Crisis in Production, op. cit., p. 8.

34. Malcolm Denise cité par Ken Weller, *The Lordstown Struggle and the Real Crisis in Production, op. cit*, p. 4.

35. Emma Rothschild, «Automation et O.S. à la General Motors », *op. cit.*, p. 469.

36. *Ibid.*, p. 469.

37. Stanley Aronowitz, *False Promises, op. cit.*, p. 35.

38. Emma Rothschild, «Automation et O.S. à la General Motors », *op. cit.*, p. 469.

第 2 章　人的資源

39. Karl Marx, *Manuscrits de 1844, Œuvres: Économie*, Gallimard, Paris, 1968, p. 61.【「1844 年の経済学・哲学手稿」『マルクス=エンゲルス全集 40』大月書店、1975、434 頁】

40. Daniel Bell, *The End of Ideology : On The Exhaustion of Political Ideas in the Fifties*, Free Press, Glencoe, 1960, p. 247. p. 246.【ダニエル・ベル『イデオロギーの終焉：1950 年代における政治思想の涸渇について』岡田直之訳、東京創元新社、1969。なお該当箇所は未収録】

41. *Ibid.*, p. 247.【前掲書】

42. アンドレ・ゴルツはこの急展開をつぎのように要約している。「1950 年代を通じて、消費への渇望は強いままであり、実際にも経営者たちは強い確信を得たようであった。[…] 人間は金のためになんでも受け入れる。労働力や健康、若さや神経の安定、睡眠、知性も人間から買うことができる。そうだったのはいっときだった。1960 年代なかばに入ると、不安なきしみが大工場内に響くようになった」。Michel Bosquet, «Les patrons découvrent "l'usine-bagne"», *op. cit.*, p. 64.

43. Judson Gooding, "Blue-Collar Blues on the Assembly Line", *op. cit.*, p. 65.

44. Malcolm Denise, cité par Ken Weller, *The Lordstown Struggle and the Real Crisis in Production, op. cit.*, p. 4.

45. Judson Gooding, "Blue-Collar Blues on the Assembly Line", *op. cit.*, p. 62.「学校や兵役期間中に反抗の経験を積んで」労働の世界に入ってくるのである。Stanley Aronowitz, *False Promises, op. cit.* p. 35.

46. Cf. Abraham Harold Maslow, "A theory of human motivation", *Psychological Review*, vol. 50, n° 4, 1943, pp. 370-96. マズローによれば、人間には栄養をとる必要に始まって精神性の開花の欲求にいたるまで、もっとも原始的なものから最高に洗練されたものまでの、さまざまな階層化された欲求の層がある。このように、ふもとの唯物論的な欲求から頂上の崇高な欲求にいたるまで、欲求のピラミッドを上っていくことが経済「発展」に対応している。反抗する人間に満足を与えても無駄だろう。あいかわらずひとは満足を欲していることにかわりはないが、それはかならずしもよりおおくを望むことではない。**よりよいかたち**で望んでいるのである。

47. Richard E. Walton, "How to Counter Alienation in the Plant", *Harvard Business Review*, novembre/décembre 1972, pp. 70- 81, p. 72.

48. Max Weber, *L'Éthique protestante et l'esprit du capitalisme*, Plon, Paris, 1964, p. 74.【マックス・ヴェーバー『プロテスタンティズムの倫理と資本主義の精神』大塚久雄訳、岩波書店、

12. Judson Gooding, "Blue-Collar Blues on the Assembly Line", *op. cit.*, p. 63.
13. Cité par Stanley Aronowitz, *False Promises, op. cit.*, p. 36.
14. Cité par Studs Terkel, *Working : People Talk About What They Do All Day and How They Feel About What They Do*, The New Press, New York, 2011 (1974), p. 38.【スタッズ・ターケル『仕事 WORKING !』中山ほか訳、晶文社、1983、46頁】
15. John Lippert, "Shopfloor Politics at Fleetwood", *Radical America*, n° 12, juillet 1978, pp. 52-69, p. 58.
16. *Ibid.*, p. 58.
17. Agis Sapulkas, "Young Workers Disrupt Key G.M. Plant", *New York Times*, 23 janvier 1972, p. 1.
18. Cf. Michel de Certeau, *L'Invention du quotidien, tome 1 : Arts de faire*, Gallimard, Paris, 1990, p. 45.【ミシェル・ド・セルトー『日常的実践のポイエティーク』山田登世子訳、国文社、1987、88頁】
19. Cité par Stanley Aronowitz, *False Promises, op. cit.*, p. 41.
20. Judson Gooding, "Blue-Collar Blues on the Assembly Line", *op. cit.*, p. 68.『ニューヨーク・タイムズ』ではつぎのように明言されている。こんにちの労働者は「工場では工場主から平等に扱われたいと思っている。先輩労働者に比べて雇用を失うことを恐れておらず、職長の命令に反論することもしばしばである。[...] このあたらしい精神状態の核には、マネジメントの権威への疑問がある」。Agis Sapulkas, "Young Workers Are Raising Voices to Demand Factory and Union Changes", *New York Times*, 1er juin 1970, p. 23.
21. Richard Armstrong, "Labor 1970: Angry, Aggressive, Acquisitive", *Fortune*, octobre 1969, reproduit dans Compensation & Benefits Review, vol. 2, n° 1, janvier 1970, pp. 37-42.
22. Jefferson Cowie, "That 70's Feeling", *New York Times*, 5 septembre 2010, p. 19.
23. Bill Watson, "Counter-Planning on the Shop Floor", *Radical America*, n° 5, mai-juin 1971, pp. 77-85, p. 79.
24. Cité dans Milton Snoeyenbos, Robert F. Almeder, James M. Humber (dir.), *Business Ethics : Corporate Values and Society*, Prometheus Books, 1983, p. 307.
25. Aaron Brenner, "Rank-and-File Rebellion, 1967-1976", thèse, Columbia University, 1996, p. 37.
26. Ken Weller, *The Lordstown Struggle and the Real Crisis in Production*, Solidarity London, 1974. p. 8.
27. Stanley Aronowitz, *False Promises, op. cit.*, p. 23.
28. Ken Weller, *The Lordstown Struggle and the Real Crisis in Production, op. cit.*, p. 3.
29. Cité par Ken Weller, *Ibid.*, p. 9.
30. *Ibid.*, p. 9.
31. Agis Sapulkas, "Young Workers Disrupt Key G.M. Plant", *New York Times, op. cit.*
32. Jefferson R. Cowie, *Stayin' Alive : The 1970s and the Last Days of the Working Class*, New Press, New York, 2010, p. 46.
33. *Ibid.*, p. 7. ローズタウンのストライキはアメリカ史上「記録に残るものとしては、非公式な労働者の抵抗キャンペーンのうち、もっとも強烈なもののひとつ」であった。Ken Weller, *The*

13. Barthélémy Prosper Enfantin, *Œuvres d'Enfantin*, tome XI, Dentu, Paris, 1873, p. 125.

14. Karl Polanyi, La Grande Transformation. Aux origines politiques et économiques de notre temps, Gallimard, Paris, 2009（1944）, p. 179（引用者により改訳）.【カール·ポラニー『「新訳」大転換：市場社会の形成と崩壊』野口建彦・栖原学訳、東洋経済新報社、2009、237 頁】

第Ⅰ部　言うことを聞かない労働者たち

第 1 章　労働者の不服従

1. Michel Bosquet（autre nom d'André Gorz）, «Les patrons découvrent "l'usine-bagne"», *Le Nouvel Observateur*, n° 384, 20 mars 1972, p. 64.

2. Bennett Kremen,"The New Steelworkers", *New York Times*, 7 janvier 1973, cahier "Business and Finance", p. 1.

3. Agis Sapulkas, «Young Workers Are Raising Voices to Demand Factory and Union Changes », *New York Times*, 1er juin 1970, p. 23.

4. Cité par Emma Rothschild, «Automation et O.S. à la General Motors», *Les Temps modernes*, n° 314- 315, septembre-octobre 1972, pp. 467-486, p. 479.『ウォールストリート・ジャーナル』にはつぎのように書かれている。産業界では、「士気がひどく低下し、生産縮小を決定したところもしだいに増加、欠勤も爆発的に増えている」。 *Wall Street Journal*, 26 juin 1970. Cité par Jeremy Brecher, *Strike!*, Straight Arrow Books, San Francisco, 1972, p. 252.【ジェレミー・ブレッヒャー『ストライキ！：アメリカの大衆ラジカリズム』戸塚秀夫・櫻井弘子訳、晶文社、1980、296 頁】

5. Michel Foucault, *Surveiller et punir,* Gallimard, Paris, 1975, p. 140.【ミシェル・フーコー『監獄の誕生：監視と処罰』田村俶訳、新潮社、1977、143 頁】

6. Judson Gooding, "Blue-Collar Blues on the Assembly Line", *Fortune Magazine*, juillet 1970, reproduit dans Lloyd Zimpel, *Man Against Work*, Eerdmans, Grand Rapids, 1974, pp. 61-75, p. 62.

7. Emma Rothschild, *Paradise Lost: The Decline of the Auto-Industrial Age*, Vintage, New York, 1974, p. 124.【エマ・ロスチャイルド『デトロイトの曲り角：アメリカの自動車産業』黒木寿時訳、金沢文庫、1976 年、137 頁】

8. Judson Gooding, "Blue-Collar Blues on the Assembly Line", *op. cit.*, p. 63.「ある組合員の証言では、若い労働者はじぶんの運命がじぶんの手の内にないと感じているという。だから、ささいなきっかけで早々に逃げ出してしまうのだ」*Ibid.*, p. 66.

9. 以下で引用された GM の幹部による。Ken Weller, *The Lordstown Struggle and the Real Crisis in Production,* Solidarity, Londres,（s.d./1973）, p. 2.

10. Cités par Ken Weller à partir du *Sunday Telegraph*, 2 décembre 1973 et Newsweek, 7 février 1973. *Ibid.*, p. 2.

11. Cité par Stanley Aronowitz, *False Promises : The Shaping of American Working Class Consciousness*, McGraw-Hill, New York, 1973, p. 26.

原注

序章

1. Louis Barré, *Complément au Dictionnaire de l'Académie française,* tome II, Bruxelles, 1839.
2. Willis W. Harman,"The Great Legitimacy Challenge: A Note on Interpreting the Present and Assessing the Future", in *Middle-and Long-Term Energy Policies and Alternatives, Appendix to Hearings Before the Subcommittee on Energy and Power,* U.S. Government Printing Office, Washington, 1976, pp. 25-31, p. 27.
3. Michel Foucault, "Entretien avec Michel Foucault", in *Dits et écrits,* tome II, Gallimard-Quarto, Paris, 1994, p. 94.【ミシェル・フーコー「ミシェル・フーコーとの対話」『ミシェル・フーコー思考集成Ⅷ』久保田淳ほか訳、筑摩書房、2001 所収、263-264 頁】
4. Eve Chiapello, "Capitalism and its criticisms", in Paul du Gay, Glenn Morgan（dir.）, *New Spirits of Capitalism?: Crises, Justifications, and Dynamics,* Oxford University Press, 2013, p. 63.
5. André Gorz, *Misère du présent, richesse du possible,* Galilée, Paris, 1997, p. 26.
6. Michael Hardt et Antonio Negri, *Empire,* Exils, Paris, 2000, p. 297.【アントニオ・ネグリ、マイケル・ハート『〈帝国〉：グローバル化の世界秩序とマルチチュードの可能性』水嶋一憲ほか訳、以文社、2003、313 頁】
7. Michel Foucault, «Qu'est-ce que la critique? Critique et Aufklärung»（1978）, *Bulletin de la Société française de philosophie,* 84e année, n° 2, avril-juin 1990, pp. 35-63, p. 38.【ミシェル・フーコー「批判と啓蒙」『わたしは花火師です：フーコーは語る』中山元訳、筑摩書房、2008 所収、69-140 頁、76 頁】
8. Lénine, *La Maladie infantile du communisme,* Éditions de l'agence de presse Novosti, Moscou（1920）1980, p. 89.【レーニン『共産主義における「左翼」小児病』朝野勉訳、大月書店、1978、76 頁】
9. フーコーはこの語をしばしばたがいに入れ替えて使っている。Cf. Michel Foucault, *Naissance de la biopolitique: Cours au Collège de France（1978-1979）*, Gallimard/ Seuil, Paris, 2004, p. 298.【ミシェル・フーコー『生政治の誕生：コレージュ・ド・フランス講義 1978-1979 年度』慎改康之訳、筑摩書房、2008、363 頁】。この概念については以下を参照。cf. Jean-Claude Monod, «Qu'est-ce qu'une "crise de gouvernementalité" ?», *Lumières,* n° 8, 2006, pp. 51-68.
10. Michel Foucault, *Sécurité, territoire, population,* Gallimard/Seuil, Paris, 2004, p. 234.【ミシェル・フーコー『安全・領土・人口：コレージュ・ド・フランス講義 1977-1978 年度』高桑和巳訳、筑摩書房、2007、284 頁】
11. Michel Foucault, *Naissance de la biopolitique, op. cit.,* p. 71.【フーコー『生政治の誕生』85 頁】
12. *Ibid.,* p. 70.【フーコー『生政治の誕生』83 頁】

【ヤ行】

【ラ行】

【ワ行】

【タ行】

索　引

［著者］

グレゴワール・シャマユー　Grégoire Chamayou

1976 年、ルルド生まれ。バシュラール、カンギレム、フーコーというフランス認識論者の系譜に連なる科学技術の思想史家。高等師範学校フォントゥネ・サン・クルー校を卒業。リヨン、エコール・ノルマル・シュペリウール CERPHI（修辞・哲学・思想史研究所）に哲学研究員として所属。現在はパリ大学ナンテール校ほかで講義を担当。ラ・デクーヴェルト社の叢書「ゾーン」編集長も務める。本書の他、邦訳に『ドローンの哲学』（明石書店、2018)、『人体実験の哲学』（明石書店、2018)、『人間狩り』（明石書店、2021）がある。

［訳者］

信友建志　のぶとも・けんじ

2004 年京都大学大学院人間・環境学研究科博士後期課程修了。

現在、鹿児島大学医歯学総合研究科准教授。専門は思想史、精神分析。

訳書に E. アリエズ、M. ラッツァラート『戦争と資本：統合された世界資本主義とグローバルな内戦』（杉村昌昭共訳、作品社、2019)、W. シュトレーク『資本主義はどう終わるのか』（村澤真保呂共訳、河出書房新社、2017)、イグナシオ・ラモネほか『グローバリゼーション・新自由主義批判事典』（杉村昌昭ほか共訳、作品社、2006）など。

統治不能社会

権威主義的ネオリベラル主義の系譜学

二〇二二年四月二〇日　初版第一刷発行
二〇二三年五月二〇日　初版第二刷発行

著　者　――　グレゴワール・シャマユー
訳　者　――　信友建志
発行者　――　大江道雅
発行所　――　株式会社　明石書店
〒一〇一―〇〇二一　東京都千代田区外神田六―九―五
電　話　〇三―五八一八―一一七一
ＦＡＸ　〇三―五八一八―一一七四
振　替　〇〇一〇〇―七―二四五〇五
https://www.akashi.co.jp
装幀　ＹＫＤ　木下悠
印刷・製本　モリモト印刷株式会社
（定価はカバーに表示してあります）
ISBN 978-4-7503-5387-6